المورد القريب

قاموس جيب عربي - إنكليزي

الدكتور رُوحي البعَلبكي
Dr. ROHI BAALBAKI

المورد القريب

قاموس جَيْب عربي - إنكليزي

AL-MAWRID AL-QUAREEB

A Pocket Arabic-English Dictionary

دار العلم للملايين
DAR EL-ILM LILMALAYIN

الطَبعَة الثامنَة عَشرَة

نيسان/أبريل ٢٠٠٦

دار العلم للملايين

مؤسسة ثقافية للتأليف والترجمة والنشر

شارع مار الياس، بناية مِتكو، الطابق الثاني
هاتف: ٣٠٦٦٦٦ - ٧٠١٦٥٥ - ٧٠١٦٥٦ (٠١)
فاكس: ٧٠١٦٥٧ (٠١)
ص.ب ١٠٨٥ بيروت - لبنان

www.malayin.com

Eighteenth Edition

2006

Beirut, Lebanon
P.O.Box: 1085
Tel.: (01) 306666
701655 - 701656
Fax: (01) 701657

بِسْمِ اللهِ الرَّحْمٰنِ الرَّحِيمِ

مُقدّمة

﴿ قُلْ هَلْ يَسْتَوِي الَّذِينَ يَعْلَمُونَ وَالَّذِينَ
لَا يَعْلَمُونَ إِنَّمَا يَتَذَكَّرُ أُولُوا الْأَلْبَابِ ﴾

صدق الله العظيم

الحمدُ لله ربِّ العالمين - أولاً وآخراً - الذي مكّنني، بفضله العميم، من إنجاز هذا القاموس «القريب» عربي - إنكليزي بعد أن أتاح لي سبحانه أن أُصْدِر قاموس «المورد» الكبير، عربي - إنكليزي، و «المورد الوسيط» عربي - إنكليزي.

لقد أعددتُ قاموس «المورد القريب» عربي - إنكليزي هذا لاستعمال الناشئة، بصورةٍ عامة، والطلاب منهم، بصورةٍ خاصة، بمَنْ فيهم المبتدئين الذين لا يزالون في مراحل دراستهم الأولى لِلُّغة الإنكليزية.

ولما كان قاموس «المورد القريب» قاموس جيب، فقد حرصت على ألّا أُضمِّنَهُ إلّا الكلمات الأساسية والمعاني الضرورية التي تحظى باستعمال كثيف وانتشار واسع، كما قصدْتُ أن يحوي بين دفَّتَيْه أكبر عدد ممكن من الألفاظ في أقل مساحةٍ ممكنةٍ من الورق.

أدعو الله أن يُنيلني رضوانَهُ وغفرانَهُ والثَّواب، وأن يجعلَ في هذا القاموس فائدةً لكُلِّ مُراجعٍ. إنه سميعٌ مُجيب.

الدكتور رُوحي البعَلبكي

بيروت في ١٨ رمضان ١٤١١

٣ نيسان/أبريل ١٩٩١

وُضِعَ هذا القاموس على أساس قاموس «المورد عربي - إنكليزي» الكبير. فإذا لم تَجِدْ فيه ضالَّتك المنشودة، فعليك بمراجعتها في قاموس «المورد عربي - إنكليزي» الكبير، حيث تجد كل ما تحتاج إليه من الكلمات والمصطلحات والشروح والمعاني.

إرشَادَاتٌ عَامَّة

١ ـ هذا المعجم مُرَتَّبٌ ترتيباً ألفبائيًا نُطْقِيًا وَفْقَ الحروف الأولى للكلمات، دون الاعتداد بجذر الكلمة أو الأصل المجرَّد الذي اشتُقَّتْ منه. فكلمة «اِسْتَعْمَلَ» تَرِدُ في باب الألِف، وكلمة «تَعامَلَ» في باب التاء، و «عامَلَ» في باب العين، و «مُسْتَعْمَل» و «مُعَامَلَة» في باب الميم.

٢ ـ إن اللغة العربية المعتَمَدة هنا هي اللغة العربية الفصحى.

٣ ـ أُسْقِطَتْ «ال التعريف» من الكلمة في ترتيب المَوَاد إلاَّ إذا كانت لازمة.

٤ ـ تَرِدُ الكلمةُ بصيغة المُفْرَد لا الجمع. تُسْتَثْنَى من ذلك الكلماتُ التي تَغْلِبُ على استعمالها صيغةُ الجمع.

٥ ـ تَرِدُ الكلمةُ بصيغة المُذَكَّر لا المُؤَنَّث. تُسْتَثْنَى من ذلك الكلماتُ التي تَتَّخِذُ دلالةً خاصةً في صيغة المُؤَنَّث.

٦ ـ يرِدُ الفِعْلُ بصيغة الماضي لا المُضارِع.

٧ ـ الألِفُ المَمْدُودةُ (آ) تُعتبر ألِفًا عاديَةً ولا تُمَيَّزُ عنها في التَّرْتيب.

٨ ـ الألِفُ المَقْصُورَةُ (ى) تُعتبر مُساويَةً للألِف العاديَة.

٩ ـ الهمزة (ء) تُعتبر ألِفاً حيثما جاءت، سواء أُكْتِبَت على الألِف أم الواو أم الياء أم كانت مستقلّة.

١٠ ـ تَفْصِلُ بين الكلمات الإنكليزية المترادِفة فاصلةٌ (،). أما الشَّوْلَةُ المنقوطةُ (;) فتَفْصِلُ بين الكلمات الإنكليزية ذات الدلالة المختلفة اختلافاً يسيراً أو بين ظلال المعاني المتقاربة ولكن دون أن تكون مترادفة.

١١ ـ في القسم الإنكليزي يمكن حذف ما وُضِعَ ضمن قوسين أو الإبقاء عليه، لأن القوسين تُبَيِّنان جوازَ استعمالِ الكلمة بأكثر من شكلٍ أو تَضُمَّان كلمةً أخرى توضح سواها أو تكون مرادفةً لكلمةٍ مُجاوِرَة. مَثَلاً:

be(come)	(a)rouse	period (of time)
jump(ing)	keep (up)	(insurance) policy
need(iness)	stretch (out)	the Creator (God)
coin(s)	grant (to)	

١٢ ـ قَلَّلْتُ قَدْرَ الإمْكان من المُخْتَصرات، فاقْتَصَرْتُ على ما يلي:

ج= جَمْع

إلخ = إلى آخره

[نفس]= [علم نفس]

[أحياء]= [علم أحياء]

pl. = plural

أ

أ (هَمْزَةُ الاستِفهام) is, am, are..? was, were..? do, does..? did..? have..?

أكَتَبْتَ الرِّسالَةَ؟ did you write the letter? have you written the letter?

أ... أمْ، سَواء أ... أمْ whether... or, no matter whether... or

ألا، أما truly, indeed; oh

إئتِلاف harmony, agreement, symphony; coalition

إئتِلافيّ coalition (government); harmonious, symphonious

إئتَلَفَ to harmonize (with), agree (with); to form a coalition

إئتِمان: ثِقة trust, confidence, faith

إئتِمان: تَسليف credit

إئتَمَرَ: تَشاوَرَ to confer, deliberate

إئتَمَرَ بأمْرِهِ، إئتَمَرَ لَهُ to obey

إئتَمَنَ: وَثِقَ بِـ to trust

إئتَمَنَ على to entrust with

آبَ: رَجَعَ to return, come back

أب: والِد (أو كاهِن) father

أبٌ بالتَرْبِيَة أو التَنْشِئَة foster father

أبو بُرَيْص: وَزَغَة gecko

أبو بُلَيْق (طائر) chat, wheatear

أبو جَلَمْبو: سَلَطَعُون crab

أبو الحِنّاء (طائر) robin, redbreast

أبو زُرَيق (طائر) jay

أبو سُعْن (طائر) marabou; adjutant

أبو صُفَير (نبات) bitter orange

أبو فَروة: كَسْتَناء chestnut; marron

أبو الهَوْل Sphinx

الأبَوان the parents, father and mother

أبونا [نصرانية] reverend father

يا أبَتِ O my father!

آب: أغُسْطُس August

الآب [نصرانية] the (Heavenly) father

آبٍ (الآبي): غَيْرُ راضٍ unwilling, reluctant, grudging

أبَى: رَفَضَ to refuse, reject

أبَى: أَنِفَ، تَرَفَّعَ عن to disdain, scorn, reject haughtily

أبَى إلّا أنْ to insist on

شاءَ أمْ أبَى whether he likes it or not, willingly or unwillingly

إباء : رَفض — refusal, rejection

إباء : أَنَفة، عِزَّةُ نَفس — disdain, pride; sense of honor

أَباتَ : جَعَلَهُ يَبيت — to lodge, put up for the night

أَباتي، أَبّاتي [نصرانية] — abbot

أَباحَ : أَجازَ — to permit, allow, legalize

أَبادَ — to annihilate, exterminate, eradicate, destroy, wipe out

أَباضَ : وَضَعَ البَيْض — to ovulate

إِبالة : رِزْمَة — bale, bundle, bunch; parcel, package, pack

أَبانَ : أَظهر، أَوضح ـ راجع بيَّن

إِبّانَ، في إِبّانِ — during, in the course of, at the time of

إِبتاعَ : إِشترى — to buy, purchase

إِبتدأَ، إِبتداء ـ راجع بدأ، بدء

إِبتداءً مِنْ — starting..., beginning..., from..., as of..., effective from...

إِبتدائي — elementary; primary; preparatory, preliminary

مَدرسة ابتدائية — elementary school, primary school

إِبتدَعَ — to contrive, devise; to invent, innovate, create

إِبتذَلَ : إِمتهن — to hackney, wear out in everyday use, make trite

إِبتذَلَ : تَرَكَ الاحْتِشام — to be indecent

إِبتزَّ (مِنْ) — to extort (from), exact forcibly (from), usurp (from)

ابتزَّ بالتَّهْديد — to blackmail

إِبتِزاز — extortion, forcible exaction, usurpation

إِبتزاز (تَهديديّ) — blackmail

إِبتِسام، إِبتِسامَة — smiling; smile

إِبتسم — to smile

إِبتعَدَ (عن) : ذَهَبَ — to move away (from), go away (from)

إِبتعَدَ عن : ظَلَّ بَعيداً عن — to keep away from, stay far from

إِبتعَدَ عن : تَجنَّبَ — to avoid, shun, keep away from, keep off

إِبتغى — to seek, aim at, aspire to; to desire, wish, want

إِبتِكار — invention, creation, innovation; creativity; originality

إِبتكَرَ — to invent, innovate, originate, create; to contrive, devise

إِبتلَّ : تَبَلَّلَ ـ راجع تَبَلَّلَ

إِبتلى : إِختبر — to test, try

إِبتلى : أَصابَ بِمِحْنة — to afflict, try

إِبتُلِيَ بِـ — to be afflicted with, hit by; to suffer, experience

إِبتلَعَ ـ راجع بَلَعَ

إِبتِهاج — rejoicing, jubilation; joy, delight, happiness

إِبتِهال — supplication, prayer

إِبتهَجَ (بِـ) — to rejoice (at), jubilate (at); to be happy (at), glad (at)

إِبتهَلَ — to supplicate, pray humbly (to God)

إِبتِياع — purchasing, buying

أَبجَدِيّ — alphabetical, alphabetic

أبجدية : الحروف الأبجدية alphabet
أبح : مبحوح hoarse, husky, harsh
إبحار : السفر بحراً sailing, navigation
أبحر : سافر بحراً to sail, navigate
أبحرت السفينة to sail, set sail
أبد : خلد to eternize, eternalize
آبد : ضارٍ wild, untamed, feral
أبد : دوام eternity, perpetuity
إلى الأبد forever, eternally
أبداً : مطلقاً never, not at all
أبداً : دائماً always, forever
أبدى to show, demonstrate, manifest; to express, make clear
إبداع creation, invention, innovation; creativeness; originality
إبدال exchange; substitution, replacement; change, changing
آبدة (ج أوابد) monster, wild beast
أبدع : أجاد to excel (in), do excellently; to be excellent (in)
أبدع : ابتدع ـ راجع ابتدع
أبدل to (ex)change (for); to replace (by or with), substitute (for)
أبدي everlasting, eternal, endless
أبدية eternity, perpetuity, eternal existence, endlessness
أبر : وفى to keep, fulfill, live up to
أبرأ من : أعفى to absolve from, acquit from, exempt from

أبرأ : شفى to cure, heal
إبراق : إرسال برقي telegraphy
إبرة (الخياطة) : مخيط needle
إبرة : مؤشر (في آلة) indicator, needle, pointer
إبرة : زرقة طبية injection, shot
إبرة الراعي (نبات) geranium
إبرة فونوغراف stylus, needle
إبرة الملاحين : بوصلة compass
أبرز : أظهر to bring out, produce, present, show, exhibit
أبرز : أكد على to stress, focus on
أبرز : أنتأ to protrude, project
أبرشية parish, diocese, bishopric
أبرص : مصاب بالبرص leprous; leper
أبرق : أرسل برقية to cable, wire
أبرقت السماء it lightened, there was lightning
أبرم : أقر to ratify, approve
أبرم : عقد to conclude, make
أبرم : فتل ، جدل to twist, twine
إبريز : ذهب خالص pure gold
إبريق pitcher, jug, kettle
إبريق الشاي teapot; teakettle
إبريل : نيسان April
إبزيم buckle, clasp, fastener
أبشر بـ : فرح بـ to rejoice at, be happy at, be cheerful about

أَبْصَرَ: رَأى to see; to look at, catch sight of; to notice, observe

إبْط: باطِنُ الكَتِف armpit; axilla

أبْطَأ: بَطُؤَ to be slow; to slow, go slowly; to lag, linger

أبْطَأ: أخَّرَ to slow down, decelerate, delay, hold up

أبْطَلَ: ألْغى to annul, cancel, invalidate, nullify, revoke

أبْطَلَ: عَطَّلَ (المَفْعُولَ) to neutralize, put out of action

أبْعَدَ: أقْصى، عَزَلَ to remove, take away, keep away; to separate, isolate; to eliminate, exclude; to send away, drive away, keep off

أبْعَدَ: نَفى to banish, exile, expatriate, deport, expel

أبْغَضَ: كَرِهَ to hate, detest, loathe

أبَقَ: هَرَبَ to escape, flee, run away

آبِق: هارِب fugitive, runaway

أبْقى: أدامَ to retain, keep (up), maintain; to conserve

أبْقى: تَرَكَ (كَفَضْلَةٍ) to leave (over)

أبْقى (على الغَدَاءِ) to make stay, ask to stay (at lunch)

أبْقَع: مُبَقَّع spotted, speckled; flecked, dappled; piebald

أبْكى to make cry, make weep

أبْكَرَ ـ راجع بَكَّرَ، بَكَرَ

أبْكَم mute, dumb, speechless

أبَلَّ: شُفِيَ to recover, get well

إبِل، إبْل: جِمَال camels

أبْلى: صَيَّرَهُ بالِياً to wear out; to abrade, fret; to corrode, erode

أبْلى بَلاءً حَسَناً to prove oneself brave, show extreme courage

أبْلَغَ (بِـ، إلى): بَلَّغَ to inform of, tell about, notify of; to report to; to announce

أبْلَغَ عن: وَشَى بِـ to inform against, report, betray

أبْلِغْهُ سَلامِي give him my best regards!

أبْلَق: أرْقَط piebald, pinto, spotted

أبْلَه (صفة) stupid, idiotic, imbecilic, foolish, dumb, silly

أبْلَه (اسم) fool, simpleton, imbecile, idiot

إبْلِيس the Devil, Satan, Lucifer

أبَّنَ المَيْتَ to eulogize, praise

إبْن son; child; boy

إبْنُ الأخِ أو الأُخْت nephew

إبْنُ آوى (حيوان) jackal

إبْنٌ بالرَّضاعِ أو التَّرْبِيَة foster child, foster son, fosterling

إبْنُ الزَّوْجِ أو الزَّوْجَة stepson, stepchild

إبْنُ السَّبِيل wayfarer

إبْنُ عِرْس (حيوان) weasel

إبْنُ العَمِّ أو الخالِ أو العَمَّةِ إلخ cousin

إبْنٌ غَيْرُ شَرْعِيّ، إبْنُ زِنًى natural son or child, love child, bastard

سَمير صادِق الابن — Samir Sadek, Jr.

اِبْنَة — daughter (of someone), girl

اِبْنَةُ الأخِ او الأُخت — niece

اِبْنَةُ الزَّوْجِ او الزَّوْجَة — stepdaughter

اِبْنَةُ العَمِّ او الخالِ او العَمَّةِ إلخ — cousin

أَبَهَ لِـ أو بِـ — to take notice of, pay attention to, care for

لا يُؤْبَهُ لَهُ أو بِهِ — insignificant, trivial, unimportant, worthless

إِبْهام: غُموض — obscurity, vagueness, ambiguity

إِبْهامُ اليَد — thumb, pollex

إِبْهامُ الرِّجْل — great toe, big toe

أُبَّهَة — pomp, splendor

أَبْهَجَ — to gladden, delight, cheer up, rejoice, make happy

أَبْهَمَ: ضِدّ أَوْضَحَ — to obscure

أبو، الأبوان ـ راجع أب

أُبُوَّة — fatherhood, paternity

أَبَوِيّ — paternal, fatherly

أبي ـ راجع أبى

أَبِيّ: أَنُوف — disdainful, haughty

اِبْيَضَّ — to whiten, become white(r)

أَبْيَض: ضِدّ أَسْوَد — white

أَبْيَض: غَيْرُ مَكْتوب — blank, empty

اِنْقِلابٌ أَبْيَض — bloodless coup d'état

آتٍ (الآتي): مُقْبِل — coming, next, following; future; forthcoming

آتٍ: واصِل، قادِم — coming, arriving; (new)comer, arrival

كالآتي — as follows

أَتَى: جاءَ — to come, arrive, show up

أتى بِـ: أَحْضَرَ — to bring, fetch, get, bring forward

أتى: فَعَلَ — to do, make, perform

أتى جُرْماً — to commit, perpetrate

أتى على: قَضَى على — to destroy, eradicate, finish off

أتى على: اِسْتَنْفَدَ — to exhaust, use up, consume, finish up

ما يَأْتِي — the following

كَما يَأْتِي — as follows; like this

أتى: وافَقَ، لاءَمَ — to suit, fit; to be agreeable for, convenient for

آتى: أَعْطَى — to give (to), grant (to); to supply with, provide with

أَتاحَ (لِـ) — to allow, permit, let; to enable to, make possible for; to facilitate, make easy

أَتاحَ الفُرْصَةَ — to give the opportunity or chance

أَتان: حِمارَة — female donkey, she-ass, jennet, jenny

إِتاوَة: ضَريبَة — royalty; tax

أَتْبَعَ بِـ: أَلْحَقَ — to follow (up) with; to attach to, annex to

اِتَّبَعَ: تَبِعَ — to follow, pursue; to observe, comply with

اِتِّجاه — direction; trend, tendency, current; orientation

باتِّجاه toward(s), to, in the direction of

اِتَّجَر، اتَّجَرَ ـ راجع تاجَرَ

اِتَّجَهَ (إلى) to tend to, be directed to(ward); to turn to(ward); to head for, go to, be bound for

اِتِّحاد : مَصْدَر اتَّحَدَ union, uniting

اِتِّحاد : وَحْدَة union; consortium; pool; federation

اِتِّحادُ عُمّال labor union, (trade) union

اِتِّحادِيّ union; federal

اِتَّحَدَ to unite, integrate, merge, be or become one; to be united, integrated

اِتَّحَفَ بِـ to present with

اِتَّخَذَ to take; to assume, take on; to adopt; to use, make use of

اِتَّخَذَ إجْراءاتٍ أو تَدابِيرَ to take or adopt measures or steps

اِتَّخَذَ شَكْلاً to take (take on, acquire) a form or shape

اِتَّخَذَ مَوْقِفاً to take a position

أَتْخَمَ to cause indigestion to; to satiate, surfeit, glut

أُتْرُجّ (نبات) citron

أَتْرَحَ : أَحْزَنَ to grieve, sadden

أَتْرَعَ . مَلأَ to fill up, overfill

اِتِّزان : رَزانَة equanimity, composure, poise

اِتَّزَنَ : كانَ رَزِيناً to be sober, sedate, grave, composed

اِتَّسَخَ to be dirty, unclean, filthy

اِتَّسَعَ to widen, broaden, expand; to extend, stretch; to be wide, spacious, vast

اِتَّسَعَ لِـ to hold, take, have capacity for; to accommodate, have room for

اِتَّسَمَ بِـ to be marked by, characterized by, distinguished by

اِتِّصال : اِرْتِباط connection, link(up), liaison; relation; contact; communication, intercourse

اِتِّصال (بِـ) : مُخابَرَة calling, communicating (with), contacting; (tele)phoning; (telephone) call; communication, contact

اِتَّصَفَ بِـ to be characterized by, marked by, distinguished by

اِتَّصَلَ : اِرْتَبَطَ to be connected, linked, joined, attached

اِتَّصَلَ : اِسْتَمَرَّ to be continuous

اِتَّصَلَ بِـ : لاصَقَ to adjoin, border on, touch, be adjacent to

اِتَّصَلَ بِـ : تَعَلَّقَ بِـ to relate to, be related to, concern

اِتَّصَلَ بِـ : خابَرَ to call (up); to communicate with, contact, get in touch with; to (tele)phone

اِتَّضَحَ to be or become clear, plain, distinct, evident, obvious; to appear, come out

أَتْعاب : أُجْرَة fee(s), honorarium

أَتْعَبَ : أَرْهَقَ to tire (out), weary,

make tired, fatigue, exhaust

أتعب : أزعج — to disturb, annoy

اتّفاق، اتّفاقيّة : عقد — agreement; contract; treaty, pact, convention, covenant; deal

اتّفاق : توافق — agreement, accord, concord, harmony

اتّفاقاً : مصادفةً — by chance, by accident, by coincidence

اتّفق (مع) : وافق — to agree (with)

اتّفق (مع) : انسجم — to agree (with), harmonize (with), go well (with), match, suit, be consistent (with)

اتّفق : صادف — to happen (accidentally)

اتّقى : حذر، تجنّب — to beware of, be cautious of; to avoid, avert

اتّقى (بـ) : احتمى — to seek protection (in, with)

اتّقى الله — to fear God

إتقان — mastery, command; skill, proficiency; perfection

اتّقد — to glow, blaze, burn

أتقن — to master, know well; to be skilled in, proficient in; to excel in

اتّكأ على — to lean on, recline on

اتّكال — reliance, dependence

اتّكاليّ — dependent

اتّكل على — to rely on, depend on

اتّكل على الله — to trust in God; to recommend one's soul to God

أتلف — to damage, spoil, impair, destroy, waste

أتمّ — to complete, conclude, finish, end; to consummate

اتّهام — accusation, charge

اتّهم — to accuse (of), charge (with)

أتون : فرن — kiln, furnace, oven

أثاب : كافأ — to reward, repay

أثاث : فرش — furniture, furnishings

أثار : هيّج — to excite, agitate, stir (up); to irritate; to provoke

أثار : حرّك — to stimulate, motivate

أثار : أحدث — to evoke, elicit, cause, produce, create, prompt

أثار : طرح (مسألة) — to raise, bring up, put forth, pose

أثار الغبار — to raise dust

آثار ـ راجع أثر

إثارة — excitement, excitation, agitation, stirring up, arousal

إثبات : دليل — evidence, proof

إثبات : برهنة — proving, verification

أثبت : برهن — to prove, verify, show

أثبت : دوّن — to record, register, write down

أثّث : فرش — to furnish, provide with furniture

أثخن : أوهن — to weaken, enfeeble

آثر : فضّل — to prefer (to), favor, choose to, opt for

أَثَّرَ (في) to affect, influence, have an impact upon; to impress; to count, matter

أثر: تأثير effect, influence, impact, bearing; action; impression

أثر: عَلامَةٌ باقِيَة trace, track, mark, print, imprint

أثر (قَدِيم)، آثار ancient monument(s); antique(s); antiquities, relic(s), vestige(s), ruins

أثر فَنِّيّ او أَدَبِيّ work (of art or literature); objet d'art

على الأثر immediately afterwards

على أثر كَذَا، في أثر كَذَا immediately after, (directly) after

إِثْر، في إِثْر كَذَا ـ راجع على أثر كذا

أَثْرَى: كَثُرَ مالُهُ to be rich, wealthy

أثرى: أَغْنَى to enrich, make rich

أَثَرَة: أَنانِيَّة selfishness

أثرة: تَفْضِيل preference

أَثَرِيّ archeologic(al); vestigial; *antique, old, ancient*

أَثْقَلَ: جَعَلَهُ ثَقِيلاً to make heavy, add *weight to*

أثقل على to (over)burden, weigh down on; to disturb, trouble

أَثْلَجَ (ت السَّماءُ) it snowed

أثلج الصَّدْرَ to please, delight

أَثِمَ to sin, commit a sin

آثِم ـ راجع أثيم

إِثْم sin; offense, fault; guilt

أَثْمَرَ to bear fruit, fructify; to yield, pay (off); to succeed, work (out)

أَثْنَى على: مَدَحَ to praise, commend; to compliment

أَثْناءَ، في أَثْناءِ during, in the course of, while, when, as

في أَثْناءِ ذَلِكَ، في تِلْكَ الأَثْناء meanwhile, (in the) meantime

إِثْنا عشر، اثنتا عَشْرَةَ (١٢) twelve

إِثْنان، إِثْنَتان (٢) two

إِثْنان: زَوْج pair, couple

الإِثْنَيْن (يوم) Monday

أَثِير [فيزياء] ether; air

أثير: مُفَضَّل favorite, preferred

أَثِيم sinner, evildoer; sinful, evil, guilty; atrocious

أَجابَ: رَدَّ to answer, reply, respond

أجاب طَلَباً: لَبَّى to grant, comply with, respond to, fulfill, accept

إِجابَة: رَدّ answer, reply; response; answering, rep ying

أَجادَ: أَتْقَنَ *to do well; to be proficient* (in), skilled (in); to master, know *well*

أَجارَ: حَمَى to protect, guard, shelter, harbor; to help, relieve; to rescue (from), save (from)

أَجازَ: سَمَحَ to permit, allow, let; to authorize, legalize

إِجازَة: سَماح permission, allowance; authorization, legalization

إِجازَة: رُخْصَة permit, license

إجازة : عُطْلَة holiday(s), vacation; leave

إجازةُ سَوْقٍ أو قِيادَة driver's license, driving permit

إجّاص : كُمَّثْرى pear(s)

إجْبار compulsion, coercion, force

إجْبارِيّ compulsory, coercive, forced, obligatory, mandatory

أجْبَرَ على to force to, compel to, oblige to, coerce to

اِجْتاحَ : اِكْتَسَحَ to invade; to overrun, spread all over; to sweep (away); to flood, overflow

اِجْتاحَ : دَمَّرَ to devastate, destroy

اِجْتازَ : عَبَرَ to cross, pass through

اِجْتازَ : عانَى to go through, pass through, experience, suffer

اِجْتازَ : نَجَحَ ، تَغَلَّبَ على to pass; to surmount, get over, get past

اِجْتَذَبَ to attract

اِجْتَرَّ (الحَيَوانُ) to ruminate

اِجْتِرار - راجع جَرَّ

اِجْتِرار : مَصْدَر اِجْتَرَّ rumination

اِجْتَرَحَ to achieve, accomplish

اِجْتَزَأَ to take a part or a little of; to curtail, cut short

اِجْتِماع meeting; get-together, gathering, assembly, convention

اِجْتِماعِيّ social; sociological, socio-

اِجْتِماعِيّ : مُخالِط sociable, social

اِجْتَمَعَ : اِلْتَقَى to meet; to get together, assemble, gather

اِجْتَمَعَ بِـ أو إلى : قابَلَ to meet with, have or hold a meeting with

اِجْتَمَعَ : اِتَّحَدَ to unite, combine

اِجْتَنَبَ - راجع تَجَنَّبَ

اِجْتِهاد diligence, industry, hard work, assiduity; perseverance

اِجْتَهَدَ to strive, try hard; to be diligent, assiduous, industrious; to work hard

اِجْتِياح invasion; sweeping (away); flooding, overflowing

أجَّجَ (النّارَ إلخ) to light, kindle; to set ablaze, stoke, stir up

إجْحاف injustice, unfairness

أجْحَفَ to wrong, oppress, be unfair to; to prejudice, harm

أجْدَى (نَفْعاً) : أفادَ to be useful, beneficial; to be of use, of benefit

أجْدَب : ماحِل barren, infertile

أجَّرَ to rent out, let (out), lease, hire out

آجُرّ : قِرْمِيد tile(s), baked brick(s)

أجْر : راتِب salary, wages, pay

أجْر : أتْعاب fee(s), honorarium

أجْر : ثَواب recompense, reward

أجْرَى : قامَ بِـ to perform, do, make, carry out

أجْرَى اتِّصالاً هاتِفِيّاً (بِـ) to call, (tele)-phone, ring up; to dial

أَجْرَى تَجْرِبَةً to experiment, make an experiment; to test, examine
أَجْرَى عَمَلِيَّةً جِراحِيَّةً to operate, perform a surgery or an operation
إجْراء : قِيَامٌ بِـ performance, doing, making, carrying out
إجْراء : تَدْبِير measure, step, procedure, action
إجْرائِيّ executive; procedural
السُّلْطَةُ الإجْرائِيَّة the executive power, the executive
إجْرام criminality; delinquency
إجْرامِيّ criminal; delinquent
أَجْرَب mangy; scabby, scabious
أُجْرَة : بَدَلُ إيجار rent, rental, hire
أُجْرَة : راتِب salary, wages, pay
أُجْرَة : أَتْعاب fee(s), honorarium
أُجْرَة : رَسْم fee, charge, rate
أُجْرَةُ البَرِيد postage; mailing charges
أُجْرَةُ السَّفَرِ أو الرُّكُوب fare
آجُرَّة : قِرْمِيدَة tile, baked brick
أَجْرَد : لا شَعْرَ لَه hairless, bald
أَجْرَد : لا لِحْيَةَ لَه beardless
أَجْرَد : لا نَباتَ فِيه barren, desolate
أَجْرَمَ to commit a crime
أَجْزاخانَة pharmacy, drugstore
أَجْزَلَ لَهُ العَطاءَ to give generously
أَجَشّ : أَبَحّ hoarse, husky, harsh

أَجْعَدُ ـ راجع جَعْد
أَجَلَّ : عَظَّمَ to glorify, exalt, dignify; to respect, revere, venerate
أَجَلَّ عن to deem far above
أَجَّلَ : أَرْجَأَ to postpone, put off, delay, defer, adjourn
أَجَل : مُدَّة term, appointed time; period, duration, date; deadline
أَجَل : مَوْت (moment of) death
أَجَلْ : نَعَمْ yes! indeed! certainly!
آجِل : ضِدّ عاجِل later, future; delayed, postponed, deferred
آجِلاً أو عاجِلاً sooner or later
أَجْل : سَبَب cause, reason
لِأَجْلِ ، مِنْ أَجْلِ for, for the sake of; because of
لِأَجْلِ أَنْ ، مِنْ أَجْلِ أَنْ so that, in order that, in order to, to, so as, for
مِنْ أَجْلِ ذَلِك for that reason, that is why, therefore
أَجْلَى : أَخْرَجَ to evacuate, expel, evict, drive out
إجْلال reverence; glorification
أَجْلَع : أَصْلَع bald, hairless
أَجْلَسَ : أَقْعَدَ to seat, make sit (down), ask to sit (down)
إجْماع unanimity, consensus
بِالإجْماع unanimously
إجْمال summing up, summarization; generalization
إجْمالاً ، بِالإجْمال on the whole, in

general, generally; as a whole
إجماليّ general, overall, total; gross, entire
المَجْمُوعُ الإجماليّ grand total
الوَزْنُ الإجماليّ gross weight
أجَمَة : أيْكَة thicket, jungle, wood
أجْمَعَ على to agree unanimously on
أجْمَع : كُلّ all, all of, the whole of
بأجْمَعِه all (of it, etc.); altogether, entirely
أجْمَلَ : أوْجَزَ to sum up, summarize
أجْمَلَ : جَمَعَ to sum, add (up)
أجْمَلَ : عَمَّمَ to generalize
آجِن ، أجِن brackish (water)
أجْنَبِيّ (صفة) foreign, alien; strange
أجْنَبِيّ (اسم) foreigner, alien; stranger
إجْهاد stress, strain; fatigue, exhaustion
إجْهاض abortion, miscarriage
أجْهَدَ to (over)strain, stress, overwork; to exhaust, fatigue
أجْهَزَ على to finish off, destroy
أجْهَشَ بالبُكاء to sob; to break into tears, cry, weep
أجْهَضَ (ـتِ المَرْأةُ الخ) to miscarry, abort, have a miscarriage
أجْهَضَ المَرْأةَ الخ to abort
أجْوَف hollow; empty, vain

أجير : عامِلٌ بأجْرَة employee; wage earner; worker, laborer
أجير : مُرْتَزِق hireling, mercenary
أحَّ : سَعَلَ to cough
آح albumen, white of egg
الآحاد [رياضيات] the units
أحاطَ بـ to surround, encompass, encircle, enclose, envelop
أحاطَ بِهِ (عِلْماً) : عَلِمَ بـ to know; to be acquainted with, aware of
أحاطَ بِهِ (عِلْماً) : فَهِمَ to understand
أحاطَهُ عِلْماً بـ : أطْلَعَهُ على to inform of or about, acquaint with
أحالَ إلى أو على to refer to, submit to, send to, transfer to
أحالَ على التَّقاعُدِ to pension (off), superannuate
أحالَ : حَوَّلَ ـ راجع حَوَّلَ
أحَبَّ to love, be (or fall) in love with, be passionately attached to, adore, be fond of; to like, fancy
أحَبَّ أنْ to like to, love to; to wish to, want to
إحْباط frustration
أحْبَطَ to frustrate, thwart, foil
أحْبُولَة : شَرَك snare, trap, net
أحْبُولَة : حِيلَة trick, ploy
اِحْتاجَ إلى : اِسْتَلْزَمَ to need, require, call for, demand, want
اِحْتاجَ إلى : اِفْتَقَرَ إلى to need, lack, be in need of

اِخْتارَ : تَخَيَّرَ ـ راجع تَخَيَّرَ

اِحْتاطَ to take precautions; to take care, be careful, be cautious (of)

اِحْتالَ على to trick, deceive, fool, bluff; to cheat, swindle

اِحْتالَ لِلأمر to manage, contrive

اِحْتجَّ على to protest (against), object to

اِحْتجَّ بِـ to advance as an argument or excuse; to allege, claim

اِحْتِجاج : اِعْتِراض protest, objection

اِحْتَجَبَ to hide, conceal oneself; to disappear; to withdraw

اِحْتَجَزَ ـ راجع حَجَزَ

اِحْتَدَّ : غَضِبَ to rage, get furious

اِحْتَدَّ : اِشْتَدَّ to intensify, heighten

اِحْتَدَمَ to glow; to flare up

اِحْتِراز caution; precaution

اِحْتِرازِيّ precautionary

اِحْتِراف professionalism, professional practice

اِحْتِراق burning, combustion

اِحْتِرام : اِعْتِبار respect, regard

اِحْتِرام : تَقَيُّدٌ بِـ observing, honoring, respect(ing)

اِحْتَرَزَ (مِن)، اِحْتَرَسَ (مِن) to guard against, beware of, be cautious of; to take care, take precautions

اِحْتَرَفَ to practice as a profession, become a professional

اِحْتَرَقَ to burn, catch fire, take fire, be on fire, be aflame

اِحْتَرَمَ : اِعْتَبَرَ to respect, esteem, revere, venerate

اِحْتَرَمَ : تَقَيَّدَ بِـ to observe, honor, respect, comply with

اِحْتَرَمَ : وَفَى بِـ to honor, keep, fulfill, live up to

اِحْتَسَى : شَرِبَ to drink, sip

اِحْتَسَبَ : عَدَّ، أَحْصَى ـ راجع حَسَبَ

اِحْتِشام modesty, decorum

اِحْتَشَدَ to gather, rally, crowd; to be concentrated, massed

اِحْتَشَمَ to be modest, decent, decorous, chaste, reserved

اِحْتِضار death; death struggle

اُحْتُضِرَ to be dying, at the point of death; to die

اِحْتَضَنَ ـ راجع حَضَنَ

اِحْتَفَى بِـ to welcome, entertain

اِحْتِفال celebration, ceremony; feast; commemoration

اِحْتَفَظَ بِـ to keep, retain; to preserve, conserve, save

اِحْتَفَلَ بِـ to celebrate; to commemorate; to observe, keep

اِحْتَفَلَ : حَفَلَ ـ راجع حَفَلَ

اِحْتِقار contempt, scorn, disdain

اِحْتِقان congestion

اِحْتَقَرَ to despise, scorn, disdain

اِحْتَقَنَ to congest, be congested

إختكَّ بِـ to rub oneself against; to get in touch with; to associate with, mix with

إحتِكار monopoly; monopolization

إحتِكاريّ monopolistic

إحتِكاك friction; rubbing; contact, touch; association, mixing

إحتكر to monopolize

إحتَكَمَ إلى to seek a decision from; to go to court

إحتلّ : إستولى على to occupy, seize, capture, take over

إحتلّ مَنصِباً to occupy, hold; to assume, take over

إحتِلال occupation, seizure, capture, takeover

قُوّاتُ احتِلال occupation forces

إحتِلام : بُلوغ sexual maturity

إحتِلام (لَيليّ) wet dream

إحتَلَمَ to become sexually mature; to have a wet dream

إحتمى (بِـ، مِنْ) to seek protection (in, from), take refuge (in, from); to protect oneself

إحتِمال : إمكانيّة possibility, probability, likelihood; chances

إحتِمال : تَحمُّل - راجع تَحمُّل

إحتمل : إفترض to assume, suppose; to imply; to be possible

إحتَمَلَ : تحمّل - راجع تَحمَّلَ

لا يُحتَمَل unbearable

إحتَوى (على) to contain, include, comprise, embody, cover

إحتِياج - راجع حاجة

إحتِياط caution, care; precaution

إحتِياطيّ : إحتِرازيّ precautionary, preventive, safety

إحتِياطيّ : بَديل reserve, substitute, standby; auxiliary; spare

جُنديّ إحتِياطيّ reserve, reservist

إحتِيال trickery, deception, fraud

إحتِياليّ fraudulent, deceptive

أحجَم عن to refrain from

أحجِيَة : لُغز riddle, puzzle, enigma

أحَد : واحِد one

أحَد، أحَدٌ ما somebody, someone; anybody, anyone

لا أحَد nobody, no one

الأحَد، يَومُ الأحَد Sunday

أحدَب humpbacked, hunchbacked; hunchback, humpback

أحدَثَ to produce, create, generate, give rise to, cause, result in

أحَدَ عَشَرَ (١١) eleven

أحدَقَ بِـ to surround, encircle

إحدَودَبَ to be convex, hunched, arched, crooked

أحرى more appropriate

بالأحرى : مِنْ بابِ أوْلى with greater reason, with all the more reason

بالأحرى : على نَحوٍ أدَقّ rather

إخراج embarrassment

إحْراق burning, incineration

أَحْرَجَ to embarrass, disconcert

أَحْرَزَ : نالَ to acquire, obtain, get, win; to achieve, attain

أَحْرَقَ to burn, incinerate

أَحْزَنَ to sadden, grieve, make sad

أَحَسَّ (بِـ) to feel, sense; to perceive, become conscious of

إحْساس feeling, sensation, sense

إحْسان charity, beneficence, philanthropy; favor, kindness

أَحْسَنَ : أجادَ، أتْقَنَ to do well, excel in, be proficient in, know well

أَحْسَنَ (إلى) : بَرَّ to give charity (to), do good (to)

أَحْسَنْتَ well done! bravo!

أَحْسَن، الأَحْسَن better; the best

أَحْشاء intestines; interior

أَحْصَى to count, calculate

إحْصاء : عَدّ counting, calculation

إحْصاء، إحْصاءات statistics

إحْصاءُ السُّكان census

إحْصائيّة، إحْصائيّات statistics

أَحْضَرَ : جَلَبَ to bring, get, fetch

أَحْضَرَ : أَعَدَّ to prepare, ready

إحْكام : دِقّة accuracy, precision

أَحْكَمَ to consolidate, strengthen; to perfect, make perfect

أَحَلَّ مِنْ : أَبْرَأَ مِنْ to acquit from, discharge from, release from

أَحَلَّ : أجازَ - راجع حَلَّلَ

أَحَلَّ : وَضَعَ to settle down, put, place, position

أَحَلَّهُ مَحَلَّ غَيْرِهِ to replace by or with, put in the place of another

اِحْمَرَّ to redden, become red

اِحْمَرَّ خَجَلاً to redden, blush, flush

أَحْمَر red; ruddy; scarlet

أَحْمَرُ الشِّفاه lipstick, rouge

أَحْمَق stupid, silly, foolish, idiotic; fool, idiot

أَحْوَجَ إلى : اِحْتاجَ إلى - راجع اِحْتاجَ إلى

أَحْوَجَ إلى : أَرْغَمَ على to force to

أَحْوَل cross-eyed, squint-eyed

أَحْيا : أَعْطى الحَياةَ لِـ to give life to, animate; to revive, reanimate, recreate; to restore, renew

أَحْيا : بَعَثَ مِنَ المَوْت to resurrect

أَحْيا ذِكْرى to commemorate, observe, keep; to celebrate

أَحْياء، عِلْمُ الأَحْياء biology

أَحْيائيّ : بَيولوجيّ biologic(al)

أَحْياناً - راجع حِين

أَخ brother; fellow man

أَخ بالرَّضاع foster brother

أَخو الزَّوْجِ أو الزَّوْجَة brother-in-law

آخَى، أَخا to fraternize with

إِخاء brotherhood, fraternity

أَخافَ ـ راجع خَوْف

إِخْبار notifying, informing, telling

إِخْبارِيّ news, information

أَخْبَرَ (بِـ) to inform about, tell about, notify of, report to

أَخْبَرَ عن: وَشَى بِـ to inform against, report, betray

أُخْت sister

أُخْتٌ بِالرَّضاع foster sister

أُخْتُ الزَّوْجِ أو الزَّوْجَة sister-in-law

اِخْتارَ to choose, select, pick out; to prefer (to), favor, choose to

اِخْتالَ to strut, swagger

اِخْتَبَأَ to hide, conceal oneself

اِخْتِبار: تَجْرِبَة experiment, test, trial; examination

اِخْتِبار: تَجْرِيب experimenting; trial, trying, testing, examination

اِخْتِبارِيّ experimental

اِخْتَبَرَ to test, examine, try; to experiment; to experience

اِخْتَتَمَ to conclude, close, complete, finish, terminate, end

اِخْتِراع invention, creation

اِخْتَرَعَ to invent, create, innovate

اِخْتَرَقَ to penetrate, break (or pass) through; to permeate

اِخْتَصَّ بِـ أو في to specialize in, major in; to be competent in; to be distinguished by

اِخْتَصَّ بِـ: تَعَلَّقَ بِـ ـ راجع خَصَّ

اِخْتِصار: مَصْدَر اِخْتَصَرَ abbreviation, abridgment; summarization, summing up

اِخْتِصار: إِيجاز brevity, shortness, conciseness, terseness

بِاخْتِصار in short, in brief, briefly

اِخْتِصاص: تَخَصُّص specialization; specialty, field of specialization; major

اِخْتِصاص: صَلاحِيَّة competence

اِخْتِصاصِيّ specialist; expert; technician

اِخْتَصَرَ to abbreviate, abridge; to summarize, sum up

اِخْتَطَفَ ـ راجع خَطَفَ

اِخْتَفَى to disappear, vanish; to hide; to be hidden, concealed

اِخْتَلَّ to be disordered, disturbed, deranged, upset, unbalanced

اِخْتَلَى (بِـ أو مع) to be alone (with), retire (with)

اِخْتِلاس embezzlement

اِخْتِلاط mixing, mingling; association; confusion

اِخْتِلاف difference, dissimilarity

اِخْتِلال disorder, disturbance, upset; disequilibrium, imbalance

اِخْتَلَجَ to quiver, tremble

اِخْتَلَسَ: سَلَبَ to embezzle

اِخْتَلَطَ: اِمْتَزَجَ to mix, mingle, be mixed

إخْتَلط (بـ) : عاشَر to mix with

إخْتَلط : تَشَوَّش to jumble, get mixed up, be confused

إخْتَلَفَ (عن) : تَبايَنَ to differ (from), vary (from); to be different

إخْتَلَف : ضِدّ اتَّفَقَ to disagree, differ in opinion

إخْتَلَق to fabricate, invent

إخْتَمَر : تَخَمَّرَ to ferment

إخْتِناق suffocation, asphyxia

إخْتَنَق to be strangled, throttled, choked, suffocated, stifled; to strangle, throttle, choke

إخْتِيار choice, choosing, selection

إخْتِيارِيّ optional, elective, free

أَخْجَلَ - راجع خَجَّلَ

أُخْدُود furrow, groove, ridge

أَخَذَ : تَناوَلَ to take; to receive, get

أَخَذَ : إسْتَوْلَى على to seize, capture, take over, occupy

أَخَذَ بِعَيْنِ الاعْتِبار to take into consideration, take into account

أَخَذَ على (حِين) غِرَّة to surprise

أَخَذَ على عاتِقِه to undertake

أَخَذَ في ، أَخَذَ يَفْعَلُ كَذا to start, begin

آخَذَ : لامَ ، إنْتَقَدَ ، عابَ to blame; to criticize; to censure

آخَذَ : عاقَبَ to punish

لا تُؤاخِذْني pardon me! excuse me! forgive me! I am sorry!

أَخَّرَ to delay, put off, postpone, defer; to retard

أَخَّرَ السّاعَة to set back, put back

أَخَّرَتِ السّاعَة to lose time

آخَر another; else; one more, second; different

الآخَر the other

هُوَ الآخَر he also

آخِر : أَخِير last, final; latest

آخِر : نِهايَة end, conclusion

آخِر : طَرَف end, limit, edge

الآخِرَة the hereafter, the afterlife

أَخْرَجَ to take out, bring out; to emit, send out; to eject, throw out; to expel, drive out

أَخْرَجَ [سينما] to direct, produce

أَخْرَسَ : أَسْكَتَ to silence, shut up

أَخْرَس : أَبْكَم mute, dumb

أَخْرَق clumsy, awkward; stupid

أَخْزَى to disgrace; to humiliate

إخْصائِيّ - راجع إخْتِصاصِيّ

أَخْصَبَ to fertilize

اِخْضَرَّ to be or become green

أَخْضَر green, verdant

أَخْضَعَ (لِـ) to subjugate, subject, subdue; to subject (to)

أَخْطَأَ to make a mistake, commit an error, be mistaken, be wrong

أَخْطَأَ هَدَفاً إلخ to miss, fail to hit

أخطبوط octopus
أخطر to notify, inform
أخفى to hide, conceal; to shelter, harbor; to keep secret
إخفاق failure, fiasco, nonsuccess
أخفق to fail, be unsuccessful
أخلّ بـ to break, violate; to disturb, upset, disrupt
أخلى: أفرغ to vacate; to evacuate, move out of; to empty
أخلى سبيله to release, discharge
إخلاص sincerity, honesty, integrity; loyalty, faithfulness, fidelity
أخلاق - راجع خُلُق
أخلاقي moral, ethical
أخلص لـ to be loyal to, faithful to, sincere to, honest to
أخمد: أطفأ to extinguish, put out
أخمد: قمع to suppress, quell
أخو - راجع أخ
أخوّة brotherhood, fraternity
أخوي brotherly, fraternal
أخير last, latest; final, terminal
هذا الأخير the latter
أخيراً: في النهاية finally, at last, in the end, eventually
أخيراً: مؤخراً recently, lately
أخيراً وليس آخراً last but not least
أدّى: قام بـ to do, perform, carry out
أدّى إلى to lead to; to cause
أدّى التحية أو السلام to salute, greet
أدّى خدمة لـ to render a service to, do someone a favor
أداء performance
آداب - راجع أدب
أداة: آلة tool, instrument, device, apparatus, appliance
أداة: وسيلة means, instrument
أدار: تولى الإدارة to run, direct, manage, be in charge of
أدار: شغّل (آلة) to operate, run, start (up); to turn on
أدار: جعله يدور to turn, revolve, rotate, spin, whirl, twirl
إدارة: تدبير administration, management, direction, running
إدارة: قسم department, section, division, administration
إداري administrative; executive
أدام to perpetuate; to maintain, keep (up); to preserve
أدان: حكم على to condemn, convict
أدان: شجب to condemn, denounce
أدان: أقرض to lend, loan
أدّب: هذّب to educate, cultivate
أدّب: عاقب to discipline, punish
أدب: تهذيب good manners, politeness, courtesy; decorum
أدب (علم وفن) literature
آداب morals, decencies

آدابُ السُّلوك — etiquette

أدبيّ : مُتَعَلِّقٌ بِفَنِّ الأدَب — literary

أدبيّ : مَعْنَوِيّ — moral, ethical

إدَّخَر — to save; to store

أدْخَلَ — to enter, let in, admit; to introduce, insert, put in; to include

أدْرَجَ — to include, embody, enter, list

أدْرَكَ : فَهِمَ — to perceive, realize, recognize, understand; to know

أدْرَكَ : وَصَلَ إلى — to reach

أدْرَكَ الوَلَدُ — to attain puberty

إدَّعى : زَعَمَ — to allege, claim

إدَّعى (بِـ) : تَظاهَرَ بِـ — to pretend, feign

إدَّعى على : قاضَى — to sue

أدْغَمَ — to incorporate, merge, unite

أدْلى بِـ — to express, voice, declare, announce, state

آدَم : أبو البَشَر — Adam

إبْنُ آدَم — man, human being

أدْمَى : أخْرَجَ مِنْهُ الدَّمَ — to bleed

إدْمان — addiction

أدْمَنَ (على) — to be addicted to

آدَمِيّ — human; human being, man

أدْنَى : أقْرَب — nearer, closer

أدْنَى : أحَطّ، أسْفَل — lower, inferior; minimum; under; below

الحَدُّ الأدْنَى — minimum; lowest, least

أدْهَشَ — to astonish, amaze, surprise

أدِيب : كاتِب — writer, author

أدِيب : مُؤَدَّب ـ راجع مُؤَدَّب

إذْ — then; as, while; suddenly

إذْ أنَّ — since, as, because, for

إذا — if, whether; when

إذاً : إذَنْ — therefore, hence, so, thus, consequently

آذَى — to hurt, harm, damage

أذًى — harm, damage, injury

أذابَ — to dissolve, melt, liquefy

آذار : مارس — March

أذاعَ — to spread, disseminate, circulate; to announce, proclaim

أذاعَ (بِالرّاديو) — to broadcast, transmit

إذاعَة — spreading; announcement; broadcast(ing), transmission

(مَحَطَّةُ) إذاعَة — radio, (radio) station, broadcasting station

أذان : نِداءٌ إلى الصَّلاة — call to prayer

أذْعَنَ لِـ — to submit to, yield to, obey

أذَلَّ — to degrade, abase, humiliate

أذِنَ لِـ : سَمَحَ — to allow, permit

أذَّنَ : دَعا إلى الصَّلاة — to call to prayer

أُذُن : عُضْوُ السَّمْع — ear

إذَنْ ـ راجع إذاً

إذْن : إجازَة، رُخْصَة — permission, leave; license, permit

أذْنَبَ : إرْتَكَبَ ذَنْباً — to sin, do wrong; to be guilty

أَذْهَلَ : أَدْهَشَ — to astound, astonish, amaze, stun, startle
أَرَى : عَرَضَ — to show, demonstrate
أَرَاحَ — to rest, relax; to ease; to relieve (of); to comfort
أَرَادَ — to want, wish, be willing (to); to seek; to intend
إِرَادَة : مَشِيئَة ، رَغْبَة — will; wish
قُوَّةُ الإِرَادَة — willpower
إِرَادِيّ — voluntary, willful
إِرْب : عُضْو — limb, organ
مَزَّقَهُ إِرْباً إِرْباً — to tear to pieces
أَرْبَعَ ـ راجع رَبَعَ
الأَرْبِعاء ، الأَرْبَعاء — Wednesday
أَرْبَعَة (٤) — four
أَرْبَعَةَ عَشَرَ (١٤) — fourteen
أَرْبَعُون (٤٠) — forty
أَرْبَكَ — to confuse, upset, embarrass; to mix up, complicate
إِرْبِيان — shrimp, prawn
إِرْتَأَى — to consider, think, believe; to deem proper; to suggest
إِرْتَابَ (في) — to suspect, doubt
إِرْتَاحَ لِـ : سُرَّ لِـ — to be satisfied with, feel at ease about
إِرْتَاحَ : إِسْتَرَاحَ ـ راجع إِسْتَرَاحَ
إِرْتِبَاط — relation, connection, liaison; engagement, commitment
إِرْتَبَطَ : تَلازَمَ — to correlate; to be connected, joined, linked, coupled

إِرْتَبَطَ (بِـ) : تَعَهَّدَ — to commit oneself; to be bound, committed
إِرْتَبَكَ — to be confused, ill at ease, upset, embarrassed, perturbed
إِرْتَجَّ : إِهْتَزَّ — to shake, be shaken
إِرْتِجَال — improvisation
إِرْتِجَالِيّ — extemporaneous, improvisatory, offhand(ed), ad-lib
إِرْتَجَفَ — to tremble, quiver, shudder, shiver, shake, quake
إِرْتَجَلَ — to improvise, ad-lib
إِرْتَخَى — to loosen, slacken; to be loose, slack, flaccid
إِرْتَدَّ — to withdraw; to rebound
إِرْتَدَّ (عن عَقِيدَتِهِ) — to apostatize, renegade, defect (from)
إِرْتَدَى — to wear; to dress, put on one's clothes, get dressed
إِرْتَطَمَ (بِـ) — to collide (with)
إِرْتَعَبَ — to be frightened, scared
إِرْتَعَدَ ، إِرْتَعَشَ — to tremble, shiver
إِرْتِفَاع : صُعُود — rise, rising; increase
إِرْتِفَاع : عُلُوّ — height, altitude; highness, loftiness; loudness
إِرْتَفَعَ : عَلا — to rise, go up; to be high; to be loud
إِرْتَقَى — to ascend, climb, rise; to advance, progress
إِرْتَقَبَ ـ راجع تَرَقَّبَ
إِرْتَكَبَ — to commit, perpetrate
إِرْتَكَزَ على — to lean on, rest on

اِرْتِياب ـ راجع رَيْب
satisfaction, pleasure; relief ارْتِياح
inheritance, heritage, legacy, bequest; succession إرْث
orthodox أرْثُوذُكس، أرْثُوذُكْسِيّ
to postpone, put off, defer أرْجأ : أجَّل
to swing, rock, sway, oscillate أرْجَحَ : جَعَلَهُ يَتَأرْجَح
more likely, more probable أرْجح
most probably على الأرْجح
to return, give back; to send back; to put back أرْجَعَ
purple أرْجُوان، أرْجُوانِيّ
swing; seesaw; cradle أرْجُوحَة
to date (a letter, etc.); to write the history of أرَّخَ
to loosen, slacken أرْخى
archipelago أرْخبيل : مَجْمُوعَةُ جُزُر
to fell, knock down; to kill أرْدى
worse; the worst أرْدأ، الأرْدأ
to follow (up) with أرْدفَ بـ
to add, say further أرْدفَ (قائلاً)
Jordan الأرْدُنّ
Jordanian أرْدُنيّ
rice أرُزّ (نبات)
cedar أرْز (شجر وخشبه)
to anchor, berth أرْسى (السَّفِينَةَ)
to establish, settle, firm up, fix, consolidate أرْسَى : أقامَ، رَسَّخَ

sending, dispatch(ing) إرْسال
transmission إرْسال [راديو]
consignment, shipment إرْسالِيَّة : شَحْنَة
mission; expedition إرساليَّة : بَعْثَة
aristocratic; aristocrat أرُسْتُقراطِيّ
aristocracy أرُسْتُقراطِيَّة
to send, dispatch أرْسَلَ : بَعَثَ
to emit, send out أرْسَلَ : أخْرَجَ
guidance, guiding, directing, leading, conducting إرْشاد
directions, instructions إرْشادات
to guide, direct, lead, show the way (to), conduct, usher أرْشَدَ
archives أرْشِيف
earth; land; ground, soil; region, territory; country أرْض
the Earth الأرْض
floor أرْضُ الغُرْفَة
to satisfy, please, content أرْضى
to breast-feed, suckle, nurse أرْضَعَ
terrestrial; land; ground أرْضِيّ
ground floor دَوْر (او طابِق) أرْضِيّ
artichoke أرْضِيّ شَوْكِيّ (نبات)
to frighten, scare, terrify, terrorize, horrify أرْهَبَ
reckless, rash, foolhardy أرْعَن
to compel (to), coerce (to), force (to), oblige (to) أرْغَمَ (على)
organ أرْغُن : آلَةٌ مُوسِيقِيَّة

أرفق (بـ) to enclose (with)
أرق: سهد to get no sleep
أرق: سهاد insomnia, sleeplessness
أرقص to dance, make dance
أرقط: مرقط speckled, spotted
أركب: جعله يركب to ride, mount
أرمل widower
أرملة widow
أرنب (حيوان) rabbit; hare
إرهاب terror, terrorism
إرهابي terrorist(ic); terrorist
إرهاق exhaustion, fatigue
أرهب to terrorize, terrify, scare
أرهق: أتعب to exhaust, fatigue
أرهق: أثقل على to (over)burden, oppress, weigh down on
أريج fragrance, scent, perfume
أريكة: مقعد couch, sofa, settee
أزّ to simmer; to buzz, hum; to whiz, hiss; to fizz
إزاء opposite (to), in front of
أزاح to remove, dislodge, displace, move aside, put aside
إزار loincloth; wraparound
أزال to remove, eliminate; to get rid of; to put an end to
ازداد: كثر، كبر ـ راجع زاد
ازدحام congestion, jam; crowd
ازدحم (بـ) to crowd; to swarm (with), be (over)crowded (with)
ازدرى to despise, scorn, disdain
ازدهار boom, prosperity, heyday
ازدهر: نما، نجح to flourish, thrive, prosper, boom
ازدواج، ازدواجية dualism, duality
ازدوج to double, become double
ازدياد increase, growth, rise
آزر to support, assist, help
ازرقّ to blue, become blue
أزرق blue
إزعاج disturbance, annoyance
أزعج to disturb, trouble, annoy
أزل، أزلية eternity, sempiternity
أزلي eternal, sempiternal, ageless
أزمة crisis
أزمع (على) to determine (to)
إزميل chisel; drove
أزهر، ازدهر to bloom, blossom (out)
أسّ: أساس ـ راجع أساس
أسى: حزن grief, sorrow, sadness
أساء: ضد أحسن وأجاد to do badly
أساء إلى to do wrong to; to offend, to harm, hurt, damage
أساء الفهم to misunderstand
إساءة offense; wrong; harm
أساس basis, foundation

على أَساسِ كَذا — on the basis of, on the grounds of, based on

أَساسِيّ — fundamental; basic; essential; principal, main, major, key

إِسْباتي (في وَرَقِ اللَّعِب) — club

إِسْبانِخ (نَبات) — spinach

إِسْبانِيّ — Spanish; Spaniard

الإِسْبانِيَّة : اللُّغَةُ الإِسْبانِيَّة — Spanish

إِسْبِرْتو — alcohol, spirit

أَسْبَق ـ راجع سابِق

أَسْبَقِيَّة — priority, precedence

أُسْبوع — week

أُسْبوعِيّ — weekly

أُسْبوعِيًّا — weekly, every week

اِسْتاءَ — to resent; to be displeased

اِسْتَأْثَرَ بِـ — to appropriate; to monopolize; to preoccupy, take up

اِسْتَأْجَرَ شَيْئًا — to rent, hire, lease

أُسْتاذ — professor; teacher; Mr.

اِسْتَأْذَنَ : طَلَبَ الإِذْن — to ask permission

اِسْتَأْذَنَ بِالاِنْصِراف — to take leave (of), say goodbye (to)

اِسْتَأْصَلَ — to uproot, remove

اِسْتِمارَة — form, application (form)

اِسْتَأْنَفَ : تابَعَ — to resume, renew

اِسْتَأْنَفَ (الحُكْمَ أو الدَّعْوى) — to appeal

اِسْتَأْهَلَ : اِسْتَحَقَّ — to deserve, merit

اِسْتَبَدَّ (بِـ) : كانَ مُسْتَبِدًّا — to be despotic; to rule tyrannically, oppress

اِسْتَبَدَّ بِـ : اِسْتَحْوَذَ على — to overcome; to absorb, engross, preoccupy

اِسْتِبْداد — despotism, autocracy, dictatorship, tyranny

اِسْتِبْدادِيّ — despotic, autocratic, dictatorial, tyrannical

اِسْتِبْدال — substitution, replacement; (ex)change; barter, trade-off

اِسْتَبْدَلَ (بِـ) — to replace (by or with), substitute (for); to (ex)change; to barter, trade (in)

اِسْتَبْسَلَ — to be heroic, defy death

اِسْتَبْعَدَ — to put aside, remove; to disqualify; to exclude, rule out

اِسْتَبَقَ — to anticipate, forestall

اِسْتَبْقى — to ask to stay; to keep

اِسْتَتَبَّ — to be stable, settled, constant

اِسْتَتَرَ ـ راجع تَسَتَّرَ

اِسْتَتَرَ بِـ — to take cover or shelter in

اِسْتَثْمَرَ : وَظَّفَ مالاً إلخ — to invest

اِسْتَثْنى — to exclude, except, rule out

اِسْتِثْناء — exception, exclusion

بِاسْتِثْناء — except, excluding, but

اِسْتِثْنائِيّ — exceptional, extraordinary

اِسْتَجابَ لِـ — to respond to, react to; to comply with, fulfill, accept

اِسْتِجابَة — response, reaction

اِسْتَجَدَّ ـ راجع جَدَّ

اِسْتَجْدى — to beg, ask for alms

اِسْتَجَمَّ — to take recreation

إستجمام recreation, fun
استجوب to interrogate, examine
استحى (مِن) to be ashamed of; to be shy, bashful
استحال : صار مُحالاً to be impossible
استحال : تحوّل ـ راجع تحوّل
إستحالة : تعذُّر impossibility
استحدث to originate, create, start
إستحسان approval; admiration
استحسن to approve; to favor, like; to admire; to consider proper
استحضر : استدعى to send for, call
استحقّ : استأهل to deserve, merit
إستحقاق : جدارة merit, desert
استحكم to gain ground, take root
استحمّ to take a bath or a shower; to wash (up)
استحوذ على to obsess, possess; to engross, preoccupy, overcome
إستخبار inquiry; asking
إستخبارات intelligence
وكالة استخبارات intelligence agency
استخبر to ask (about), inquire (about); to seek information (about)
استخدم to employ, use
استخرج to pull out; to extract
استخفّ بـ to belittle, underestimate
استخلص : استخرج to extract
استخلص : استنتج to deduce, infer

استدان to borrow, take up a loan
استدرك ـ راجع تدارك
استدعى : استحضر to send for, call
استدعى : استلزم to call for, require
استدفأ to warm oneself
استدقّ : دقّ، رقّ ـ راجع دقّ
استدلّ : استنتج to conclude, infer
استدلّ : طلب أن يُدَلّ to ask to be shown, inquire (about)
استديو studio; atelier
استذكر : تذكّر ـ راجع تذكّر
استذكر : حفظ غيباً to memorize, learn by heart
إستراتيجي strategic, strategical
استراح to rest, relax; to take a rest, have a break or recess
استراح لـ ـ راجع ارتاح لـ
إستراحة rest; break, recess
استرجع to recover, get back, retake
استرخى to relax; to loosen, slacken
إسترخاء relaxation; looseness
استردّ to recover, regain, get back
استرضى to conciliate, propitiate
استرعى (الانتباه) to attract or draw attention, catch the eye
استرق ـ راجع سرق
إسترليني sterling
جنيه إسترليني pound sterling
استساغ to find pleasant; to enjoy

اِسْتِسْلام surrender

اِسْتَسْلَمَ to surrender

اِسْتَسْهَلَ to consider or find easy

اِسْتَشارَ to consult, counsel with

اِسْتِشارَة consultation; counsel

اِسْتَشْرى to intensify, grow, spread

اِسْتَشْفى to seek a cure, be treated

اِسْتِشْفاء hospitalization; treatment

اِسْتِشْهاد (في سَبيلِ المَبْدَأ) martyrdom

اِسْتَشْهَدَ بِـ : ذَكَرَ to cite, quote

اُسْتُشْهِدَ : ماتَ شَهيداً to die as a martyr

اِسْتَصْرَخَ to cry (or call) for help

اِسْتَصْعَبَ to find difficult or hard

اِسْتَصْوَبَ to regard as right

اِسْتَضاءَ بِـ to seek or get light from

اِسْتَضافَ to host, entertain

اِسْتَطاعَ can; to be able (to), be capable (of); to manage (to)

اِسْتِطاعَة ability, capability, capacity

اِسْتَطالَ : طالَ ـ راجع طال

اِسْتِطْراد digression

اِسْتَطْرَدَ to digress; to go on to say

اِسْتَطْعَمَ : ذاقَ to taste

اِسْتِطْلاع exploration; fact-finding

اِسْتِطْلاع : اِسْتِفْتاء poll, survey

حُبُّ الاسْتِطْلاع curiosity

اِسْتَطْلَعَ to explore, reconnoiter; to inquire into, investigate

اِسْتِظْهار memorization, memorizing, learning by heart

اِسْتَظْهَرَ : حَفِظَ غَيْباً to memorize, learn by heart

اِسْتَعادَ to recover, retrieve, get back

اِسْتَعارَ : اِقْتَرَضَ to borrow

اِسْتَعاضَ (عَنْهُ بِـ) to replace (by)

اِسْتَعانَ بِـ to seek the help of

اِسْتَعْبَدَ to enslave, enthrall

اِسْتِعْجال ـ راجع عَجَلَة ، تَعْجيل

اِسْتَعْجَلَ ـ راجع عَجَّلَ

اِسْتَعَدَّ to get ready, prepare oneself; to be ready, be prepared

اِسْتِعْداد readiness; predisposition

اِسْتِعْدادات preparations, plans

على اِسْتِعْداد ـ راجع مُسْتَعِدّ

اِسْتِعْدادِيّ preparatory

اِسْتِعْراض review; survey

اِسْتِعْراضٌ عَسْكَرِيّ parade

اِسْتِعْراضٌ فَنِّيّ show; spectacle

اِسْتِعْراضِيّ show; spectacular

اِسْتَعْرَضَ to review; to survey, consider; to discuss, treat

اِسْتَعْرَضَ الجُنْدَ to review; to parade

اِسْتَعْصى to be recalcitrant; to be difficult, incurable

اِسْتَعْطى to beg, ask for charity

اِسْتَعْفى : طَلَبَ العَفْوَ to ask (someone's) pardon or forgiveness

إسْتَعْفى : إسْتَقالَ to resign
إسْتِعْلام inquiry; asking
إسْتِعْلامات information
إسْتَعْلَمَ عن to inquire or ask about
إسْتِعْمار colonialism, imperialism; colonization, colonizing
إسْتِعْمارِيّ colonial, imperialist(ic)
إسْتِعْمال use, using, usage
إسْتَعْمَرَ to colonize, settle (in)
إسْتَعْمَلَ to use, employ, utilize
إسْتَغاثَ بِـ to call for the help of
إسْتِغاثَة call for help, appeal for aid
إسْتَغْرَبَ to find strange; to be astonished, amazed, surprised
إسْتَغْرَقَ في to sink into, be lost in
إسْتَغْرَقَ (وَقْتاً) to take, last
إسْتَغْفَرَ to ask (someone's) pardon or forgiveness
إسْتَغَلَّ to exploit, utilize, use, take advantage of, tap, trade on
إسْتِغْلال exploitation, utilization
إسْتَغْنى عن to dispense with, do without, do away with, not to need
إسْتَفادَ مِنْ : إنْتَفَعَ بِـ ـ راجع أفادَ مِنْ
إسْتَفادَ : إسْتَنْتَجَ to conclude, infer
إسْتِفادَة : إنْتِفاع ـ راجع إفادَة (مِنْ)
إسْتَفاقَ ـ راجع أفاقَ
إسْتِفْتاء referendum; poll
إسْتَفْتَحَ : بَدَأَ to begin, start, open

إسْتَفْحَلَ to become serious, critical; to worsen, become worse
إسْتَفْرَغَ to vomit, throw up, puke
إسْتَفَزَّ to provoke; to excite, rouse
إسْتِفْزاز provocation, excitement
إسْتِفْسار inquiry; question; asking
إسْتَفْسَرَ (عن) to ask for an explanation (of), inquire (about)
إسْتِفْهام inquiry; question; asking
عَلامَةُ اسْتِفْهام question mark
إسْتَفْهَمَ to inquire, ask
إسْتَقى مِنْ : إسْتَمَدَّ to draw from, derive from, take from, get from
إسْتَقالَ : إسْتَعْفى to resign
إسْتِقالَة resignation
إسْتَقامَ to straighten up, stand erect; to be straightforward, upright
إسْتِقامَة straightness; uprightness, straightforwardness, honesty
إسْتِقْبال reception; receiving
إسْتَقْبَلَ to receive
إسْتَقْتَلَ to be desperate (to); to fight desperately, defy death
إسْتَقْدَمَ to send for, call; to bring
إسْتَقَرَّ (في) to settle (down) at
إسْتَقَرَّ : إسْتَتَبَّ to be stable, settled, steady, constant, normal
إسْتِقْرار stability, constancy
إسْتَقْرَضَ : طَلَبَ قَرْضاً to ask for a loan

إستقصى to examine, investigate
إستقطب to polarize; to draw, attract
إستقلّ: إستخفّ بـ to belittle, make little of; to underestimate
إستقلّ: صار مستقلاً to be or become independent
إستقلّ: ركب to board, ride, take, go by, travel by
إستقلال، إستقلالية independence
إستكبر: تكبّر ـ راجع تكبّر
إستكتب: أملى على to dictate (to)
إستكشف to try to discover, explore, reconnoiter; to discover
إستكمل ـ راجع أكمل
إستلام receipt, receiving
إستلذّ (بـ) to enjoy, savor
إستلزم to require, need, call for
إستلطف to like, find nice
إستلف to take in advance; to take up a loan, borrow
إستلقى to lie down, lie back
إستلم ـ راجع تسلّم
إستمات to defy death, risk one's life; to be desperate (to)
إستمارة form, application (form)
إستمال to attract, win (over)
إستمتع بـ ـ راجع تمتّع بـ
إستمدّ من to take from, get from, derive from, draw from

إستمرّ to continue, last, go on; to continue to do, keep (on) doing
إستمرار continuation, continuity
باستمرار continually, continuously
إستمزج (ـه رأيه) to consult
إستمع إلى to listen to
إستنبط: إبتكر to invent, create, devise, contrive
إستنتاج conclusion, inference
إستنتج to conclude, infer, deduce
إستنجد بـ to ask for the help of
إستند إلى to lean on, rest on; to be based on; to rely on
إستنزف to exhaust, consume, drain
إستنشق ـ راجع تنشّق
إستنطق to interrogate, examine
إستنفد to exhaust, consume, use up
إستنفر to alert; to mobilize
إستنكار: شجب condemnation
إستنكر to condemn, denounce
إستهان بـ: إستخفّ بـ to make little of; to underestimate, underrate
إستهتر to be reckless, careless; to be uninhibited, licentious
إستهجن to disapprove of, censure
إستهدف: قصد to aim at, seek (to)
إستهدف لـ: تعرّض لـ to be exposed to, subject(ed) to; to come under
إستهزأ بـ ـ راجع هزأ

اِسْتَهَلَّ to begin, start, open
اِسْتِهْلاك consumption
اِسْتِهْلاكِيَّة : تَعاوُنِيَّة cooperative, co-op
اِسْتَهْلَكَ to consume, use up
اِسْتَهْوَى to attract; to like, fancy
اِسْتَوَى : تَساوَى to be equal
اِسْتَوَى : كانَ مُنْبَسِطاً to be even, flat
اِسْتَوَى : طُبِخَ جَيِّداً to be (properly) cooked, be well done
اِسْتَوْجَبَ to deserve; to require, need
اِسْتَوْحَى مِنْ to derive from, be guided or inspired by
اِسْتُودْيُو studio; atelier
اِسْتَوْرَدَ (البَضائِعَ) to import (goods)
اِسْتَوْضَحَ (عن) to ask for an explanation (of), inquire (about)
اِسْتَوْطَنَ : تَوَطَّنَ to settle (in)
اِسْتَوْعَبَ : اِتَّسَعَ لِـ to contain, hold
اِسْتَوْعَبَ : فَهِمَ to comprehend, grasp, understand, apprehend
اِسْتَوْفَى : قَبَضَ to receive, collect, get, take
اِسْتَوْفَى (الشُّرُوطَ) to satisfy, fulfill
اِسْتَوْقَفَ : طَلَبَ مِنْهُ الوُقُوفَ to ask to stop
اِسْتَوْلَى على to seize, capture, take over, occupy
اِسْتِيراد importation, import(ing)
اِسْتَيْقَظَ to wake up, awaken, waken, awake; to get up, rise

أَسَد lion
بُرْجُ الأَسَدِ [فلك] Leo
أَسْدَى to render, do; to give, offer
أَسْدَلَ to lower, drop, let down
أَسَرَ : قَبَضَ على to capture, take prisoner, arrest, apprehend, jail
أَسَرَ : فَتَنَ to captivate, fascinate
آسِر : مُعْتَقِل captor, arrester
أَسْر capture, captivity; arrest
بِأَسْرِه all (of it), wholly, entirely
إِسْراع hurry(ing), hasten(ing)
أُسْرَة family, household, house
أَسْرَعَ to hurry, hasten, rush
أَسْرَع : أَكْثَرُ سُرْعَةً faster, quicker
بِأَسْرَعِ ما يُمكِن as soon as possible
أَسْرَفَ : بَذَّرَ to waste, squander
أَسْرَفَ : أَفْرَطَ to exceed the proper bounds, go too far
أَسَّسَ to establish, found, set up; to institute, create, build (up)
إِسْطَبْل stable, barn
أُسْطُوانَة [هندسة] cylinder
أُسْطُوانَة (مُوسِيقِيَّة) record, disc
أُسْطُورَة legend, myth, fable
أُسْطُول fleet, navy, squadron
إِسْعاف relief, succor, aid, help; rescue, saving, salvage, salvation
إِسْعافاتٌ أَوَّلِيَّة first aid

سَيَّارَةُ إسْعاف ambulance
أَسْعَدَ : جَعَلَهُ سَعِيداً to make happy
أَسْعَفَ to relieve, help, aid; to rescue, save; to give first aid to
أَسِفَ to regret, feel or be sorry (for)
أَسَف regret; sorrow, grief
لِلأَسَف unfortunately
أَسِف، آسِف sorry; regretful; sad
(إنِّي) آسِف! (I am) sorry! excuse me! pardon me!
أَسْفَرَ عن to result in; to reveal, show
أَسْفَرَ (ـتِ المَرْأَةُ) ـ راجع سَفَرَ
أَسْفَل : سُفْلِيّ lower, inferior, sub
أَسْفَل : كَعْب bottom, foot, base
أَسْفَلْت asphalt, blacktop
إسْفَنْج، إسْفَنْجَة sponge
أَسْقَطَ : أَوْقَعَ to drop, let fall, tumble
أَسْقَطَ : أَطَاحَ بِـ to overthrow, topple
أَسْقَطَ طائِرَةً to down, shoot down
أَسْقَطَ : حَذَفَ to omit, leave out, eliminate, cancel, drop
أَسْقَطَ في امْتِحان : رَسَّبَ to fail, flunk
أَسْقَطَتِ الحُبْلَى to miscarry, abort
أُسْقُف bishop, prelate
إسْكاف shoemaker, cobbler
إسْكان housing, lodging, quartering
أَسْكَتَ to silence, hush, quiet
أُسْكُتْ! silence! quiet! be quiet!

اسْكِتْش sketch
أَسْكَرَ to intoxicate, inebriate
أَسْكَنَ to house, lodge, put up, accommodate, quarter
أَسْلَى ـ راجع سَلَّى
الإسْلام : الدِّينُ الإسْلامِيّ Islam
إسْلامِيّ Islamic
أَسْلَفَ : أَقْرَضَ ـ راجع سَلَّفَ
كَما أَسْلَفْنا as we have just said
أَسْلَمَ : تَدَيَّنَ بِالإسْلام to embrace Islam, become a Moslem
أُسْلُوب style; way; manner
اِسْم name
اِسْم [لغة] noun, substantive
اِسْمٌ أَوَّل first name, Christian name, given name
اِسْمُ العائِلَة، اِسْمٌ أَخِير family name, surname, last name
بِاسْمِ . . in the name of, on behalf of
أَسْمَى : سَمَّى ـ راجع سَمَّى
أَسْمال tatters, rags, worn clothes
اسْمَرَّ to brown, tan
أَسْمَر brown, tan, tawny, brunet
أَسْمَعَ to make hear, let hear
أَسْمَنَ ـ راجع سَمَّنَ
إسْمَنْت cement, concrete
اِسْمِيّ nominal
آسِن stagnant, stinking, brackish

أَسْنَدَ إلى : كَلَّفَ بِـ to entrust to
إسْهاب elaborateness, prolixity
بإسْهاب in detail, at length
إسْهال diarrhea
أَسْهَبَ (في) to elaborate on
أَسْهَمَ : ساهَمَ ـ راجع ساهَمَ
أَسْوَأ، الأَسْوَأ worse; the worst
أُسْوار : سِوار bracelet, armlet
أُسْوَة : قُدْوَة example, model
اِسْوَدَّ to blacken, become black(er)
أَسْوَد : ضِدّ أَبْيَض black
أَسِيَ : حَزِنَ to be sad
آسيا، آسية Asia
أَسِير prisoner, captive; captured
أَسِيرُ حَرْب prisoner of war
آسيَوِيّ Asian, Asiatic
أَشادَ بِـ to praise, commend
أَشادَ : شَيَّدَ ـ راجع شَيَّدَ
أَشارَ to make a sign or signal
أَشارَ إلى to indicate, show; to hint at, imply; to mention, refer to, point out to; to state, cite
أَشارَ على to counsel, advise
إشارَة : عَلامَة ، إيماءَة sign, mark, indication; signal; insignia; gesture
إشارَة : تَلْمِيح ، ذِكْر hint; mention(ing), reference (to)
إشارَةُ السَّيْر traffic light
أَشاعَ to rumor; to spread, circulate

إشاعَة : شائِعَة rumor; hearsay
أَشْبَعَ : جَعَلَهُ يَشْبَع to satisfy, gratify; to satiate, sate, fill; to saturate
أَشْبَهَ ـ راجع شابَهَ
أَشْبَه (بِـ) (more) like, as, similar to
إشْبِين (العَرِيس) best man
إشْبِينَة (العَرُوس) bridesmaid
اِشْتاقَ إلى to long for, yearn for, miss
اِشْتِباك : قِتال clash, fight(ing)
اِشْتِباه : شَكّ suspicion, doubt
اِشْتَبَكَ : تَحارَبَ to clash, fight
اِشْتَبَهَ : شَكَّ to suspect, doubt
اِشْتَدَّ to intensify, increase, grow
اِشْتَرَى : اِبْتاعَ to buy, purchase
اِشْتِراك participation, sharing; subscription; association
بالاشْتِراكِ مَع (together) with
اِشْتِراكِيّ socialist
اِشْتِراكِيَّة socialism
اِشْتَرَطَ to stipulate, make a condition
اِشْتَرَعَ to legislate, make laws
اِشْتَرَكَ to participate (in), share (in), take part (in); to subscribe (to)
اِشْتَعَلَ to flame, blaze, burn
اِشْتَغَلَ : عَمِلَ to work
اِشْتَقَّ مِنْ to derive from
اِشْتَكَى ـ راجع شَكا
اِشْتَمَلَ على ـ راجع شَمَلَ، شَمِلَ

إِشْتَهَى — to desire, crave (for)
إِشْتَهر، إِشْتُهِرَ — to be famous
إِشراف — supervision, control(ling)
أَشرَبَ : شَرَّبَ ـ راجع شَرَّبَ
أَشرَعَ : فَتَحَ — to open
أَشرَفَ على : راقَبَ — to supervise, oversee, superintend; to control
أَشرَفَ على : أَطَلَّ — to overlook
أَشرَفَ على : دَنَا مِنْ — to be near to, close to, about to, on the verge of
أَشرَقَ (ـتِ الشَّمْسُ) — to rise; to shine
أَشرَكَ (فلاناً في) — to make a partner (in), give a share (in)
أَشرَكَ بِاللهِ — to be a polytheist
أَشَعَّ — to radiate, shine, beam
إِشعار — notification, notice, note
إِشعاع — radiation, radiance
أَشِعَّة — rays
أَشعَرَ : أَخبَرَ — to notify, inform, advise
أَشعَلَ — to light, kindle; to burn
أَشعَلَ سِيجارَةً — to light a cigarette
أَشعَلَ عُودَ الثِّقاب — to strike a match
أَشعَلَ النورَ إلخ — to turn on
أَشفَقَ على : عَطَفَ — to pity, feel pity for, have mercy upon
أَشقَر — blond, fair; fair-haired
إِشكال — paradox; problem
إِشمَأَزَّ (مِنْ) — to be disgusted (by, of), be nauseated (by), be sick (of)

إِشمِئزاز — disgust, nausea
أَشهَرَ : أَعلَنَ ـ راجع شَهَرَ
أَشيَب (شَعْر) — white, gray
أَشيَب (شَخْص) — white-haired, gray-haired
آص : واحِد في بَعْضِ الأَلعاب — ace
أَصابَ (هَدَفاً) — to hit (a target); to score (a goal, a hit, etc.)
أَصابَ : أَتَى بِالصَّواب — to be right
أَصابَ : كَسَبَ — to get, gain, win
أَصابَ : حَلَّ بِـ — to befall, afflict, hit, strike, come over, happen to
أَصابَ بِمَرَض أو بِعَدْوَى — to infect with; to communicate to
أُصِيبَ بِـ — to be hit by, afflicted with; to suffer, sustain, catch, incur
إِصابَة : هَدَف — goal, score, hit
إِصابَة : حادِثَة — accident ; case
إِصابات : خَسائِر — casualties, losses
أَصبَحَ : صارَ — to become, grow, turn (into); to be
أَصبَحَ : اِستَيقَظَ — to wake up
إِصبَع (اليَدِ) — finger
إِصبَع (القَدَمِ) — toe
إِصبَع : دَوْر، يَد — hand, part, role
أَصحَى — to wake (up), awake(n)
أَصدَرَ : أَطلَقَ — to release, discharge, emit, send out, emanate
أَصدَرَ كِتاباً إلخ — to publish, release, bring out, issue, make, produce
أَصدَرَ نُقوداً، طَوابِعَ، بَياناً — to issue

أَصْدَرَ أَمْراً — to issue, give
أَصَرَّ على: أَلَحَّ — to insist on; to press
إِصْرار: إِلْحاح — insistence
اِصْطادَ - راجع صادَ
اِصْطافَ (بِـ) — to summer (at), pass or spend the summer (at)
إِصْطَبْل — stable, barn
اِصْطَحَبَ - راجع صاحَبَ
اِصْطِدام — collision, clash
اِصْطَدَمَ بِـ: اِرْتَطَمَ بِـ — to collide with, clash with, hit, bump (against)
اِصْطَدَمَ: اِشْتَبَكَ — to clash, fight
اِصْطَفَّ — to line up, align, queue
اِصْطَفَى — to choose, select, pick out
اِصْطِلاح: عُرْف — convention, tradition
اِصْطِلاح: مُصْطَلَح - راجع مُصْطَلَح
اِصْطِناعِيّ - راجع صُنْعِيّ
اِصْطَنَعَ: تَصَنَّعَ، تَكَلَّفَ - راجع تَصَنَّعَ
اِصْطَنَعَ: صَنَعَ - راجع صَنَعَ
أَصْعَدَ — to lift (up), uplift, raise
أَصْغَى إلى — to listen to
إِصْغاء — listening; attention
أَصْغَر — smaller; younger; junior
الأَصْغَر — the smallest; the youngest
اِصْفَرَّ — to become yellow
أَصْفَر — yellow; pale
أَصْل: مَصْدَر — origin, source
أَصْل: نَسَب — descent, lineage
الأَصْل (لِكِتاب أو نُسْخَة) — the original
أَصْلاً، في الأَصْل — originally, at first
أُصُول: مَبادِىء — principles, rules, fundamentals, basics
أُصُول: آدابُ السُّلُوك — proprieties, decencies, etiquette
إِصْلاح — reform(ation); repair(ing), fixing, restoration; correction
أَصْلَحَ — to repair, fix (up), restore; to reform; to make right, correct
أَصْلَع — bald, bald-headed, hairless
أَصْلِيّ — original; genuine, authentic; true, real; earliest, first
أَصَمَّ: صَيَّرَهُ أَصَمّ — to deafen, make deaf
أَصَمّ: أَطْرَش — deaf
أُصِيبَ بِـ - راجع أَصابَ
أَصِيل — original; of pure or noble origin, highborn, pedigreed, purebred; genuine, authentic; true, real
أَضاءَ الشَّيْءَ: أَنارَهُ — to light, light up, illuminate
أَضاءَ الشَّيْءُ: أَشْرَقَ — to shine, beam, radiate, flash
إِضاءَة: إِنارَة — lighting, illumination
أَضاعَ — to lose; to miss; to waste
أَضاعَ الوَقْتَ (سُدًى) — to waste time
إِضاعَة — loss, losing; missing
أَضافَ: ضَمَّ — to add, join, annex, append, attach; to supplement

أضافَ (قائلاً) to add, say further
أضافَ : إستَضافَ - راجع إستَضافَ
إضافة addition
بالإضافةِ إلى (ذَلِكَ) in addition to, plus, along with, besides
إضافِيّ additional, extra, supplementary, spare, accessory
إضبارَة : مَلَفّ، مِلَفّ file, dossier
أضْجَرَ to weary, bore; to annoy
أضْجَعَ - راجع إضْطَجَعَ
أضْحَى : صارَ to become, grow, turn
أضْحَى، عِيدُ الأضْحَى Greater Bairam
أضْحَكَ to make (someone) laugh
أضْحُوكَة laughingstock, butt, joke
أضَرَّ : ضَرَّ - راجع ضَرَّ
إضراب (عَنِ العَمَل) strike; walkout
أضْرَبَ (عَنِ العَمَل) to strike, go on strike; to walk out
أضْرَمَ to kindle, light; to burn
إضْطَجَعَ to lie down, lie back
إضْطَرَّ إلى : أجْبَرَ على to compel to, force to, oblige to, coerce to
إضْطُرَّ إلى to be compelled to, forced to, obliged to; to have to
إضْطِراب disturbance, confusion, upset, disorder; trouble, unrest, riot
إضْطِرارِيّ compulsory, coercive, forced; urgent, emergency
إضْطَرَبَ to be confused, disturbed, disordered, agitated, upset

إضْطَلَعَ بِـ to assume, undertake
إضْطِهاد persecution, oppression
إضْطَهَدَ to persecute, oppress
أضْعَفَ to weaken, enfeeble, sap
أضَلَّ : ضَلَّلَ - راجع ضَلَّلَ
إضْمَحَلَّ to disappear, fade away
أضْمَرَ to hide, conceal, keep secret, keep to oneself; to harbor
أضْنَى to exhaust; to emaciate
أطاحَ (بِـ) to overthrow, topple
إطار framework, cadre; sphere, field; setting, surrounding
إطارُ الصُّورَةِ ونَحْوِها frame; rim
أطاعَ to obey, follow, comply with
أطاقَ to bear, stand, tolerate
لا يُطاق unbearable, intolerable
أطالَ : طَوَّلَ to lengthen, elongate, extend, prolong, stretch out, drag
أطالَ البَقاءَ to stay (for) a long time, stay long
أطْبَقَ : أقْفَلَ، أغْلَقَ to close, shut
أطْرَى to praise; to compliment
إطَّرَدَ to be steady, even, uniform
أطْرَش : أصَمّ deaf
أطْرُوحَة thesis, dissertation, paper
أطْعَمَ to feed, give to eat, nourish
أطْفَأ : أخْمَدَ to extinguish, put out
أطْفَأ (الشَّمْعَةَ إلخ) بالنَّفْخ to blow out
أطْفَأ النُّور to turn off, switch off

إطْفاء extinguishment, extinguishing, putting out; fire fighting
سَيّارَةُ الإطْفاء fire engine
إطْفائِيّ fireman, firefighter
إطْفائِيَّة fire department, fire brigade
أَطَلَّ على : أَشْرَفَ to command, dominate, tower over, overlook
أَطَلَّ : ظَهَرَ to appear, emerge, rise
إطْلاق : تَحْرير release, releasing, freeing, setting free, liberation
إطْلاقاً، على الإطْلاق absolutely; absolutely not, never, not at all
أَطْلَس : مُصَوَّرٌ جُغْرافِيّ atlas
أَطْلَعَ على : أَعْلَمَ بِـ to acquaint with, inform about, tell about, advise of
اِطَّلَعَ على to know (of); to be aware of, familiar with; to learn (about); to see, inspect, examine
أَطْلَقَ : حَرَّرَ to release, free, liberate, set free, let go
أَطْلَقَ : أَرْسَلَ، أَخْرَجَ to launch; to release, discharge, issue, give off
أَطْلَقَ الرَّصاصَ أو النّارَ to fire
أَطْلَقَ عَلَيْهِ اسْمَ كَذا to name, call
اِطْمَأَنَّ (إلى) to be reassured, tranquil, at ease; to be secure, safe
اِطْمِئْنان ـ راجع طُمَأْنينة
أَطْنَبَ (في) to expatiate (upon)
أَطْوَل longer
أَظَلَّ : أَلْقَى عَلَيْهِ ظِلَّهُ ـ راجع ظَلَّلَ
أَظْلَمَ : صارَ مُظْلِماً to darken, be dark

أَظْهَرَ to show, demonstrate, manifest; to reveal, illustrate, indicate
أَعادَ : أَرْجَعَ to return, give back; to send back; to put back, replace
أَعادَ : كَرَّرَ to repeat, reiterate
أَعادَ النَّظَرَ في to review, revise, reexamine, reconsider
أَعارَ to lend, loan
إعاشَة : جِرايَة ration(s)
أَعاقَ to hinder, hamper, impede, obstruct, block; to delay, retard
أَعالَ to provide for, support
أَعانَ ـ راجع عاوَنَ
إعانَة help, aid, support, assistance
إعانَة (مالِيَّة) grant, aid, subsidy
اِعْتادَ ـ راجع تَعَوَّدَ
اِعْتِبار : عَدّ considering
اِعْتِبار : اِحْتِرام، أَهَمِّيَّة esteem, respect; worth, importance, prestige
اِعْتِباراً مِنْ from, as of, starting
بِاعْتِبارِهِ كَذا in his capacity as
بِاعْتِبارِ أَنَّ in view of the fact that, since, as, because, inasmuch as
لِاعْتِباراتٍ سِياسِيَّة for political considerations
اِعْتِباطِيّ random, haphazard
اِعْتَبَرَ : عَدَّ to consider, deem, regard as, think
اِعْتَبَرَ : اِحْتَرَمَ to esteem, respect
اِعْتَبَرَ بِـ to learn a lesson from
اِعْتَدَى على to trespass, transgress, invade, assault, attack, assail

اِعْتِداء (على) aggression; assault, attack, trespass(ing), invasion
اِعْتِدال moderation, moderateness, temperance, temperateness
اِعْتَدَل to be moderate, temperate
اِعْتِذار apology, excuse
اِعْتَذَر to apologize
اِعْتِراض objection, protest(ation)
اِعْتِراف recognition; confession
اِعْتَرَض على to object to, make objections to, protest (against)
اِعْتَرَض (سبيلَهُ) to intercept, stand in the way of; to obstruct, hinder
اِعْتَرَف بـ : أقرّ بـ to confess, acknowledge, avow, admit
اِعْتَرَف بِحُكُومَةٍ إلخ to recognize
اِعْتَزّ بـ to be proud of, boast of
اِعْتِزاز pride, glory, boast(ing)
اِعْتَزَل to retire (from)
اِعْتِصام : نَوْعٌ مِنَ الإضْراب sit-in
اِعْتَصَم بـ to adhere to, cling to; to maintain; to resort to
اِعْتَصَمَ : نَفَّذَ اعْتِصاماً to sit in, stage or carry out a sit-in
أَعْتَق : حَرَّر to liberate, free, set free
اِعْتِقاد belief, conviction; opinion
اِعْتَقَد to believe; to think, consider
اِعْتَقَل to arrest, detain, hold, jail
اِعْتَلّ : مَرِضَ to be (or fall) sick or ill
اِعْتَلى ـ راجع علا

اِعْتِماد reliance, dependence; trust; use, using, adoption, following
اِعْتَمَدَ على to rely on, depend on
اِعْتَمَدَ to use, adopt, take up, follow
اِعْتَنى بـ ـ راجع عُنِيَ بـ
اِعْتَنَق to embrace, adopt, profess
اِعْتِيادِيّ ـ راجع عادِيّ
إِعْجاب admiration, fancy
أَعْجَبَ (ـهُ)، أُعْجِبَ بِهِ to admire, like, fancy, be fond of; to appeal to
أُعْجُوبَة miracle, marvel, wonder
أَعَدَّ to prepare, make ready; to arrange, fit, make, design (for)
أَعْدَى (بِمَرَض) to infect (with a disease), pass along (a disease to)
إِعْداد preparation, preparing, making ready; arrangement, making
إِعْدادِيّ preparatory, preliminary
إِعْدام : تَنْفِيذُ حُكْمِ الإِعْدام execution
أَعْدَمَ : نَفَّذَ حُكْمَ الإِعْدام في to execute
أَعْدَمَ شَنْقاً to hang
أَعْرَبَ عن to express, voice, state
أَعْرَج lame, cripple
أَعْرَضَ عن to turn away from, avoid
أَعَزَّ : أَحَبَّ to cherish, love, like
أَعَزَّ : عَزَّزَ ـ راجع عَزَّزَ
أَعْزَب (صفة) single, unmarried
أَعْزَب (اسم) bachelor

أعْسَر: عامِلٌ بِيُسْراه left-handed
إعْصار hurricane, cyclone, tornado
أعْطى to give (to), grant (to), donate (to), award (to), bestow upon
أعْطَبَ to damage, impair, ruin
أعْفى مِنْ to exempt from, release from, excuse from, free from
أعْقَبَ: تَبِعَ to follow, succeed
أعْلى: رَفَعَ ـ راجع عَلَى
إعْلام information
إعْلان declaration, announcement
إعْلان: دِعايَة advertisement, ad
أعْلَمَ (بِـ) to inform about, tell about, let know about, notify of
أعْلَنَ to declare, state, announce; to publicize; to advertise
أعْمى (فُلانًا) to blind, make blind
أعْمى: فاقِدُ البَصَر blind
أعْمَلَ to operate; to apply, use
إعْوَجَّ to be crooked, curved
أعْوَج ـ راجع مُعْوَجّ
أعْوَر one-eyed
أعْوَزَ الرَّجُلُ: إفْتَقَرَ ـ راجع عَوِزَ
أعْوَزَهُ، يُعْوِزُهُ (كَذا) to lack, need, want
أعْوَلَ: ناحَ to wail, lament, cry
أعْيا: أتْعَبَ to fatigue, exhaust, tire
إعْياء: تَعَب fatigue, exhaustion
آغا (لقب) aga, agha

أغاثَ to succor, relief, aid, help
إغاثَة succor, relief, aid, help
أغارَ على to raid, invade, attack
أغاظَ to enrage, anger, vex, peeve
إغْتابَ to backbite, slander, malign
إغْتالَ to assassinate, murder, kill
إغْتَبَطَ، إغْتُبِطَ to be glad, happy
إغْتَرَّ بِـ: خُدِعَ to be deceived by
إغْتَرَّ بِنَفْسِهِ to be conceited, vain
إغْتَرَبَ to emigrate, expatriate
إغْتَسَلَ to wash up, wash (oneself)
إغْتِصاب: إنْتِزاع extortion, exaction
إغْتِصاب (امْرَأة) rape, ravishment
إغْتَصَبَ مِنْ: إنْتَزَعَ to extort (from), exact (from), usurp (from)
إغْتَصَبَ (امْرَأةً) to rape, ravish
إغْتَمَّ to be sad, grieved, gloomy
إغْتَنى to be or become rich, wealthy
إغْتَنَمَ الفُرْصَةَ to take the opportunity
أغْرى to seduce, tempt, lure
أغْرَقَ (الشَّيْءَ أو المَرْكَبَ) to sink
أغْرَقَ (الشَّخْصَ) to drown
أغْرَقَ: غَمَرَ to flood, inundate
أُغْرِمَ بِـ to love, be (or fall) in love with, adore, be very fond of
أُغْرُودَة song, warble
أغُسْطُس: آب August
أغْضَبَ to anger, enrage, infuriate

أغْفَى - راجع غفا
أغْفَلَ to omit, leave out, neglect
أغَلَّ to yield, produce, pay (off)
أغْلَب most (of), the majority (of)
في الأغْلَب - راجع غالباً
أغْلَبِيَّة majority
أغْلَقَ to close, shut; to lock
أغَمَّ to grieve, sadden, depress
إغْماء faint(ing), unconsciousness
أغْمَضَ عَيْنَيْه to close one's eyes
أُغْمِيَ عليه to faint, pass out, lose consciousness, be unconscious
أغْنَى: جَعَلَهُ غَنِيًّا to enrich, make rich
أغْنَى (عن): كَفَى to suffice; to be sufficient, enough; to dispense of
أُغْنِيَة، أُغْنِيَّة song
أغْوَى: أغْرَى to seduce, tempt, lure
أغْوَى: أضَلَّ to mislead
أغْيَمَ (تِ السَّماءُ) - راجع غام
أفٍّ! ugh! faugh! pooh! pish!
أفادَ: نَفَعَ to benefit, help; to be useful, helpful, of use, of help
أفادَ: أخْبَرَ to report (to); to inform or tell (about), state, declare
أفادَ مِن: اِنْتَفَعَ بـ to profit or benefit from, take advantage of, use
إفادَة: نَفْع utility, usefulness, use, benefit, advantage
إفادَة (مِنْ): اِنْتِفاع using, taking advantage of, benefiting from
إفادَة: بَيان statement; testimony
أفارَ: جَعَلَهُ يَفُور، غَلَى to boil
أفاضَ (في): أسْهَبَ to dwell on
أفاقَ to get up, wake up, awake(n)
أفّاك: كَذّاب liar
أفاوِيه: تَوابِل spices, condiments
آفَة epidemic, plague, disease; evil
أفْتَى (في) to give a (formal) legal opinion or an advisory opinion
اِفْتِتاح، اِفْتِتاحِيّ opening
اِفْتِتاحِيَّة editorial, leading article
اِفْتَتَحَ to inaugurate, open
اِفْتَخَرَ بـ to be proud of, boast of
اِفْتَدَى - راجع فَدَى
اِفْتَرَى عَلَيْهِ (الكَذِبَ) to fabricate lies against; to slander, libel
اِفْتِراض assumption, supposition
اِفْتَرَسَ (الفَرِيسَةَ) to raven, prey upon, devour; to kill, tear
اِفْتَرَضَ to suppose, assume, presume
اِفْتَرَقَ to separate, part, break off, leave each other; to be separated
اِفْتَعَلَ: تَعَمَّدَ to do on purpose, do intentionally, commit willfully
اِفْتَقَدَ: أحَسَّ بِغِيابِهِ أو نَقْصِهِ to miss
اِفْتَقَدَ: فَقَدَ - راجع فَقَدَ
اِفْتَقَرَ to be poor, needy
اِفْتَقَرَ إلى to need, lack
اِفْتَكَرَ (في) - راجع فَكَّرَ (في)

أفحَمَ to confute, silence
إفرادِيّ individual, single, solitary
إفراز secretion, excretion
إفراط excess(iveness)
أفرَجَ عن to release, discharge, free
أفرَحَ : فَرَّحَ to gladden, delight, cheer (up), make happy, make glad
أفرَدَ to set aside, set apart
أفرَزَ : أخرَجَ to secrete, excrete
أفرَزَ : فَرِزَ ـ راجع فَرَزَ
أفرَطَ to exceed the proper limits, go to extremes, be excessive
أفرَغَ : فَرَّغَ ـ راجع فَرَّغَ
إفرَنج، إفرَنجَة Europeans; foreigners
إفرَنجِيّ European; foreign
إفرَنسِيّ French
الإفرَنسِيَّة : اللُّغَةُ الفَرَنسِيَّة French
إفرِيز cornice, frieze, curb, ledge
إفرِيقِيّ African
إفرِيقِيا، إفرِيقِيَة Africa
أفزَعَ to frighten, scare, terrify
أفسَحَ (مَكاناً، مَجالاً) لِـ to make room for; to open the way for; to give a chance to
أفسَدَ to spoil, corrupt; to rot
أفشَى to reveal, disclose, divulge
أفشَلَ to frustrate, foil, defeat
أفصَحَ عن to express, voice, utter

أفضَى إلى : أدَّى إلى to lead to; to contribute to; to cause, result in
أفضَل، الأفضَل better; the best
أفضَلِيَّة preference, priority
إفطار : كَسْرُ الصَّوْم fast breaking
إفطار : طَعامُ الصَّباح breakfast
أفطَرَ : تَناوَلَ طَعامَ الصَّباح to have (take, eat) breakfast
أفطَرَ الصَّائِم to break the fast
أفطَس (الأنف) snub-nosed, pug-nosed
أنفٌ أفطَس pug nose, snub nose
أفعَى، أفعُوان snake, serpent, adder
أفُق (ج آفاق) horizon; skyline
أفقَدَ to deprive of, dispossess of
أفقَرَ to impoverish, make poor
أفُقِيّ horizontal
أفَلَ to set, go down; to fade
إفلاس bankruptcy, insolvency
أفلَتَ to escape, slip away, get away
أفلَحَ to succeed, prosper
أفلَسَ to go or become bankrupt
أفنَى to annihilate, exterminate; to consume, use up; to waste
أفهَمَ to make understand
أفيُون opium
أقالَ (مِن مَنصِب) to depose, dismiss
أقامَ : أنشَأَ to set up, build, construct, establish, institute, found

أقامَ بـ أو في — to stay in, reside in, dwell in, live in, inhabit

إقامَة : إنشاء — setting up, building, construction, establishment

إقامَة : سَكَن — stay, residence

أقْبَلَ — to approach, come; to come to, go to; to attend

أقّة : وَحْدَةُ وَزْن — oke, oka; ounce

اقْتاتَ (بـ) — to feed on, live on; to eat

اقْتادَ : قادَ ـ راجع قادَ

اقْتَبَسَ — to quote, cite, adopt; to adapt

اقْتَتَلَ ـ راجع تَقاتَلَ

اقْتَحَمَ — to break in(to), burst into; to break or pass through, storm

اقْتَدَى بـ — to imitate, copy, be guided by, follow someone's example

اقْتَدَرَ : اسْتَطاعَ ـ راجع قَدِرَ

اقْتِراح — suggestion, proposal, proposition; motion; recommendation

اقْتَرَبَ — to approach, come (near or close to), (draw) near

اقْتَرَحَ — to suggest, propose, offer; to recommend

اقْتَرَضَ — to borrow, take up a loan; to take in advance

اقْتَرَعَ : صَوَّتَ — to vote, cast a ballot

اقْتَرَفَ : ارْتَكَبَ — to commit, perpetrate

اقْتَرَنَ (بـ) : ارْتَبَطَ — to be coupled (with), connected (with), united (with)

اقْتَرَنَ (بـ) : تَزَوَّجَ — to get married (with, to), marry, wed

اقْتَسَمَ — to divide or distribute among themselves; to share

اقْتِصاد — economy; economics

اقْتِصاديّ — economic

اقْتِصاديّ : مُقْتَصِد ـ راجع مُقْتَصِد

(عالِم) اقْتِصاديّ — economist

اقْتَصَدَ — to economize; to be economical, thrifty, frugal; to save

اقْتَصَرَ على — to be limited to, restricted to; to limit oneself to

اقْتَضَى — to call for, require, need

اقْتَضَبَ — to abridge, shorten, digest

اقْتَطَعَ — to take a part of; to tear out, cut out; to subtract, take out

اقْتَطَفَ — to select, choose, pick out; to extract, excerpt, quote

اقْتَلَعَ — to pluck out, pull out, uproot

اقْتَنَى — to acquire, get, obtain; to possess, own, have

اقْتِناع — conviction, persuasion; satisfaction, content(edness)

اقْتَنَعَ بـ ـ راجع قَنِعَ بـ

أقْحُوان (نبات) — daisy; oxeye

إقْدام — intrepedity, courage, boldness

أقْدَمَ (على) — to venture, dare; to undertake, set out to, embark upon

أقْدَمِيَّة — seniority

أقَرَّ بـ : اعْتَرَفَ بـ — to confess, acknowledge, admit; to concede, grant

أقَرَّ : صادَقَ على — to ratify, confirm, approve, adopt, endorse

أَقْرَب nearer, closer
أَقَارِب، أَقْرَبُون، أقرباء relatives
في أَقْرَبِ وَقْتٍ مُمْكِن as soon as possible
أَقْرَضَ: سَلَّفَ to loan, lend
أَقْرَع: أَصْلَع bald, bald-headed
أَقْسَمَ (بِـ) to swear (by)
اِقْشَعَرَّ to shudder, shiver, quiver, have gooseflesh
أَقْصَى: أَبْعَدَ، عَزَلَ to remove, keep away; to eliminate, send away
أَقْصَى: قُصَارَى utmost, extreme
أَقْصَى: آخِر limit, end
حَدٌّ أَقْصَى maximum; utmost
أُقْصُوصَة short story, short novel
أَقْعَدَ: أَجْلَسَ to seat, make sit (down), ask to sit (down)
أَقْعَدَ: عَطَّلَ to cripple, disable
أَقْفَرَ to be desolate, deserted, empty
أَقْفَلَ to close, shut; to lock, bolt; to hang up (a telephone)
أَقَلَّ: نَقَلَ to carry, transport, convey
أَقَلّ (مِنْ) less, smaller, fewer, lesser; lower, inferior; under; below
الأَقَلّ the least, the minimum
على الأَقَلّ at least
إِقْلاع (الطَّائِرَة) takeoff, departure
أَقْلَعَ عن to desist from, abstain from, refrain from, stop, quit, give up
أَقْلَعَتِ الطَّائِرَةُ to take off, depart

أَقْلَقَ to worry, trouble, disquiet
أَقَلِّيَّة minority
إِقْلِيم region, territory; country; province, district, canton; zone
إِقْلِيمِيّ regional; territorial
أَقْنَعَ to persuade, convince
أَكَادِيمِيَّة academy
أَكْبَرَ: أَجَلَّ to admire, esteem, respect
أَكْبَر: أَعْظَم greater, bigger, larger
الأَكْبَر the greatest, the biggest
أَكْبَر (سِنًّا) older, elder
الأَكْبَر (سِنًّا) the oldest, the eldest
اِكْتَأَبَ to be sad, depressed, gloomy
اِكْتَرَى: اِسْتَأْجَرَ to rent, hire, lease
اِكْتِرَاث attention, care, concern
عَدَمُ اكْتِرَاث indifference, unconcern
اِكْتَرَثَ بِـ أو لِـ to care for or about, pay attention to
اِكْتَسَبَ to acquire, attain; to gain, win, earn, get
اِكْتَسَحَ to sweep (away), carry away; to overrun, invade, overwhelm
اِكْتِشَاف discovery; find(ing); discovering, finding (out), detection
اِكْتَشَفَ to discover, find, detect
اِكْتَفَى بِـ to be satisfied with, content with; to settle for
اِكْتِفَاء satisfaction, content(edness)
اِكْتِفَاءٌ ذَاتِيّ self-sufficiency
اِكْتَمَلَ ـ راجع كَمُلَ، تَكَامَلَ

اِكْتَنَفَ : أَحَاطَ بِـ to surround, encircle
أُكْتوبر : تِشْرِين الأَوَّل October
أَكْثَرَ : كَثُرَ ـ راجع كَثُرَ
أَكْثَر ، الأَكْثَر more; the most
أَكْثَر مِن more than, over, above
على الأَكْثَر at most
أَكْثَرِيَّة majority
أَكَّدَ to confirm, affirm, assert; to corroborate, prove; to assure
أَكَّدَ على to stress, emphasize
أُكْذوبَة fib, (white) lie
أَكْرَى : أَجَّرَ to rent out, let (out), lease
إِكْرامِيَّة bonus; tip, gratuity
أَكْرَمَ ـ راجع كَرَّمَ
أَكْرَهَ على : أَرْغَمَ to force to, compel to, coerce to, oblige to
أَكْسَبَ : أَرْبَحَ to pay, yield, profit; to make or let gain, allow a profit
أُكْسِجِين oxygen
أَكَلَ to eat
أَكْل : طَعَام food
أَكْل : تَناوُلُ الطَّعَام eating
آكِل : مَنْ يَأْكُل eater
آكِلُ النَّمْل (حيوان) anteater
أَكْلَة : وَجْبَة meal, repast
إِكْلِيرُوس clergy
إِكْلِيل crown; wreath, garland
أَكَمَة : تَلَّة hill, hillock, mound

أَكْمَلَ to complete, finish; to supplement; to continue, go on
أَكْمَل more perfect, more complete
بِأَكْمَلِهِ ـ راجع بِكَامِلِهِ (كامِل)
أَكورْدِيُون : آلَة مُوسِيقِيَّة accordion
أَكُول gluttonous, greedy; glutton
أَكِيد certain, sure, positive, definite
أَكِي دُنْيا ، إِكِي دُنْيا (نبات) loquat
آلَ إلى to return to; to go to, revert to; to lead to
آل : أَهْل family, relatives; house
أَل ، أَل التَّعْرِيف (الـ . . .) the
إِلَى ، إِلَى أَنْ to; until, till, up to
إِلَى آخِرِهِ etc., and so on
إِلَى (جانِبِ) ذٰلِكَ ـ راجع جانِب
إِلَى مَتَى how long? till when?
أَلَّا : أَنْ لا not to; in order not to, lest
إِلَّا except, but, excluding, save
إِلَّا إِذا unless, if not, except if
إِلَّا أَنَّ yet, however, but, still
وَإِلَّا otherwise, or else
إِلَامَ how far? up to where?
إِلَاه ، إِلَاهَة ـ راجع إِلٰه ، إِلٰهَة
أَلَّبَ عَلَيْهِ النَّاسَ to incite against
أَلْبَسَ to dress, clothe; to coat, plate
أَلْبِسَة ـ راجع لِبَاس
أَلْبُوم (لِلصُّوَرِ إلخ) album
آلَة machine; instrument, tool

آلَةُ تَسْجيل (الصَّوْتِ) (tape) recorder
آلَةُ تَصْوير camera
آلَةٌ حاسِبَة calculator
آلَةٌ كاتِبَة typewriter
آلَةٌ مُوسيقِيَّة musical instrument
إلْتِباس confusion, ambiguity
إلْتَبَس to be ambiguous, equivocal
إلْتَجَأَ إلى - راجع لَجَأَ إلى
إلْتَحَقَ بِـ to join, enter
إلْتَذَّ (بِـ) to enjoy, savor
إلْتِزام commitment, engagement, obligation
إلْتَزَم (بِـ) to observe, comply with; to bind or commit oneself, undertake; to be bound, engaged, obligated
إلْتَصَقَ بِـ to stick to, adhere to
إلْتَفَّ في to wrap oneself in
إلْتَفَّ حَوْلَ to gather around; to surround, encircle, envelop
إلْتَفَتَ to turn, turn around, turn one's head; to look around
إلْتَفَتَ إلى to pay attention to
إلْتَقى : إجْتَمَعَ to meet, get together
إلْتِقاء : إجْتِماع meeting
إلْتَقَطَ : لَقَطَ - راجع لَقَطَ
إلْتَقَطَ إذاعَةً إلخ to receive
إلْتَمَسَ to request, beg; to look for
إلْتَمَعَ - راجع لَمَعَ

إلْتَهى بِـ to amuse or distract oneself with, pass the time with, play with
إلْتِهاب [طب] inflammation; infection
إلْتَهَبَ : إشْتَعَلَ to flame, blaze, burn
إلْتَهَبَ [طب] to be inflamed
إلْتَهَمَ to devour, gobble, swallow up
إلْتَوى to be twisted, bent, curved
الّتي - راجع الّذي
ألَحَّ to insist on; to press, urge
إلْحاح insistence, importunity, pressing, urging, urgency, urge
إلْحاد atheism, infidelity
ألْحَدَ to be an atheist
ألْحَقَ بِـ : أتْبَعَ to attach to, annex to; to follow (up) with
ألْحَقَ ضَرَراً بِـ to cause damage to, inflict damage on, damage, harm
ألْحَمَ to weld, solder; to fuse, join
الّذي who, whom; which, that, what
إلْزامِيّ compulsory, obligatory
ألْزَمَ (بِـ) to bind; to force (to), compel (to), oblige (to)
ألْصَقَ to attach, fix, stick, glue
ألْعُوبَة - راجع لُعْبَة
ألْغى to cancel, call off; to invalidate, annul, abolish, abrogate, repeal
ألِفَ to get used to; to get along with
ألِفَ الحَيَوانُ to be or become tame, domestic(ated)

أَلَّفَ : شَكَّلَ to form, set up, establish; to constitute, make up
أَلَّفَ (كتاباً إلخ) to compose, write
أَلْف (١٠٠٠) thousand
أَلِفْباء alphabet
أَلِفْبائيّ alphabetical, alphabetic
أُلْفَة familiarity, intimacy; harmony
أَلْقَى : رَمَى to throw, cast; to drop, throw down; to throw away
أَلْقَى : تَلا، سَمَّعَ to recite, say
أَلْقَى خِطاباً أو كلمةً to make or deliver an address or speech
إلِكْترون : كُهَيْرِب electron
إلِكْترونيّ electronic
الله God (the One and Only), the Lord, Allah, Diety
واللهِ، تاللهِ، باللهِ by God!
اللّٰهُمَّ O God! O Lord!
اللّٰهُمَّ إلّا unless, except that
آلَمَ : أَوْجَعَ to hurt, pain, ache
أَلَمَّ بـ : عَرَفَ to know
أَلَمَّ بـ : أَصَابَ to befall, hit
أَلَم pain, ache; suffering; agony
أَلَمُ الأَسْنان toothache
أَلَمُ الرأس : صُدَاع headache
أَلْماس، أَلْماسَة، أَلْماسِيّ diamond
أَلْمانيّ German
الأَلْمانيَّة : اللغة الأَلْمانيَّة German

أَلَّهَ to deify, idolize
إلٰه : رَبّ god, deity
أَلْهَى to divert, distract
إلْهام inspiration; revelation
أَلْهَبَ to inflame, ignite, kindle
إلٰهَة : رَبَّة goddess, deity
أَلْهَمَ to inspire (with or to)
إلٰهِيّ divine, of God, from God
آلِيّ mechanical; automatic, power
أَلِيف : داجِن tame(d), domestic(ated)
أَلِيم - راجع مُؤْلِم
أَمَّ : قَصَدَ to go to, repair to
أَمْ : أَوْ or
أُمّ : والِدَة mother
أُمُّ أَرْبَع وأَرْبَعِين (حشرة) centipede
أَمّا as to, as for; but, however, yet, on the other hand
إمّا... أَوْ either... or; whether... or
أَمَاتَ to kill, put to death
أَمَارَة : عَلامَة sign, indication, token
إمَارَة emirate, principality
أَمَالَ : حَنَى to incline, tip, tilt, bend
أَمَام in front of, opposite (to), facing
إمَام imam; leader, chief
أَمَامِيّ front, frontal, forward, first
أَمَان : أَمْن safety, security, peace
أَمَانَة : وَفَاء faithfulness, fidelity, hon-

esty, integrity, uprightness
أمانة : وديعة deposit; trust, charge
إمبراطور emperor
إمبراطورة empress
إمبراطورية empire
أمة : جارية bondmaid, bondwoman
أمة (ج أمم) nation, people
الأمم المتحدة the United Nations
امتاز بـ to be distinguished by, characterized by, marked by
امتثل to obey, follow, comply with
امتحان examination, test; quiz
امتحن to examine, test; to try
امتدّ to extend, expand, spread (out), stretch
امتزج to mix, mingle, blend; to be mixed, mingled, blended
امتصّ to absorb; to suck (up); to sip
امتطى to mount, ride; to board, get in
أمتعة ـ راجع متاع
امتعض (من) to resent
امتلأ (بـ) to be full (of), filled (with)
امتلك ـ راجع ملك
امتنع عن to abstain from, refrain from, stop, cease, quit, give up
امتياز : تفوّق distinction, excellence
امتياز : حقّ خاصّ privilege
أمثل optimum, ideal; perfect

أمثولة example, lesson
امّحى to be erased, effaced
أمدّ بـ : زوّد بـ to supply with, provide with, furnish with
أمد limit; duration; period, time
أمر to order, command, instruct
أمرّ : جعله يمرّ to pass; to let pass
أمر (ج أوامر) : فرض order, command, instruction, directive, dictate
أمر (ج أمور) : شأن ، حال matter, affair, concern; condition, situation
آمر commander; head, chief
امرؤ man; person; one
امرأة woman; wife
إمرة command, authority, control
أمرض to sicken, make sick or ill
أمريكي American
أمس : البارحة yesterday
أمس الأول the day before yesterday, two days ago
أمسّ ، كان في أمسّ الحاجة إلى to need urgently, be in dire need of
أمسى : صار ، بات to become; to be
إمساك : قبض (البطن) constipation
أمسك (بـ) : قبض to hold, grasp, take hold of, seize, catch, grab
أمسك عن : امتنع to refrain from, abstain from, desist from, stop
أمسية evening; soirée

أَمْضى (وَقْتاً) : قَضى to spend, pass
أَمْضى : وَقَّع to sign
إمْضاء : تَوْقيع signature
أَمْطَر (تِ السَّماءُ) to rain (it rained)
أَمْعاء ـ راجع مِعًى
أَمْعَن في to go too far in
أَمْعَن النَّظَرَ في to examine closely
إمْكان، إمْكانيَّة : اِحْتِمال possibility, probability; chances, prospects
إمْكان : قُدْرَة ability, capability, capacity, power
أَمْكَنَ (ـهُ الأَمْرُ)، يُمْكِنُهُ (أَنْ) to be possible for; can; may; to be able to, be capable of; to manage to
أَمْكَنَ مِن ـ راجع مكَّن مِن
لا يُمْكِن it is impossible
أَمَلَ : رَجا to hope; to hope for; to look forward to
أَمَّلَ : جَعَلَهُ يأمَل to give hope (to)
أَمَل : رَجاء hope, expectation
أَمْلى (على) to dictate (to)
إمْلاء dictation
أَمْلَس smooth, sleek, slick, even
أَمَّم to nationalize
أَمِنَ : اِطْمَأنَّ to be safe, secure
آمَنَ بِـ to believe in, have faith in
أَمَّنَ (على أو ضِدَّ) to insure
أَمَّنَ : حَقَّقَ to ensure, secure, guarantee; to procure, bring about, achieve, realize; to produce
أَمَّنَهُ على to entrust with
أَمْن security, safety, peace
آمِن safe, secure, peaceful
أَمْنِيّ security, safety, peace
أُمْنِيَّة wish, aspiration, desire
أَمْهَلَ to give (someone) time
أُمُومَة motherhood, maternity
أُمِّيّ : غَيْرُ مُتَعَلِّم illiterate, uneducated
أُمِّيَّة illiteracy
أَمير prince, emir; chief; master
أَميرال، أَميرُ البَحْر admiral
أَميرة princess
أَميرِكِيّ American
أَمين : وَفِيّ faithful, loyal, honest
أَمين : غَيْرُ خَطِر safe, secure
أَمين : مُشْرِف trustee, guardian; supervisor; manager; chief
أَمين، أَمينُ السِّرّ secretary
أَمينُ الصُّنْدُوق treasurer; cashier
أَمينُ العاصِمَة mayor; governor
أَمينٌ عامّ secretary-general
أَمينُ المَكْتَبَة librarian
آمين amen
آنَ : حانَ to come, approach
آنَ الأَوانُ the time has come, it is (high) time, now is the time
أَنَّ : تَأَوَّهَ to moan, groan, whimper

آن : وَقْت time; period (of time)
الآنَ now; at present, at the moment, today, nowadays, currently
في آنٍ مَعاً، في آنٍ (واحِد) at the same time, simultaneously
مِنَ الآنَ فَصاعِداً from now on; starting, from, as of, effective from
أَنْ that; to
إِنْ if
وَإِنْ although, (even) though, even if, despite
إِنْ لَمْ unless, if not, except
أَنَّ، إِنَّ that; truly, indeed
إِنَّما truly, indeed; but, however, yet; rather, on the contrary
أَنا : ضَمِيرُ المُتَكَلِّم I
أَنَّى : أَيْنَ، حَيْثُما where; wherever
إِناء (ج آنِيَة وأَوانٍ) vessel, container; utensil(s), dish(es), cup(s)
أَنابَ to depute, deputize, delegate
أَناة deliberateness; patience
أَنارَ : أَضاءَ to light (up), illuminate
إِنارَة lighting, illumination
أَناس : ناس people, human beings
أَناطَ بِـ : فَوَّضَ، خَوَّلَ to entrust with; to entrust to; to authorize to
أَنافَ على : زادَ to exceed, be more than
أَناقَة elegance, fashion, style, grace
أَناناس (نبات) pineapple
أَنانِيّ selfish, egocentric, egoistic
أَنانِيَّة selfishness, egoism
أَنَّبَ : وَبَّخَ to reproach, scold, rebuke
أَنَّبَهُ ضَمِيرُهُ to feel remorse
أَنْبَأَ (بِـ) to inform about, tell about, notify of, advise of; to announce
اِنْبَثَقَ to emanate, spring, arise, issue, stem; to flow out, come out
اِنْبَسَطَ : اِمْتَدَّ to spread (out), stretch
اِنْبَسَطَ : سُرَّ to be happy, glad, delighted, pleased; to enjoy oneself, have fun
اِنْبَطَحَ to lie prostrate, lie down
اِنْبَغَى (يَنْبَغِي) عَلَيْهِ أو لَهُ أَنْ he ought to, he should, he must, he has to
اِنْبَغَتَ to be taken aback, taken by surprise, surprised, shocked
أُنْبُوب، أُنْبُوبَة pipe, tube, duct
أَنْتَ، أَنْتِ you, thou
اِنْتَأَ to protrude, project, stick out
اِنْتابَ : أَصابَ to hit, come over
إِنْتاج production
إِنْتاجِيَّة productivity
اِنْتِباه attention; alertness; care
اِنْتَبَهَ to be careful, look out, watch out; to pay attention (to), notice
أَنْتَجَ to produce, make, fabricate
اِنْتِحار suicide
اِنْتَحَرَ to commit suicide
اِنْتَحَلَ (صِفَةً أو شَخْصِيَّةً) to pass oneself off as, pretend to be

اِنْتِخاب election; voting, vote
اِنْتَخَبَ to select, choose; to elect, vote in; to vote, cast a ballot
اِنْتَدَبَ to delegate, deputize, depute; to give a mandate (over)
اِنْتَزَعَ to pull out; to snatch, grab
اِنْتَسَبَ إلى to be related to; to associate (oneself) with, join, enter
اِنْتَشَرَ to spread, diffuse, circulate
اِنْتَشَلَ : رَفَعَ to pick up, lift; to save
اِنْتِصار : نَصْر victory, triumph
اِنْتَصَبَ to stand erect, stand up, rise
اِنْتَصَرَ على to triumph (over), prevail (over), defeat, beat, overcome
اِنْتِظار waiting (for), awaiting
اِنْتَظَرَ to wait (for), await; to expect
اِنْتَظَمَ to be organized, arranged; to be orderly, systematic
اِنْتَعَشَ to refresh, be refreshed; to revive, be revived, be stimulated
اِنْتِفاضَة : رِعْشَة tremor, shiver, shake
اِنْتِفاضَة (شَعْبِيَّة) uprising, upheaval
اِنْتَفَخَ to swell, distend, puff up
اِنْتَفَضَ to shake, tremble, shudder
اِنْتَفَعَ (بِـ أو مِنْ) to make use of, utilize, take advantage of, benefit from
اِنْتَقى to select, pick out, choose
اِنْتِقاد criticism; faultfinding
اِنْتِقال movement; transfer; transport(ation); transition, shift

اِنْتِقاليّ transition(al), interim
اِنْتِقام revenge; retaliation, reprisal
اِنْتَقَدَ to criticize, find fault with
اِنْتَقَلَ to move; to be transferred, transported; to shift, switch, change; to move (on) to, go to
اِنْتَقَمَ مِنْ to revenge or avenge oneself on, take revenge or vengeance on; to retaliate upon
اِنْتَكَسَ to relapse, suffer a setback
أَنْتُمْ، أَنْتُما you
اِنْتَمى إلى to belong to, relate to, be related to; to associate with, join
أَنْتَنَ to stink, be fetid; to rot
أَنْتُنَّ you
اِنْتَهى to end, come to an end; to be finished, over, through; to expire
اِنْتَهى مِنْ ـ راجع أَنْهى
اِنْتِهاء end, conclusion, close; expiry
اِنْتَهَزَ الفُرْصَة to seize or take the opportunity; to take occasion (to)
اِنْتَهَكَ to violate, break, infringe
أَنْتين : هَوائيّ antenna, aerial
أُنْثى female; woman
أَنْجى ـ راجع نَجّى
إِنْجاز (ج إِنْجازات) achievement, feat
إِنْجاص (نبات) pear(s)
أَنْجَبَ to beget, procreate; to give birth (to), bear
أَنْجَحَ : نَجَّحَ to make or let succeed,

make successful, make a success

أنْجزَ to carry out, achieve, accomplish, complete, finish, do

إنْجَلَى to clear, clarify; to be or become clear

إنْجليزِيّ English; Englishman

الإنْجليزِيَّة : اللُّغةُ الإنْجليزِيَّة English

الإنْجيل : العَهْدُ الجَدِيد the New Testament; Gospel

إنْجيلِيّ evangelical

أنْحاء ـ راجع نَحْو

إنْحازَ ـ راجع تَحَيَّزَ

إنْحدر to descend, come down, go down, fall, decline

إنْحرَفَ (عن) to deviate from, depart from, turn away from; to stray, go astray, be corrupt(ed)

إنْحرَفَ الحَدَثُ : جَنَحَ to be or become delinquent

إنْحسَرَ to abate, subside, wane, decrease, decline, recede, go back

إنْحطَّ to fall, deteriorate, decline

أنْحَفَ، أنْحَلَ to thin, make thin

إنْحَلَّ : إنْفكَّ to unravel, untie; to be untied, unfastened, loosened

إنْحلَّتِ المُشْكِلَة to be solved

إنْحَلَّ : ذابَ to dissolve, melt

إنْحَلَّ : فَسَدَ to disintegrate, decay, decompose, putrefy, degenerate

إنْحَنَى to bend, curve, twist; to be bent, curved, twisted, inclined

إنْحَنَى احْتِراماً أو خُضُوعاً to bow

إنْحِياز ـ راجع تَحَيُّز

عَدَمُ الانْحِياز nonalignment

إنْخَدَشَ to be scratched, scarified

إنْخَدَعَ to be deceived, fooled

إنْخَرَطَ في to join, enter

إنْخَفَضَ to drop, go down, decrease, decline; to be reduced, decreased

إنْخَلَعَ to be dislocated; to be disconnected, disjoined

إنْدَحَرَ to be defeated, routed

إنْدَسَّ في أو بَيْنَ to slip into or among, sneak into or among; to be hidden in, foisted into, slipped into

إنْدَفَعَ : إنْطَلَقَ to rush, dart, dash, spring, run, burst forth

إنْدِلاع outbreak

إنْدَلَعَ اللِّسانُ to stick out, loll

إنْدَلَعَتِ الحَرْبُ أو النَّارُ to break out, flare up, erupt

إنْدَمَجَ to merge, unite, integrate; to be merged, united, integrated

إنْدَمَلَ الجُرْحُ to heal, scar over

إنْدَهَشَ ـ راجع دَهِشَ

إنْذار warning; alarm, alert

آنَذاك then, at that time

أنْذَرَ to warn, caution, alarm, alert

إنْذَهَلَ ـ راجع ذَهِلَ

إنْزَعَجَ to be disturbed, annoyed

أَنْزَلَ: جَعَلَهُ يَنْزِل to bring down, take down; to lower, drop
أَنْزَلَ اللّهُ كَلامَهُ أو الوَحْيَ على to reveal to, send down to
أَنْزَلَ: آوى to put up, lodge
أَنْزَلَ: خَفَّضَ to lower, reduce, cut; to deduct, subtract, discount
أَنْزَلَ بِهِ كَذا to inflict on
اِنْزَلَقَ to slide, glide, skid, slip
اِنْزَوَى to retire, seclude or isolate oneself, be isolated, be alone
أَنِسَ: كانَ لَطِيفاً to be friendly
أَنِسَ الحَيَوانُ: أَلِفَ to be or become tame(d), domestic(ated)
أَنِسَ بِهِ أو إلَيْهِ to like someone's company; to get used to
آنَسَ: سَلَّى to entertain, amuse
أُنْس sociability, amiability; amusement, entertainment, fun
أَنْسَى: نَسَّى to make forget
اِنْسابَ to stream, flow, run
إِنْسان human being, human, man
إِنسانٌ آلِيّ robot
إِنسانِيّ human; humanitarian
إِنسانِيَّة humanity
آنِسَة young lady, girl
الآنِسَةُ فُلانَة . . Miss..
اِنْسِجام harmony, conformity, accord
اِنْسَجَمَ (مَع) to be in harmony (with), get along (with), match, fit, suit, go well (with), be consistent (with)
اِنْسِحاب withdrawal, pullout
اِنْسَحَبَ to withdraw, retreat, pull out; to walk out, leave
اِنْسِيابِيّ streamlined, streamline
إِنْش inch
أَنْشَأَ: أَسَّسَ to establish, found, set up; to create, make, form, start
أَنْشَأَ: بَنَى to build, construct, set up
أَنْشَأَ: رَبَّى ـ راجع نَشَّأَ
إِنْشاء: مَوْضُوعٌ إِنْشائِيّ، مَقالَة composition, essay
أَنْشَدَ: غَنَّى to sing, chant
اِنْشَرَحَ (صَدْرُهُ) to be delighted, happy, cheerful; to cheer up
اِنْشَغَلَ to be occupied, busy, engaged; to be preoccupied
اِنْشَقَّ: اِنْفَلَعَ to split (apart), crack
اِنْشَقَّ عن: اِنْفَصَلَ عن to secede from, separate from, break away from
أُنْشُودَة song, chant; hymn. anthem
أُنْشُوطَة: عُقْدَة knot, noose, loop
اِنْصاعَ لِـ: خَضَعَ to yield to, submit to, surrender to, defer to, obey
إِنْصاف justice, fairness; equity
أَنْصَتَ لِـ to listen to
أُنْصَة: أُونْصَة ounce, oz.
اِنْصَرَفَ: ذَهَبَ to leave, go away
اِنْصَرَفَ إلى to devote oneself to

أَنْصَفَ to be just with
اِنْصَهَرَ : ذابَ to fuse, melt
اِنْضِبَاط discipline
اِنْضَبَطَ to be disciplined
أَنْضَجَ to ripen, mature, make ripe
أَنْضَجَ الطَّعَامَ to cook well, do well
اِنْضَمَّ إلى to join, enter
اِنْضَمَّ : اِتَّحَدَ to unite, join, merge
اِنْطِباع ، اِنْطِباعَة impression
اِنْطَبَقَ على to apply to, be applicable to, be true of, hold good for
اِنْطَفَأَ to go out, be extinguished
اِنْطَلَقَ : اِنْدَفَعَ to dash, rush, shoot, spring, burst forth, break out; to be launched; to take off, start off, go ahead, get going
اِنْطَلَقَ : تَحَرَّرَ to be free, liberated
اِنْطَوَى على : تَضَمَّنَ to include, contain, embody, cover, encompass
اِنْطَوَى على نَفْسِهِ to introvert
اِنْطِوَاء introversion; withdrawal
اِنْعَتَقَ to be free(d), liberated
اِنْعَدَمَ ـ راجع عُدِمَ
اِنْعَزَلَ to be isolated, secluded; to isolate oneself, seclude oneself
أَنْعَشَ to refresh, freshen; to revive, resuscitate, invigorate, animate
اِنْعَقَدَ : اِجْتَمَعَ to convene, meet
اِنْعَكَسَ to be reversed, inverted

اِنْعَكَسَ الضَّوْءُ to be reflected
اِنْعَكَسَ على : أَثَّرَ في to reflect on, affect, influence, act upon
أَنْعَمَ عليه بـِ to bestow upon, confer upon, grant, give, bless with
أَنْعَمَ النَّظَرَ في to look closely at
أَنِفَ (الشَّيْءَ أو مِنْهُ) to disdain, scorn
أَنْف : مَنْخِر nose
آنِف : سابِق preceding, previous, last
آنِفُ الذِّكْرِ، مَذْكُورٌ آنِفاً aforesaid, above-mentioned
آنِفاً previously, earlier, before
أَنَفَة : تَرَفُّع ، عِزَّةُ نَفْس disdain, pride; self-esteem, sense of honor
اِنْفَتَحَ : تَفَتَّحَ to open, be open(ed)
اِنْفِجار explosion, blowup, blast
اِنْفَجَرَ : تَدَفَّقَ to gush out, burst out, erupt, break out, shoot out
اِنْفَجَرَ (ـتِ القُنْبُلَةُ إلخ) to explode, go off, blow up, detonate
اِنْفَجَرَ بالبُكاء to burst into tears
اِنْفَرَجَ : اِنْفَتَحَ to open (up), be wide open; to diverge, spread apart
اِنْفَرَجَ الهَمُّ to be dispelled
اِنْفَرَجَ : اِسْتَراحَ to relax, ease, remit
اِنْفَرَدَ : اِنْعَزَلَ to isolate oneself
اِنْفَرَدَ بـِ : اِخْتَلَى بـِ to be alone with, retire with, meet separately with
اِنْفَرَدَ بـِ : اِمْتازَ بـِ to be distinguished by, marked by, characterized by
اِنْفِصال separation, secession

اِنْفَصَلَ (عن) to separate (oneself) from, secede from, withdraw from, break (up) with; to be separated, disunited, detached

اِنْفِعال emotion, passion; excitement

اِنْفَعَلَ: تأثَّرَ، اِسْتَجابَ to be affected, influenced; to react, respond

اِنْفَعَلَ: ثارَ to get emotional, agitated, excited, nervous, upset

أَنْفَقَ (مالاً أو وقتاً) to spend

اِنْفَكَّ to be untied, unfastened, undone, disconnected, detached

ما انفكَّ (لَمْ يَنفَكَّ) not to stop doing, keep (on) doing, continue to do

اِنْفَلَعَ، اِنْفَلَقَ to split (apart), crack; to burst, break open; to be split

إنفلونزا influenza, flu

إنْقاذ deliverance, rescue, rescuing, saving, salvation

أَنْقاض debris, rubble, ruins, wreck

اِنْقَبَضَ: تَقَلَّصَ to contract, shrink

اِنْقَبَضَ (صَدْرُهُ) to be depressed

أَنْقَذَ (مِنْ) to save (from), rescue (from), deliver (from)

اِنْقَرَضَ to become extinct, die out

اِنْقِسام division, partition, breakup

اِنْقَسَمَ to be divided, split, partitioned; to divide, break up

اِنْقَشَعَ to clear away; to clear (up)

أَنْقَصَ to decrease, diminish, reduce, lessen, lower, cut, cut down

اِنْقَضَّ (على) to swoop down; to descend upon, pounce upon, attack

اِنْقَضَى to pass, go by, expire, be over

اِنْقَطَعَ: قُطِعَ to be cut, severed

اِنْقطَعَ: تَوَقَّفَ to stop, cease, discontinue; to be stopped, suspended

اِنْقِلاب: ثَوْرة coup d'état, coup

اِنْقَلَبَ: قُلِبَ to be turned; to be turned over or upside down

اِنْقَلَبَ: انْعَكَسَ to be reversed

أَنْقَلِيس (سمك) eel

اِنْكَبَّ على to dedicate oneself to; to be engaged in, busy with

أَنْكَرَ to deny, disown, disavow

اِنْكَسَرَ: تَكَسَّرَ to be or get broken, shattered; to break (up), shatter

اِنْكَسَرَ: اِنْهَزَمَ to be defeated, routed

اِنْكَسَفَ (ـتِ الشَّمْسُ) to be eclipsed

إنْكليزِيّ English; Englishman

الإنْكليزِيَّة: اللُّغَةُ الإنْكليزِيَّة English

أَنْمى ـ راجع نَمَّى

إنَّما truly, indeed; but, however, yet; rather, on the contrary

إنْماء: تَنْمِيَة development

أَنْمَش: ذو نَمَش freckled

أَنْمُلَة: بَنانَة، رأسُ الإصْبَع fingertip

أُنْموذَج ـ راجع نَموذَج

أَنْهَى: أَتَمَّ to end, finish, terminate, conclude, complete

أنْهى : أوْقَفَ — to put an end to, terminate, stop, discontinue

إنْهارَ : سَقَطَ — to collapse, fall down, crash (down), break down

إنْهَزَمَ — to be defeated, vanquished, beaten, overcome; to lose

أنْهَكَ — to exhaust, fatigue, stress

إنْهَمَرَ — to pour down, fall heavily

إنْهَمَكَ في — to be wholly engaged in, absorbed in, preoccupied with

إنْهيار — collapse, breakdown, crash

أُنوثَة — femininity, womanliness

آنِيّ : حاليّ — present, current, actual

آنِيّ : فَوْرِيّ — instantaneous, instant

آنِيَة ـ راجع إناء

أنيس : لَطيف — friendly, genial, nice

أنيس : أليف، داجِن — tame(d), domestic(ated)

أنيس : صَديق — friend, companion, comrade, pal

أنِيسون، آنِيسُون — anise, aniseed

أنيق — elegant, fashionable, dressy

أه، أهْ، آهِ، آهْ، آهًا — oh! ah!

أهانَ — to insult, offend, humiliate

إهانَة — insult, affront, offense

آهَة — sigh, moan, groan

إهْتَدى (إلى) — to find the way (to); to find, discover, come upon

إهْتَزَّ — to shake; to swing, rock, vibrate, oscillate; to be shaken

إهْتَمَّ بـ — to be interested in; to take care of, look after, see to; to pay attention to, mind

إهْتِمام — interest; concern; care

أهْدى (إلى) : قَدَّمَ كَهَدِيَّة — to give (as a present or gift to)

أهْدى الكِتابَ أو الأُغْنِيَةَ إلى — to dedicate (a book, song) to

أهَّلَ (لأمر) — to qualify, fit, make fit, adapt; to (re)habilitate

أهَّلَ بـ : رَحَّبَ بـ — to welcome

أهْل : أقرباء — relatives; family

أهْل : سُكّان — inhabitants; citizens

أهَّلَ (لـ) ـ راجع مُؤَهَّل (لـ)

آهِل : مَسْكون — inhabited, populated

أهْلًا وسَهْلًا، أهْلًا — welcome!

أهْلَكَ — to destroy, ruin, wipe out

أهْلِيّ — national; domestic; native

حَرْبٌ أهْلِيَّة — civil war

أهْلِيَّة — capacity; fitness; merit

إهْمال — negligence, carelessness

أهْمَلَ — to neglect, ignore, disregard

أهَمِّيَّة — importance, significance

أهْوَج — reckless, rash, foolhardy

أوْ : أمْ — or

أوى إلى — to stay at; to take refuge in; to go to, retire to

آوى، أوى — to lodge, put up, accommodate; to shelter, harbor

أوَان : وَقت، حِين	time, season
أوبِرا	opera
أوبِريت	operetta
أوتوبوس، أوتوبِيس	bus, autobus
أوتوستراد	highway, freeway
أوتوماتيكي	automatic; power
أوتيل	hotel, inn, hostel, hostelry
أوْثق	to tie (up), bind, (en)chain
أوج	peak, climax, acme, top, apex
أوْجاق : وُجاق	stove
أوْجب	to impose; to necessitate, make obligatory; to require
أوْجَدَ	to create, make, produce
أوْجَزَ	to summarize, sum up, brief
أوْجع	to hurt, ache, cause pain to
أوْحَى إليه بـ	to inspire with (or to); to reveal to
أوْحد ـ راجع وَحِيد	
أوْدى بِهِ أو بِحَيَاتِه	to destroy, kill
أوْدَعَ : وَضَعَ	to deposit, put, place
أوْرَث : وَرَّث ـ راجع وَرَّث	
أورثوذكس ـ راجع أرثوذكس	
أوْرَدَ : أوْصَلَ إلى	to take to, bring to
أوْرَدَ : ذَكَرَ	to mention, state, report
أوْرَقَ الشَّجَرُ	to leaf, foliate
أورْكِسْترا	orchestra
أورُوبًا	Europe
أورُوبّي	European
إوَزَّة (ج إوَزّ)	goose (pl. geese)
إوَزّ عِرَاقِيّ	swan
أوْسَط	middle
أوْشكَ أنْ	to be on the point of, on the verge of, on the brink of, about to
أوْصَى (بِوَصِيَّة)	to bequeath, give by will
أوْصَى بـ : عَهِدَ إليه بـ	to entrust to
أوْصَى بـ : نَصَحَ بـ	to recommend
أوْصَى بـ : أمَرَ، طَلَبَ	to order
أوْصَدَ : أغْلَقَ	to close, shut
أوْصَلَ (إلى)	to take (to); to transport, carry; to deliver, pass (on)
أوْصَلَ الرَّاكِبَ فلانًا	to give someone a lift, drive, convey, take
أوْضَحَ	to clarify, clear (up), make clear, explain, illustrate, show
أوْعَدَ : هَدَّدَ	to threaten, menace
أوْعَزَ إلى	to insinuate to, suggest to, recommend to; to instruct, order
أوغُسْطُس : آب	August
أوْفَدَ	to delegate; to send
أوْقَدَ (النَّارَ)	to kindle, light, start
أوْقَعَ	to drop, let or make fall, tumble, throw down
أوْقَعَ بِهِ كذا	to inflict on, cause to
أوْقَفَ : جَعَلَهُ يَقُوم	to stand, make stand, raise; to make rise
أوْقَفَ : قَطَعَ	to stop, halt, discontinue, cut, end, terminate

أوقف : إعتقل to detain, hold, arrest
أوقف السيّارة في موقف to park
أوقيانوس : مُحيط ocean
أوقيّة : وحدة وزن oke, oka; ounce
أوكازيون sale, clearance (sale)
أوكتوبر : تشرين الأول October
أوكسيجين oxygen
أوكسيد oxide
أوكل ـ راجع وكل
أوّل : فسّر to interpret, construe
أوّل : ضدّ آخر first
أوّل : بدء beginning, start, outset
أوّلاً first, firstly, in the first place, first of all, to begin with; at first
أوّل البارحة، أمس الأوّل the day before yesterday, two days ago
أولاء، أولئك these, those
أولع بـ to be fond of; to love, like
أولويّة priority, precedence
أوّليّ : أصليّ، أساسيّ first, initial, primary; fundamental, basic
أوّليّ : تمهيديّ preparatory, preliminary, introductory
أوّليّ : خام raw, crude
أومأ to make a sign or signal
أومض to flash, gleam, flicker, blink
أونس، أونسة، أونصة ounce, oz.
أوهن : أضعف to weaken, enfeeble
أي : يعني that is, i.e., namely

أيّ؟ who? which? what?
أيّ، أيّما any; every; either
إيّا، إيّاك أن take care not to, be careful not to; don't, don't ever
إيّاك من، إيّاك و be careful of
أعطاني إيّاه he gave it to me
إياب : رجوع return(ing), going back
أيّار : مايو May
آية : علامة sign, mark, token
آية : معجزة miracle, wonder
آية : تحفة masterpiece
آية (من كتاب مقدّس) verse
إيجاب : ضدّ نفي affirmation; affirmative
إيجابيّ positive; constructive
إيجار rent; lease; letting (out), leasing, renting out, hiring out
للإيجار for rent, to let, for hire
إيجاز : إختصار conciseness, brevity, shortness, terseness, succinctness
بإيجاز in brief, briefly, in short, concisely, to sum up, in a word
أيّد to support, back (up), advocate; to confirm, sustain; to endorse
إيديولوجيا، إيديولوجيّة ideology
إيراد : دخل income, revenue, returns
أيسر (كجهة) left-hand, left

أَيْسَر : أَعْسَر left-handed, sinistral

إيصال : وَصْل (بالاستِلام) receipt; voucher

أيضاً also, too, as well (as); besides

إيقاع (مُوسِيقِيّ) rhythm; harmony

أيقظ to wake (up), awake(n), waken, rouse (from sleep)

أيقن to be certain of, sure of

أيْقُونَة [نصرانية] icon

أيِّل، أيَّل، أُيَّل (حيوان) stag, deer

أيْلُول : سبتمبر September

إيماء، إيماءة gesture; sign, signal

إيمان belief, faith

أيْمَن (كَجِهَة) right-hand, right

أيْمَن : ضِدّ أَعْسَر right-handed

أين where? in what place?

إلى أين where to? where?

أيْنما wherever, no matter where, anywhere

أيْنَع : نَضِجَ to ripen, mellow

أيُّها، يا أيُّها O, oh

ب

بـ : حَرْفُ جَرّ in, at, on; with; by, by means of, through
بِلا، بِدُونِ without; excluding
بِما أَنَّ since, as, because, whereas
بِمَا فِيهِ including, inclusive
بِاللّٰه by God
بائِد extinct, dead; past, bygone
بائِس miserable, wretched, poor
بائِع seller, vendor; dealer
بائِع (في مَتْجَرٍ) salesman
بائِنَة : دُوطَة dowry, dower, dot
باب (المَدْخَل) door, gate
باب (مِنْ كِتاب) section, chapter
باب : صِنْف category, class, grade; type, sort, kind
باب : مَوْضوع subject, topic
مِنْ بابِ كَذا out of, by way of, as
بُؤْبُؤ (العَيْن) pupil of the eye
بابا : الحَبْرُ الأَعْظَم pope; the Pope
بابا : أب daddy, dad, papa, pa
بابا نُويل Santa Claus
بابُونَج (نبات) chamomile, camomile
باتَ : أَقامَ لَيْلاً to spend or pass the night; to stay overnight
باتَ : صارَ to become; to be
باتّ : حاسِم categorical, absolute, decisive, conclusive, final
باج (لَوْن) beige, ecru, light tan
باحَ بِالسِّرّ to reveal, disclose, divulge
باحَة courtyard; square, plaza
باحَثَ to discuss with, talk with
باحِث scholar, researcher
باخَ : بَهِتَ لَوْنُهُ to fade, dim, bleach
باخِرَة steamer, (steam)ship
بادَ to perish, pass away, be extinct
بادٍ (البادِي) : ظاهِر apparent, visible
بادِىء initiator, originator, beginner, starter; creator, maker
بادِىءَ ذي بَدْءٍ first, first of all, in the first place, to begin with
في بادِىءِ الأَمْر، بادِىءَ الأَمْر at first, in the beginning
بادَرَ (إلى) to take the initiative, take

action; to set out to; to hurry to

بادِرَة sign, indication; prospect; gesture; initiative, step, move, action

بادَلَ : بَدَّلَ to exchange (for)

بادَلَ (عَمَلاً بِمِثْلِهِ) to reciprocate

بادِيَة desert; semidesert; steppe

باذِنْجان (نبات) eggplant, aubergine

بَأَّرَ : مَرْكَزَ to focalize, focus

بارَ العَمَلُ to be futile, unfruitful

بارَتِ البِضاعَةُ to be unsalable

بار : حانَة bar, barroom, pub, tavern

بارّ : وَفِيّ pious, dutiful, devoted

بِئْر well

بارى : نافَسَ to compete with, rival

بُؤْرَة focus; center; pit

بارِجَة battleship, warship; gunboat

البارِحَة : أَمْسِ yesterday

بارِد : ضِدّ حارّ cold, cool, chilly

بارَزَ to duel (with), fence with, fight (with), combat

بارِز prominent, conspicuous, noticeable, striking, outstanding, notable, distinguished; major, leading; protruding

بارِع skilled, proficient, clever, ingenious; masterly, subtle, superior

بارَكَ to bless; to congratulate

بارُود gunpowder

بارُودَة : بُنْدُقِيَّة rifle, carbine, gun

بَاز، باز، بازِ (طائر) falcon, hawk

بازِلاّ، بازِلّي (نبات) pea(s), green pea(s), sweet pea(s)

باسَ : قَبَّلَ to kiss

بَأْس : شَجاعَة courage, bravery

بَأْس : قُوَّة strength, power, might

بَأْس : خَوْف fear, dread, terror

بَأْس : ضَرَر harm, hurt, damage

لا بَأْسَ it's all right! it's OK!

لا بَأْسَ بِهِ not bad, average, fair

بُؤْس misery, wretchedness

بِئْسَ كَذا what a bad..! how bad..!

باسِل brave, bold, courageous

باشَرَ : تَوَلَّى، بَدَأَ to undertake, assume, carry out; to begin, start, set to

باشَق، باشِق (طائر) sparrow hawk

باص : أُوتوبُوس bus, autobus

باضَ (الحَيَوانُ أو الطّائِرُ) to lay eggs

باطِل : لاغٍ null, void, invalid

باطِل : بِلا جَدْوَى futile, vain, useless

باطِل : كاذِب false, untrue

باطِل : كَذِب falsehood, falsity

باطِن interior, inside; bottom

باطِنِيّ internal; interior, inner

باطُون : إِسْمَنْت concrete, cement

باعَ : ضِدّ اشْتَرَى to sell

باعِث : دافِع، سَبَب incentive, motive,

inducement; cause, reason

باعَدَ to separate, isolate, set apart

باغَتَ - راجع بَغَتَ

باقٍ (الباقي) : مُسْتَمِرّ remaining, staying; lasting, continuing; everlasting

باقٍ : فاضِل، فَضْلَة remaining, left, left over; remainder, rest

باقٍ : رَصِيد remainder; balance

باقَة bouquet, nosegay; bunch

باكِر : مُبَكِّر early, premature

باكِراً early (in the morning)

باكِرة، باكُورَة firstfruits; firstling

بالَ : بَوَّلَ to urinate, make water

بال : خاطِر، فِكْر mind; thought

بال : اِهْتِمام attention; care; concern

غابَ عن بالِهِ to forget, neglect

ما بالُكَ؟ what's the matter with you? what's wrong? what's up?

مُرْتاحُ البال tranquil, at ease

مَشْغُولُ البال worried, concerned, anxious, ill at ease, uneasy

بالٍ (البالي) old, worn, shabby, ragged; obsolete, old-fashioned

بالَى بِـ to care for; to pay attention to

بالَة : حُزْمَة bundle, bale; parcel

بالْطُو coat, overcoat, topcoat

بالَغَ في to exaggerate, overdo

بالِغ : راشِد of age, (legally) major; pubescent; adult, grown-up

بالِغ : بَلِيغ، شَدِيد - راجع بَلِيغ

بالُوعَة sink, drain, cesspool; gutter

بالُون balloon

بالِيه (رَقْص، مُوسِيقَى، فِرْقَة) ballet

بامِيا، بامِيَة (نبات) okra, gumbo

بانَ : ظَهَرَ to appear, come out, come into view, show, be visible

بانَ عن : فارَقَ - راجع بايَنَ

بانٍ (الباني) builder; mason

بانْيُو bathtub, tub

باهَى (بِـ) - راجع تَباهَى (بِـ)

باهِت pale, pallid, wan, faded, dull, faint, dim, lusterless, lifeless

باهِر dazzling, brilliant, splendid

باهِظ exorbitant, excessive

بايْسبُول baseball; softball

بايَعَ to pledge allegiance to; to inaugurate, install

بايَنَ : فارَقَ to leave, part with, desert

بايَنَ : ناقَضَ to contradict

بَبْر (حيوان) tiger

بَبْغاء (طائر) parrot

بَتَّ : قَطَعَ to cut off, sever

بَتَّ : قَرَّرَ to decide, determine

بَتاتاً، أَلْبَتَّةَ absolutely; absolutely not, never, not at all, by no means

بَتَرَ : قَطَعَ to cut off; to amputate

بِتْرُوكِيميائِيّ petrochemical

بِتْرُول، بِتْرُولِيّ petroleum, oil

بَتُول : عَذْراء virgin, maiden

بَثَّ to spread, disseminate, diffuse
بَثَّ (بالرَّاديُو) to broadcast
بَثْرَة pimple, pustule, blister, vesicle
بَجَع، بَجَعَة : طائِرٌ مائِيّ pelican
بَجَّلَ to revere, dignify, glorify
بَحَّ to be hoarse, harsh, husky
بَحَّاث، بَحَّاثَة researcher, research worker; scholar
بَحَّار sailor, seaman, mariner
بَحَّارَة (السَّفِينَة) crew (of a ship)
بُحْبُوحَة affluence, opulence
بَحْت pure, sheer, mere; plain
بَحَثَ (عن) : فَتَّشَ to search for, look for, seek, hunt for, fish for
بَحَثَ : دَرَسَ to discuss; to consider, look into; to study, examine, treat
بَحْث (عن) : تَفْتِيش search(ing) for, looking for, seeking, hunt(ing)
بَحْث : دِرَاسَة research, research work; study; treatise, paper
بَحْر : خِلافُ البَرّ sea
بَحْرَة : بِرْكَة pond; pool
بَحْرِيّ : خاصٌّ بالبَحْر marine; maritime; naval; nautical; sea
بَحْرِيّ : بَحَّار ـ راجع بَحَّار
بَحْرِيَّة navy
بَحْص pebbles, little stones; gravel
بُحَيْرَة lake
بَخَّاخ، بَخَّاخَة spray, sprayer, spray can; atomizer; sprinkler
بُخَار vapor; steam; fume
بُخَارُ الماء water vapor
بُخَارِيّ steam; steamy; vaporous
بَخْت luck, fortune
بَخَّرَ : حَوَّلَ إلى بُخَار to vaporize, evaporate, volatilize
بَخَّرَ : عَرَّضَ لِلْبُخَار to steam, fume
بَخَّرَ : طَيَّبَ بالبَخُور to incense, cense
بَخْس very low; too little; cheap
بَخْشِيش : حُلْوان tip, gratuity
بَخِلَ، بَخُلَ to be stingy, miserly
بَخِلَ عَلَيْهِ to stint, scant, skimp
بُخْل stinginess, niggardliness, miserliness, avarice, parsimony
بَخُور incense; frankincense
بَخِيل (صفة) stingy, niggardly, miserly, closefisted, penny-pinching
بَخِيل (اسم) miser, niggard
بُدّ escape; alternative, choice
لا بُدَّ مِنْهُ it is inevitable; it is necessary, indispensable
لا بُدَّ لِي I must, should, have to
بَدَأَ الشَّيْءَ أو الشَّيْءُ to begin, start, commence, originate
بَدَا : ظَهَرَ to appear, show, be(come) visible; to seem, look
بَدْء beginning, start, outset, rise
بَدَائِيّ primitive, primeval
بَدَانَة obesity, corpulence, fatness
بِدَايَة ـ راجع بَدْء

بَدَّد : شَتَّت to scatter, disperse, dispel
بَدَّد : بَذَّر to waste, squander
بَدْر : قَمَرٌ كامِل full moon
بَدَّل، بَدَل to change, alter, vary; to exchange (for); to replace (by or with), substitute (for)
بَدَل : مُقابِل consideration; substitute; allowance; rate; fee, charge
بَدَل : بَدِيل - راجع بَدِيل
بَدَل، بَدَلاً مِنْ instead of, in place of, in lieu of, as a substitute for
بَدْلَة : بِزَّة suit; costume; uniform
بَدَن : جِسْم body
بَدَنِيّ bodily, physical
بَدْو : سُكّانُ البادِيَة nomads, Bedouins
بِدُونِ : بِلا without; excluding
بَدَوِيّ Bedouin, nomad; nomadic
بَدِيع : رائِع wonderful, marvelous, splendid, superb, gorgeous
بَدِيل : بَدَل substitute, replacement, standby; spare
بَدِين fat, obese, overweight, stout
بَدِيهِيّ self-evident, obvious
بَذَخ (في الإنْفاق) to spend lavishly
بَذَر : بَزَر to sow, seed
بَذَّر : بَعْزَق to waste, squander
بِذْرَة : بِزْرَة seed; pip, pit, stone
بَذَل to give, grant; to sacrifice
بَذَل جُهْدَهُ to make every effort, do one's best, do one's utmost
بِذْلَة، بَذْلَة suit; costume; uniform
بَذِيء obscene, dirty, vulgar, filthy
بَرّ (في وَعْدِهِ) to keep, fulfill
بَرّ : يابِسَة land
بِرّ : إحْسان charity, philanthropy
بِرّ : إخْلاص piety, devotion
بَرِئَ : شُفِيَ to recover, get well
بَرَى الشَّيْءَ to sharpen, point
بَرَّأ (مِنْ) to acquit or clear (from)
بَراءة innocence, guiltlessness
بَراءَةُ اخْتِراع patent (on an invention)
بَرّاءَة (أقْلام) pencil sharpener
بَرّاد : ثَلّاجَة refrigerator, icebox
بِراز : غائِط excrement, feces, stool
بَراعَة skill, proficiency, craft
بَرّاق shining, sparkling, bright
بَرّايَة (أقْلام) pencil sharpener
بَرْبَرِيّ : واحِدُ البَرْبَر Berber
بَرْبَرِيّ : هَمَجِيّ barbaric, barbarous, barbarian, savage
بُرْتُقال، بُرْتُقالِيّ orange
بُرْثُن (ج بَراثِن) claw, talon
بُرْج : حِصْن، قَصْر tower; castle
بُرْج (فَلَكِيّ) sign (of the zodiac)
بُرْجوازِيّ bourgeois
بِرْجِيس (لعبة) pachisi
بَرِح : غادَرَ to leave, depart from

ما بَرِحَ قويًّا	he is still strong
بَرَدَ: صارَ بارِدًا	to be or become cold; to cool (off, down)
بَرَدَ: شَعَرَ بالبَرْد	to feel cold
بَرَدَ (بِمِبْرَد): بَشَر	to file, rasp
بَرَّدَ: جعلَهُ بارِداً	to cool, chill, make cold; to refrigerate
بَرَّدَ: كَيَّفَ الهَواء	to air-condition
بَرَد: حَبُّ الغَمام	hail, hailstones
بَرْد	cold(ness), coolness, chilliness
بُرْد: ثَوب	garment, gown
بُرْدايَة: سِتارَة	curtain; blind(s)
بَرْدِيّ (نبات)	papyrus
بَرَّرَ	to justify, warrant
بَرَزَ: ظَهَرَ	to appear, come out, show, arise; to be prominent, outstanding; to protrude, jut out
بَرَّزَ (في): بَرَع	to excel (in)
بَرْزَخ [جغرافيا]	isthmus
بِرْسِيم (نبات)	clover, trefoil
بِرْشانَة (طِبِّيَّة)	cachet, capsule
بِرِشْت (بَيْض)	soft-boiled (eggs)
بَرَص (مرض)	leprosy
بَرْطَلَ: رَشا	to bribe, buy off, corrupt
بِرْطِيل: رَشْوَة	bribe; hush money
بَرَعَ (في)	to excel (in); to be skilled
بُرْعُم	bud, burgeon, sprout, shoot
بَرْغَش (مفردها بَرْغَشَة)	mosquito(es)
بُرْغُوث (حشرة)	flea
بُرْغِيّ، بِرْغِيّ: لَوْلَب	screw
بَرَقَ	to flash, sparkle, shine, beam
بَرَقَتِ السَّماءُ	it lightened, there was lightning
بَرْق: وَمِيضُ السَّحاب	lightning
بَرْق: تِلِغراف	telegraph
بَرْقُوق (نبات)	plum, bullace
بَرْقِيَّة	telegram, cable, wire
بَرَكَ	to kneel down, lie down
بِرْكار: بِيكار	compass(es), dividers
بُرْكان: جَبَلُ نار	volcano
بَرَكَة	blessing; prosperity; good
بِرْكَة	pond; (swimming) pool
بَرْلَمان: مَجْلِسٌ نِيابِيّ	parliament
بَرَم: سَأَم	boredom, ennui, tedium
بَرْمائِيّ	amphibious; amphibian
بَرْمَجَ	to program
بَرْمَجَة	programming
بِرْمِيل	barrel; cask, keg; tun, butt
بَرْنامَج	program; plan; schedule
بُرْنُس	burnoose; bathrobe
بُرْنَيْطَة: قُبَّعَة	hat
بُرْهان: دَليل	proof, evidence
بُرْهَة	while; moment, instant
بَرْهَنَ	to prove, show, demonstrate
بِرْواز: إطار	frame
بُروتِسْتانْتِيّ	Protestant
بُرودَة	cold(ness), coolness

بُرونز، بُرونزِي — bronze
بَرِّي : ضِدّ بَحْرِيّ — terrestrial, land
بَرِّي (مِنَ الحَيَوانِ والنَّباتِ) — wild
بَرِيء : غيرُ مُذْنِب — innocent, not guilty
بَرِيد — mail, post
بَرِيدٌ جَوِّيّ — airmail
بَرِيدِيّ — postal, mail
بَرِيز (كَهْرَبائِيّ) — plug; outlet; socket
بَرِيق : لَمَعان — shine, luster, gloss, sheen; glitter, brightness, radiance
بَزَّ : فاقَ — to surpass, excel, outdo
بَزّاقة (ج بَزّاق) — snail; slug
بِزَّة — uniform; suit; costume; dress
بَزَرَ : بَذَر — to sow, seed
بِزْرَة : نَواة — seed; pip, pit, stone
بَزَغَ : طَلَعَ — to rise (sun, etc.)
بِساط : سَجّادَة — carpet, rug, drugget
بَساطَة — simplicity, plainness; naiveté
بَسالَة — courage, bravery, valor
بُسْتان — garden; orchard, grove
بُسْتانِيّ — gardener; orchardist
بَسْتُونِيّ (في وَرَقِ اللَّعِب) — spades
بَسَطَ : مَدَّ — to spread (out), stretch out, extend; to unfold, open
بَسَطَ : عَرَض، شَرَح — to set forth, present, lay open, explain
بَسَطَ : سَرَّ — to please, delight
بَسَّطَ — to simplify, make simple; to facilitate, make easy

بِسِكْلِيت : دَرّاجَة — bicycle
بَسْكَوِيت، بَسْكُوت — biscuit
بِسِلَّى، بِسِلَّة ـ راجع بازِلّا
بَسْمَة : اِبْتِسامَة — smile
بَسِيط : عادِيّ — simple, plain
بَسِيط : طَفِيف — slight, little, minor
بَسِيط : ساذَج — naive, simple, artless
البَسِيطَة — the earth, the world
بِشارَة : بُشْرَى ـ راجع بُشْرَى
بَشاشَة — happy mien, cheerfulness
بَشاعَة : قُبْح — ugliness, unsightliness
بَشَرَ : قَشَرَ — to grate; to rasp; to scrape off, shave off; to peel, skin
بَشَّرَ بِـ — to bring good news to; to presage, augur, foreshadow, herald
بَشَّرَ بِمَذْهَبٍ — to preach, propagate
بَشَر : إنْسان — human being, human
بَشَر : ناس — people, human beings
بِشْر — joy; cheerfulness, gaiety
بُشْرَى — good news; good omen
بَشَرَة — (outer) skin, complexion
بَشَرِيّ : إنْسانِيّ — human
بَشَرِيَّة — humanity, mankind, people
بَشَّعَ — to uglify, make ugly, distort
بَشِع — ugly, unsightly, hideous
بَشْكِير : مِنْشَفَة — towel
بَشْمَلَة : أَكِي دُنْيا (نبات) — loquat
بَشُوش — smiling, cheerful, bright-

faced, good-humored
بَشير bringer of good news; herald, forerunner, harbinger; presage
بَصَّار : عَرَّاف fortune-teller
بُصاق spit, spittle, saliva
بَصُرَ بِـ، بَصِرَ بِـ : رأى to see
بَصَّرَ : فتحَ البَخْتَ to tell fortunes
بَصَر : نَظَر vision, (eye)sight
بَصَرِيّ optic(al), visual, ocular
بَصَقَ to spit
بَصْقَة spit
بَصَل (نبات) onion(s)
بَصَمَ : دَمَغَ to (im)print, impress
بَصْمَة : دَمْغَة (im)print, impression
بَصْمَةُ الإِصْبَع fingerprint
بَصِير : غَيْرُ ضَرِير endowed with eyesight
بَصِير : فَطِن discerning, perceptive, shrewd; knowing, familiar (with)
بَصِيرَة insight, discernment, sagacity
بَصِيص glow, glitter, shine, glisten
بَصِيصٌ مِنَ الأَمَل glimpse of hope, gleam of hope, ray of hope
بِضاعَة (ج بَضائِع) goods, merchandise, commodities, articles
بَضَعَ to incise; to cut open
بِضْع، بِضْعَة some, a few, several
بَطّ : طائِرٌ مائِيّ duck(s)
بَطُؤَ : كانَ بَطِيئاً to be slow; to slow, go slowly; to lag, linger, tarry
بَطَّأَ : أَخَّرَ to slow down, slow up, decelerate, delay
بُطْء slowness; slowdown, lag
بِبُطْء slowly, slow, leisurely
بَطارِخ، بِطارِخ ـ راجع بَطْرَخ
بَطَّارِيَّة (كَهْرَبائِيَّة، عَسْكَرِيَّة) battery
بَطَّارِيَّة : مِشْعَلٌ صَغِير flashlight, searchlight
بَطَّاش strong, violent; destructive
بَطاطا، بَطاطِس (نبات) potato(es)
بَطاطا حُلْوَة sweet potato, yam
بِطاقَة card; ticket; label; tag
بِطاقَةٌ بَرِيدِيَّة postcard
بِطاقَةُ مُعايَدَةٍ أو تَهْنِئَة greeting card
بِطاقَةُ هُوِيَّة ID card, identity card, identification card
بَطَّال unemployed, jobless, idle
بَطالَة، بِطالَة unemployment
بِطانَة (الثَّوْب) lining (of a garment)
بَطَّانِيَّة : حِرام blanket, cover
بَطَّة : طائِرٌ مائِيّ duck
بَطَّة (السّاق) calf (of the leg)
بَطَحَ to prostrate; to throw down, fell; to flatten, level (off)
بَطِرَ to be ungrateful, arrogant
بَطَر ingratitude, arrogance
بَطْرَخ (السَّمَك) roe (of fish); spawn
بَطْرِيَرْك patriarch

بَطْرِيَرْكِيَّة patriarchate
بِطْرِيق : طائِرٌ مائِيّ penguin
بَطَشَ بِـ to assault; to destroy
بَطْش violence; force; assault
بَطَلَ : صارَ لاغِياً to be null and void, invalid, cancelled; to be obsolete
بَطَل hero; champion; star
بَطَلُ العالَم world champion
بَطَلَة heroine; (woman) champion; (female) star
بَطَّنَ to line; to fill, pad
بَطْن : خِلافُ الظَّهْر abdomen, belly
بِطْنَة : نَهَم gluttony, gourmandism
بُطُولَة heroism; championship
بُطُولِيّ heroic, heroical
بَطِيء slow; slow-moving, tardy
بِطِّيخ ، بِطِّيخٌ أَحْمَر (نبات) watermelon
بِطِّيخٌ أَصْفَر : شَمّام muskmelon, cantaloupe, (sweet) melon
بُعْبُع bugaboo, bugbear, bogey, bogeyman, hobgoblin
بَعَثَ : أَرْسَلَ ، أَوْفَدَ to send, dispatch; to delegate, mission
بَعَثَ على to prompt, incite, stimulate, inspire, cause
بَعَثَ مِنَ المَوْت to resurrect
بَعْثَة ، بِعْثَة mission, delegation
بَعْثَةٌ مَدْرَسِيَّةٌ أو دِراسِيَّة group of exchange students
بَعْثَرَ to disarrange, mess up, disorder; to scatter (about), disperse
بَعَّجَ to dent, indent, notch
بَعُدَ - راجع اِبْتَعَدَ
بَعَّدَ - راجع أَبْعَدَ
بَعْدَ after, following, subsequent to
بَعْدَ ذَلِكَ ، فِيمَا بَعْدُ afterwards, subsequently, after that; later on
بَعْدَ الظُّهْر in the afternoon, after noon
بَعْدَ المِيلاد ، بَعْدَ المَسِيح A.D., after Christ
بَعْدُ : حَتَّى الآنَ yet, still; until now, so far, to date, up to now
بُعْد : ضِدّ قُرْب remoteness, farness
بُعْد (ج أَبْعاد) dimension
بَعْدَئِذٍ - راجع بَعْدَ ذَلِكَ
بَعْدَمَا after
بَعْر ، بَعَر dung, droppings
بَعْزَقَ to waste, squander, dissipate
بَعْض some (of), a few (of); a little (of); certain; one; part
بَعْضَ الشَّيْء somewhat, a little
بَعْضُهُم بَعْضاً one another, each other
بَعْل : زَوْج husband, spouse
بَعُوض ، بَعُوضَة mosquito(es)
بَعِيد far, distant, remote, faraway
بُعَيْدَ shortly after, soon after
بَعِير : جَمَل (حيوان) camel

بَغَى : اِبْتَغَى ـ راجع اِبْتَغَى	
بَغَى : ظَلَمَ	to wrong, oppress
بَغَتَ	to come unexpectedly upon; to surprise, take by surprise, shock
بَغْتَةً	unexpectedly, suddenly
بَغَضَ : كَرِهَ	to hate, detest, loathe
بُغْض، بَغْضاء	hatred, hate, aversion, detestation, abhorrence
بَغْل (حيوان)	mule
بُغْيَة	wish, desire; aim, purpose
بُغْيَةَ : لِكَيْ	for, in order to, to
بَغِيض	hateful, detestable, odious
بَقّال	grocer, greengrocer
بِقالَة	grocery, grocery business
بَقَّة (حشرة)	bug
بَقْدُونَس (نبات)	parsley
بَقَر، بَقَرَة (حيوان)	cow(s); cattle
بَقَرِيّ	bovine, cow, cattle
لَحْمٌ بَقَرِيّ	beef
بَقْشِيش	tip, gratuity, baksheesh
بُقْعَة : لَطْخَة	spot, stain, blot, blotch
بُقْعَة : مَكان	spot, place; area, lot
بَقْل، بُقُول	legume(s); herb(s)
بَقِيَ	to remain, stay; to be left over; to last, continue
بَقِيَّة	remainder, rest; remnant, residue, leftover
بَكَى	to cry, weep, shed tears
بَكَّى : جَعَلَهُ يَبْكِي	to make cry or weep
بُكًى، بُكاء	crying, weeping
بَكالُورِيا	baccalaureate
بَكْتِيرِيا	bacteria
بَكَرَ، بَكَّرَ	to get up early; to come early (to), be early (at)
بِكْر : مَوْلُودٌ أَوَّل	firstborn; eldest
بَكَرَة [ميكانيكا]	pulley; reel
بَكَّلَ	to buckle, clasp, fasten; to button up
بُكْلَة	buckle, clasp, fastener
بَكَم	dumbness, muteness
بُكُورَة، بُكُورِيَّة	primogeniture
بَلَّ : بَلَّلَ، نَدَّى ـ راجع بَلَّلَ	
بَلَّ : شُفِيَ ـ راجع أَبَلَّ	
بَلْ	rather; even; but, yet
بَلا ـ راجع اِبْتَلَى	
بَلَى : نَعَم	yes! indeed! certainly!
بِلا : بِدُون	without; excluding
بَلاء : بَلْوَى	ordeal; misfortune, disaster, catastrophe; evil, scourge
أَبْلَى بَلاءً حَسَناً ـ راجع أَبْلَى	
بَلاتِين (عنصر)	platinum
بِلاد ـ راجع بَلَد	
بَلادَة	dullness, stupidity, silliness; slowness, laziness
بْلاسْتِيك	plastic(s)
بَلاط، بَلاطَة	flagstone(s), flag(s), floor tile(s), slab(s)
بَلاط (مَلَكِيّ)	(royal) palace

بَلّاط : مُبَلِّط — paver, pavior
بَلّاعَة ـ راجع بالوعَة
بَلاغ — communiqué, bulletin; statement, announcement, notice
بَلاغَة — eloquence; rhetoric
بُلْبُل (طائر) — nightingale, bulbul
بُلْبُل (لُعْبَة) — (spinning) top
بَلْبَلَة — confusion, chaos, mess
بَلَح (نبات) — (unripe) dates
بَلَد — country; homeland
بَلْدَة — town; city; village
بَلَدِيّ — native, local, domestic; municipal; provincial
بَلَدِيَّة — municipality
بَلْسَم — balm, balsam
بَلَشُون (طائر) — heron
بَلَّطَ — to pave (with flagstones), slab
بَلْطَة : فَأْس — ax, hatchet
بَلَعَ — to swallow, gulp (down)
بُلْعُوم [تشريح] — pharynx
بَلَغَ — to reach, arrive at, get to
بَلَغَ (الغُلامُ) — to attain puberty
بَلَغَ (المِقْدارُ) كَذا — to amount to, add up to, make, reach, total
بَلَّغَ ـ راجع أَبْلَغَ
بَلْكُون — balcony; veranda
بَلَّلَ — to moisten, wet, bedew; to dabble, drench, sprinkle, sparge
بَلْوَى ـ راجع بَلاء

بَلْوَرَ — to crystallize
بَلُّور، بِلَّوْر، بَلُّورَة، بِلَّوْرَة — crystal
بُلُوز، بُلُوزَة — blouse
بَلُّوط (شجر وخشبه) — oak
بُلُوغ : وُصُول — reaching, arrival
بُلُوغ، سِنُّ البُلُوغ — puberty, (sexual) maturity; (legal) majority
بَلِيَ — to be old, worn, ragged; to wear (out), frazzle; to decay, rot
بُلِيَ بِـ ـ راجع اِبْتُلِيَ بِـ (اِبْتَلَى)
بِلْياتْشُو — clown, buffoon, harlequin
بِلْيار، بِلْيارْد (لعبة) — billiards; pool
بَلِيَّة : بَلاء، بَلْوَى ـ راجع بَلاء
بِلْيَة : كُلَّة — marble, taw
بَلِيد — dull, stupid; sluggish, lazy, inactive; slow, slow-motion
بَلِيغ : فَصِيح — eloquent; fluent
بَلِيغ : شَدِيد — serious; intense, deep, strong; keen, acute, sharp, great
بَلْيُون — billion; milliard
بِمَا أَنَّ، بِمَا فِيهِ ـ راجع بِـ
بِمَثابَة ـ راجع مَثابَة
بُنّ — coffee; coffee beans
بَنَى — to build, construct, set up, put up; to build up, establish, create
بَنّاء : بانٍ — mason; builder
بَنّاء : إيجابِيّ — constructive, positive
بِناء : تَشْيِيد — building, construction
بِناء : بِنايَة ـ راجع بِنايَة

بِناءً على on the basis of, on the ground(s) of, pursuant to, according to, in accordance with
بَنادُورَة (نبات) tomato(es)
بَنان (مفردها بَنانَة) fingertips
بِنايَة building, structure, edifice
بِنْت girl; daughter (of someone)
بِنْت (في وَرَقِ اللَّعِب) queen
بِنْتُ الأخِ أو الأُخْت niece
بِنْتُ العَمِّ أو الخالِ أو العَمَّةِ إلخ cousin
بَنْج : مُخَدِّر anesthetic
بَنْجَر : شَمَنْدَر (نبات) red beet, beet
بَنْد : مادَّة clause, article, term
بَنْدَر : مَرْفَأ (sea)port, harbor, haven
بُنْدُق (نبات) hazelnut(s)
بُنْدُقِيَّة rifle, gun, shotgun
بَنْدُورَة (نبات) tomato(es)
بِنْزِين gasoline, gas, petrol, benzine; benzene
بَنْسِيُون pension(e), motel, inn
بِنْصِر ring finger
بَنْطَلُون ، بِنْطال trousers, pants
بِنْغ بُونْغ table tennis, ping-pong
بَنَفْسَج ، بَنَفْسَجِيّ violet
بَنْك : مَصْرِف bank
بُنُوَّة sonship, filiation
بُنَيّ ، يا بُنَيّ my little son
بُنِّيّ (لون) brown
بُنْيان building
بِنْيَة structure, setup, makeup, constitution, construction
بَهاء beauty; splendor; brilliance
بَهار pepper; spice
بَهَتَ (اللَّوْن) to fade, dim, faint, pale
بَهْجَة : فَرَح joy, delight, happiness
بَهَرَ (البَصَر) to dazzle, daze, blind
بَهَّرَ to pepper, spice, season
بَهْرَجَ to adorn, embellish, ornament; to overdecorate
بَهْلَوان acrobat, tumbler
بُهْلُول jester, fool, clown, buffoon
بَهْو lobby; hall; parlor
بَهِيّ beautiful, pretty; splendid, gorgeous; brilliant, bright
بَهِيج : مَسْرُور happy, glad, joyful
بَهِيج : سارّ delightful, pleasant, happy, gladdening, cheerful
بَهِيمَة : حَيَوان beast, animal, brute
بَوَّاب doorkeeper, gatekeeper, concierge, janitor; doorman; porter
بَوَّابَة : بابٌ كَبِير gate, portal
بِواسِطَة ـ راجع واسِطَة
بَوَّبَ to classify, categorize, group
بُوتاسيُوم [كيمياء] potassium
بُوتَقَة crucible, melting pot
بُوجِيه (spark) plug
بُودْرَة : ذَرُور powder

بُور fallow, uncultivated, wild
أَرْض بُور wasteland, fallow land
بُورْجوازِيّ bourgeois
بُورْصَة stock exchange, stock market
بُورِيّ (سمك) mullet, gray mullet
بَوْسَة : قُبْلَة kiss
بُوسْطَة : باص bus, autobus
بُوسْطَة : بَرِيد mail, post
بُوصَة : إنْش inch
بُوصْلَة : حُكّ compass
بُوظَة : حَلْوَى مُثَلَّجَة ice cream
بُوفيه buffet, sideboard, credenza
بُوق horn, trumpet, bugle, cornet
بَوَّلَ to urinate, make water
بَوْل urine
بُولِنْغ (لعبة) bowling
بُولِيس : شُرْطَة police, policemen
(رَجُل) بُولِيس policeman, officer
بُولِيسِيّ police; detective
رِوايَة بُولِيسِيَّة detective story
كَلْب بُولِيسِيّ police dog
بُولِيصَة (تَأْمِين) (insurance) policy
بُولِينْغ (لعبة) bowling
بُوم، بُومَة (طائر) owl
بُونْبُون drops, candy, bonbon
بُويَا paint; shoe polish
بِيئَة environment, milieu, ambience

بَيَاض : ضِدّ سَوَاد whiteness, white
بَيَاض : فَرَاغ blank, (empty) space
بَيَاض البَيْض albumen, white (of egg)
على بَيَاض blank, unmarked
بَيَّاع - راجع بائع
بَيَان : تَصْرِيح statement, declaration, announcement; bulletin; report
بَيَان : لائِحَة index; list, catalog
بَيَان : بَلاغَة eloquence, good style
بَيَان : إظْهار - راجع تَبْيِين
بَيَانَات data, information, facts
بِيانُو (آلَةٌ مُوسِيقِيَّة) piano
بَيَانِيّ : إيضاحِيّ illustrative
رَسْمٌ بَيَانِيّ graph, chart, diagram
بَيَّتَ (خِطَّةً) to contrive; to hatch, premeditate, harbor, conceal
بَيَّتَ : أَبَاتَ to lodge, put up for the night
بَيْت house, home, apartment, residence, domicile, place, abode
بَيْتُ الخَلاء toilet, W.C., bathroom, men's room, ladies' room
البَيْتُ الحَرَام the Kaaba
بَيْتُ شِعْر verse, line
بَيْتِيّ domestic, house, home
بَيْج (لَوْن) beige, ecru, light tan
بِيجامَا، بِيجَامَة pajamas, pajama
بَيْداء desert; wilderness, wild

بَيْدَ أَنَّ but, yet, still, nevertheless, on the other hand
بَيْدَر threshing floor
بَيْدَق (الشُّطْرَنْجِ) pawn (in chess)
بِيرَة : جِعَة beer
بَيْرَق : عَلَم flag, banner, standard
بِيسْبُول baseball; softball
بَيَّضَ to whiten, make white(r)
بَيَّضَ المَقَالَ to make a fair copy of
بَيْض، بَيْضَة egg(s)
بَيْضَاوِيّ، بَيْضَوِيّ oval, elliptical
بَيْطَار : عَامِلٌ يُنْعِلُ الخَيْلَ farrier
بَيْطَرِيّ veterinary
طَبِيبٌ بَيْطَرِيّ veterinarian
بَيْع sale, selling, vendition
لِلْبَيْعِ، بِرَسْمِ البَيْعِ for sale, on sale
بَيْعَة : مُبَايَعَة pledge of allegiance
بَيْعَة : عَمَلِيَّةُ بَيْعٍ sale; commercial transaction, business deal
بِيكَار compass(es), dividers
بَيْلَسَان (شجر) elder, balm
بِيمَارِسْتَان lunatic asylum, insane asylum, mental hospital
بَيَّنَ : أَظْهَرَ to show, demonstrate; to reveal; to clarify, make clear; to explain, illustrate; to indicate
بَيِّن : ظَاهِر clear, plain, distinct, manifest, evident, obvious, visible
بَيْنَ between; among
بَيْنَ بَيْنَ medium, middling, mediocre, not bad, so-so
بَيْنَمَا : أَثْنَاءَ while, as, during
بَيْنَمَا : فِي حِين (أَنَّ) while, whereas
بَيِّنَة : إِثْبَات، دَلِيل evidence, proof
بِينْغ بُونْغ table tennis, ping-pong
بِيُولُوجِيّ : أَحْيَائِيّ biologic(al)
بِيُولُوجيَا : عِلْمُ الأَحْيَاء biology

ت

تـ : حَرْفُ جَرٍّ لِلْقَسَم — by

تَاللهِ — by God

تائِب — repentant, repenting

تابَ (عن) — to repent

تابَ اللهُ عَلَيْهِ — to forgive, pardon

تابَعَ : واصَلَ — to continue, go on; to continue to do, keep doing, keep on (doing), keep (up); to resume

تابَعَ : تَبِعَ ، لاحَقَ — to follow; to pursue, follow up

تابَعَ : راقَبَ — to watch, observe, see

تابِع : تالٍ — following, succeeding

تابِع : إضافِيّ — accessory, auxiliary, supplementary, subsidiary

تابِع : مَرْؤُوس — subordinate, inferior; under someone; servant

تابِع : نَصِير — follower, partisan

تابِعِيَّة — nationality, citizenship

تابِل (ج تَوابِل) — spice; seasoning

تابُوت (المَيِّت) — coffin, casket

تَأْتَأَ : فَأْفَأَ — to stammer, stutter

تأتّى عَنْ : أدّى إلى — to result in, end in

تَأَثَّرَ (بِـ) — to be affected, influenced; to be moved, touched, impressed

تأثير — effect, influence; impact

تاج (المَلِكِ إلخ) — crown

تاجَرَ (بِـ) — to trade (in), deal (in)

تاجِر — merchant, dealer, trader

تَأَجَّلَ — to be postponed, put off

تأجيل — postponement, deferment

تأخَّرَ — to be late; to be delayed

تأخُّر — delay, retardation, staying behind; backwardness

تاخَمَ — to border on, adjoin, touch

تأخير — delay(ing), postponement

تُؤَدَة — deliberateness, slowness

تأديب — education, refinement; discipline, disciplining, (disciplinary) punishment

تأديبيّ — disciplinary; punitive

تارَةً : أحياناً — sometimes, at times

تأرجَحَ — to rock, swing, sway, fluctuate, oscillate, seesaw

تاريخ — history; date; time

تاريخيّ historical, historic

تآزَرَ to help one another; to cooperate, collaborate

تأسَّسَ to be founded, established

تاسِع، التاسِع (the) ninth

تأسَّفَ to regret; to feel or be sorry (for)

تأشيرَة : فيزا visa

تأفَّفَ to grumble, complain, grouch

تافِه insignificant, inconsiderable, worthless; tasteless, insipid, bland, dull; silly, absurd

تاقَ (إلى) to long for, yearn for; to desire; to aspire to

تأقْلَمَ to adapt (oneself), adjust (oneself), acclimatize

تأكَّدَ الأمْرُ to be confirmed, proven

تأكَّدَ مِنَ الأمْر to be sure of, certain of; to make sure of, check, verify

تاكسي taxi, taxicab, cab

تآكَلَ to corrode, erode, wear away; to be eaten away, corroded

تأكيد confirmation, affirmation, assertion

تأكيد (على) stress, emphasis

بالتأكيد certainly, of course, definitely, sure(ly), for sure

تالٍ (التالي) following, next, coming, subsequent; later, future

بالتالي consequently, hence, thus, therefore, so, as a result

كالتالي as follows

تألَّبَ على to conspire or plot against

تآلَفَ - راجع إئْتَلَفَ

تألَّفَ to be formed, set up, established, created, constituted

تألَّفَ مِنْ to consist of, be composed of, be made up of

تألَّقَ : لَمَعَ to shine, radiate, flash, beam, glitter, glisten

تألَّمَ to feel pain, suffer (pain)

تأليف formation, forming, establishment, establishing, setting up

تأليف (الكُتُب) composition, writing, compilation

تأليف (فُلانٍ) : بِقَلَم by, written by

تامّ complete, full, whole, total, perfect; completed, finished

تآمَرَ to plot, conspire, scheme

تأمَّلَ (في) : تَمَعَّنَ to look attentively at, scrutinize

تأمَّلَ (في) : فَكَّرَ to contemplate, meditate (on), reflect on

تأمَّلَ : أمَلَ - راجع أمَلَ

تأميم nationalization

تأمين : ضَمان insurance, assurance

تأمين : ضَمانَة، كَفالَة security, surety, collateral, guarantee

تأمين : تَحقيق securing, ensuring, guaranteeing, procuring

تأنٍّ (التأنّي) slowness, deliberateness; patience; carefulness, care

بِتَأنٍّ slowly; carefully

تأنّى to act slowly, take one's time; to be patient, deliberate, careful
تأنيب reproach, rebuke, reprimand, reproof, scolding
تاهَ : ضَلَّ to lose one's way, get lost, go astray, stray, wander
تاهَ : تكبّر to be proud, arrogant
تأهَّبَ to get ready, be on the alert
تأهَّلَ : تزوَّج to marry, get married
تأهيل : إعداد rehabilitation, habilitation, adaptation, preparation
تأهيل : ترحيب welcoming, welcome
تأييد support(ing), backing (up); endorsement, approval, sanction
تَباحَثَ to discuss, hold talks, confer
تَباخَلَ ـ راجع بَخُلَ، بَخِلَ
تَبادَرَ (إلى الذهن) to occur to, come to (or cross) someone's mind
تَبادَلَ to exchange, interchange, reciprocate; to barter, trade, swap
تَبادَلَ : تناوبَ to alternate, rotate
تَبادُل exchange, interchange; barter, swap, trade, trade-off; alternation, rotation
تَبارى to compete, vie, contest
تَبارَكَ : بُورِكَ to be blessed
تَباطأ to be slow; to slown (down); to loiter, linger, tarry
تِباعاً successively
تَباعَدَ to separate, be separate(d); to diverge, draw apart

تَباهى (بـ) to boast of, brag of, be proud of; to flaunt, show off
تَبايَنَ to differ, vary, be different
تَبايُن difference, discrepancy; contrast; inconsistency
تَبَجَّحَ to boast, brag, vaunt
تَبَحَّرَ في to study thoroughly
تَبَخْتَرَ to strut, swagger, prance
تَبَخَّرَ to evaporate, vaporize
تَبَدّى : بَدَا ـ راجع بَدَا
تَبَدَّلَ to change; to be changed, altered; to be exchanged, replaced
تَبْديل change, changing; replacement, exchange, substitution
تَبْذير wasting, squandering; dissipation, waste(fulness), prodigality
تِبْر gold-ore, raw gold
تَبَرّأ مِن to disavow, disown
تَبَرَّجَ (ـتِ المرأةُ) to adorn herself; to make up, use cosmetics
تَبَرَّزَ : تغوّط to excrete, defecate
تَبَرَّعَ (بـ) : أعطى to contribute, donate, grant, give
تَبَرَّعَ (بـ) : تطوّعَ to volunteer
تَبَرُّع contribution; donation, grant; gift, present; volunteering
تَبَرَّمَ (بـ أو مِنْ) to be fed up (with), bored (with), tired (of), weary (of)

تَبْرِيد cooling, chilling; refrigeration; air conditioning
تَبْرِير justification, vindication
تَبَسَّمَ : اِبْتَسَمَ to smile
تَبْسِيط simplification; facilitation
تَبَشَّعَ to be(come) ugly, unsightly
تَبْشِير (بِمَذْهَب إلخ) preaching
تَبَصَّرَ (في) : تأمَّلَ to reflect (on), contemplate, meditate (on)
تَبْصِير fortune-telling, divination
تَبَضَّعَ to shop, buy, purchase
تَبَطَّحَ ـ راجع اِنْبَطَحَ
تَبَطَّلَ to be idle; to be unemployed
تَبِعَ to follow; to pursue
تَبِعَ بِـ : الْحَقَ ـ راجع أتْبَعَ بِـ
تَبَعاً لِـ ، تَبَعاً لِـ pursuant to, in accordance with; due to, owing to
تَبَعْثَرَ to be disarranged, overturned, scattered (about), dispersed
تَبَعِيَّة : خُضُوع subordination, dependence, subjection
تَبْغ ، تَبَغ ، تِبْغ tobacco
تَبَقَّى ـ راجع بَقِيَ
تَبَّلَ to spice, season
تَبَلْبَلَ to be confused, disturbed, perturbed, muddled, jumbled
تَبَلَّلَ to become wet; to be wetted, moistened, drenched
تَبَلْوَرَ to crystallize

تَبَنٍّ (التَّبَنِّي) adoption
تِبْن straw, hay, haulm
تَبَنَّى (وَلَداً أو فِكْرَةً) to adopt
تَبَوَّأَ to hold; to assume or take power; to ascend (the throne)
تَبَوَّلَ to urinate, make water
تِبْيان ، تَبْيان ـ راجع تَبْيين
تَبَيَّنَ (الأمْرُ) : ظَهَرَ ـ راجع بانَ
تَبَيَّنَ (الأمْرَ) : تَثَبَّتَ مِنْ to check, verify; to ascertain; to know, perceive
تَبْيين : إظْهار showing, demonstration; revelation; illustration
تَتابَعَ ، تَتالَى to follow or succeed one another; to continue
تَتابُع ، تَتالٍ (التَّتالِي) succession, sequence; continuity, continuance
بِالتَّتابُع ، بِالتَّتالِي successively, one after the other, continuously
تَتَبَّعَ : تَبِعَ to follow (up), pursue
تَتَبَّعَ : راقَبَ to watch, observe, see
تَتِمَّة continuation; supplement; end, conclusion, close, completion
تَثاءَبَ to yawn
تَثاؤُب yawning, yawn
تَثَبَّتَ مِنْ to make sure of, check, verify; to ascertain
تَثَلَّجَ to freeze, frost, ice (up); to be frozen, frosted, iced, icy
تَجادَلَ to argue, debate, dispute
تِجارة commerce, trade, business

تِجارِيّ commercial, mercantile, trading, trade, business
تَجاسَرَ to dare, venture; to be bold
تَجاعِيد wrinkles, furrows, lines
تَجانَسَ to be homogeneous, identical, similar, alike, analogous
تَجانُس homogeneity, identity, similarity, analogy, consistency
تُجاهَ، تِجاهَ facing, opposite (to), in front of, face to face with
تَجاهَلَ : أَهْمَلَ to ignore, disregard, pay no attention to
تَجاهَلَ : تَظاهَرَ بِالجَهْل to feign ignorance, pretend to be ignorant
تَجاوَبَ (مع) to respond (to), react (to); to have a positive reaction (to), be favorable (to)
تَجاوُب response, reaction
تَجاوَزَ : تَخَطَّى to pass, go past; to go beyond, exceed; to go too far
تَجاوَزَ : تَغَلَّبَ على to overcome, surmount, get over, get past
تَجْبِير orthopedics, bonesetting
تَجَدَّدَ to be renewed; to be renovated, modernized, updated
تَجَدُّد، تَجْدِيد renewal; renovation, rejuvenation; modernization
تَجَرَّأَ ـ راجع جَرُؤَ
تَجْرِبَة : إخْتِبار experiment; test, trial; rehearsal, probation
تَجْرِبَة : خِبْرَة experience; practice
تَجَرُّد : ضِدّ تَحَيُّز impartiality

تَجَرَّعَ to drink, swallow, gulp
تَجْرِيب trial, trying, testing; experimenting, experimentation
تَجْرِيبِيّ experimental; trial
تَجَزَّأَ to be divided, partitioned, split; to break up, divide
لا يَتَجَزَّأُ indivisible
تَجَسَّدَ to materialize, take form or shape, be embodied
تَجَسَّسَ (على) to spy (on), snoop (on)
تَجَسُّس spying, espionage
تَجْسِيد embodiment, incorporation, incarnation, materialization
تَجَشَّأَ to belch, burp, eruct(ate)
تَجَشَّمَ to suffer, undergo, bear
تَجَعَّدَ to curl, frizzle; to wrinkle; to crease, crinkle, crumple, pucker
تَجَلَّى to be clear, plain, manifest; to manifest itself, reveal itself
تَجْلِيد : تَجْمِيد freezing, icing, glaciation, gelation, frosting
تَجْلِيد (الكُتُب) (book)binding
تَجَمَّدَ to freeze, frost; to be frozen, frosted; to solidify, congeal
تَجَمَّعَ to gather, assemble, meet; to crowd, rally; to accumulate
تَجَمُّع : حَشْد crowd, throng, gathering, assembly, rally, mass meeting
تَجَمُّع : جَماعَة، كُتْلَة group, team, body; clique, bloc, faction, front; pool

تَجَمْهَرَ to gather, assemble, crowd (together), band together, rally
تجميد freezing, freeze, frosting
تَجْميل beautification; making up
مُسْتَحضَراتُ تَجْميل cosmetics, make-up, maquillage
تَجْميليّ cosmetic, beautifying
تَجَنَّبَ to avoid, shun; to avert, ward off; to keep away from
تَجْنيد recruitment, enlistment, draft
تَجْهيز preparation, preparing; equipment, equipping, furnishing
تَجْهيزات equipment(s), supplies, furnishings, fittings, outfit
تَجَوَّلَ to wander about, go about, rove, roam, cruise, tour, travel
تَجَوُّل، تَجْوال travel(ing), cruising, roving, wandering (about)
مَنْعُ التَّجَوُّل، حَظْرُ التَّجَوُّل curfew
تَجْويف: فُتْحة hollow, cavity, pit, hole; aperture, opening; socket
تَحابَّ to love one another
تَحادَثَ to converse, talk (to one another); to discuss
تَحارَبَ to fight (one another)
تَحاسَبَ to settle a mutual account
تَحاشَى to avoid, shun; to avert, keep away from, guard against
تَحاكَمَ: تقاضى to sue one another
تَحالَفَ (مع) to ally (with)

تَحالُف alliance, confederacy
تَحامَى to avoid; to guard against, protect oneself from
تَحامَلَ على to discriminate against, be prejudiced against
تَحاوَرَ to dialogue, have a dialogue, hold a conversation, talk (to one another), speak
تَحايَلَ ـ راجع اِحْتالَ
تَحَبَّبَ إلى to show love or affection to, endear oneself to; to court
تَحْتَ، تَحْتُ under; below, beneath, underneath; down; downstairs
تَحْتَ التَّجْرِبة on probation; on trial; being tested or tried
تَحْتَ تَصَرُّفِهِ أو أَمْرِهِ at his disposal, at his service, at his command, at his orders
تَحْتَ رَحْمَةِ كذا at the mercy of
تَحْتَ رِعايَةِ كذا under the auspices or patronage of, sponsored by
تَحْتَ الطَّلَب on order; on demand
تَحْتانيّ lower, low, at the bottom
مَلابِسُ تَحْتانِيَّة underwear
تَحَتَّمَ: وَجَبَ to be necessary, obligatory, mandatory, indispensable
يَتَحَتَّمُ عَلَيْهِ أَنْ he has to, he should, he must, it is his duty to
تَحْتيّ ـ راجع تَحْتانيّ
تَحَجَّبَ to veil oneself, put on a veil
تَحَجَّجَ بـ: تَذَرَّعَ ـ راجع اِحْتَجَّ بـ

تَحَجَّرَ to petrify, turn into stone
تَحَدٍّ (التَّحَدِّي) challenge, defiance
تَحَدَّى to challenge, defy
تَحَدَّثَ to speak, talk
تَحَدُّث speaking, talking; conversation, talk, discourse
تَحَدَّرَ مِن to descend (from)
تَحْدِيث : تَجْدِيد modernization, updating, bringing up to date
تَحْدِيد : تَعْرِيف definition
تَحْدِيد : تَقْيِيد limitation, restriction, confinement; control
تَحْذِير warning, caution(ing)
تَحَرٍّ (التَّحَرِّي) (عن) investigation, examination, inspection, inquiry
تَحَرٍّ، رَجُلُ التَّحَرِّي detective, secret agent; investigator; inspector
تَحَرَّى (عن) to investigate, examine, inspect, look into, inquire into
تَحَرَّرَ to be free(d), liberated
تَحَرُّر freedom, liberty, unrestraint; liberation
تَحَرَّشَ بـ (لِغَايَةٍ جِنسِيَّة) to molest, make improper advances to; to make passes on
تَحَرَّشَ بـ (بِقَصْدِ الشِّجَار) to pick a quarrel with, provoke
تَحَرَّكَ to move; to take action
تَحَرُّك motion, movement, moving; move, action
تَحْرِير : جَعْلُهُ حُرًّا liberation, liberating, freeing, setting free
تَحْرِير : كِتَابَة editing; writing, composition, compilation, drafting
تَحَزَّبَ لِـ to side with, take sides with; to support, back (up), champion
تَحَسَّرَ (على) to bemoan, deplore, lament, regret, sigh for
تَحَسَّنَ to improve, ameliorate, become or get better
تَحَسُّن، تَحْسِين improvement
تَحَصَّنَ to be fortified, protected; to fortify oneself; to strengthen one's position, protect oneself
تَحْصِيل collection, collecting
تَحْصِيلٌ عِلْمِيّ learning, education, scholarship
تَحْصِين fortification
تَحَضُّر : تَمَدُّن civilization
تَحْضِير preparation, preparing, making ready; making
تَحْضِيرِيّ preparatory, preliminary
تَحَطَّمَ to break (into pieces), smash, crash; to be or get broken, shattered, smashed, destroyed
تَحَطَّمَتِ السَّفِينَةُ to be wrecked
تَحَطَّمَتِ الطَّائِرَةُ to crash
تُحْفَة : رائِعَة masterpiece, masterwork, chef d'oeuvre; gem, rarity
تَحَفَّزَ to get ready
تَحَفَّظَ (عَنْ أو مِنْ) to have or make reservations; to be cautious of

تَحَفُّظ reserve, reservation; self-restraint; caution

تَحقَّقَ الأمْرُ : ثَبَتَ to materialize, come true; to be realized, achieved

تَحقَّقَ الأمْرَ أو مِنْهُ : تأكَّدَ مِن to make sure of, check, verify

تَحْقِير degradation, humiliation, debasement; insult; contempt

تَحْقِيق : تَنْفِيذ، تأمِين realization, carrying out, achievement, accomplishment, attainment; securing, ensuring, procuring

تَحْقِيق : بَحْث، اسْتِجْواب inquiry, examination, investigation; interrogation, hearing

تَحَكَّمَ (في) to control, command; to dominate, govern, rule, sway

تَحَكُّم control, command; sway

تَحَكُّمٌ مِنْ بُعْد remote control

تَحْكِيم arbitration

تَحَلَّى to adorn oneself; to be beautified, adorned, embellished

تَحلَّى بِـ to be distinguished by, marked by, characterized by

تَحَلَّبَ to ooze, seep, exude, drip

تَحَلَّقَ (حَوْلَ) to gather in a circle (around), surround, encircle

تَحَلَّلَ مِنْ to disengage (oneself) from, release oneself from

تَحْلِيل : رَدُّ الشَّيْءِ إلى عَناصِرِه analysis, analyzation; dissolution

تَحْلِيلٌ نَفْسِيّ psychoanalysis

تَحْلِيلِيّ analytic(al)

تَحَمَّسَ to be enthusiastic, eager; to show enthusiasm, get excited

تَحَمَّلَ : أطاقَ to bear, stand, endure, tolerate, sustain, stomach

تَحَمَّلَ : تَوَلَّى to assume, bear, carry

تَحَمُّل : احْتِمال endurance, toleration, bearing, standing; stamina

تَحَمَّمَ ـ راجع اسْتَحَمَّ

تَحْمِيلَة [طب] suppository

تَحَنَّنَ على ـ راجع حَنَّ على

تَحْنِيط (الجُثَثِ) embalmment, mummification

تَحْنِيط (الحَيَوَاناتِ أو الطُّيُورِ) stuffing, taxidermy

تَحَوَّطَ : احْتاطَ ـ راجع احْتاطَ

تَحَوَّلَ to change, shift, transform; to turn (into), become; to be changed, altered, shifted, switched, converted, transformed

تَحَوُّل change, transformation; shift, transition, switch, turn

تَحْوِيل change, conversion, transformation; transfer(ence)

تَحِيَّة greeting, salutation, salute; cheer, welcome

تَحِيَّات compliments, greetings, regards, respects, best wishes

تَحَيَّرَ to be confused, puzzled, perplexed, bewildered, baffled, at one's wit's end; to hesitate, waver

تَحَيَّزَ لِـ أو إلى to side with, take sides with, be partial to, have a bias for
تَحَيُّز partiality, one-sidedness, bias, prejudice, favoritism
تَخابَرَ to communicate with each other, call one another
تَخاذَلَ to fail, weaken, languish
تَخاصَمَ to quarrel, dispute, fight
تَخاطَبَ to converse, talk or speak to one another, have a talk
تَخالَطَ to intermix, intermingle
تَخَبَّأَ ـ راجع إخْتَبَأَ
تَخْت : سَرِير bed; bedstead
تَخْتٌ مُوسِيقِيّ orchestra, band
تَخَثَّرَ to coagulate, clot; to curdle, curd; to congeal, solidify
تَخْدِير anesthetization
تَخَرَّبَ to be ruined, destroyed, devastated, wrecked, damaged
تَخَرَّجَ to graduate (from)
تَخَرُّج ، تَخْرِيج graduation
حَفْلَةُ تَخَرُّج commencement, graduation (exercises)
تَخْرِيب destruction, ruining, wrecking; sabotage; subversion
تَخْزِين ـ راجع خَزْن
تَخَشَّبَ to lignify; to stiffen
تَخْشِيبَة wooden shed; hut, cottage
تَخَصَّصَ ـ راجع إخْتَصَّ بِـ أو في
تَخَصُّص ـ راجع إخْتِصاص

تَخَطَّى to overstep, go beyond; to exceed, surpass, transcend; to pass, go past, overtake, outdistance
تَخْطِيط : وَضْعُ الخِطَط planning
تَخْطِيط : خِطَّة ـ راجع خِطَّة
تَخْطِيطُ القَلْب cardiography
تَخَفَّى to disguise oneself, be disguised; to hide (oneself), conceal oneself
تَخْفِيض reduction, lowering, decrease, decreasing, cut, cutbak
تَخَلَّى عن : تَنازَلَ عن to abandon, give up, relinquish, surrender, waive
تَخَلَّى عن : خَذَلَ to desert (in time of need), abandon, let down
تَخَلَّصَ مِنْ to get rid of, do away with; to discard; to escape from
تَخَلَّعَ ـ راجع إنْخَلَعَ
تَخَلَّفَ (عن) to lag, stay behind, fall behind; to fail to
تَخَلَّفَ عَنِ الحُضُور to be absent, fail to attend, absent oneself
تَخَلَّفَ عَنِ الدَّفْع to default, fail to pay on time, be in arrears
تَخَلُّف : تَأَخُّر lag, retardation, staying behind; failure to
تَخَلُّفُ عَنِ الدَّفْع default
تَخَلُّف (حَضارِيّ) underdevelopment, backwardness
تَخَلُّفٌ عَقْلِيّ mental retardation; moronity, idiocy, imbecility
تَخَلَّلَ : تَوَسَّطَ to intervene, interpose,

lie or occur (in) between

تَخْلِيد perpetuation, eternization

تَخْلِيدُ ذِكْرَى commemoration

تَخْلِيص salvation, rescue, rescuing, saving; liberation, freeing

تَخْم ، تُخْم boundary, frontier, border, borderline; edge, end

تُخْمَة indigestion; surfeit, satiety

تَخَمَّرَ : اِخْتَمَرَ to ferment

تَخَنُّث effeminacy, womanishness, femininity, unmanliness

تَخَوَّفَ، تَخَوُّف ـ راجع خافَ، خَوْف

تَخْوِيف frightening, scaring, intimidation, alarming, terrifying

تَخَيَّلَ : تَصَوَّرَ to imagine, conceive, envisage, visualize; to suppose

تَخَيُّل imagination, imagining

تَدَاخَلَ to overlap; to interpenetrate; to interlock, intertwine, mesh

تَدَارَكَ : أَصْلَحَ to correct, remedy, rectify; to repair, redress, make up for

تَدارَكَ : تَفَادَى to prevent, obviate; to avert, avoid; to guard against

تَدَاعَى : تَقَلْقَلَ to totter, falter

تَدَاعَى : اِنْهَارَ to collapse, fall in

تَدَاوَى to be treated; to receive or undergo medical treatment

تَدَاوَلَ : تَبَاحَثَ to confer, deliberate, discuss, study, consider

تَدَاوَلَ: تَنَاقَلَ to circulate, put into circulation, pass around; to use

تَدَاوَلَ : تَعَاقَبَ to alternate, rotate

تَدَاوُل : رَوَاج circulation, currency

تَدَاوُل : تَعَاقُب alternation, rotation

تَدَبَّرَ : تَأَمَّلَ to reflect on, ponder on

تَدَبَّرَ : دَبَّرَ to manage, work (out); to wangle; to get; to take care of

تَدْبِير : إعْداد arrangement, planning, designing, devising, contriving

تَدْبِير : حُصُولٌ على procurement, securing, getting; wangling

تَدْبِير : إجْراء measure, step, move

تَدَحْرَجَ to roll

تَدَخَّلَ في to intervene in, step in; to interfere in or with, meddle in, intrude upon, nose into

تَدَخُّل intervention; interference, meddling, intrusion, obtrusion

تَدْخِين (سِيجَارَةٍ إلخ) smoking

تَدَرَّبَ to practice, exercise, take exercise, drill (oneself), train

تَدَرَّجَ (إلى) : تَقَدَّمَ to advance step by step (to); to progress by steps

تَدَرَّجَ : تَمَرَّنَ to train, be trained

تَدْرُج، تُدْرُج (طائر) pheasant

تَدَرَّعَ to armor oneself

تَدْرِيب training, drill(ing), exercise, practice, rehearsal

تَدْرِيجِيّ gradual, step-by-step

تَدْرِيجِيًّا gradually, step by step, by steps, by degrees, bit by bit

تَدْرِيس teaching, instruction

تَدَفَّأَ to warm oneself
تَدْفِئَة heating, warming (up)
تَدَفَّقَ to flow (out), stream, well out, gush forth, pour out, break out
تَدْقِيق scrutiny, careful examination; checking (out), verification
تَدْقِيقُ الحِسَابات audit, auditing
تَدَلَّى to hang (down), dangle, be suspended; to sink (down), sag, droop
تَدَلَّلَ : تَغَنَّجَ to coquet, flirt
تَدْلِيك massage; rubdown
تَدَمَّرَ to be destroyed, ruined, wrecked, razed, devastated, ravaged
تَدْمِير destruction, ruining, wrecking, ravage; sabotage; subversion
تَدَنَّى to drop, fall, decline, go down; to be low, poor, bad, inferior
تَدَهْوَرَ : وَقَعَ to fall, tumble; to crash
تَدَهْوَرَ : اِنْحَطَّ to deteriorate, decline, degenerate, fall, slump
تَدَيَّنَ : اِسْتَدَانَ ـ راجع اِسْتَدَانَ
تَدَيَّنَ بِدِينٍ ـ راجع دانَ
تَذَاكَرَ to confer, deliberate, discuss
تَذَبْذَبَ to oscillate, vibrate, swing
تَذَرَّعَ بِـ to use as an excuse or pretext; to plead, claim, allege
تَذْكَار souvenir, keepsake, token
تَذْكَارِيّ memorial
تَذَكَّرَ to remember, recall, recollect

تَذْكِرَة : شَيْءٌ يُذَكِّر reminder
تَذْكِرَة : بِطَاقَة ticket, card
تَذْكِرَةُ هُوِيَّة identity card, identification card, ID card
تَذَلَّلَ (لِـ) to humble or lower oneself (before), cringe (before)
تَذَمَّرَ to complain, nag, grumble
تَذَوَّقَ to taste; to savor, relish
تُرَى، يا (هَلْ) تُرَى I wonder
تَرَاءَى لَهُ to appear to, seem to; to imagine, think, suppose
تُرَاب earth, dust; soil, ground
تُرَابَة cement
تَرَابَطَ to be correlated, connected, linked, attached, joined, united
تُرَاث heritage, tradition, legacy
تَرَاجَعَ : اِرْتَدَّ to retreat, withdraw, fall back; to deteriorate, decline, ebb
تَرَاجَعَ (عن) : سَحَبَ to retract, recant, withdraw, take back
تَرَاخَى to slacken, droop, sag, flag
تَرَأَّسَ ـ راجع رَأَسَ
تَرَاسَلَ to correspond, write (to) each other, exchange letters
تَرَاشَقَ (بِـ) to pelt one another (with), throw at one another
تَرَافَقَ to be friends, companions; to accompany one another; to be joined, coupled, associated
تَرَاقَصَ ـ راجع تَرَقَّصَ
تَرَاكَمَ to accumulate, pile up; to be

accumulated, piled up, amassed

تُرَام، تِرَامْواي tramway; streetcar, tram

تِرَانزِسْتُور transistor

تَرَاوَحَ to range (from... to), vary (between)

تِرْب (ج أَتْرَاب) contemporary; contemporaneous; friend; peer

تُرْبَة : تُرَاب ـ راجع تُرَاب

تُرْبَة : مَقْبَرَة cemetery, graveyard

تَرَبَّصَ بِـ to lurk, lie in wait for, ambush, waylay; to wait for

تَرَبَّعَ to sit cross-legged

تَرْبَوِيّ educational

تَرْبِيَة : تَثْقِيف education

تَرْبِيَة : تَنْشِئَة upbringing, bringing up, raising, rearing

تَرْبِيَةُ الحَيَوَاناتِ إلخ breeding, raising, growing

تَرْبِيَةٌ بَدَنِيَّة physical education

تَرْبِيَةٌ مَدَنِيَّةٌ أو وَطَنِيَّة civics

تَرْبِيزَة ـ راجع طَرَبِيزَة

تَرْبِيعَة : مُرَبَّع square, checker

تَرْبِيعِيّ quadratic, square

تَرَتَّبَ : رُتِّبَ to be arranged, arrayed, organized, put in order

تَرَتَّبَ عليه : نَتَجَ عنه to result from, follow from, be caused by

تَرَتَّبَ عليه : وَجَبَ عليه he has to, he should, he must

تَرْتِيب : تَنْظِيم arrangement, arranging, arraying, putting in order

تَرْتِيب : نِظَام order, arrangement, array, tidiness, neatness

تَرْتِيب : رُتْبَة، مَرْتَبَة ـ راجع رُتْبَة

تَرْتِيبَات arrangements, measures

تَرْتِيلَة hymn, psalm, song, chant

تَرَجَّى ـ راجع رَجَا

تَرَجَّلَ : نَزَلَ to dismount, disembark, get down, get off, get out (of)

تَرْجَمَ to translate; to interpret

تَرْجُمَان : مُتَرْجِم translator; interpreter

تَرْجُمَان (سِيَاحِيّ) (tourist) guide

تَرْجَمَة translation

تَرَح : حُزْن grief, sadness, sorrow

تَرَحَّلَ : تَنَقَّلَ to migrate, wander, roam, rove, range; to travel

تَرَحَّمَ على to ask God to have mercy upon

تَرْحِيب، تَرْحَاب welcome, welcoming; hospitable reception

تَرْخِيص : رُخْصَة ـ راجع رُخْصَة

تَرْخِيص : تَخْفِيضُ السِّعْر price reduction, price cut

تَرَدَّى to fall, sink, decline, lapse

تَرْدَاد : تَكْرَار repetition, reiteration

تَرَدَّدَ : تَحَيَّرَ to hesitate, waver

تَرَدَّدَ (الصَّوْتُ) : دَوَّى to reverberate, resound, re(echo); to ring out

تَرَدَّدَ إلى مَكَان to go frequently to, visit often, haunt

تَرَدُّد : حَيْرَة hesitation, indecision, irresolution, wavering
تَرْدِيد ـ راجع تَرْداد
تَرْزِي : خَيَّاط tailor
تُرْس (المُحارِب) shield
تِرْس : دُولابٌ مُسَنَّن gear, cogwheel
تَرْسانة (الأَسْلِحةِ والذَّخائِر) arsenal
تَرَسَّخ ـ راجع رَسَخ
تَرَشَّح : رَشَح ـ راجع رَشَح
تَرَشَّح : رَشَّح نَفْسَهُ ـ راجع رَشَّح نَفْسَهُ
تَرْشِيح (لِمَنصِب، لانْتِخاب) nomination; candidacy, candidature
تَرْشِيد : عَقْلَنة rationalization
تَرَصَّدَ لِـ to lie in wait for, lurk, ambush, waylay; to wait for
تُرْعة : قَناة canal, watercourse, waterway, conduit, aqueduct
تَرَعْرَع to grow up; to develop
تُرْغُلّ، تِرْغَلّ (طائر) turtledove
تَرَف luxury, opulence, affluence
تَرَفَّع عن : تَنَزَّه عن to be far above, be too great for; to disdain
تَرَفَّع : رُقِّي to be promoted, raised, advanced, upgraded
تَرَفَّق بِـ ـ راجع رَفَق
تَرْفِيه amusement, entertainment, recreation, fun
تَرْفِيهِي amusing, entertaining
تَرَقَّى ـ راجع إِرْتَقَى

تَرَقَّب to expect, anticipate, look forward to; to wait for, await
تَرَقْرَق (تِ العَيْنُ بِالدُّمُوع) to fill or overflow with tears, water, tear
تَرَقْرَق : جَرى to flow, run, stream
تَرَقَّص to dance; to oscillate, swing; to shake, tremble
تَرْقِيَة promotion, upgrading
تَرْقِيم numbering, numeration
تَرْقِيمُ الصَّفَحاتِ paging
تَرَكَ : هَجَرَ to leave; to quit; to give up, abandon, renounce; to desist from; to stop, discontinue
تَرَكَ : أَغْفَل to leave out, omit, neglect, overlook
تَرَكَهُ وشَأْنَهُ to leave alone, let alone, let go, release
تَرَكَّبَ مِنْ to be composed of, be made up of, consist of
تَرِكَة، تِرْكَة estate; inheritance, heritage, bequest, legacy
تَرَكَّزَ : تَكَثَّفَ to concentrate; to condense
تَرَكَّزَ على to center on, focus on
تَرَكَّزَ : إِسْتَقَرَّ to settle (down)
تَرْكِيب، تَرْكِيبَة : بِنْيَة structure, setup, constitution, composition, build
تَرْمَجان (طائر) ptarmigan
تُرْمُس (نبات) lupine
تَرَمَّلَ الرَّجُلُ to lose one's wife, become a widower

تَرَمَّلَتِ المَرْأَةُ to lose one's husband, become a widow
تِرْمُوس : كَظِيمَة thermos
تُرُنْجان (نبات) lemon balm
تَرَنَّح to stagger, reel, totter
تَرَنَّم ـ راجع رَنَّم
تَرْنِيمَة hymn, anthem, song, psalm
تُرَّهَة trifle, vanity; lie, falsehood, falsity; nonsense, balderdash
تَرَهَّل to be flabby, flaccid
تَرَوَّى (في) to deliberate, think over; to take one's time (in)
تَرْوِيج circulation, spreading; (sales) promotion; publicity
تَرْوِيقَة : طَعَامُ الصَّبَاح breakfast
تِرْيَاق antidote; panacea, cure-all
تَرَيَّث to take one's time, be patient
تَرَيَّض to do physical exercises
تِرِيكُو tricot
تَزَاحَمَ : تَنَافَس to compete, vie, rival
تَزَاحَمَ : اِحْتَشَدَ to crowd together
تَزَاحُم : تَنَافُس competition, rivalry
تَزَايَدَ : كَثُرَ ـ راجع زادَ
تَزَايُد : اِزْدِياد ـ راجع اِزْدِياد
تَزَحْزَح to budge, move
تَزَحْلَقَ to slide, glide, slip, skid; to ski; to skate
تَزَعْزَعَ to shake, totter, be shaken; to be shaky, precarious
تَزَعَّمَ to lead, run; to be the leader (chief, boss) of
تَزْكِيَة : تَوْصِيَة recommendation
بِالتَّزْكِيَة unopposed, uncontested
تَزَلَّجَ to ski; to skate; to sled, sledge, sleigh
تَزَلُّج skiing; skating
تَزَلَّفَ إلى to curry favor with, fawn on, bootlick; to adulate, cajole
تَزَمُّت strictness, rigor(ism), stringency; primness; puritanism
تَزَهُّد : زُهْد، تَنَسُّك asceticism
تَزَوَّجَ to get (be, become) married (with, to), marry, wed
تَزْوِير forgery, counterfeiting, falsification, rigging; piracy
تَزَيَّنَ to be adorned, decorated; to adorn oneself, spruce up
تَزْيِين adornment, ornamentation, decoration, décor
تَسَاءَلَ to ask (oneself), wonder
تَسَاؤُل question, inquiry
تَسَابَقَ to race, run; to compete
تَسَارَعَ to hurry, hasten; to quicken; to flow
تَسَاقَطَ to fall, fall down
تَسَاقَطَ الشَّعْرُ to fall out
تَسَامَحَ ، تَسَاهَلَ to tolerate; to be indulgent, tolerant, lenient
تَسَامُح ، تَسَاهُل indulgence, tolerance, leniency, lenity, clemency

تَساوٍ (التَّساوِي) equality
تَساوى to be equal, even
تَسبَّبَ في أو بـ - راجع سَبَّبَ
تَسبيح (اللهِ) glorification, praise, eulogy, extolment (of God)
تَستَّرَ to cover or hide oneself
تَستَّرَ على to harbor, shelter, hide
تَسجيل : تَقييد registration, registry, registering, recording
تَسجيل (على شَريط) (tape) recording, taping
تَسخين heating, warming (up)
تَسديد : دَفع payment, settlement
تَسرَّبَ to leak, seep, ooze, infiltrate, flow out, outflow
تَسرَّعَ to be hasty, rash, precipitate; to do in a hurry
تَسرِيحة (شَعرٍ) coiffure, hairdo, hairstyle
تَسطَّحَ : صارَ مُستَوِياً to be levelled; to flatten, become flat
تَسطَّحَ : إستَلقى to lie down
تُسْع (١/٩) one-ninth, ninth
تِسعَة (٩) nine
تِسعَةَ عَشَرَ (١٩) nineteen
تِسعُونَ (٩٠) ninety
تَسعير pricing
تَسعيرة tariff; quotation; price, rate
تَسكَّعَ to loiter, idle, hang around, wander (about), tramp

تَسلّى to amuse oneself, have fun, have a good time
تَسلَّحَ to arm oneself; to be armed
تَسلُّح armament, rearmament
تَسلسَلَ : جَرى to flow, run; to drip
تَسلسَلَ : تَتابَعَ to follow in succession; to form a series
تَسلسُل sequence, succession; order; hierarchy
تَسلسُلُ أفكار train of thought
تَسلَّطَ على to dominate, control
تَسلَّقَ to climb, scale, mount, go up
تَسلَّلَ إلى to sneak into, slip into; to infiltrate, enter
تَسلُّل infiltration; sneaking
تَسلُّل (في كُرَةِ القَدَم) offside
تَسلَّمَ to receive, get, take, collect; to take over, assume
تَسلُّم - راجع إستِلام
تَسلِيَة amusement, entertainment, pastime, fun
تَسليف credit; lending, loan
تَسليم : تَقديم handing over, turning in, presenting, delivery
تَسليم : إستِسلام surrender
تَسليم : قَبول، رِضًى acceptance, approval; consent
تَسليم : إعتِراف admission
تَسمَّعَ إلى to listen to
تَسمَّمَ to be poisoned, envenomed

تَسَمُّم poisoning, toxication
تَسْمِيَة : إسْم - راجع إسْم
تَسْمِيع (الدَّرْس) recitation, reciting
تَسَنَّى to be easy, possible, feasible
تَسَوَّسَ الطَّعَامُ to be worm-eaten
تَسَوَّسَ السِّنُّ to be carious, to decay
تَسَوُّسُ الأَسْنان (dental) caries, tooth decay, cariosity
تَسَوَّقَ : تَبَضَّعَ to shop, purchase, buy
تَسَوَّلَ : اِسْتَعْطى to beg, ask for alms
تَسَوُّل begging, beggary
تَسْوِيَة : حَلّ settlement
تَسْوِيَة : حَلّ وَسَط compromise
تَسْوِيف procrastination, stalling
تَسْوِيق marketing
تَشَاءَمَ to be pessimistic
تَشَاؤُم pessimism
تَشَابَكَ to be interlaced, interlocked; to interlace, interlock
تَشَابَهَ to resemble each other; to be similar, alike; to be identical
تَشَابُه resemblance, similarity, likeness, analogy; identity
تَشَاجَرَ to quarrel, fight, hassle
تَشَارَطَ - راجع شارَطَ
تَشَارَكَ - راجع اِشْتَرَكَ
تَشَاوَرَ to deliberate, confer, consult, exchange views
تَشَبَّثَ بِـ to stick to, hold by, hang on to, persist in, be tenacious
تَشَبَّهَ بِـ to imitate, copy; to match
تَشَتَّتَ to scatter, disperse; to be scattered, dispersed, dispelled
تَشَجَّعَ to pluck up courage, take heart, make bold, be encouraged
تَشْجِيع encouragement
تَشْخِيص (المَرَض أو الحالَة) diagnosis
تَشَدَّدَ (في) to be strict, severe, tough, inflexible
تَشَرَّبَ to absorb, soak up
تَشَرَّدَ to tramp or wander (about); to be made homeless
تَشَرَّفَ (بِـ) to have the honor (to, of), be honored (with)
تَشْرِيح (عِلْمِيّ) anatomy
تَشْرِيع legislation
تَشْرِيعِيّ legislative
تِشْرِينُ الأَوَّل : أُكْتُوبر October
تِشْرِينُ الثَّانِي : نُوفمبر November
تَشَعَّبَ to ramify, branch (out)
تَشَفَّعَ (لِـ أو بِـ) to intercede (for), mediate (for)
تَشَقَّقَ - راجع اِنْشَقَّ
تَشَقَّقَ الجِلْدُ to chap, crack open
تَشَقْلَبَ to somersault, tumble
تَشَكَّى - راجع شَكَا
تَشَكَّرَ - راجع شَكَرَ
تَشَكَّلَ to be formed, shaped; to be

established, set up
تَشَكَّل مِنْ to consist of, be made up of, be composed of
تَشْكِيلَة collection, variety, selection
تَشَمَّس to sun (oneself), bask
تَشَنُّج spasm, cramp, convulsion
تَشْهِير (بِـ) defamation, libel, slander
تَشَوَّش to be confused, mixed up, jumbled (up)
تَشَوَّق (إلى) ـ راجع اِشْتاق
تَشْوِيق suspense; thrilling
تَشْوِيه deformation; deformity; distortion, perversion
تَشْيِيد building, construction
تَصَاحَبَ، تَصَادَقَ to be friends, companions, comrades
تَصَادَمَ ـ راجع اِصْطَدَمَ
تَصَارَعَ to wrestle; to fight
تَصَاعَدَ to rise, go up, ascend
تَصَافَحَ to shake hands
تَصَالَحَ to make up, make peace, become reconciled
تَصَبَّبَ to pour forth, flow, fall
تَصْحِيح correction, correcting
تَصْحِيح (طِبَاعِيّ) proofreading
تَصَدَّى لِـ: جابَهَ to confront, face, defy, oppose; to fight
تَصَدَّى لِـ: تَعَرَّضَ لِـ to set out to; to take up, turn to
تَصَدَّعَ to crack, split, cleave; to be cracked, split, cleft
تَصَدَّقَ (على) to give alms (to), give charity (to)
تَصْدِير exportation, export(ing)
تَصَرَّفَ: سَلَكَ to behave, act
تَصَرَّفَ في أو بِـ to dispose of
تَصَرُّف: سُلُوك behavior, conduct
تَصْرِيح: بَيَان statement, declaration, announcement
تَصْرِيح: رُخْصَة permit, license
تَصَعَّدَ: زادَ حِدَّةً to escalate
تَصْغِير diminution, decrease, decreasing, reduction
تَصَفَّحَ (الكِتَابَ) to skim (through), browse (through)
تَصْفِيَة: تَنْقِيَة purification, refinement; straining, filtering
تَصْفِيَة (الشَّرِكَةِ إلخ) dissolution; liquidation
تَصْفِيَةُ فَرِيقٍ رِيَاضِيٍّ elimination
تَصْفِيَة، بَيْعُ التَّصْفِيَة clearance, clearance sale, sale
تَصْفِيق (بالأَيْدِي) applause, acclaim; hand clapping
تَصَلَّبَ ـ راجع صَلُبَ، صَلِبَ
تَصَلَّبَ (في): تَشَدَّدَ to be inflexible, adamant, intransigent
تَصَلُّب: عِنَاد inflexibility
تَصَلُّب: تَجَمُّد hardening
تَصْلِيح ـ راجع إصْلاح
تَصْمِيم: عَزْم determination

تَصْمِيم : وَضْعُ التَّصَامِيم design(ing), styling; planning, layout
تَصْمِيم : خِطَّة design, plan, layout, sketch, outline
تَصَنَّعَ : تَكَلَّفَ to affect, feign, simulate, fake, dissemble
تَصَنُّع : تَكَلُّف affectation, mannerism, artificiality, theatricality
تَصْنِيع industrialization
تَصْنِيف : تَبْوِيب classification
تَصَوَّرَ : تَخَيَّلَ to imagine, conceive, envisage; to think, suppose
تَصَوُّر : تَخَيُّل imagination, imagining
تَصَوُّر : مَفْهُوم conception, concept, notion, idea
عن (سابِقِ) تَصَوُّرٍ وتَصْمِيم on purpose, intentionally, deliberately
تَصَوُّف Sufism, mysticism
تَصْوِيب : تَصْحِيح correction
تَصْوِيت : اِقْتِراع voting, vote
تَصْوِير : رَسْم drawing, painting
تَصْوِير : وَصْف description, depiction, picturing, portrayal
تَصْوِيرٌ بالأَشِعَّة radiography
تَصْوِيرٌ زَيْتِيّ painting, oil painting
تَصْوِيرٌ سِينَمائِيّ filming, shooting
تَصْوِيرٌ فُوتُوغرافِيّ photography
تَصْوِير (المُسْتَنَدات) (photo)copying
تَصَيَّدَ ـ راجع صادَ
تَضاءَلَ to dwindle, diminish, decrease, drop off, fall
تَضارَبَ : تَشاجَرَ to fight, quarrel, strike one another
تَضارَبَ : تَعارَضَ to conflict, clash
تَضارُب : تَعارُض conflict, clash, inconsistency, contradiction
تَضارِيس (topographic) relief
تَضاعَفَ to double, be double(d); to multiply
تَضامُن solidarity; joint liability
تَضايَقَ to be annoyed, vexed, irritated, disturbed, upset
تَضْحِيَة sacrifice; sacrificing
تَضَخَّمَ to swell, distend, inflate
تَضَخُّم inflation, swell(ing)
تَضَرَّجَ بالدَّم to be bloodstained
تَضَرَّرَ to be damaged, harmed, hurt; to suffer damage or loss
تَضَرَّعَ (إلى) to supplicate, pray humbly to (God), implore
تَضَعْضَعَ to decline, weaken
تَضَمَّنَ to contain, include, comprise, embody, cover, involve
تَضَيَّفَ : نَزَلَ ضَيْفاً ـ راجع ضافَ
تَطابَقَ (مَع) to be identical; to correspond (with), coincide (with)
تَطايَرَ to scatter, disperse, fly (apart); to evaporate
تَطَبَّبَ to be treated medically
تَطْبِيق application, applying, implementation; carrying out; fol-

lowing, practicing

تَطْبِيقِيّ applied; practical

تَطَرَّفَ to go to extremes

تَطَرُّف extremism, excess(iveness)

تَطَرَّقَ إلى to touch on, treat, deal with, take up, go into

تَطْرِيز embroidery

تَطْعِيم : تَلْقِيح inoculation, vaccination, injection

تَطَفَّلَ (على) to intrude upon, interfere in; to sponge (on), parasitize

تَطَلَّبَ : اِسْتَلْزَمَ to require, call for, demand, need

تَطَلَّبَ : طَلَبَ - راجع طَلَبَ

تَطَلَّعَ إلى to look forward to, hope (for); to aspire to

تَطَوَّرَ to develop, evolve, advance

تَطَوُّر development, evolution

تَطَوَّعَ (بـ) to volunteer

تَطَوُّع volunteering, voluntariness

تَطَيَّرَ (بـ أو مِنْ) to see an evil omen (in); to be pessimistic

تَظَاهَرَ بـ : اِدَّعَى to pretend (to be), affect, feign, fake

تَظَاهَرَ : قامَ بِمُظاهَرَة to demonstrate

تَظَاهُرَة demonstration, manifestation

تَظَلَّمَ : شَكَا to complain (of, about)

تَظْهِير (الأفلام) development, developing

تَعَادَلَ to be equal, even, balanced

تَعَادَلَ (في مُبَارَاة) to tie

تَعَادُل equality; balance

تَعَادُل (في مُبَارَاة) tie, draw

تَعَارَضَ to conflict, clash; to be contradictory, inconsistent

تَعَارُض conflict, clash, inconsistency, contradiction

تَعَارَفَ to become acquainted

تَعَارُف acquaintance

تَعَاسَة misery, unhappiness, distress

تَعَاطَى to take; to practice

تَعَاطَفَ مع to sympathize with

تَعَاظَمَ : اِشْتَدَّ to intensify, increase

تَعَافَى to recover, get well

تَعَاقَبَ to succeed or follow one another; to alternate, rotate

تَعَاقُب succession, sequence; alternation, rotation

تَعَاقَدَ to make a contract

تَعَالَ come! come here! come on!

تَعَالَى : اِرْتَفَعَ - راجع عَلَا

تَعَالَى عن to be or rise above

تَعَالَجَ to be treated

تَعَالِيم - راجع تَعْلِيم

تَعَامَلَ to treat one another; to deal (with one another)

تَعَامَلَ بـ to deal in, trade in

تَعَامُل dealing

تَعانَق to embrace each other
تَعاوَنَ to help one another; to cooperate, collaborate
تَعاوُن cooperation, collaboration
تَعاوُنِيّ cooperative
تَعاوُنِيَّة cooperative, co-op
تَعايَش to coexist
تَعِبَ to be tired, fatigued, exhausted; to work hard
تَعَب fatigue, tiredness, exhaustion
تَعِب، تَعْبان tired, exhausted
تَعْبير (عن) expression, expressing
تَعْبير : عِبارَة expression, term
تَعْبيرٌ اصْطِلاحِيّ idiom
تَعَثَّر to stumble, trip; to be hindered, meet with difficulties
تَعَجَّبَ مِنْ to wonder at; to be astonished at, amazed at, surprised at
تَعَجُّب astonishment, amazement, wonder, surprise
تَعَجْرَف to be haughty, arrogant
تَعَدَّى : تَجاوَزَ to exceed, transcend, surpass, go beyond
تَعَدَّى على ـ راجع إعْتَدَى على
تَعْداد : عَدّ enumeration, listing
تَعْداد : إحْصاء statistics; poll
تَعْدادُ السُّكّانِ أو النُّفوس census
تَعَدَّدَ to be numerous, multiple
تَعَدُّد، تَعَدُّدِيَّة multiplicity, plurality, pluralism

تَعْديل modification, change, changing; amendment
تَعَذَّبَ to suffer; to be tortured
تَعَذَّرَ to be impossible
تَعْذيب torture, torturing, tormenting
تَعَرَّى to undress, strip
تَعَرَّضَ لِـ : كانَ هَدَفًا لِـ to be exposed to, subject(ed) to; to come under; to meet
تَعَرَّضَ لِـ : جابَهَ to oppose, defy
تَعَرَّضَ لِـ : تَطَرَّقَ إلى to touch on, deal with, treat
تَعَرَّفَ بِهِ أو إليه to get acquainted with, meet, be introduced to; to identify
تَعَرُّف acquaintance (with), getting acquainted (with); identification
تَعْرِفَة : تَعْرِيفَة tariff
تَعْريب translation into Arabic
تَعْريشَة trellis(work); arbor
تَعْريف : تَحْديد definition
تَعْريف : إعْلام acquainting
تَعْريفَة : تَعْرِفَة tariff
تَعْزِيَة condolence, consolation
تَعَسَّرَ to be difficult, hard
تَعَسُّف arbitrariness; abusiver ess
تَعَشَّى to dine, have dinner or supper
تَعَصُّب fanaticism, intolerance

تَعَطَّرَ to perfume oneself; to be perfumed

تَعَطَّشَ إلى to long for, yearn for

تَعَطَّلَ (عَنِ العَمَل) to be unemployed

تَعَطَّلَتِ الآلَةُ to break (down), go out of order

تَعَفَّفَ ـ راجع عَفَّ

تَعَفَّنَ ـ راجع عَفِنَ

تَعَقَّبَ to pursue, follow, chase

تَعَقَّدَ (الأَمْرُ) to be complicated

تَعْقِيب : تَعْلِيق comment(ary), remark

تَعَكَّرَ ـ راجع عَكِرَ

تَعَكَّزَ على to lean on (a staff, etc.)

تَعَلَّقَ : تَدَلَّى to hang (down), suspend

تَعَلَّقَ بِـ : تَمَسَّكَ to cling to, stick to; to grasp at, hold, hang on to

تَعَلَّقَ بِـ : أَحَبَّ to be attached to, be fond of; to love, be in love with

تَعَلَّقَ بِـ : خَصَّ to relate to, be related to, have to do with, concern

فِيمَا يَتَعَلَّقُ بِـ concerning, with regard to, regarding, with respect to, in respect of, as to, as for

تَعَلَّمَ to learn, study; to be educated

تَعَلُّم learning, study(ing); education

تَعْلِيق : إيقاف suspension, suspending

تَعْلِيق : تَعْقِيب comment(ary), remark

تَعْلِيقَة (الثِّيابِ) (coat) hanger

تَعْلِيل : تَبْرِير justification

تَعْلِيم : تَدْرِيس teaching, instruction

تَعالِيم teachings, tenets

تَعْلِيمات instructions, directions

تَعَمَّدَ : قَصَدَ to intend, mean

تَعْمِيد (الوَلَدِ) baptism; baptizing

تَعْمِيم : ضِدّ تَخْصِيص generalization

تَعْمِيم : نَشْر popularization, circularization, spreading

تَعْمِيم : مَنْشُور circular

تَعَنَّتَ to be obstinate, stubborn

تَعَهَّدَ : رَعَى to take care of; to maintain; to cultivate

تَعَهَّدَ (بِـ) : اِلْتَزَمَ to undertake

تَعَهُّد : اِلْتِزام commitment, pledge

تَعَوَّدَ to get used to, be accustomed to, habituate oneself to

تَعْوِيذَة : تَمِيمَة charm, spell, amulet

تَعْوِيض compensation, reparation

تَعِيس miserable, wretched, unhappy; sad; unfortunate

تَعَيَّنَ (في مَنْصِبٍ) to be appointed

تَعَيَّنَ عَلَيْهِ أَنْ he has to, should, must

تَعْيِين (في مَنْصِبٍ) appointment

تَغاضَى عن to overlook, disregard

تَغايُر difference, contrast

تَغَدَّى to lunch, have lunch

تَغَذَّى (بِـ) to be nourished, fed; to feed on, eat

تَغْذِيَة nutrition, feeding, nourishment, nourishing

تَغَرَّبَ ـ راجع اِغْتَرَبَ

تَغَرْغَرَ : غَرْغَرَ — to gargle

تَغْرِيد : غِنَاء — singing, warbling

تَغَزَّلَ بِـ : غازَلَ ـ راجع غازَلَ

تَغَطَّى (بِـ) — to be covered, wrapped; to cover oneself (with)

تَغَطْرَسَ — to be haughty, arrogant

تَغْطِيَة — covering, coverage

تَغَلَّبَ على — to surmount, overcome; to triumph over, defeat, beat

تَغَنَّى بِـ — to praise, laud, extol

تَغَوَّطَ — to excrete, defecate

تَغَيَّبَ ـ راجع غابَ

تَغَيَّرَ — to change, vary; to be changed, altered, converted

تَغَيُّر — change, variation, turn, shift, transformation, conversion

تَغْيِير — change, changing, alteration, variation, transformation

تَفَّ : بَصَقَ — to spit

تَفَاءَلَ — to be optimistic

تَفَاؤُل — optimism

تُفَّاح، تُفَّاحَة (نبات) — apple(s)

تَفَاخَرَ بِـ ـ راجع اِفْتَخَرَ بِـ

تَفَاخُر — pride, boasting, bragging

تَفَادَى — to avoid, avert, ward off; to get away from, evade

تَفَاعَلَ — to react; to interact

تَفَاقَمَ — to be aggravated, critical, drastic; to worsen, become worse

تَفَانَى (في) — to dedicate or devote oneself wholeheartedly to

تَفَاهَمَ (على) — to understand one another; to reach an understanding or agreement, agree

تَفَاهُم — understanding, agreement

تَفَاوَتَ — to differ, vary, be different

تَفَاوَضَ — to negotiate, parley, confer

تَفَتَّتَ — to crumble, disintegrate

تَفَجَّرَ ـ راجع اِنْفَجَرَ

تَفَحَّصَ (عن) — to examine, inspect

تَفَرَّدَ بِـ — to possess alone

تَفَرَّعَ — to ramify, branch (out); to be divided, subdivided

تَفَرَّغَ لِـ — to devote oneself to, dedicate oneself to, engage wholly in

تَفَرَّقَ — to separate, part, divide, break up; to be separated, disunited, divided, scattered

تَفَرُّق — separation, disunion, division

تَفْرِقَة، تَفْرِيق — separation, parting, division; distribution

تَفَسَّخَ — to disintegrate, decay, rot

تَفْسِير — explanation, explication

تَفْسِيرِيّ — explanatory, explicatory

تَفَشَّى — to rage, break out, spread

تَفْصِيل، تَفَاصِيل، تَفْصِيلات — detail(s)

بِالتَّفْصِيل — in detail, elaborately

تَفْصِيلِيّ ـ راجع مُفَصَّل

تَفَضَّلَ to deign, be so kind (to do or give); to oblige, favor, do a favor for, do good to

تَفْعِيل : تَنْشِيط activation

تَفَقَّدَ : زارَ، إِسْتَعْرَضَ to visit, call on; to inspect, review

تَفَقَّدَ : بَحَثَ عن to look for

تَفَكَّكَ to be disassembled, disunited; to come apart, break up

تَفْكِير thinking; consideration, contemplation; thought

تُفْل : ثُفْل - راجع ثُفْل

تَفَلْسَفَ to philosophize

تِفْلِيق (طائر) rail

تَفَنَّنَ في to diversify, give variety to; to master, be a master in

تَفَهَّمَ to understand; to be understanding, considerate

تَفَوَّقَ على to surpass, excel, outdo

تَفَوَّقَ (في) to excel (in), be outstanding (in)

تَفَوُّق superiority; excellence, distinction, preeminence, mastery

تَفَوَّهَ بِـ to utter, pronounce, say

تُقًى - راجع تَقْوَى

تَقابَلَ to face each other; to meet

تَقاتَلَ to fight (one another)

تَقاتُل fight(ing), combat, battle

تَقارَبَ to approach one another

تَقاسَمَ - راجع إِقْتَسَمَ

تَقاضَى : تَداعَى to sue one another

تَقاضَى : قَبَضَ to get, receive, earn

تَقاطَعَ to intersect, cut across, cross

تَقاطُع intersection, crossing; crossroads, crossways

تَقاطِيع (الوَجْهِ) features, lineaments

تَقاعَدَ to retire, be pensioned off

تَقاعُد retirement

تَقاعَسَ (عن) to tarry, lag behind; to slacken; to neglect, fail to

تَقايَضَ to barter, exchange, trade

تَقَبَّلَ to accept; to receive

تَقَدَّمَ to advance, proceed, go ahead; to progress, make progress; to improve

تَقَدَّمَ (على) to precede; to be at the head of, lead

تَقَدَّمَ في السِّنِّ to age, grow old, get old(er), be advanced in years

تَقَدَّمَ إلى الامْتِحان to submit to (take, sit for) an examination

تَقَدُّم progress, advance(ment), breakthrough; improvement

تَقْدِمَة : هَدِيَّة present, gift, grant

تَقْدِمَة : تَقْدِيم - راجع تَقْدِيم

تَقَدُّمِيّ progressive, progressist

تَقْدِير : تَقْوِيم estimation, estimate, assessment, evaluation

تَقْدِير (الشَّيْءِ حَقَّ قَدْرِه) appreciation

تَقْدِير : إِحْتِرام esteem, respect

تَقْدِيم : عَرْض presentation, presenting, offering; production
تَقْدِيم : مُقَدِّمَة ـ راجع مُقَدِّمَة
تَقَرَّبَ إلى فُلان to curry favor with; to approach, make advances to
تَقْرِيب approximation
تَقْرِيباً approximately, almost, nearly, roughly, about, around
تَقْرِيبِيّ approximate, rough
تَقْرِير : بَيَان report, memorandum
تَقْرِير : حَسْم determination, decision, resolution, settlement
تَقَزَّزَ (مِنْ) to be disgusted (of)
تَقَسَّمَ : اِنْقَسَمَ ـ راجع اِنْقَسَم
تَقْسِيط payment in installments
بِالتَّقْسِيط in (or by) installments
تَقْسِيم division, dividing, partition, splitting; distribution
تَقَشَّفَ to lead an ascetic life; to live in austerity, tighten one's belt
تَقَصَّى ـ راجع اِسْتَقْصَى
تَقْصِير : ضِدّ تَطْوِيل shortening
تَقْصِير : إهْمال nonfeasance, default; neglect, negligence, omission
تَقْصِير : سُقُوط failure, flunking
تَقَلَّبَ to toss (about); to change, turn; to fluctuate, swing; to be changeable, unsteady
تَقَلَّدَ to assume, hold, take over
تَقَلَّصَ to contract; to shrink

تَقْلِيد، تَقَالِيد : عُرْف tradition(s)
تَقْلِيد : مُحاكاة imitation, copying
تَقْلِيدِيّ : عُرْفِيّ traditional, customary, conventional, classic(al)
تَقْلِيعَة : بِدْعَة fad, craze, rage
تَقَمُّص reincarnation, transmigration (of souls), metempsychosis
تِقْنِيّ : فَنِّيّ technical; technological
تِقْنِيّ : اخْتِصاصِيّ فَنِّيّ technician
تِقْنِيَّة technique; technicality
تَقْنِين : تَدْوِينُ القَوانِين codification
تَقْنِين : تَوْفِير rationing
تَقَهْقَرَ to retreat, withdraw, decline
تَقْوَى God-fearingness, fear of God, piety, religiousness
تَقَوَّضَ : اِنْهارَ to collapse, fall down
تَقَوْقَعَ : اِنْعَزَلَ to confine oneself, seclude oneself, isolate oneself
تَقْوِيم : تَقْيِيم، تَقْدِير evaluation, appraisal, assessment, estimation
تَقْوِيم : تَصْحِيح correction, reform(ation), adjustment
تَقْوِيم : رُوزْنامَة calendar, almanac
تَقِيّ God-fearing, pious, religious
تَقَيَّأَ to vomit, throw up
تَقَيَّدَ بِـ : راعَى to observe, comply with, abide by, respect
تَقْيِيم : تَقْدِير ـ راجع تَقْوِيم
تَكَّ (ـتِ السَّاعَةُ) to tick

تَكاتَبَ to correspond, write (to) each other, exchange letters
تَكاتَفَ to support one another
تَكاثَرَ to increase, grow; to multiply, proliferate, reproduce
تَكافَأَ to be equal, equivalent
تَكافُؤ equivalence, equality
تَكافُل joint liability; solidarity
تَكامُل integration; complementarity; completeness, wholeness
تَكَبَّدَ to suffer, bear, endure
تَكَبَّرَ to be proud, haughty, arrogant, supercilious, overbearing
تَكَبُّر pride, haughtiness, arrogance
تَكَتَّفَ to fold one's arms
تَكَتَّلَ to agglomerate; to unite (in a bloc); to form a coalition
تَكَتَّمَ to keep silent
تَكَتَّمَ على ـ راجع كَتَمَ
تَكْتِيك tactics
تَكْتِيكِيّ tactical
تَكْذِيب : نَفْي denial, disavowal
تَكْرار repetition, reiteration
تَكْراراً repeatedly, frequently
تَكَرَّرَ : عادَ، أُعِيدَ to recur, reoccur, repeat, be repeated
تَكَرَّمَ (على) to be so kind to do; to oblige, do a favor for, favor
تَكْرِيم honoring; hospitality
تَكَسَّرَ to break, shatter, crash, come to pieces; to be broken
تَكَفَّلَ بِـ to guarantee; to undertake
تَكَلَّفَ : تَصَنَّعَ to affect, feign, fake
تَكَلَّفَ عَناءَ كَذا ـ راجع كَلَّفَ نَفْسَهُ
تَكْلِفَة ـ راجع كُلْفَة
تَكَلَّمَ to speak, talk; to say
تَكْلِيف : تَفْوِيض charging; order
تَكْلِيف : عِبْء charge, burden
تَكالِيفُ المَعِيشَة cost of living
تَكْمِلَة : تَتِمَّة supplement, complement; continuation; end
تِكْنُولُوجِيّ technological
تِكْنُولُوجِيا technology
تَكَهْرَبَ to be electrified
تَكَهَّنَ (بِـ) to predict, foretell
تَكَوَّنَ to be formed, created, established, set up; to come into existence, come into being
تَكَوَّنَ مِن to consist of, be made up of, be composed of; to comprise
تَكْوِين : تَشْكِيل forming, formation, creation, establishment
تَكْوِين : بِنْيَة structure, constitution, composition, form, setup
تَكَيَّفَ (مَعَ) to adapt or adjust (oneself to), accommodate (to)
تَكْيِيف adaptation, adjustment
تَكْيِيفُ الهَواء air conditioning
تَلّ : هَضْبَة hill, elevation, knoll

تلا : تبِعَ — to follow, succeed

تلا : قرأ — to read, recite

تَلاءَمَ (مع) — to suit, fit, agree (with), be suitable (for), be fit (for)

تَلاحَقَ : تتابَعَ — to follow or succeed one another; to continue

تَلاشى — to vanish, disappear, go

تَلاعَبَ — to play; to cheat

تَلاعَبَ بالأرْقام — to rig, manipulate, doctor, play with, falsify

تَلاعَبَ بالألفاظ — to play on words

تَلافَى : تَفادَى — to avoid, avert, prevent, forestall, ward off, fend off

تَلاقَى ـ راجع اِلْتَقَى

تَلاكَمَ — to box, fight (with the fists)

تَلأْلأَ — to shine, glitter, sparkle

تَلَبَّدَ — to mat, felt, stick together

تَلَبَّدَتِ السَّماءُ بالغُيوم — to overcloud; to be overcast, cloudy, dark

تَلَّة ـ راجع تَلّ

تَلْحِين — (musical) composition

تَلْخِيص : اِخْتِصار — summarization, summing up, abridgment

تَلْخِيص : مُلَخَّص ـ راجع مُلَخَّص

تَلَذَّذَ (بِـ) ـ راجع اِلْتَذَّ (بِـ)

تِلِسْكوب — telescope

تَلَصَّصَ (على) — to spy (on), snoop (on)

تَلَعْثَمَ (في كَلامِهِ) — to stutter, stammer

تِلِغْراف : بَرْق — telegraph

تِلِغْراف : بَرْقِيَّة — telegram, wire, telegraph, cable, cablegram

تِلِغْرافِيّ — telegraphic, telegraph

تَلِفَ — to be damaged, spoiled, impaired; to wear out, decay

تَلَف — damage, spoilage, impairment; waste, wear, decay

تَلَفَّتَ ـ راجع اِلْتَفَتَ

تِلِفْرِيك — telpherage

تِلِفِزْيُون، تِلْفاز — television, TV

تَلَفَّظَ بِـ — to pronounce, utter

تَلْفَنَ (لِـ) — to (tele)phone, call, ring up

تِلِفُون — telephone, phone

تَلَقَّى — to receive, take, get

تِلْقائِيّ — spontaneous, automatic

تِلْقائِيًّا، مِنْ تِلْقاءِ نَفْسِهِ — spontaneously; of one's own accord, voluntarily

تَلَقَّفَ — to snatch, grasp, grab

تَلْقِيح : إخْصاب — fertilization

تَلْقِيح : تَطْعِيم — vaccination, inoculation, injection

تِلْكَ (اِسْمُ إشارَة) — that, that one

تَلَكَّأَ (عن) — to lag, loiter, tarry

تِلِكْس — telex

تَلَمَّسَ — to grope for, finger, touch; to grope about, feel around

تِلْمِيذ — student, pupil, schoolboy

تِلْمِيذٌ خارِجِيّ — day student

تِلْمِيذٌ داخِلِيّ — boarder

تَلَهَّى بِـ to amuse oneself with
تَلَهَّى عن to be distracted from
تَلَهَّفَ على to sigh for, yearn for
تِلْوَ : إثْرَ after, upon; following
تَلَوَّى to writhe, wriggle, twist
تَلَوُّث pollution, contamination
تِلِيفُون ـ راجع تِلِفُون
تَمَّ to be complete, full, whole; to be completed, concluded, finished; to be accomplished, achieved; to happen, take place
تَمّ : إوَزٌّ عِراقِيّ swan
تَماثَلَ to be similar, identical
تَماثَلَ (لِلشِّفَاء) to convalesce, regain health, recover, get well
تَماثُل similarity; identity
تَمادَى في to persist in, continue (to do); to go too far in, overdo
تَمارَضَ to pretend to be ill or sick
تَماشَى مع ـ راجع تَمَشَّى مع
تَمالَكَ نَفْسَهُ to control oneself
تَمام : كَمال completeness, wholeness
تَمام : إنْتِهاء completion, conclusion
تَماماً، بِالتَّمام completely, wholly, fully, totally, perfectly; exactly
تَمايُز distinction, contrast
تَمايَلَ to reel, totter; to sway, swing
تَمَتَّعَ بِـ to enjoy; to savor
تَمَتُّع enjoyment
تَمْتَمَ to mumble, mutter, murmur
تِمْثال statue; sculpture
تَمْثِيل representation
تَمْثِيلٌ بِـ torture; mayhem
تَمْثِيل (سِينَمائِيّ إلخ) acting, playing
تَمْثِيلِيَّة play, drama
تَمَخَّطَ to blow one's nose
تَمَدَّدَ : اِنْبَسَطَ to extend, spread, expand, be extended or expanded
تَمَدَّدَ : اِسْتَلْقَى to lie (down), stretch (out)
تَمَدُّن civilization; urbanization
تَمْر ، تَمْرَة date(s), dried date(s)
تَمْرُ حِنَّاء henna blossoms
تَمْرٌ هِنْدِيّ tamarind
تَمَرَّدَ (على) to rebel (against), mutiny (against), disobey
تَمَرُّد mutiny, insurrection, rebellion; disobedience
تَمَرَّسَ (بِـ) to get used to; to be experienced, long-practiced
تَمَرَّغَ (في) to roll (in), wallow (in)
تَمَرْكَزَ to center, centralize
تَمَرَّنَ (على) to practice, drill, exercise, train, be trained
تَمْرِيض، عِلْمُ التَّمْرِيض nursing
تَمْرِين exercise, practice, training
تَمَزَّقَ to be or get torn, rent, shredded; to tear, rend, rive
تِمْساح (حيوان) crocodile; alligator

to cling to, stick to, adhere to; to grasp at, hold on to — تَمَسَّكَ بِـ
to walk, take a walk — تَمَشَّى : مَشَى
to keep pace with; to be in agreement or conformity with — تَمَشَّى مَع
to comb one's hair — تَمَشَّطَ
coiffure, hairdo, hairstyle — تَمْشِيطَة
to rinse (out) the mouth — تَمَضْمَضَ
spending, passing — تَمْضِيَة (الوَقْتِ)
to stretch — تَمَطَّى، تَمَطَّطَ
to scrutinize, examine carefully, look closely at — تَمَعَّنَ في
can; to be able to — تَمَكَّنَ مِنْ : اِسْتَطاعَ
to master, have command of, be versed in — تَمَكَّنَ مِنْ : أَتْقَنَ
to dodge, evade, escape — تَمَلَّصَ (مِنْ)
to flatter, adulate, cajole; to fawn on, bootlick — تَمَلَّقَ
تَمَلَّكَ ـ راجع مَلَكَ
to fidget, be restless — تَمَلْمَلَ
تَمَّمَ ـ راجع أَتَمَّ
rice — تِمَّن : أَرُز
to wish, desire, hope — تَمَنَّى
wishes, compliments — تَمَنِّيات
to slow (down); to be slow — تَمَهَّلَ
preface, foreword, introduction, preamble — تَمْهِيد : مُقَدِّمَة
preliminary, introductory — تَمْهِيدِيّ
July — تَمُّوز : يُولْيُو

financing, finance — تَمْوِيل
provisioning, catering; (food) supplies, rations, provisions — تَمْوِين
تَمَيَّزَ بِـ ـ راجع إمْتازَ بِـ
amulet, charm, fetish, periapt — تَمِيمَة
distinction, distinguishing, differentiation — تَمْيِيز : تَفْرِيق
discrimination — تَمْيِيز (في المُعامَلَة)
tuna, tunny — تُنّ (سمك)
to be scattered, dispersed; to scatter, disperse — تَناثَرَ
to dispute, quarrel — تَنازَعَ : تَخاصَمَ
to give up, abandon, renounce, relinquish, waive — تَنازَلَ عن
to suit, fit, agree (with), tally with, be suitable (for) — تَناسَبَ (مَع)
coordination; harmony, congruity; symmetry — تَناسُق
reproduction, procreation — تَناسُل
sex(ual) organs — أَعْضاءُ التَّناسُل
genital, sexual; reproductive — تَناسُلِيّ
venereal disease — مَرَض تَناسُلِيّ
to be harmonious (with), be in agreement (with) — تَناغَمَ (مَع)
harmony, agreement, accord — تَناغُم
to conflict, disagree; to be contradictory, incompatible — تَنافَى
to compete, vie, rival — تَنافَسَ
competition, rivalry — تَنافُس

تَنَاقَش to debate, argue, dispute; to discuss
تَنَاقَص to decrease, diminish, dwindle, decline, shrink, drop (off)
تَنَاقَض to contradict each other, conflict; to be contradictory, conflicting, inconsistent, disagreeing
تَنَاقُض contradiction, inconsistency
تَنَاقَل to carry; to transmit, convey; to report, pass on
تَنَاوَب: تَعَاقَب to alternate, rotate
تَنَاوُب alternation, rotation
تَنَاوَل to take; to receive, get
تَنَاوَل (طَعَاماً) to take, eat, have
تَنَاوَل (مَوْضُوعاً) to deal with, treat, tackle, study, consider, discuss
تَنَبَّأ (بـ) to predict, foretell
تَنْبَاك (Persian) tobacco
تَنَبَّه (لِـ او إلى) to perceive, realize, notice, pay attention to
تَنْبِيه: تَحْذِير warning, caution(ing); alarm(ing), alert(ing)
تَنْجِيم، عِلْمُ التَّنْجِيم astrology
تَنَحَّى (عن) to withdraw, retire
تَنَزَّه to go for a walk, go for a ride, go on a picnic
تَنْزِيل: تَخْفِيض reduction; discount
تِنِس: كُرَةُ المَضْرِب tennis
تَنَسُّك asceticism; piety
تَنْسِيق coordination; arrangement

تَنَشَّق to inhale, breathe in, inspire
تَنَصَّت: بِاسْتَرَقَ السَّمْعَ to eavesdrop, listen secretly (to)
تَنَصَّت على الهاتِف to wiretap, tap
تَنَصَّل مِنْ to disavow, disown, disclaim, deny, renounce, repudiate
تَنْظِيف cleaning, cleansing
تَنْظِيم: تَرْتِيب organization, organizing, arrangement; regulation
تَنْظِيم: نِظَام order, orderliness
تَنْظِيم: مُنَظَّمَة organization
تَنَعَّم to live in comfort and luxury
تَنَعَّم بِـ: تَمَتَّع to enjoy
تَنَفَّس to breathe, respire
تَنَفُّس respiration, breathing
تَنْفِيذ carrying out, execution, implementation, putting into effect, fulfillment
تَنْفِيذِيّ: إجْرائِيّ executive
السُّلْطَةُ التَّنْفِيذِيَّة the executive, executive power
تَنَقَّل to move; to migrate, travel
تَنَقُّل moving, movement; migration; transport(ation); travel(ing)
تَنَك tin, tinplate
تَنَكَة can, tin, tincan
تَنَكَّر to disguise oneself
تَنَكُّر disguise, masquerade
تَنْمِيَة: إنْماء development

تَنَهَّدَ — to sigh

تَنُّوب (شَجَرٌ وخَشَبُهُ) — fir

تَنُّور : فُرْن — oven, furnace, kiln

تَنُّورَة (نِسائِيَّة) — skirt, lady's skirt

تَنَوَّعَ — to be diverse, various

تَنَوُّع — diversity, variety, variousness

تَنْوِيمٌ مَغْنَطِيسِيّ — hypnotism, hypnosis

تِنِّين — dragon; sea monster

تَهادَى : تَمايَلَ — to sway, swing

تَهافَتَ (على) — to crowd, throng, flock

تَهاوَنَ بِـ : أَهْمَلَ — to neglect, be lax in

تَهاوَنَ بِـ : اِسْتَهانَ بِـ - راجع اِسْتَهانَ بِـ

تَهَجَّأَ، تَهَجَّى — to spell

تَهَجَّمَ على - راجع هاجَمَ

تَهَدَّدَ - راجع هَدَّدَ

تَهَدَّمَ — to be torn down, wrecked

تَهْدِيد — threat, menace; threatening, menacing; intimidation

تَهْذِيب : أَدَب — good manners, politeness, civility; decency

تَهَرَّأَ الثَّوْبُ — to fray, frazzle, wear out

تَهَرَّبَ (مِنْ) — to elude, escape, get away from; to evade, avoid

تَهْرِيب — smuggling, contraband

تَهَكَّمَ (على) — to mock (at), ridicule, make fun of, laugh at

تُهْمَة — accusation, charge

تَهْنِئَة — congratulation(s), felicitation

تَهَيَّأَ : اِسْتَعَدَّ — to be ready, prepared; to get ready, prepare oneself

تَهَيَّبَ : هابَ - راجع هابَ

تَهَيَّجَ، تَهْيِيج - راجع هاجَ، هِياج

تَوًّا، لِلتَّوّ — at once, immediately

تَوّاب : غَفُور — forgiving, merciful

تَوابِل - راجع تابِل

تَواتَرَ : تَتابَعَ (على فَتَراتٍ) — to recur

تَواجَدَ، تَواجُد - راجع وُجِدَ، وُجُود

تَواجَهَ — to face each other

تَوارَى — to hide, conceal oneself; to disappear, vanish

تَوارَثَ — to inherit

تَوارُدُ الأَفْكارِ أو الخَواطِرِ — telepathy; accidental identity of ideas or thoughts

تَوازَى — to be parallel (to each other)

تَوازَنَ — to balance, be balanced, be in equilibrium

تَوازُن — balance, equilibrium, poise

تَواصَلَ : اِسْتَمَرَّ — to continue

تَواصَلَ : اِتَّصَلَ — to communicate

تَواضَعَ — to be humble, modest

تَواضُع — humbleness, modesty

تَواطَأَ — to collude, connive

تَوافَدَ — to arrive successively; to flock, come in crowds

تَوافَرَ : كَثُرَ — to be abundant

تَوافَرَ : وُجِدَ — to be found; to exist; to be available

تَوَافَقَ (مع) to agree (with), be in agreement (with), harmonize (with), be in accordance (with), be in conformity (with)

تَوافُق agreement, harmony, accord

تَوّاق longing, eager, anxious

تَوالٍ (التَّوالي) succession

على التَّوالي successively; respectively; continuously, constantly

تَوالَى : تَتابَعَ to follow in succession; to continue, be continuous

تَوالَى : تَناوَبَ to alternate, rotate

تَوالَدَ to reproduce, multiply

تَوْأم، تَوْأمان، تَوائِم twin(s)

تَوانَى (في) to slack(en); to lag, loiter, linger; to be slow, negligent

تَوْبَة repentance, penitence

تُوت (نبات) mulberry; raspberry

تَوَتَّرَ to be strained, tense

تَوَتُّر tension; strain

تُوتِياء : زِنْك (معدن) zinc

تُوتِياء : قُنْفُذُ البَحْر (حيوان) sea urchin, echinoid, echinus

تَوْثيق : تَمْتِين consolidation

تَوْثيق : تَزْوِيدٌ بالوَثائِق documentation

تَوَّجَ to crown; to enthrone

تَوَجَّبَ ـ راجع وَجَبَ

تَوَجَّعَ to feel pain, suffer, be in pain

تَوَجَّهَ إلى to go to, head for, be bound for; to turn to(ward); to be oriented to(ward)

تَوَجَّهَ بِكَلامِهِ إلى to address

تَوْجِيه : إرْشاد directing, guiding, guidance, leading; instruction

تَوْجِيه (شَطْرَ اتِّجاهٍ ما) orientation

تَوْجِيه : تَحَكُّم control

تَوْجِيهات directions, instructions

تَوَحَّدَ : إتَّحَدَ ـ راجع إتَّحَدَ

تَوَحُّش ـ راجع وَحْشِيَّة

تَوَحُّم (سِتِّ الحُبْلَى) ـ راجع وَحِمَ

تَوَخَّى to intend, aim at, seek (to)

تَوَدَّدَ إلى to show affection to, endear oneself to; to court, woo

تَوْراة، التَّوْراة Torah, pentateuch; Old Testament

تُورْبِيد torpedo

تُورْتَة pie, tart; cake

تَوَرَّطَ to be or get involved

تَوَرَّعَ عن to refrain from

تَوَرَّمَ to swell, become swollen

تَوْزِيع distribution; division

تَوَسَّخَ ـ راجع إتَّسَخَ

تَوَسَّطَ (لِتَسْوِيَةِ خِلافٍ) to mediate

تَوَسَّطَ لِـ : تَشَفَّعَ to intercede for

تَوَسَّعَ to expand, extend, spread (out); to be expanded, enlarged

تَوَسَّعَ في to elaborate on

تَوَسَّلَ إلى to entreat, implore, beg

تَوَصَّلَ إلى	to reach, attain, arrive at
تَوْصِيَة : تَزْكِيَة	recommendation
تَوَضَّأَ	to perform the ritual ablution
تَوْطِئَة : مُقَدِّمَة	introduction, foreword
تَوَظَّفَ	to be employed, hired
تَوَعَّدَ : هَدَّدَ	to threaten, menace
تَوَعَّكَ	to be ill, slightly sick
تَوْعِيَة	enlightenment, education
تَوَغَّلَ في	to penetrate deeply into
تَوَفَّرَ : كَثُرَ، وُجِدَ ـ راجع تَوافَرَ	
تَوَفَّرَتِ الشُّرُوطُ	to be fulfilled, met
تَوَفَّقَ ـ راجع وُفِّقَ	
تُوُفِّيَ	to die, expire, pass away
تَوْفِير : اِقْتِصاد، اِدِّخار	saving
تَوْفِير : تَأْمِين	ensuring, securing
حِسابُ تَوْفِير	savings account
تَوْفِيق (بَيْنَ)	reconciliation
تَوْفِيق (مِنَ اللّٰهِ)	success (granted by God), successfulness, prosperity
تَوْق	longing, yearning, desire
تَوَقَّى ـ راجع اِتَّقَى	
تَوَقَّعَ : تَرَقَّبَ	to expect, anticipate
تَوَقَّعَ : تَنَبَّأَ بِـ	to foresee, forecast
تَوَقُّع	expectation, anticipation
تَوَقُّعات	prospects, chances, odds
تَوَقَّفَ : وَقَفَ، اِنْقَطَعَ	to stop
تَوَقَّفَ الأَمْرُ على	to depend on
تَوَقَّفَتِ الآلَةُ	to break (down), go out of order, fail
تَوَقُّف : وُقُوف	stop(page), stopping
تَوَقُّف : تَعَطُّل	breakdown, failure
تَوْقِيت	timing; time
تَوْقِيتٌ صَيْفِيّ	daylight-saving time
تَوْقِيع : إمْضاء	signature; signing
تَوَكَّلَ على ـ راجع اِتَّكَلَ على	
تَوْكِيد ـ راجع تَأْكِيد	
تَوْكِيل : وَكالَة ـ راجع وَكالَة	
تَوَلَّى : اِضْطَلَعَ بِـ	to assume, undertake; to take care of, look after; to be in charge of, handle, run; to hold, occupy
تَوَلَّدَ (مِنْ)	to be born; to be produced (from); to originate (from)
تَوَلُّد	birth; origination
تَوَلَّعَ بِـ ـ راجع أُولِعَ بِـ	
تُوم : ثُوم (نبات)	garlic
تُون، تُونَة (سمك)	tuna, tunny
تُونُس	Tunisia
تُونُسِيّ	Tunisian
تَوَهَّمَ	to imagine, fancy, suppose
تَيّار	current, stream; trend
تَيَبَّسَ ـ راجع يَبِسَ	
تَيَتَّمَ	to be(come) an orphan
تَيْس (حيوان)	billy goat, he-goat

تَيَسَّرَ — to be easy, feasible, available

تِيفوئيد، تَيْفود (مرض) — typhoid

تَيَقَّنَ - راجع أيْقَنَ

تَيَقُّن - راجع يقين

تِلْكَ (إسْمُ إشارَة) — this, that

تَيَّمَ — to infatuate, captivate

تِين (نبات) — fig

تِينٌ شَوْكِيّ — prickly pear, Indian fig

تِيه : تَكَبُّر — pride, arrogance

ث

ثائِر : ثَوْرِيّ — rebel; revolutionary, revolutionist, insurgent

ثائِر : هائِج — excited, (a)roused

ثابِت : راسِخ — firm, fixed, stable, steady, firmly established; constant, invariable, unchanging

ثابِت : غَيْرُ مُتَحَرِّك — stationary, immovable, static, fixed

ثابِت : مُؤَكَّد — established, proved, confirmed; certain, sure

ثابَرَ على — to persevere in, persist in

ثَأَرَ — to revenge (oneself), avenge oneself, take revenge, retaliate

ثارَ : هاجَ — to be (or get) excited, aroused; to rise; to erupt

ثارَ على — to revolt or rebel against, stage a revolution against

ثارَ السُّؤالُ — to arise, spring up

ثأْر — revenge, vengeance

ثاقِب — penetrating, piercing, sharp

ثالِث، الثّالِث — (the) third

ثالوث [نصرانية] — Trinity

ثُؤْلُول، ثُؤْلُولَة — wart, verruca

ثامِن، الثّامِن — (the) eighth

ثانٍ (الثّاني) — (the) second; (the) next

ثانٍ : آخَر — another; else

ثانِياً : بَعْدَ أَوَّلاً — second(ly)

ثانِياً : مَرَّةً أُخْرَى — again, once again, once more, another time

ثانَوِيّ — secondary; minor, insignificant, subordinate, inferior

ثانَوِيَّة، مَدْرَسَةٌ ثانَوِيَّة — secondary school, high school, college

ثانِيَة : $\frac{1}{60}$ مِنَ الدَّقيقَة — second

ثانِيَةً ـ راجع ثانِياً

ثَبات : رُسوخ — firmness, stability, steadiness, fixedness; constancy

ثَبَتَ : رَسَخَ — to be firm, fixed, stable, steady; to be constant

ثَبَتَ : تَأَكَّدَ — to be established, proved, certain

ثَبَّتَ : رَسَّخَ — to fix, fasten; to establish, settle, stabilize, make firm; to strengthen, firm up, consolidate

ثَبَّتَ : أَثْبَتَ ـ راجع أَثْبَتَ

ثَبَّطَ، ثَبَطَ to frustrate, discourage
ثخانة thickness; density
ثَخُنَ to thicken, become thick
ثَخَّنَ to thicken, make thick
ثِخَن، ثُخُونَة thickness; density
ثَخِين thick; dense
ثَدْي breast(s), bosom(s), bust
ثَرَى soil, ground; earth
ثَرَاء wealth, fortune, affluence
ثَرْثار talkative, garrulous, chatty
ثَرْثَرَ to chatter, blab, prate, gossip
ثَرْثَرَة chatter, chat, prattle; gossip
ثَرْوَة wealth, fortune, riches
ثَرِيّ rich, wealthy, well-to-do
ثَرِيُّ الحَرْب nouveau riche
ثُرَيّا (لإنارَةِ البُيوت) chandelier, luster
ثُرَيّا : مَجْمُوعَةُ نُجُوم Pleiades
ثَرِيد porridge, gruel
ثُعْبان : حَيَّة snake, serpent
ثَعْلَب (حيوان) fox
ثَعْلَبُ الماء (حيوان) otter
ثَغا الخَرُوفُ، ثَغَتِ الشّاةُ to bleat
ثَغْر : فَم mouth
ثَغْر (بَحْرِيّ) port, seaport, haven
ثُغْرَة gap, opening, aperture, hole
ثُفْل dregs, sediment, lees; residue
ثِقاب، عُودُ الثِّقاب match, matchstick

ثَقافَة culture; education
ثَقافِيّ cultural; educational
ثَقَبَ to pierce, puncture, perforate, punch, make a hole in
ثُقْب، ثَقْب hole, perforation, punch
ثِقَة : وُثُوق confidence, trust, faith
ثِقَة : يَقِين certainty, certitude
ثِقَة، جَدِيرٌ بِالثِّقَة ـ راجع مَوْثُوق
ثِقَة، مَرْجِعُ ثِقَة authority, expert
ثِقَةٌ بِالنَّفْس self-confidence
ثَقَّفَ : عَلَّمَ to educate, cultivate, culture, refine, enlighten, teach
ثَقُلَ to be or become heavy
ثَقَّلَ ـ راجع أَثْقَلَ
ثِقْل، ثِقَل : ضِدّ خِفَّة heaviness
ثِقْل : وَزْن weight; gravity
ثِقْل : أَهَمِّيَّة weight(iness), importance, significance
ثِقْل : حِمْل، عِبْء load, burden
ثَقِيل : ضِدّ خَفِيف heavy, weighty
ثَقِيل : مُرْهِق burdensome, onerous; unbearable; disagreeable
ثَقِيل : بَطِيء lazy, slow, heavy, dull
ثَقِيلُ الدَّم antipathetic, repugnant; boring, dull; a bore
ثَكِلَ to lose a child
ثَكْلَى، ثَكْلان bereaved of a child
ثُكْنَة barracks

الثُّلَاثاء، الثَّلَاثاء (يوم) Tuesday
ثَلاثَة (٣) three
ثَلاثَةَ عَشَرَ (١٣) thirteen
ثَلاثُون (٣٠) thirty
ثُلاثِيّ tripartite, triple, threefold; trio, threesome; troika
ثَلاجَة refrigerator; freezer
ثَلَّثَ to triple
ثُلْث، ثُلُث (١/٣) one third, third
ثَلَجَ (ـتِ السَّماءُ) to snow (it snowed)
ثَلِجَ الشَّيْءُ ـ راجع تَثَلَّجَ
ثَلَّجَ to ice; to freeze, frost
ثَلْج snow; ice
ثَلْجِيّ snowy, snow-; icy, ice-
ثَلَمَ to notch, (in)dent, groove
ثَلْم، ثُلْمَة notch, indentation, cut, incision; furrow, groove
ثَمَّ ـ راجع ثَمَّةَ
مِنْ ثَمَّ hence, therefore, so, thus
ثُمَّ then, afterwards, later (on)
ثَمانُون (٨٠) eighty
ثَمانِيَة (٨) eight
ثَمانِيَةَ عَشَرَ (١٨) eighteen
ثَمَّةَ there, over there, in that place; there is, there are
ثَمَّرَ ـ راجع اِسْتَثْمَرَ

ثَمَر، ثَمَرَة fruit(s); product, result
ثَمِل drunk(en), intoxicated
ثَمَّنَ to estimate, assess, evaluate; to value, cherish, appreciate
ثَمَن price, cost; rate; value
ثَمِين valuable, precious, costly
ثَنَى: طَوَى to fold, tuck, bend, turn
ثَنَى عن: صَرَفَ عن to turn or keep (away) from, dissuade from
ثَنَّى: ضاعَفَ to double
ثَنَّى على to second
ثَناء: مَدْح praise, commendation, laudation, tribute; compliment
ثُنائِيّ twofold, double; bilateral
ثَنْيَة fold, pleat; ply; tuck; bend
ثَواب reward, recompense
ثَوْب garment; dress, robe, gown; suit, costume
ثِيَاب clothes, clothing
ثَوْبُ السِّباحَة swimsuit, swimming suit, bathing suit
ثَوْر (حيوان) bull, steer, ox
بُرْجُ الثَّوْر [فلك] Taurus
ثَوْرَة revolution, rebellion, revolt, uprising; upheaval; commotion
ثَوْرَوِيّ، ثَوْرِيّ ـ راجع ثائِر
ثُوم (نبات) garlic
ثِيَاب ـ راجع ثَوْب

ج

جاءَ : أَتى — to come, arrive, show up
جاءَ بِـ : أَحْضَرَ — to bring, fetch, get
جاءَ (في) : وَرَدَ — to be mentioned
جائِر — unjust, unfair; oppressive, arbitrary, tyrannical; tyrant
جائِز : مُباح — permissible, permitted, allowable, allowed, legal
جائِز : مُمْكِن — possible, probable
مِنَ الجائِز — perhaps, maybe, possibly, probably; may, might
جائِزَة — prize, reward, award; bonus
جائِع — hungry, starved, starving
جابَ : طافَ — to travel (through), tour, cruise, patrol, go about
جابَهَ — to face, confront, defy
جاحِدٌ لِلْجَميل — ungrateful
جادَ (بِـ، على) : أَعْطى — to give generously, bestow lavishly upon
جادّ — serious; earnest; diligent
جادَّة : شارِع — street, road, avenue
جادَلَ — to argue with, dispute with
جاذِبيَّة — gravity; gravitation
جاذِبيَّة : فِتْنَة — attraction, attractiveness, appeal, charm
جَأَرَ الثَّوْرُ — to low, moo, bellow
جارَ على : ظَلَمَ — to wrong, oppress, tyrannize, be unfair to
جار : واحِدُ الجِيران — neighbor
جارٍ (الجارِي) — flowing; running; current; going on; under way
جارَى — to keep up with, follow
جارِح : مُفْتَرِس — predatory, rapacious
جارِحَة : عُضْو — organ, limb
جارُور : دُرْج — drawer
جارِيَة — female slave, bondwoman
جازَ : كانَ غَيْرَ مَمْنُوع — to be permissible
جازَ : كانَ مُمْكِنًا — to be possible
جازَ : اِجْتازَ ـ راجع اِجْتازَ
جاز ، الجاز [موسيقى] — jazz
جاز : غاز — gas
جازَى : كافَأَ — to reward, requite
جازَى : عاقَبَ — to punish, penalize
جازَفَ (بِـ) — to risk, take a risk

جازِم : باتّ	decisive, categorical
جاسُوس	spy
جاسُوسِيَّة	spying, espionage
جاعَ	to be(come) hungry, feel hungry, hunger; to starve
جافّ : ناشِف	dry; arid; dried
جاكِيت، جاكِيتَة	jacket, coat
جالَ : طافَ ـ راجع تَجَوَّلَ	
جالُون	gallon
جالِيَة	colony, community
جالِيري	gallery; furniture showroom
جامِد : صُلْب	solid, hard, rigid, stiff
جامِد : مُجَمَّد	frozen, frosted, iced
جامِع : مَسْجِد	mosque
جامِع : مُجَمِّع	collector, gatherer
جامِع : شامِل	comprehensive, inclusive, thorough, general
جامِعَة : مُؤَسَّسَةٌ لِلتَّعْلِيم	university
جامِعَة : مُنَظَّمَة	league, union
جامِعِيّ	university; university graduate or student
جامَلَ	to compliment, make a compliment to, be courteous to
جامُوس (حيوان)	buffalo
جامُوسُ البَحْر	hippopotamus
جانّ : جِنّ	jinn, demons, fairies
جانٍ (الجاني) : مُجْرِم	felon, criminal, perpetrator, culprit
جانِب	side; part; aspect
جانِباً	aside, away; alone
مِنْ جانِبِهِ	on his part, from, by
إلى جانِب، بِجانِب : قُرْبَ	side by side with, beside, near, next to
إلى جانِب (ذَلِك)	besides, in addition to, along with, as well as
جانْبُون	ham
جانِبِيّ	lateral, side; fringe
جانِح : جانِب	side, flank, wing
جانِرك (نبات)	green plum
جاه : عِزّ	high rank; glory, prestige, honor, esteem, fame
جاهَدَ	to strive; to fight (for); to struggle, wage holy war (against)
جاهَرَ بِـ	to declare publicly, state openly, disclose, speak out about
جاهِز : مُسْتَعِدّ	ready, prepared
جاهِز : مَصْنُوعٌ مُقَدَّماً	ready-made, ready-to-wear; prefabricated
جاهِل	ignorant, uneducated, unfamiliar (with), unaware (of)
جاوَبَ : أجابَ، رَدَّ ـ راجع أجابَ	
جاوَرَ	to neighbor, live near; to be next to, close to, near
جاوَزَ ـ راجع تَجاوَزَ	
جُبّ : بِئْر	well, cistern; pit
جَبَى : حَصَّلَ	to collect, levy, raise
جَبَّار : هائِل، قَوِيّ	gigantic, giant, enormous; strong, mighty
جَبَّار : مُسْتَبِدّ	tyrannical; tyrant
جَبان	coward; cowardly

جَبَّانَة : مَقْبَرَة cemetery, graveyard
جبر : أَصْلَحَ to set, splint (bones); to repair, mend, correct, remedy
جبر على ـ راجع أَجْبَرَ على
جَبَرَ العَظْمَ to set, splint (bones)
جَبْر ، جَبَرُوت might, power; dictatorship; arrogance
جَبْر ، عِلْمُ الجَبْر algebra
جَبْرِيّ : مُتَعَلِّقٌ بِعِلْمِ الجَبْر algebraic
جَبْرِيّ : إجْبارِيّ ـ راجع إجْبارِيّ
إقامَةٌ جَبْرِيَّة house arrest
جَبَس : بِطِّيخ (نبات) watermelon
جِبْس : جِصّ gypsum; plaster
جَبَلَ : خَلَقَ to mold, create, make
جَبَلَ : عَجَنَ to knead
جَبَل mountain
جَبَلُ جَليد iceberg
جَبَلِيّ : مُخْتَصٌّ بالجِبال mountainous, mountain, mountainy
جَبَلِيّ : ساكِنُ الجِبال mountaineer
جُبْن : خَوْف cowardice, cowardliness
جُبْن ، جُبْنَة cheese
جَبَه ـ راجع جابَهَ
جَبْهَة ، جَبِين forehead, front
جَبْهَة (حَرْبِيَّة) (battle)front
جَبْهَة : تَكَتُّل front, bloc
جُثَّة ، جُثْمان corpse, body
جَحَدَ to deny; to disbelieve; to be ungrateful
جُحْر : وِجار hole, burrow, den, lair
جَحْش young donkey
جَحِيم hell, hellfire; fire
جَدَّ : طَرَأَ to happen, take place; to arise, develop, crop up
جَدَّ (في) : اِجْتَهَدَ to strive, endeavor, be diligent, work hard
جَدّ : أَبُو الأَبِ أو الأُمّ grandfather
جِدّ : ضِدّ هَزْل seriousness
جِدّ : اِجْتِهاد diligence, hard work
جِدًّا very, much, very much
جِدار : حائِط wall
جَدارَة worth, merit; aptitude
جِدال argument; dispute, debate
جَدَّة : أُمُّ الأَبِ أو الأُمّ grandmother
جُدْجُد : صَرّارُ اللَّيْل cricket
جَدَّدَ to renew; to renovate, restore, recondition; to rejuvenate, revive; to modernize, update
جَدُرَ بِـ to be worthy of, fit for
جُدَرِيّ (مرض) smallpox
جُدَرِيُّ الماء chicken pox
جَدَفَ بالمِجْداف to row, oar
جَدَلَ ، جَدَّلَ to twist, twine, interweave; to braid, plait
جَدَل ـ راجع جِدال
جَدَلِيّ controversial, dialectical

use, avail, benefit جَذْوَى : فائِدَة
useless, futile, vain بِلا جَذْوَى
creek, brook, stream جَدْوَل (ماءٍ)
table, chart; schedule; list, roster, register جَدْوَل : قائِمَة
agenda جَدْوَلُ الأَعْمال
multiplication table جَدْوَلُ الضَّرْب
kid, young goat جَدْي : صَغِيرُ الماعِز
Capricorn بُرْجُ الجَدْي [فلك]
serious, earnest; grave جِدِّيّ : جادّ
new; modern, up-to-date جَدِيد
again, once again مِنْ جَدِيد
worthy (of), meriting; fit (for), befitting; capable جَدِير (بِـ)
worth mentioning جَدِيرٌ بالذِّكْر
braid, plait, queue, pigtail جَدِيلَة
to cut off, clip جَذَّ : قَطَع
attractive, charming, cute جَذّاب
to attract, draw, pull جَذَبَ
root جَذْر، جِذْر
radical; basic جَذْرِيّ
trunk; stem جِذْع
to row, oar جَذَفَ (بالمِجْذاف)
firebrand, ember(s) جَذْوَة، جُذْوَة
to draw, pull, drag, tug, tow جَرَّ
to flow, stream, run جَرَى : سالَ
to run, race, rush جَرَى : رَكَضَ
to happen, take place, occur, go on جَرَى : حَدَثَ
to be held جَرَى : عُقِدَ
to dare, venture, have the courage to, be bold enough to جَرُؤَ (على)
because of, due to جَرّاء، مِنْ جَرّاء
bag, sack; cover, case جِراب
courage, boldness, guts جُرْأَة
garage; parking lot, park جَراج
surgeon جَرّاح
surgery جِراحَة
locust; grasshopper جَراد(ة)
harrow, drag; rake جَرّافَة
bulldozer جَرّافَة (لِشَقِّ الطُّرُق)
gram جَرام
ration(s) جَرايَة، جِرايَة
to try; to test, examine; to try on; to experiment جَرَّبَ
jerboa جَرْبُوع (حيوان)
jar جَرَّة : إناءٌ واسِع
microbe, germ; bacterium (pl. bacteria) جُرْثُوم، جُرْثُومَة
rocket; watercress جِرْجِير (نبات)
to wound, injure, hurt جَرَحَ
wound, injury, cut جُرْح
to take stock, make an inventory (of) جَرَدَ البَضائِعَ أو المَوْجُودات
to divest of, dispossess of, strip of, deprive of جَرَّدَ مِنْ
to unsheathe, draw جَرَّدَ السَّيْفَ

جَرَّدَ الشَّيْءَ أو الفِكْرَةَ — to abstract
جَرَّدَ مِنَ السِّلاح — to disarm
جُرْد — high and barren mountains
جَرْدَة : قائِمَةُ الجَرْد — inventory
جَرْدَل : دَلْو، سَطْل — bucket, pail
جُرَذ، جِرْذَوْن (حيوان) — rat
جَرَس : ناقوس — bell; gong
جَرَشَ — to grind, mill, crush, bruise
جَرَعَ، جَرِعَ ـ راجع تَجَرَّعَ
جَرْعَة، جُرْعَة — dose, dosage; gulp
جَرَفَ — to sweep (away), carry along, wash away; to shovel, scoop
جَرَّمَ — to incriminate, convict
جُرْم : جَرِيمَة — offense, crime
جِرْم : جِسْم — body
جُرْمُوز : كَشّاف صَغِير — cub scout, cub
جُرْن — basin; trough; mortar
جَرْو، جِرْو — puppy, whelp; cub
جَرْي : رَكْض — running, run
جَرِيء — bold, courageous, intrepid, brave; daring, audacious
جَرِيح — wounded, injured, hurt
جَرِيدَة : صَحِيفَة — newspaper, paper
جَرِيمَة : جُرْم — crime, offense
جَزَّ : قَصَّ — to cut, cut off, clip
جَزَى : جازَى ـ راجع جازَى
جَزَّأَ — to divide, part, break up, break down, split, partition
جُزْء — part, portion; section
جُزْء : مُجَلَّد — volume
جَزاء : ثَواب — reward, requital
جَزاء : عِقاب — punishment, sanction
جَزاء [رياضة بدنية] — penalty
الجَزائِر — Algiers
جَزائِرِيّ — Algerian
جَزائِيّ — penal; criminal
جَزّار : لَحّام — butcher, meatman
جُزافاً — at random, haphazard(ly)
جُزْئِيّ — partial, incomplete; minor
جِزْدان — purse, bag, handbag
جَزَر (نبات) — carrot(s)
جَزِعَ : قَلِقَ — to worry, be worried
جَزَمَ : بَتَّ، أَكَّدَ — to decide, determine; to be positive about, assert
جَزْمَة — boot(s), shoe(s)
جُزَيْء، جُزَيْئِيّ — molecule
جِزْيَة — tribute; tax; poll tax
جَزِيرَة — island, isle
جَزِيل — abundant, ample
شُكْراً جَزِيلاً — many thanks! thank you very much! thanks a lot!
جَسَّ : لَمَسَ — to touch, feel, handle
جَسَّدَ — to embody, incorporate
جَسَد : جِسْم — body; flesh

جَسَدِيّ bodily, physical, fleshly
جَسَرَ (على) ـ راجع تَجاسَرَ (على)
جِسْر bridge
جَسَّمَ : ضَخَّمَ to enlarge, magnify
جَسَّمَ : جَسَّدَ to embody, incarnate
جِسْم : بَدَن body
جِسْمانِيّ، جِسْمِيّ bodily, physical
جَسُور bold, courageous, brave
جَسُور : وَقِح impudent, insolent
جَسِيم : ضَخْم big, large, bulky, huge; gross; grave, serious
جَسِيم : بَدِين fat, obese
جَشَع : طَمَع greed(iness), cupidity
جَشِع : طَمّاع greedy, covetous, avid
جَصّ، جِصّ plaster; gypsum
جَعْبَة : كِنانَة quiver (for arrows)
جِعَة : بِيرَة beer
جَعْجَعَ to clamor, roar, shout, din
جَعَّدَ to curl, frizzle, wave (the hair); to wrinkle (the skin); to crease, crumple (cloth)
جَعْد curly, frizzly, wavy, ripply
جَعَلَ : صَيَّرَ to make
جَعَلَ لَهُ كَذا to provide with
جَعَلَ يَفْعَلُ كَذا to begin, start
جُعْل : أَجْر salary; fee; royalty
جُغْرافِيّ geographic(al)
جُغْرافِيا، جُغْرافِيَة geography
جَفَّ to dry, dry up, dry out
جَفاء alienation, antipathy
جَفاف dryness, aridity; drought
جَفَّفَ to dry, dry up, dry out
جَفَلَ to startle, start, bolt, shrink
جَفَّلَ to startle, frighten, shock
جَفْن : غِطاءُ العَيْن eyelid, lid
جُلّ : مُعْظَم most (of)
جُلّ (الدّابَّة) horse cover
جَلا : أَظْهَرَ to clarify, clear (up), show
جَلا، جَلَى : صَقَلَ to polish, scour
جَلا (عن) : أَخْلَى to evacuate, leave
جَلاء : وُضُوح clarity, clearness
جَلاء : خُرُوج evacuation
جُلاب، جُلّاب : شَرابٌ حُلْو julep
جَلّابِيَّة : ثَوْبٌ طَوِيل galabia, djellaba
جَلّاد executioner, hangman
جَلال، جَلالَة : سُمُوّ loftiness, sublimity, magnificence, grandeur
جَلالَةُ المَلِك His Majesty, the King
جَلَبَ : أَحْضَرَ to bring, get, fetch
جَلَب، جَلَبَة : ضَجَّة noise, din, roar, uproar, clamor, hubbub
جُلْجُل : شَحّاذُ العَيْن sty
جَلَخَ، جَلَّخَ to whet, sharpen, hone
جَلَدَ (بالسَّوْط) to whip, lash, flog

جَلِدَ : تَثَلَّجَ to freeze, frost, ice (up)
جَلَّدَ : جَمَّدَ to freeze, ice, frost
جَلَّدَ (الكِتَابَ) to bind (a book)
جَلَد : تَحَمُّل endurance, patience
جِلْد ، جِلْدَة skin; hide; leather
جِلْدَةُ الكِتَاب binding, cover; jacket
جِلْدِيّ dermal, skin; leather(n)
جَلَسَ to sit down, sit, take a seat
جَلَّسَ : قَوَّمَ to straighten
جَلَّسَ : أَجْلَسَ - راجع أَجْلَسَ
جَلْسَة : اِجْتِمَاع session; meeting
جِلْف : فَظّ rude, rough, blunt, crude
جَلَّلَ : غَطَّى to cover, wrap, clothe
جُلُوس : قُعُود sitting, sitting down
جَلِيّ : وَاضِح clear, evident, obvious
جَلِيد : ماءٌ مُتَجَمِّد ice
جَلِيدِيّ icy, ice, glacial
جَلِيل lofty, sublime, magnificent, honorable; important
جَمّ : كَثِير much, many; a lot
جَمَاد solid (or inanimate) body
جَمَارِك - راجع جُمْرُك
جَمَاعَة group; body; community
جَمَاعِيّ collective; team, group
جَمَال beauty, grace(fulness), prettiness, comeliness, charm
جُمَانَة : لُؤْلُؤَة pearl
جَمَاهِير ، الجَمَاهِير the masses, the public, the people
جَمَاهِيرِيّ mass
جُمْبَاز gymnastics; calisthenics
جَمْبَرِيّ : قُرَيْدِس shrimp; prawn
جُمْجُمَة skull, cranium
جَمَدَ ، جَمُدَ - راجع تَجَمَّدَ
جَمَّدَ (بِالبُرُودَة) to freeze, frost, ice
جَمَّدَ : صَلَّبَ to solidify, harden, set
جَمَّدَ الأَمْوَال to freeze, block
جَمْرَة firebrand, ember(s)
جُمْرُك customs; customhouse
جَمَعَ ، جَمَّعَ to gather, collect; to combine, group; to join, unite; to assemble, bring together, rally
جَمَعَ الأَعْدَادَ to add, add up
جَمَعَ الحُرُوفَ : نَضَّدَ ، صَفَّ to compose, set, typeset
جَمْع (الأَعْدَاد) addition, adding
جَمْع [لغة] plural
جَمْع (مِنَ النَّاس) - راجع تَجَمُّع
جُمْع (الكَفّ أو اليَد) fist
الجُمُعَة ، الجُمْعَة (يَوْم) Friday
جَمْعِيَّة association, society; institution, organization; assembly
جَمْعِيَّةٌ تَعَاوُنِيَّة cooperative society, cooperative, co-op

جَمَل ـ راجع أَجْمَل

جَمَّل to beautify, pretty up, make beautiful, adorn, garnish

جَمَل (حيوان) camel

جُمْلَة : عِبارة sentence, clause

جُمْلَة : عِدَّة several, many

على الجُمْلَة on the whole, in general, generally, by and large

في جُمْلَةِ كَذَا (one) of, (one) among

بالجُمْلَة [تجارة] wholesale

جُمْهُور crowd, gathering, assembly; the public; audience, attendance

جَماهِير ـ راجعها في مكانها

جُمْهُورِي republican

قصر جُمْهُورِيّ presidential palace

جُمْهُورِيَّة republic

جُمُود : رُكُود stagnancy, standstill, recession, slump, inactivity

جُمَّيْز، جُمَّيْزَى (نبات) sycamore

جَمِيع : كُلّ all, all of ; every, each

جَمِيعاً all (of), the whole (of); everybody, everyone

جَمِيل : حَسَن beautiful, graceful. lovely, pretty, handsome, good-looking

جَمِيل : فَضْل، مَعْرُوف favor, service, good turn, kind act

جُنَّ to be(come) insane, mad, crazy; to go mad, lose one's mind

جِنّ : جانّ jinn, demons, fairies

جَنَى to pick, gather, reap, harvest; to earn, get, obtain, acquire

جَنَى على to harm, hurt, wrong

جَنًى yield, crop, harvest, fruits

جَنائِنِي : بُسْتانِي gardener

جِنائِي criminal, penal

جَنَاح wing

جَناح (في فُنْدُقٍ إلخ) suite

جَناح (في مَعْرِض) stand, stall, booth

جُنَاح : إِثْم offense, fault; sin

جَنارِك (نبات) green plum

جُنَّاز requiem, obsequies; funeral

جَنازَة funeral procession; funeral

جِنَايَة felony, serious crime

جَنَّب to protect from, save, spare

جَنْب : جِهَة، جانِب side

جَنْب، بِجَنْب ـ راجع (إلى) جانِب

جَنْبَرِي : قُرَيْدِس shrimp; prawn

جَنَّة : فِرْدَوْس paradise, heaven

الجَنَّة، جَنَّاتُ النَّعِيم : الفِرْدَوْس paradise, Heaven

جَنَح إلى to incline to, lean to, tend to

جُنْحَة [قانون] misdemeanor

جَنَّد to draft, enlist, recruit, sign up, conscript; to mobilize, call up

جُنْد : عَسْكَر soldiers, troops

جُنْدُب (حشرة) grasshopper
جَنْدُفْلي oysters
جُنْدِي soldier, private
جُنْدِيَّة the army, the military; military service; military life
جِنِرَال : لِوَاء (في الجَيْش) general
جِنْزار : زِنْجار verdigris
جِنْزِير : زِنْجِير، سِلْسِلَة chain
جِنس : نَوع kind, sort, type
جِنس : عِرْق، عُنْصُر race, stock
جِنس (ذَكَرٌ أو أُنثى) sex
جِنْسِيّ sexual, sex; sexy
جِنْسِيَّة nationality, citizenship
جَنَّنَ to madden, drive mad, drive crazy, make insane
جَنُوب : جِهَةٌ تُقابِلُ الشَّمال south
جَنُوبِيّ southern, south
جُنُون insanity, madness, mania, craziness; foolishness
جُنُونِيّ crazy, insane, mad; frantic, wild, hysteric(al)
جِنِّيّ، جِنِّيَّة jinni, fairy
جَنِين fetus; embryo
جُنَيْنَة : حَدِيقَة garden
جُنَيْه pound
جِهاد jihad, holy war; struggle
جِهاز : أَداة apparatus, set; appliance, device; instrument, tool; equipment
جِهاز : نِظام [تشريح] system

جِهاز : هَيْئَة body, institution, organization; cadre; staff
جِهازُ العَرُوس trousseau
جِهازُ رادِيُو radio, radio set
جِهَة : جانِب، صَوْب side; direction
جِهَة : مَرْجِع authority, body
مِنْ جِهَةِ كَذا from, on the part of
مِنْ جِهَةٍ أُخْرَى on the other hand
جُهْد effort, endeavor, attempt; exertion, strain; hard work
جَهْراً، بِالجَهْر publicly, openly
جَهَّزَ : أَعَدَّ to prepare, ready
جَهَّزَ بِـ to equip with, fit with, furnish with, provide with
جَهِلَ not to know (of); to be unfamiliar with, unaware of
جَهْل ignorance
جَهَنَّم hell, hellfire
جَهْوَرِيّ orotund, sonorous, loud
جَوّ atmosphere, air; weather
جَوّاً، بالجَوّ by air, by airplane
جَواب : رَدّ answer, reply; response
جَوَاد : كَرِيم generous, liberal
جَواد : حِصَان horse, steed
جِوار : قُرْب neighborhood, vicinity, nearness, closeness
بِجِوار near, close to, in the neighborhood of, next to
جَوارِب stocks; stockings
جَواز : كَوْنُ الشَّيْءِ جائِزاً permissibility,

legality; possibility
permit, license جَواز : رُخْصَة
passport جَوازُ سَفَر
guava جَوافَة، جُوافَة (نبات)
globe-trotter, traveler, wanderer; wandering, traveling جَوّال : رَحّالة
boy scout, scout جَوّال : كَشّاف
jewelry; jewels, gems جَواهِر
jeweler جَواهِرِي : جَوْهَرِيّ
broadcloth; cloth; suiting جُوْخ
generosity, liberality جُود : كَرَم
goodness, excellence, (fine) quality, fineness جَوْدَة، جُودَة
judo جُودُو [رياضة بدنية]
injustice, unfairness; oppression, tyranny جَوْر : ظُلْم
sock(s); stocking(s) جَوْرَب
damask rose جُورِي (نبات)
جَوَّزَ : أجازَ ـ راجع أجاز
walnut; nut جَوْز، جَوْزَة (نبات)
nutmeg جَوْزُ الطِّيب، جَوْزَةُ الطِّيب
coconut جَوْزُ الهِنْد، جَوْزٌ هِنْدِيّ
Gemini الجَوْزاء، بُرْجُ الجَوْزاء
to starve, famish, hunger جَوَّعَ
hunger, starvation جُوْع
جَوْعان ـ راجع جائع
to hollow out, cave جَوَّفَ
interior, inside جَوْف
choir; orchestra, band جَوْقَة

round; tour, trip, voyage, journey; cruise; ride جَوْلَة
golf جُولْف (لعبة)
ham جُومْبُون، جُونْبُون
inlet, bay, gulf جُون : خليج
essence; intrinsic nature; gist, pith, core جَوْهَر : ماهِيَّة، لُبّ
jewel, gem جَوْهَر، جَوْهَرَة
essential, intrinsic; fundamental, basic, main جَوْهَرِيّ : أساسِيّ
jeweler جَوْهَرِيّ، جَوْهَرْجِيّ
air, aerial; atmospheric(al); weather, meteorologic(al) جَوِّيّ
wild, hot; ebullient جَيّاش
pocket جَيْب (الثَّوْب إلخ)
good; fine, well جَيِّد
well; fully جَيِّداً
very good جَيِّدٌ جِدًّا
neck جِيد : عُنُق
to endorse, back جَيَّرَ : ظَهَّرَ (شِيكاً)
lime جِير : كِلْس
neighborhood جِيرَة
to levy, raise, mobilize جَيَّشَ
army, troops, armed forces جَيْش
carcass; corpse, cadaver جِيفَة
generation جِيل (مِنَ النّاس)
age, era, epoch جِيل : عَصْر
ice cream جِيلاتِي : بُوظَة
geologic(al) جِيُولُوجِيّ
geology جِيُولُوجيا

حائر confused, puzzled, bewildered; hesitant, indecisive, uncertain

حائز holder, possessor, owner

حائزُ (شَهَادَةِ) بَكَالُوريُوس bachelor

حائِض، حائِضَة menstruating, sick

حائِط : جِدَار wall

حابَى to favor, be partial to

حاجَّ : جادَلَ to argue with

حاجّ (ج حُجَّاج) pilgrim; hajji

حاجِب : بَوَّاب doorkeeper, gatekeeper, doorman, janitor

حاجِبُ مَحْكَمَة bailiff, usher, crier

حاجِب (العَيْنِ) eyebrow, brow

حاجَة : لُزُوم need, necessity

حاجَة : عَوَز need, want, neediness, poverty; shortage, deficiency

حاجَة : رَغْبَة desire, wish, aim

حاجَة : شَيْء thing, object

حاجات، حَوائِج، حاجِيَات needs; objects, belongings, possessions

حاجِز : فاصِل partition, division, divider, screen; rail; fence

حاجِز : عائِق barrier, obstacle, bar

حاجِز (في طَرِيق) roadblock, barricade; checkpoint

حاخام : حَبْر (عِنْدَ اليَهُود) rabbi

حادَ (عن) to deviate or depart from

حادّ : قاطِع sharp, cutting, incisive

حادّ : شَدِيد intense, acute, severe

حادّ : حِرِّيف acrid, sharp, pungent

حادَثَ to speak to (or with), talk to (or with), converse with

حادِث، حادِثَة incident, occurrence, event; accident, mishap

حادِثَةُ مُرُور traffic accident

حاذَى to be next to, adjacent to; to be parallel to, opposite (to)

حاذِق : ماهِر skillful, proficient; clever

حاذِق (الطَّعْم) sour; tart, sharp

حارَ : تَحَيَّرَ - راجع تَحَيَّرَ

حارّ : ساخِن hot, warm

حارّ : وُدِّيّ warm, cordial, friendly

حارَبَ to fight, combat, battle (against), wage war (against)

حارَة : مَحَلَّة quarter, district

حارِس : خَفِير guard, watch(man), sentry, sentinel; bodyguard

حارِس : بَوَّاب doorkeeper, gatekeeper, concierge, janitor, porter

حارِس : قَيِّم guardian, caretaker

حارِسُ المَرْمَى goalkeeper

حارِق : مُحْرِق burning, incinerating; incendiary; scorching, searing

حازَ to hold, possess, have, take; to acquire, get, obtain; to achieve, realize, score

حازِم resolute, firm, steadfast; severe, strict; tough, drastic

حازُوقَة : فُوَاق hiccup(s)

حاسَبَ to settle an account with; to call to account, hold responsible

حاسَبَ على نَفْسِهِ (مِنْ) to guard against; to be careful, take care

حاسِبٌ إلِكْتُرُونِيٌّ أو آلِيّ computer

حاسِبَة : آلَةٌ حاسِبَة calculator

حاسَّة sense; sense organ

حاسِد ـ راجع حَسُود

حاسِم decisive, conclusive, final, definite, definitive, categorical

حاشا : باسْتِثْناء except, excluding

حاشا اللهِ، حاشا لِلّهِ God forbid!

حاشِيَة : طَرَف border, edge, hem

حاشِيَة : جانِبُ الصَّفْحَة margin

حاشِيَة : هامِش footnote; note

حاشِيَة : بِطانَة، حَشَم retinue, suite, entourage, cortege, attendants

حاصَرَ to blockade; to besiege, beleaguer, siege, lay siege to

حاصِل : جارٍ happening, taking place, occurring, going on

حاصِل : مَجْمُوع total, sum

حاصِلُ الضَّرْب product

حاضَ (ت الأُنثى) to menstruate

حاضَرَ : أَلْقَى مُحاضَرَةً to lecture, deliver or give a lecture

حاضِر : مَوْجُود present; attending

حاضِر : جاهِز ready, prepared

حاضِر : حالِيّ current, present

الحاضِر the present, the present time; this moment; today, now

حاضِرَة capital, city

حاضِنَة (الأَطْفال) nursemaid, (dry) nurse, nanny; baby-sitter

حاضِنَة (البَيْض إلخ) incubator

حافٍ (الحافِي) barefoot(ed), unshod

حافَة، حافّة : طَرَف edge, border, rim, brim, brink, verge, tip

حافِر (الدّابَّة) hoof

حافِر : مَنْ يَحْفُر ـ راجع حَفّار

حافِز incentive, motive, inducement, drive, urge, stimulus; catalyst

حافَظَ على : حَفِظَ to keep, preserve, protect; to maintain; to take care

of; to save, conserve
حافَظَ على : اِلْتَزَمَ بِـ to observe, comply with, respect; to persevere in, continue to do, keep (up)
حافِظ keeper, guardian; protector, preserver, conserver; maintainer
حافِل (بِـ) full of, rich in, rife with
حافِلَة bus; (railroad) car, coach
حاقِد - راجع حَقُود
حاكَ : نَسَجَ ، حَبَكَ to weave; to knit
حاكَ : دَبَّرَ to hatch, contrive, plan
حاكَى : قَلَّدَ to imitate, copy, mimic
حاكَمَ : أقامَ دَعْوَى على to sue
حاكَمَ : تَوَلَّى مُحاكَمَتَهُ to try, judge
حاكِم : مُدِير ، آمِر ruler; governor; commander; head, chief; master
حاكِم : قاضٍ judge, justice
حاكِم : سائِد ruling, governing
حالَ دُونَ : مَنَعَ to prevent, hinder; to keep (from); to obstruct, impede
حال ، حالَة state, condition; situation, status; case
حالاً ، في الحال ، لِلْحال immediately, at once, right away, promptly
في حالِ in case (of or that), if
على كُلِّ حال in any case, anyway
كَيْفَ حالُك؟ how are you?
حالَفَ : تَحالَفَ مع to ally with
حالَفَهُ الحَظُّ to be lucky, fortunate
حالِك deep-black, pitch-black
حالِم : مَنْ يَحْلُم dreamer; visionary
حالِم : شاعِرِيّ soft, romantic
حالَما as soon as, no sooner than
حالِيّ present, current, actual
حالِيًّا now, at present, presently
حامَ (حَوْلَ) to hover, circle; to hover about; to hang around
حامٍ (الحامِي) : مُدافِع protector
حامٍ : حارّ hot; heated, violent
حامَى عن - راجع حَمَى
حامِض (الطَّعْم) sour, acid
حامِض ، لَيْمُونٌ حامِض lemon; lime
حامِض : حَمْض [كيمياء] acid
حامِل : ناقِل carrier, bearer, porter
حامِل : مالِك holder, owner, bearer
حامِل : حُبْلَى pregnant, expectant
حامِل : حَمّالَة ، دِعامَة holder, hanger; stand, tripod; support, prop
حامِلَةُ مَفاتِيح key holder
حانَ : قَرُبَ to come, approach
حانَ الوَقْتُ the time has come, now is the time, it is (high) time
حانَة : بار bar, barroom, pub
حانِق - راجع مُحْنَق
حانُوت : دُكّان store, shop
حانُوتِيّ : صاحِبُ دُكّان storekeeper,

shopkeeper, shopowner

حانوتيّ : مُتَعَهِّدُ دَفْن — undertaker

حاوَرَ — to dialogue with, talk with, speak with, converse with

حاوَلَ — to try, attempt, bid

حاوُوز : خَزّان — reservoir

حاوِيَة : صُنْدُوقُ شَحْن — container

حَبّ : حُبُوب — grain, cereal(s); seed(s)

حَبّ، حُبُوب : بُثُور — pimples

حَبُّ الشَّباب، حَبُّ الصِّبا — acne

حَبّ، حُبُوب (طِبِّيَّة) — tablets, pills

حَبُّ الهال، حَبُّ الهان — cardamom

حُبّ : هَوًى — love; passion; affection; fondness, liking, fancy

حبا : زَحَفَ، دَبَّ — to crawl, creep; to go on all fours

حَبا (بِـ) : مَنَح — to endow with, grant (to), bestow or confer upon

حَبّار : سِبيدَج — squid, sepia, pen fish

حَبَّبَ (إلى) — to make someone love or like; to endear (to)

حَبَّة : واحِدَةُ الحَبّ — grain; seed; bean

حَبَّة : بَثْرَة — pimple, pustule, blister

حَبَّةُ دَواء — tablet, pill, pastille

حَبَّةُ حَلْوى — drop, piece of candy

حَبَّذَ — to approve (of), advocate, second; to recommend; to favor

حَبْر : أُسْقُف — pontiff, bishop, prelate

الحَبْرُ الأعْظَم — the Pope

حِبْر : مِداد — ink

حِبْرٌ صِينِيّ — India ink, Chinese ink

حَبَسَ : سَجَنَ — to imprison, jail, intern

حَبَسَ : كَبَتَ — to withhold

حَبْس : اِعْتِقال — imprisonment, jailing

حَبْس : سِجْن — prison, jail, lockup

حَبِطَ، حَبَطَ — to fail, be futile, be vain

حَبَق (نبات) — basil, sweet basil

حَبَكَ : نَسَجَ، حاكَ — to weave; to knit

حَبِلَ (تِ المَرْأةُ) : حَمَلَتْ — to be(come) pregnant, to conceive

حَبَل : حَمْل — pregnancy, conception

حَبْل، حَبْلَة — rope, cable; cord

حُبْلَى : حامِل — pregnant, expectant

حُبُور — joy, delight, happiness

حُبِّيّ — friendly, amicable; cordial; loving, love, affectionate

حَبِيب، حَبِيبَة — sweetheart, love(r), darling, honey; beloved, dear

حَتَّ : بَرَى — to scrape off, rub off, abrade, chafe, fret, erode

حَتَّى : إلَى — until, till; (up) to, as far as

حَتَّى : كَيْ — so that, in order that, in order to, to, so as, for

حَتَّى : أيْضاً — even; including; together with, also, too, as well as

حَتَّى لا — in order not to, lest

حَتَّى لَوْ — even if, (even) though

حَتّامَ : حَتَّى مَتَى — till when? how long?

حَتْف : مَوْت — death

لَقِيَ حَتْفَهُ — to die

حَتَّمَ — to necessitate, make necessary; to require; to impose (upon)

حَتْماً — definitely, certainly, of course, positively, sure(ly); inevitably

حَتْمِيّ — definite, determinate; inevitable, inescapable, necessary

حَثَّ (على) — to urge, incite, prod

حَثَّ خُطاه — to mend one's pace

حُثَالَة — dregs; dross, rubbish, junk

حَثِيث — fast, quick, rapid, swift

حَجَّ — to go on pilgrimage

حَجّ — pilgrimage; hajj

حِجًى، حِجاً — mind, reason, sense

حِجَاب : خِمَار، سِتْر — veil; screen

حِجَاب : تَمِيمَة — amulet, charm

حَجَبَ — to veil, cover; to hide, make invisible; to obstruct, block

حُجَّة : ذَرِيعَة — argument; plea, excuse, pretext, pretense

حُجَّة : بُرْهان — proof, evidence

حُجَّة : خَبِير — authority, expert

حُجَّة : سَنَد — deed, document

حُجَّةُ غِيَاب — alibi

حَجَر — stone

حَجَر (في صِناعَةِ السَّاعات) — jewel

حَجَرُ الشِّطْرَنج — pawn, man

حَجَرُ عَثْرَة — stumbling block, obstacle, hindrance, obstruction

حَجَرُ القَدَّاحَة — flint

حَجَرٌ كَرِيم — precious stone, gem, jewel

حَجْر صِحِّيّ — quarantine

حُجْرَة : غُرْفَة — room; chamber; cell

حَجَرِيّ — stony, stone

حَجَزَ : حَصَرَ — to restrain, hold (back), keep; to limit, confine, restrict

حَجَزَ : اِعْتَقَلَ — to detain, confine

حَجَزَ الشَّيْءَ — to attach, distrain, distress, sequester, seize

حَجَزَ مَكاناً (غُرْفَةً إلخ) — to reserve, book, make a reservation (for)

حَجْز (مَكانٍ) — reservation, booking

حَجَل (طائر) — partridge; bobwhite

حَجَّمَ — to stunt, dwarf; to incapacitate, weaken; to minimize

حَجْم — volume, size, magnitude

حَدَّ : لَبِسَ الحِدَادَ — to mourn, wear mourning, wear black clothes

حَدَّ : تاخَمَ — to bound, be a boundary to, border (on), adjoin

حَدَّ (مِنْ) : قَيَّدَ، خَفَّفَ — to limit, restrict; to curb, check, control, restrain; to curtail, reduce, lessen

حَدّ : تَخْم — boundary, border, frontier, borderline

حَدّ : طَرَف، حافَة — edge, border; limit, end, extreme, extremity

حَدّ : مَدًى، نِطَاق limit, bound(s)
حَدّ : دَرَجَة extent, degree, measure; point; level
حَدّ : قِصَاص penalty, punishment
حَدٌّ أَدْنَى minimum; lowest, least
حَدٌّ أَعْلَى، حَدٌّ أَقْصَى maximum; ceiling; utmost; greatest, highest
إلى حَدِّ (كَذَا) as far as, up to, until, till, to the extent or degree of
إلى حَدٍّ ما to some extent, more or less, somewhat, to a degree
وَضَعَ حَدًّا لِـ to put an end to, end, terminate, stop, discontinue
في حَدِّ ذاتِه per se, in itself
ذُو حَدَّيْن double-edged, two-edged
حَدَا على، حَدَا بِهِ إلى to prompt, incite, induce, impel, drive, motivate
حَدَأَة، حِدَأَة (طائر) kite, glede
حَدَاثَة newness, novelty; modernity, modernness, up-to-dateness
حَدَّاد blacksmith, (iron)smith
حِدَاد : حُزْن، لُبْسُ السَّوَاد mourning
حَدَب : عَطْف sympathy, kindness
مِنْ كُلِّ حَدَبٍ وَصَوْب from all sides or directions, from everywhere
حَدَبَة (في الظَّهْر) hump, hunch
حِدَة، على حِدَة separately, alone
حِدَّة sharpness, keenness, acuteness; intensity; acridity
حَدَثَ : وَقَعَ، جَرَى to happen, take place, occur, go on, pass
حَدَّثَ : أَخْبَرَ، رَوَى to tell, relate to, speak to, talk to
حَدَّثَ : جَدَّدَ to modernize, update
حَدَث ـ راجع حادِث، حادِثَة
حَدَث : شابّ juvenile, youth, young man; young; minor
حَدَّدَ : عَيَّنَ to define; to specify, determine, pinpoint, fix
حَدَّدَ : قَيَّدَ، حَصَرَ to limit, restrict
حَدَّدَ السِّكِّينَ إلخ to sharpen, whet, hone, strop
حَدَّدَ الأَسْعارَ to fix, control, peg
حَدْس intuition, feeling; hunch
حَدَّقَ to stare (at), gaze (at)
حَدَلَ to flatten, level, roll
حَذْوَة، حِذْوَة horseshoe
حُدُود ـ راجع حَدّ
حَدِيث : جَدِيد new, novel, recent; modern, up-to-date
حَدِيث : كَلام speech, talk(ing); conversation, discourse
الحَدِيث، الحَدِيثُ الشَّرِيف Prophetic tradition, Hadith
حَدِيثُ النِّعْمَة ـ راجع مُحْدَثُ النِّعْمَة
حَدِيثاً recently, lately, newly
حَدِيد (مَعْدِن) iron
حَدِيدَة piece of iron
حَدِيدِيّ iron; ferric, ferrous
سِكَّة حَدِيدِيَّة railroad; railway

حَدِيقَة garden

حَدِيقَةُ حَيَوانات، حَدِيقَةُ حَيَوان zoo

حَدِيقَةٌ عامَّة public garden, park

حَذَا (حَذْوَهُ) to imitate, follow someone's example, pattern after

حِذَاء shoe(s); boot(s); sandal(s)

حِذَاءَ، بِحِذَاء opposite (to), facing, parallel to; beside, next to

حَذَارِ (مِنْ) beware (of)! be careful (of)! take care (of)!

حَذَافِير، بِحَذَافِيرِه entirely, completely; in detail

حَذِرَ (مِنْ) to be cautious (of), beware (of); to be careful, take care

حَذَّرَ to warn, caution

حَذَر، حِذْر caution, cautiousness, care, circumspection

حَذِر cautious, careful, vigilant

حَذَفَ to delete, cancel, strike out; to eliminate, take out; to omit

حِذْق skill, proficiency; cleverness

حَرّ: حَرَارَة heat, hotness

حَرّ: فِلْفِل capsicum, red pepper

حُرّ: طَلِيق، غَيْرُ مُقَيَّد free

حَرَارَة: ضِدّ بُرُودَة heat, hotness

حَرَارَة: حُمَّى fever, temperature

حَرَارَةُ الجَوّ او الجِسْم temperature

حَرَارَة: حَمَاسَة ardor, passion; enthusiasm, zeal, warmth

حَرَام: مُقَدَّس inviolable, taboo; sacrosanct, sacred, holy

حَرَام: مُحَرَّم - راجع مُحَرَّم

حَرَام: مُخْتَلَس ill-gotten

حَرَام: إِثْم sin, wrongdoing

حِرَام: غِطَاءٌ لِلنَّوْم blanket, cover

حَرَامِيّ: لِصّ thief, robber, burglar

حَرَّان: شَدِيدُ العَطَش very thirsty

حَرْب war, warfare; combat

الحَرْبُ العالَمِيَّةُ الأُولَى World War I

حِرْباء، حِرْبَاءَة (حيوان) chameleon

حَرْبَة bayonet; spear, lance

حَرْبِيّ war, warlike, belligerent

حَرَثَ to plow; to till, cultivate

حَرَّجَ على to constrain, press(ure)

حَرَّجَ: شَجَّرَ to afforest, forest

حَرَج: إِرْتِبَاك embarrassment

حَرَج: إِثْم sin, fault; blame

حَرَج، حَرَجَة: غابَة forest, wood

حَرِج: خَطِير critical; grave

حَرِج: ضَيِّق narrow, tight, close

حَرِج: مُحْرِج embarrassing

حَرِدَ على to be angry or cross with

جِرْذَوْن (حيوان) lizard

حَرَّرَ: أَطْلَقَ to liberate, free, set free, release, set at liberty

حَرَّرَ: كَتَبَ to edit; to write, compile, compose, draw up, draft

حَرَزَ to keep, guard, protect
حِرْز : تَمِيمَة ، حِجَاب amulet, charm
حَرَسَ to guard, watch; to protect, safeguard; to patrol; to supervise
حَرَس guard, watch; bodyguard
حَرَسُ الشَّرَف honor guard
الحَرَسُ المَلَكِيّ royal guard
حَرْشَف : قِشْرُ السَّمَك scales (of fish)
حَرَصَ، حَرِصَ على : رَغِبَ في to desire, wish; to aspire to, seek
حرص، حَرِصَ على : تَمَسَّكَ بِـ to adhere to, cling to; to be devoted to, attached to
حِرْص (على) : رَغْبَة desire, wish
حِرْص : بُخل stinginess, miserliness, thrift(iness), economy
حِرْص (على) : تَمَسُّك (بِـ) adherence to, clinging to; devotion; care, concern; attention
حَرَّضَ (على) : حَثَّ to instigate, incite, abet; to motivate, stimulate
حَرَفَ، حَرَّفَ : أَمَالَ to slant, tilt
حَرَّفَ (المَعْنَى) to distort, pervert, corrupt, misstate, falsify
حَرْف : طَرَف edge, verge, tip, point
حَرْف (أَبْجَدِيّ) letter, character
الحَرْفُ الأَوَّلُ مِنِ اسْمٍ أو كَلِمَةٍ initial
حِرْفَة : صَنْعَة craft, handicraft
حَرْفِيّ literal; verbatim

حَرْفِيًّا literally; verbatim
حَرَقَ، حَرَّقَ ـ راجع أَحْرَقَ
حَرْق : إِحْرَاق ـ راجع إحراق
حَرْق : أَثَرُ الاحْتِرَاق burn; scorch
حُرْقَة ، حُرَقَة burn(ing); pain
حَرُكَ ـ راجع تَحَرَّكَ
حَرَّكَ : جَعَلَهُ يَتَحَرَّكُ to move; to stir
حَرَّكَ : أَثَارَ to stimulate, motivate, move; to (a)rouse, stir up
حَرَّكَ (كَلِمَةً) to vowelize, point
حَرِك : نَشِيط active, lively, nimble
حَرَكَة : تَحَرُّك movement, motion
حَرَكَة : نَشَاط activity, liveliness
حَرَكَة : خُطْوَة move, step
حَرَكَة : إِيمَاءَة gesture; sign
حركة (على حَرْف) vowel (point)
حركة (سِيَاسِيَّة ، اجتماعيَّة إلخ) movement; organization
حَرَمَ to deprive of, dispossess of; to deny, withhold from
حَرَّمَ : حَظَرَ to forbid, prohibit, proscribe, ban, bar, outlaw
حَرَم : مَقْدِس sanctuary, sanctum
حرم : زَوْجَة ، قَرِينَة wife, spouse
حرم الجامعةِ أو الكُلِّيَّة campus
حِرْمَان : تَجْرِيد ، مَنْع deprivation, dispossession; denial
حِرْمان : عَوَز need(iness), poverty
حُرْمَة : قَدَاسَة sanctity, sacredness; in-

violability, immunity

حَرَنَ، حَرُنَ to balk, be stubborn

حَرِيٌّ (بِـ) appropriate (for), fit (for); becoming, befitting

بِالحَرِيِّ ـ راجع بِالأَحْرَى (أَحْرَى)

حُرِّيَّة freedom, liberty

حُرِّيَّةُ الإرادَة free will

حُرِّيَّةُ التَّعْبِير freedom of speech

حَرِير silk

حُرَيْرَة : وَحْدَةٌ حَرارِيَّة calorie

حَرِيرِيّ silken, silk-, of silk, silky

حَرِيز : حَصِين inaccessible

حَرِيص (على) : راغِب desirous, desiring, wishful; eager, keen

حَرِيص : بَخِيل stingy, niggardly; economical, thrifty, frugal

حِرِّيف : لاذِع pungent, acrid, sharp

حَرِيق fire, conflagration, blaze

حَرِيم : نِساء harem; women

حَرِيمِيّ women's, lady's, for women

حَزَّ to notch, incise, cut, nick

حَزَّ في نَفْسِهِ to hurt, pain, grieve

حِزام belt; girdle; waistband

حِزامُ الأَمان safety belt, seat belt

حِزْب (سِياسِيّ) (political) party; faction

حِزْبِيّ : مُتَعَلِّقٌ بِحِزْب party; factional

حِزْبِيّ : عُضْوٌ في حِزْب party member

حَزَرَ to guess, conjecture, surmise

حَزَمَ، حَزَّمَ : رَزَمَ to pack, wrap (up)

حَزْم : تَصْمِيم firmness, resolution, resolve, determination

حُزْمَة bundle, bale; bunch; parcel, package; beam (of rays)

حَزَنَ، حَزَّنَ ـ راجع أَحْزَنَ

حَزِنَ to be sad, grieved, unhappy, gloomy; to grieve, sadden

حُزْن sadness, grief, sorrow, unhappiness, melancholy, gloom

حَزِيران : يُونيُو June

حَزِين، حَزْنان sad, unhappy, grieved, sorry, depressed, gloomy, blue

حَزِين : مَحْزِن ـ راجع مَحْزِن

حَسَّ (بِـ) ـ راجع أَحَسَّ (بِـ)

حِسّ : إِحْساس ـ راجع إِحْساس

حِسّ : حاسَّة sense

حِسّ : صَوْتٌ خَفِيض low voice

حَسَا : شَرِبَ، رَشَفَ to drink, sip

حَساء soup; broth; pottage

حِساب، عِلْمُ الحِساب arithmetic

حِساب : اِعْتِبار consideration

حِساب : مُحاسَبَة accounting; settlement

حِساب (بَيْنَ المُتَعامِلِين) account

حِسابُ تَوْفِير savings account

حِسابٌ جارٍ current account; check-

ing account
on account; on credit على الحِسَاب
at the expense of على حِسَابِه
arithmetic(al), mathematical حِسَابِيّ
sensitive; susceptible حَسَّاس
allergy; sensitivity حَسَّاسِيَّة
sword حُسَام : سَيْف
to calculate, compute, count, number حَسَبَ : عَدَّ، أَحْصَى
to consider, deem, regard as, think, suppose حَسَبَ، حَسِبَ : ظَنَّ
ancestry, pedigree, noble descent, distinguished origin حَسَب : مَحْتِد
according to, pursuant to, depending on حَسَبَ، بِحَسَب
calculation, computation, counting حَسْب، حُسْبان
you need only.. حَسْبُكَ أَنْ
suffice it to say حَسْبُنَا القَوْلُ
Sufficient unto us is God حَسْبُنَا اللّٰهُ
only, just, merely, no more فَحَسْب
to be expected; to be taken into account كانَ في الحُسْبان
price control; weights and measures control حِسْبَة (الأسْعارِ أو المَوازِين)
as, according to what حَسْبَمَا
to envy, be envious of حَسَد
envy, invidiousness; jealousy حَسَد
to uncover, unveil, bare حَسَرَ : كَشَفَ

regret; sorrow, grief, sadness حَسْرَة
alas! too bad! what a pity! unfortunately! واحَسْرَتَاه، يا لَلْحَسْرَة!
fishbones حَسَك (السَّمَك)
to decide, determine, settle, resolve حَسَمَ : بَتَّ، جَزَم
to discount, deduct حَسَمَ : خَصَمَ
discount, rebate حَسْم : خَصْم
to be nice, good حَسُنَ
to be fit for; to befit حَسُنَ بِـ
to improve, better, make better; to beautify, adorn حَسَّنَ
handsome, good-looking, beautiful; nice; good; fine, well حَسَن
well, good, all right, OK حسناً
bravo! well done! حسناً (فَعَلْتَ)
beauty, grace, handsomeness; goodness, fineness حُسْن
good behavior حُسْنُ السُّلوك
good reputation حُسْنُ السُّمْعَة
fortunately, luckily لِحُسْنِ الحَظِّ
the 99 attributes of God حُسْنَى، الأَسْماءُ الحُسْنَى
amicably; with kindness بالحُسْنَى
beautiful woman حَسْناء
charity, alms; good deed, favor, kind act حَسَنَة : صَدَقَة، فَضْل
advantage, merit حَسَنَة : مِيزَة
envious; jealous; envier حَسُود

goldfinch	حَسُّون (طائر)
sensory, sensuous	حِسِّيّ : خاصٌ بالحِسّ
	حِسِّيّ : مَلْمُوس ـ راجع مَحْسُوس
highborn, noble	حَسِيب : أصِيل
enough; sufficient	حَسِيب : كافٍ
to stuff, fill (up); to wad, pad; to cram, pack, load, charge	حَشَا، حَشَى
	حَشاً، حَشًى (ج أحْشاء) ـ راجع أحْشاء
hashish smoker or addict	حَشَّاش
to concentrate, mass, gather; to mobilize, call up	حَشَدَ
crowd, gathering	حَشْد (مِنَ النَّاس)
to wedge, cram, ram; to squeeze; to congest, jam or crowd (together), (com)press	حَشَرَ : رَصَّ
to resurrect	حَشَرَ : بَعَثَ مِنَ المَوْت
insect, bug	حَشَرة (ج حَشَرات)
to smoke hashish	حَشَّشَ
servants, retinue, suite	حَشَم : خَدَم
	حِشْمَة ـ راجع اِحْتِشام
mattress; pillow, cushion	حَشِيَّة
grass(es), herb(s)	حَشِيش : عُشْب
hashish, hash	حَشِيش : نَبَاتٌ مُخَدِّر
pebble(s), small stone(s)	حَصًى، حَصَاة
harvest(ing); harvest time	حَصَاد
harvester, reaper	حَصَّاد، حَصَّادَة
blockade, siege	حِصَار
horse, steed	حِصَان (حيوان)
immunity; inaccessibility	حَصَانَة
pebbles, small stones	حَصْباء
(German) measles	حَصْبَة (ألْمانِيَّة)
share, portion, part	حِصَّة : نَصِيب
period, class, hour	حِصَّةٌ دِرَاسِيَّة
to harvest, reap	حَصَدَ (الزَّرْعَ إلخ)
to kill, claim, take	حَصَدَ : قَتَلَ
to limit, restrict, confine; to enclose, shut in, hem in, check	حَصَرَ : قَيَّدَ
to count, enumerate	حَصَرَ : عَدَّ
to monopolize, corner	حَصَرَ : اِحْتَكَرَ
unripe grapes, sour grapes	حِصْرِم
exclusive, sole; restrictive	حَصْرِيّ
to allot, apportion, allocate, give out, distribute, divide	حَصَّصَ
to happen, take place, occur, go on, pass	حَصَلَ : جَرَى، حَدَثَ
to obtain, get, acquire, receive; to attain, achieve	حَصَلَ على، حَصَّلَ
to collect, raise, levy	حَصَّلَ : جَبَى
to fortify, strengthen	حَصَّنَ
to immunize	حَصَّنَ ضِدَّ المَرَض
fort, fortress, stronghold, bastion, castle, tower	حِصْن : مَعْقِل
(straw) mat	حَصِير، حَصِيرَة
judicious, wise, prudent	حَصِيف
	حَصِيلَة : مَحْصُول ـ راجع مَحْصُول

حَصِيلَة : نَتِيجَة outcome, result
حَصِين well-fortified, inaccessible, invincible, invulnerable; immune, unsusceptible, proof
حَضَّ (على) to urge, exhort, incite
حَضارَة civilization; culture
حَضارِيّ civilized, civilizational
حَضانَة ـ راجع حِضانَة
حِضانَة : تَرْبِيَة، وِصايَة nursing, nurture, raising; custody, guardianship
(مَدْرَسَةُ) حِضانَة nursery (school)
حَضَرَ : أَتَى to attend; to report (to a certain place); to come, arrive
حضر : شاهَد to attend, go to; to view, see, watch; to witness
حَضَّرَ : أَعَدَّ to prepare, ready
حَضَّرَ : مَدَّن to civilize
حَضَّرَ : جَلَبَ ـ راجع أَحْضَر
حَضَر urbanism, urbanization
حَضْرَة، في حَضْرَتِه ـ راجع بِحُضُوره
حَضَرِيّ urbanite; urban
حَضَنَ : عانَقَ to embrace, hug, cuddle, take in the arms
حَضَنَ : رَبَّى to nurse, dry-nurse, nurture, raise, rear, bring up
حضن الطائِرُ البَيْض to hatch, brood, incubate, sit or set (on eggs)
حِضْن lap; bosom
حُضُور : مُثُول presence, attendance, attending; arrival; watching
حُضُور : جُمْهُور audience
بِحُضُورِه in the presence of, in his presence; before
حَضِيض (rock) bottom, lowest level
حَطَّ : وَضَعَ to put, place, lay down
حَطَّ الطَّائِرُ to alight, perch, sit
حَطَّتِ الطَّائِرَةُ to land, touch down
حَطَّ مِنْ قَدْرِهِ to degrade, abase
حَطَّاب woodcutter, woodman
حُطَام debris, ruins, wreck(age)
حَطَب firewood, wood
حَطَمَ، حَطَّمَ to break, smash, crash, shatter, destroy, ruin, wreck
حَظّ : بَخْت luck, fortune; chance
حظ : قَدَر، قِسْمَة lot, fate, destiny
حَظَرَ، حَظَّرَ : حَرَّمَ to ban, prohibit, forbid, interdict, bar, outlaw
حُظْوَة favor; privilege; preference
حَظِيَ بِـ to acquire, get; to be privileged or honored to (or with)
حَظِيرَة pen, yard, corral, fold; barn
حَظِيرَةُ طائِرات hangar, shed
حَفَّ : فَرَكَ to rub, scrub
حَفٍ (الحَفِي) barefoot(ed), unshod
حَفَّار digger; driller, borer; engraver, inscriber; carver, graver
حَفَّارُ القُبُور gravedigger
حِفَاض diaper, nappy, napkin

حِفاظٌ على ـ راجع مُحافَظةٌ على
حَفاوَة welcome, hospitable reception; hospitality; honor(ing)
حَفَر : نَقَر to dig; to excavate; to bore, drill; to sink (a well)
حَفَرَ : نَقَش، نَحَت to engrave, incise, inscribe; to carve, grave
حُفْرَة hole, pit; chuckhole
حَفْرِيَّة digging, excavation
حَفَزَ (على) to motivate, stimulate, inspire, drive, incite; to catalyze
حَفَّضَ طِفْلاً to diaper
حَفِظَ : صانَ to keep, preserve, protect, (safe)guard; to maintain; to save, conserve
حَفِظَ : إحْتَرَمَ to observe, comply with, abide by, respect, honor
حَفِظ (عن ظَهْرِ قَلْب، غَيْباً) to memorize, learn by heart, con
حَفِظَ في مَلَفٍّ أو إضْبارَةٍ to file
حِفْظ : صَوْن keeping, preservation, protection, (safe)guarding; maintenance; conservation
حِفْظ : إسْتِظْهار memorization
حَفَلَ بِـ : زَخَرَ بِـ to be full of, rich in
حَفَلَ بِـ : إهْتَمَّ بِـ to care for or about
حَفْل gathering, assembly, crowd; audience, attendance; celebration
حَفْلَة party; get-together; show; celebration, ceremony, festivity, fete
حَفْلَةُ اسْتِقْبال reception
حَفْلَةٌ تَنَكُّرِيَّة masquerade, masque, masked ball, costume ball
حَفْلَةٌ راقِصَة dance, ball, dance party, dancing party
حَفْلَةٌ مُوسِيقِيَّةٌ أو غِنائِيَّةٌ concert; recital; musical performance; musicale
حَفْلَةُ وَداع farewell party, farewell
حَفْنَة، حُفْنَة handful, fistful; wisp
حَفِيد : وَلَدُ الوَلَد grandson, grandchild
حَفِيدَة : بِنْتُ الوَلَد granddaughter
حَفِيظ ـ راجع حافِظ
حَفِيظَة anger, fury; grudge, rancor
حَفِيف rustle, whish, swish, hiss
حَقَّ : ثَبَتَ te be(come) true, certain
يَحِقُّ لَه، مِنْ حَقِّهِ (أنْ) to be entitled (to), have the right (to)
حَقّ : ما يَحِقُّ لِـ right; one's due
حَقّ : حَقِيقَة truth; reality
حَقّ : صَحِيح true; right, correct
الحُقُوق : قانُون law
حُقُوقُ الإنْسان human rights
حَقًّا ـ راجع حَقِيقَةً، (في) الحَقِيقَة
على حَقّ right, in the right
حَقائِق facts, data, information
حِقْبَة epoch, era, age, period
حَقَدَ على to bear a grudge against, harbor malice or hatred against
حِقْد spite, grudge, rancor, malice, gall, hatred, hostility

حَقَّرَ to degrade, abase, humiliate; to put down; to insult, offend

حَقَّقَ : أَنْجَزَ to realize, carry out, achieve, accomplish, attain, fulfill

حَقَّقَ : أَمَّنَ to secure, ensure

حَقَّقَ : بَحَثَ to inquire into, investigate; to check (out), verify

حَقَّقَ مع : اسْتَجْوَبَ to interrogate, examine, question, hear

حَقْل : أَرْض field

حَقْل : مَجَال field, domain, sphere

حَقَنَ : زَرَقَ to inject, shoot, syringe, give an injection to

حُقْنَة : زَرْقَة injection, shot

حُقْنَةٌ شَرَجِيَّة enema, clyster

حَقُود spiteful, malicious, rancorous, malevolent, revengeful

حُقُوق ـ راجع حَقّ

حُقُوقِيّ : قانُونِيّ juristic, legal

حُقُوقِيّ : فَقِيه jurist, legist

حَقِيبَةُ سَفَر suitcase, bag, trunk

حَقِيبَةُ يَد handbag, bag, purse; briefcase

حَقَائِبُ سَفَر baggage, luggage

حَقِير low, base, mean, menial; poor; despicable, contemptible

حَقِيقَة truth, reality; trueness

حَقِيقَةً ، (في) الحَقِيقة really, in reality, truly, actually, in fact

حَقِيقِيّ real, true, genuine; actual

حَكَّ : فَرَكَ to rub, scrub; to scratch

حَكَّ الجِلْدُ : دَعَا إلى الحَكّ to itch

حُكّ : بُوْصَلَة compass

حَكَى : رَوَى to tell, relate, narrate

حِكَايَة : قِصَّة story, tale, narrative

حَكَمَ : أَدَارَ to rule, reign; to govern, manage, direct, run

حَكَمَ : أَمَرَ to order, command

حَكَمَ (قَضَائِيًّا) to decide, rule

حُكِمَ عَلَيْهِ to be sentenced

حَكَّمَ : جَعَلَهُ حاكِماً أو حَكَماً to appoint as ruler or arbitrator

حَكَّمَ : اسْتَعْمَلَ to resort to, use

حَكَم arbitrator, arbiter; referee

حُكْم : إِدَارَة rule; government, administration, management; direction; control, command, authority

حُكْم : عَهْد reign, rule, period

حُكْم : قَرَار judgment, decision, sentence, ruling, verdict

حُكْم : نَصّ provision, term

حُكْمٌ ذاتِيّ autonomy, self-rule

حُكْمٌ عُرْفِيّ ، أَحْكامٌ عُرْفِيَّة martial law

حِكْمَة : حَصَافَة wisdom, prudence

حِكْمَة : قَوْلٌ مَأْثُور aphorism, maxim, gnome, proverb, adage

حِكْمَة : فَلْسَفَة philosophy

حُكُومَة government

حُكُومِيّ governmental, government
حَكِيم : عاقِل wise, judicious, prudent
حَكِيم : فَيْلَسُوف philosopher
حَلَّ : فَكَّ to untie, unfasten, undo
حَلَّ المُشْكِلَةَ أو المَسْأَلَةَ to solve, resolve, settle, work (out), unriddle
حَلَّ : أذابَ أو فَضَّ to dissolve
حَلَّ : رَدَّهُ إلى عَناصِرِه ـ راجع حَلَّلَ
حَلَّ مِنْ ـ راجع أَحَلَّ مِن
حَلَّ (بِـ، في، عِنْدَ) : أقامَ to stay at, stop over at; to settle down in
حَلَّ بِـ : أصابَ to happen to
حَلَّ (الفَصْلُ إلخ) : أتى to set in, arrive, begin, start, dawn
حَلَّ مَحَلَّ to replace, take the place of, substitute for, supersede
حَلّ : جَواب solution; solving
حَلّ : إذابَة أو فَضّ dissolution
حَلّ وَسَط compromise
حَلا to be sweet, delicious, pleasant, beautiful
كَما يَحْلُو لَهُ as he pleases, as he likes, as he wishes
حَلَّى : صَيَّرَهُ حُلْواً to sweeten, sugar; to desalt, desalinate, desalinize
حَلَّى : زَيَّنَ to adorn, decorate, embellish, ornament, beautify
حِلًى، حُلًى jewelry, jewels
حَلَّاق barber, haircutter, hairdresser, coiffeur, hairstylist
حِلاقَة shaving, shave; hairdressing, hairstyling, haircut(ting); hairdo
آلَةُ حِلاقَة (safety) razor; shaver
حَلال lawful, legitimate, permitted
حَلاوَة sweetness; deliciousness; pleasantness; beauty
حَلاوَة (طَحِينِيَّة) halvah, halva
حَلَبَ to milk
حَلْبَة (سِباق) racetrack, racecourse, course, track, turf
حَلْبَة (الرَّقْص) dance floor
حَلْبَة (المُصارَعَةِ أو المُلاكَمَةِ) ring
حُلَّة garment; dress, robe; suit
حَلَجَ (القُطْنَ) to gin (cotton)
حَلَزُون، حَلَزُونَة : بَزّاقَة snail
حَلَفَ (بِاللهِ) to swear (by God)
حَلَّفَ to swear in, put to oath
حَلَّفَ : ناشَدَ to adjure, entreat, implore, conjure, appeal to
حَلْف : يَمِين oath; swearing
حِلْف : اِتِّحاد alliance, confederacy
حَلْفاء، حَلَفَة (نَبات) esparto, alfa
حَلَقَ to shave, shave off; to have one's hair cut, have a haircut
حَلَقَ لِـ to barber, cut the hair of
حَلَّقَ to fly, soar, wing, hover; to rise, tower, mount, climb (up)
حَلَق : قُرْط earring(s), eardrop(s)

حَلْق : حُلْقُوم throat, gullet, gorge
حَلْقَة : دائِرَة ring; circle; link
حَلْقَة (الأُذُنِ) earring, eardrop
حَلْقَة (مِنَ النَّاس) circle, group
حَلْقَة (مِن قِصَّةٍ مُتَسَلْسِلَةٍ إلخ) episode, installment, number, part
حَلْقَة دِراسِيَّة seminar; symposium
حَلْقَة مُفْرَغَة vicious circle
حُلْقُوم : حَلْق throat, gullet, gorge
حَلَّلَ : رَدَّهُ إلى عَناصِرِه to analyze; to resolve, dissolve, decompose, break (up, down)
حَلَّلَ : أَجازَ to legalize, legitimize, authorize, permit, allow
حَلَّلَ مِنْ : أَبْرَأَ مِنْ، حَرَّرَ مِنْ - راجع أَحَلَّ مِن
حَلَمَ : رَأَى في نَوْمِهِ إلخ to dream (of)
حُلْم، حُلُم : مَنام dream
حُلْمُ اليَقَظَة daydream(ing)
حُلُم : بُلُوغ puberty, sexual maturity
حِلْم : صَبْر patience, tolerance
حِلْم : تَبَصُّر discernment, insight
حَلَمَة (الثَّدْيِ) nipple, teat, tit
حُلْو sweet; delicious; pleasant, nice; beautiful, pretty
حَلْوَى candy, confection, sweetmeat
حَلْوَى يُخْتَتَمُ بِها الطَّعامُ dessert
حُلْوان : راشِن tip, gift, present

حَلْوانِيّ confectioner
حَلُوب (بَقَرَة) milk (cow), milker
حَلْوَيات، حُلْوِيَّات sweets; candy, candies, sweetmeats, confectionery, confections
حَلْي (ج حُلِيّ وحِلِيّ) jewelry, jewels
حَلِيب milk
حِلْيَة (ج حِلًى وحُلًى) jewel; trinket
حَلِيف ally, confederate; allied
حَلِيق shaved, shaven; cleanshaven
حَلِيم forbearing, tolerant, lenient
حَمَى : وَقَى to defend, protect, (safe)-guard, shelter, keep
حَمَّى : دَفَّأَ to heat; to warm (up)
حَمَا : حَمُو father-in-law
حُمَّى [طب] fever, temperature
حِمًى : حِمايَة - راجع حِمايَة
حِمًى : مَلْجَأ refuge, shelter
حَماة : أُمُّ الزَّوْجِ أو الزَّوْجَة mother-in-law
حِمار (حيوان) donkey, ass
حِمارُ الزَّرَد zebra
حِمارُ الوَحْش wild ass, onager
حِمارَة : أَتان female donkey, she-ass, jennet, jenny
حَماسَة، حَماس enthusiasm, zeal, zealousness, ardor, intense interest, eagerness
حَماسِيّ enthusiastic, ardent, fer-

vent; thrilling, exciting, breath-taking, sensational

حَمَاقَة stupidity, foolishness, folly, idiocy, imbecility

حَمَّال : عَتَّال porter, carrier

حَمَّالَة : دِعَامَة ـ راجع حامِل

حَمَّالَة : مِحَفَّة stretcher, litter

حَمَّالَةُ الثِّياب hanger

حَمَّالَةٌ لِلصَّدْر brassiere, bras

حَمَّالَةُ مَفاتِيح key holder

حَمام، حَمَامَة (طائر) pigeon, dove

حَمَّام bathroom, toilet, lavatory, WC, men's room, ladies' room

حَمَّامٌ بَحْرِيّ bath(s), spa; beach

حَمَّامُ شَمْس، حَمَّامٌ شَمْسِيّ sunbath

حَمَاوَة : حرارة heat, hotness

حِمايَة protection, defense, defending, (safe)guarding, sheltering

حُمَة : إِبْرَةُ الحَشَرَة sting, stinger

حَمِدَ to praise, extol, eulogize

حَمْد praise, extolment, eulogy, encomium, laudation

الحَمْدُ لِلّه praise be to God! praised be the Lord! thank God!

حَمَّرَ to redden, make red

حَمَّرَ الطَّعَامَ to roast, grill, broil

حُمَر : قار bitumen; asphalt

حُمْرَة : اِحْمِرار redness, red color

حُمْرَة (للتَّجْمِيل) rouge; lipstick

حَمَّسَ to enthuse, make enthusiastic; to thrill, interest, rouse, excite

حَمَّصَ to roast; to toast

حِمَّص (نبات) chick-pea, garbanzo

حَمَّضَ : جَعَلَهُ حامِضاً to sour, make sour; to acidify, make acid

حَمَّضَ الفِيلْمَ to develop (a film)

حَمْض [كيمياء] acid

حَمْضِيَّات citrus fruits, citrus trees

حُمْق، حُمُق ـ راجع حَمَاقَة

حَمَلَ : رَفَعَ، نَقَلَ to carry, bear; to hold; to lift, raise, pick up

حَمَلَ (ـتِ المَرْأَةُ) to be or become pregnant, to conceive

حَمَلَ الشَّجَرُ to bear fruit, fructify

حَمَلَ : تَحَمَّلَ ـ راجع تَحَمَّلَ

حَمَلَ على : دَفَعَ إِلى to incite, spur on, prompt, induce, drive, motivate

حَمَلَهُ مَحْمَلَ الجِدّ to take seriously

حَمَلَ السِّلاحَ to take up arms

حَمَلَ على : هاجَمَ to attack, assail

حَمَّلَ to load (with); to make carry or bear; to burden or charge (with)

حَمَل : خَرُوفٌ صَغِير lamb, yeanling

بُرْجُ الحَمَل [فلك] Aries, Ram

حَمْل : حَبَل pregnancy, conception

حِمْل : ثِقْل load, cargo; burden

حَمْلَة attack, offensive, assault, onslaught; campaign, drive, crusade

حُمَم : مَقْذُوفاتُ البَراكِين lava

حَمْو : أبو الزَّوْجِ او الزَّوْجَة father-in-law
حُمُوضَة acidity; sourness
حُمُولَة burden; cargo, load
حَمِيَ to be hot; to flare up
حَمِيَّة zeal, enthusiasm, ardor
حِمْيَة : نِظَامٌ غِذَائِيّ diet; regimen
حَمِيد : مَحْمُود ـ راجع مَحْمُود
حَمِيد : غَيْرُ خَبِيث benign, harmless
حَمِيم intimate, close, familiar, (very) friendly; warm, hearty
حَنَّ إلى to long for, yearn for, miss
حَنَّ على، حَنَا على to sympathize with, feel for, pity
حَنَى to bend, curve, bow, incline
حِنَّاء (نبات) henna, camphire
حَنَان sympathy, compassion, pity, affection, tenderness
حَنِثَ to break one's oath; to perjure
حَنْجَرَة : حَلْق larynx, throat
حُنْجُور : إناءٌ صَغِير flacon; flask
حَنْدَقُوق (نبات) melilot, sweet clover
حَنَش (lacertine) snake, serpent
حَنَطَ الجُثَّة to embalm, mummify
حَنَطَ الحَيَوَانَاتِ أو الطُّيُور to stuff
حِنْطَة : قَمْح (نبات) wheat
حَنْطُور victoria, cab, carriage
حِنْطِيّ wheaten, tan, light brown

حَنْظَل (نبات) colocynth
حَنَفِيَّة : صُنْبُور faucet, tap, cock
حَنِقَ (مِنْهُ أو عَلَيْه) to be enraged by, furious at, angry with, mad at
حَنَق : غَضَب rage, fury, anger, wrath
حَنَك : أَعْلَى باطِنِ الفَم palate
حَنَك : فَكّ jaw, jawbone
حُنْكَة experience, worldly wisdom
حَنْكَلِيس : أَنْقَلِيس eel
حُنُوّ ـ راجع حَنَان
حَنُون sympathetic, compassionate, pitiful, loving, tender(hearted)
حَنِيف : قَوِيم orthodox; true
حَنِين longing, yearning, nostalgia
حَوَى : جَمَعَ to gather; to combine
حَوَى : احْتَوَى ـ راجع اِحْتَوَى (على)
حَوَّاء : أُمُّ البَشَر Eve
حِوَار dialogue, conversation, talk
حَوالَى : تَقْرِيباً about, approximately, around, nearly, almost, roughly
حَوالَى : حَوْلَ (a)round, about
حَوَالَة : صَكُّ تَحْوِيل draft, order
حَوَّامَة : هِلِيكُوبْتِر helicopter
حُوت whale
بُرْجُ الحُوت [فلك] Pisces, Fishes
حَوَّرَ to modify, change, alter; to distort, pervert, falsify, twist
حَوَر، حَوْر (شَجَرٌ وخَشَبُهُ) poplar

حُورِيَّة (الجَنَّة) houri
حُورِيَّة (الماءِ) (water) nymph, naiad
حَوْزَقَ: أُصِيبَ بالحازُوقة to hiccup
حَوْش enclosure; courtyard
حَوْض: طَسْت، جُرْن basin; trough
حَوْض: صِهْرِيج tank, cistern
حَوْض: بِرْكَة pool; pond
حَوْضُ السِّباحَة (swimming) pool
حَوْضُ السُّفُن dock, basin; shipyard
حَوْضُ السَّمَك aquarium
حَوْض (زَرْع): مَسْكَبَة bed
حَوِلَ to squint, be cross-eyed
حَوَّلَ: بَدَّلَ، نَقَلَ to change, convert, transform; to switch, shift; to turn (into), make (into); to transfer
حَوَّلَ النُّقودَ أو المالَ: أَرْسَلَ to remit, send, forward, transfer
حَوَّلَ (عن) to divert, deviate
حَوَل (العَيْن) squint(ing), strabismus
حَوْل: سَنَة، عام year
حَوْل: قُوَّة power, might, strength
حَوْلَ، مِنْ حَوْلِ (a)round, about
حَوْلَ: عن about, on, concerning
حَوْلَ: تَقْرِيباً ـ راجع حَوالَى
حَوْلِيّ: سَنَوِيّ annual
حَوَّمَ to circle, hover; to rotate
حَيّ: عائِش alive, living, live
حَيّ: مُذاعٌ مُباشَرَةً live, on the air
حَيّ: مَحَلَّة quarter, district
ذَخِيرَةٌ حَيَّة live ammunition
حَيّا: سَلَّمَ على to greet, salute, hail
حَياء shame, shyness, timidity
حَياة life; living, existence; lifetime
حَياتِيّ living; life; everyday, daily
حِياد neutrality; neutralism
حِيادِيّ neutral
حِيالَ in view of; in the face of; in front of, opposite (to)
حَيَّة: أَفْعَى snake, serpent, viper, asp
حَيْثُ، حَيْثُما where; wherever
حَيْثُ أَنَّ whereas, since, as
بِحَيْثُ so that, in order to
حَيَّرَ to confuse, puzzle, perplex
حَيْران ـ راجع حائِر
حَيْرَة، حِيرَة confusion, perplexity, bewilderment; hesitation, indecision, irresolution, wavering
حَيِّز space, room; place, area
حَيْض menstruation, period
حَيْطَة، حِيطَة ـ راجع إحْتِياط
حَيْف: ظُلْم wrong, injustice
حِيلَة: خُدْعَة trick, stratagem, ploy
حِين: وَقْت time; period (of time)
حِينَ when, as; upon, on

حِيناً for some time; once

أَحْياناً، في بَعْضِ الأَحْيان sometimes, at times, occasionally

في حِينِ (أَنَّ) whereas, while

على حِينِ غِرَّةٍ أو غَفْلَةٍ unexpectedly, unawares, by surprise, suddenly

حِينَئِذٍ، حِينَذاكَ then, at that time

حِينَما when, as; while, during

حَيَوان animal, beast, brute

حَيَوانٌ ثَدْيِيّ mammal

حَيَوانٌ مَنَوِيّ spermatozoon

حَيَوانِيّ animal; zoologic(al)

حَيَوِيّ vital, essential, crucial

حَيَوِيَّة vitality, vigor, energy

حَيِيَ: عاش to live, be alive, exist

لِيَحْيَ! فَلْيَحْيَ! long live! viva! vive!

حَيِيَ (مِنْ) ـ راجع إِسْتَحَى (مِنْ)

حَيِيّ shy, bashful, timid, coy

خ

خائِب : مُخْفِق failing, unsuccessful

خائِبُ الأَمَل disappointed

خائِط ـ راجع خَيَّاط

خائِف afraid, scared, frightened, terrified, alarmed, horrified

خائِن traitorous, treacherous, unfaithful; traitor, betrayer

خابَ : أَخْفَقَ to fail, be unsuccessful

خابَ أَمَلُهُ to be disappointed

خابَرَ to contact, communicate with, get in touch with, call, (tele)phone

خابُور : وَتَد cotter, wedge, peg

خابِيَة vat, tun, cask, barrel, jar

خاتَم ، خاتِم (الإِصْبَع) (finger) ring

خاتَمُ الزَّواج wedding ring

خاتَم : خَتْم ـ راجع خَتْم

خاتَم : آخِر ، نِهايَة last; end

خاتِمَة : نِهايَة end, termination, close, conclusion; epilogue; finale

خادَعَ ، خادِع ـ راجع خَدَعَ ، خَدّاع

خادِم servant; valet; attendant

خادِمَة (house)maid, female servant

خارَ : ضَعُفَ to weaken, fail

خارَتِ البَقَرَةُ to low, moo

خارِج outside, exterior, outward; coming out, going out, outgoing

خارِجٌ على القانُون outlaw

خارِجُ القِسْمَة [رياضيات] quotient

خارِجٌ عَنِ المَوْضوع irrelevant, beside the point, wide of the subject

خارِجَ outside, out of; abroad

خارِجِيّ external, exterior, outer, outside, outward; foreign

تِلْمِيذٌ خارِجِيّ day student

خارِطَة ـ راجع خَرِيطَة

خارِق : نافِذ penetrating, piercing

خارِق (لِلْعادَة) extraordinary, exceptional, unusual; supernatural

خازُوق stake, pole, pointed stick

خاسِر loser; losing; lost

خاصّ special, particular; exclusive; private, personal; confidential

خاصٌّ بِـ : مُتَعَلِّقٌ بِـ relating to, con-

cerning, pertaining to, belonging to
قِطاعٌ خاصّ private sector
مَدْرَسَةٌ خاصّة private school
بِصُورَةٍ خاصّة ـ راجع خُصُوصاً
خاصّة : مِيزَة ـ راجع خاصِّيَّة
خاصَّتي : مِلْكِي ، لِي mine
بِخاصَّةٍ ، خاصّةً ـ راجع خُصُوصاً
خاصِرَة flank, side, waist, middle
خاصَمَ : نازَعَ to quarrel with
خاصِّيَّة : مِيزَة characteristic, specialty, property, feature, mark
خاضَ to wade into; to plunge into, go into, take up; to enter
خاطَ : خَيَّطَ to sew, stitch; to tailor
خاطِئ : مُخْطِئ wrong, incorrect, false; mistaken, at fault, in error
خاطَبَ to address, speak to, talk to
خاطِب : خَطِيب fiancé; engaged
خاطِبَة : مَخْطُوبَة fiancée; engaged
خاطِبَة : وَسِيطُ زَواج matchmaker
خاطَرَ (بِـ) to risk, take a risk
خاطِر idea, thought; mind; will
خاطِف kidnapper, abductor
خاطِفُ الطَّائِرَة hijacker, skyjacker
خاطِف : سَرِيع swift, rapid, quick
خافَ (مِنْ) to fear, dread; to be afraid (of), scared (of), alarmed (by), frightened (by), terrified (by)
خافِت faint, dim; soft, low

خالَ : ظَنَّ to think, suppose, assume
خال : أخُو الأُمّ (maternal) uncle
خال : شامَة mole, beauty spot
خالٍ (الخالي) : فارِغ empty, void; vacant, unoccupied, open
خالٍ مِنْ ـ راجع خِلْوٌ مِنْ
خالَة : أُخْتُ الأُمّ (maternal) aunt
خالَجَ to be on someone's mind; to preoccupy, engage, engross
خالِد immortal, eternal, everlasting, perpetual, endless, ageless
خالِص : صافٍ ، صِرْف pure, clear, unmixed, plain; sheer, absolute
خالَطَ to mix with, mingle with
خالَفَ : ناقَضَ to contradict, conflict with, disagree with; to be contradictory to, contrary to
خالَفَ : عارَضَ to disagree with, differ in opinion with, oppose
خالَفَ : خَرَقَ to break, violate
خالِق ـ راجع خَلّاق
خام : غَيْرُ مُكَرَّر raw, crude
خامَة : مَعْدِنٌ خام ore
خامِس ، الخامِس (the) fifth
خامِل : بَلِيد dull, lazy, inactive, inert
خانَ : غَدَرَ بِـ to betray, sell out; to double-cross, deceive, cheat
خان : فُنْدُق caravansary, khan
خانَة digit; place; column; square
خاوٍ (الخاوِي) : خالٍ empty, vacant

خَبَا: خَمَدَ، بَهَتَ to go out, die; to abate, subside; to fade

خَبَّأَ: أَخْفَى، سَتَرَ to hide, conceal; to shelter, harbor; to cover, veil

خِبَاء: خَيْمَة tent

خَبَّاز: صَانِعُ الخُبْزِ، فَرَّان baker

خُبَّازَى (نبات) mallow

خُبْث malice, wickedness, evilness

خَبَرَ to try, test; to experience

خَبَّرَ (بِـ) ـ راجع أَخْبَرَ (بِـ)

خَبَر (ج أَخْبَار) news

خِبْرَة experience; practice; expertise, expertness, know-how

خَبَزَ to bake; to make bread

خُبْز bread

خَبَطَ to hit, strike, beat, bang; to knock, rap (on or at a door)

خَبَّلَ to besot; to drive crazy

خَبِيث: شِرِّير malicious, malevolent, vicious, wicked, evil, bad

خَبِيث [طب] malignant, virulent

خَبِير (بِـ) expert, authority; specialist; experienced (in), skilled (in)

خِتَام: نِهَايَة ـ راجع خَاتِمَة

خِتَامِيّ final, last; closing, concluding

خِتَان، خِتَانَة: خَتْن circumcision

خَتَرَ to betray; to double-cross

خَتَلَ: خَدَعَ to deceive, cheat, trick

خَتَمَ: مَهَرَ to seal, stamp, impress

خَتَمَ: سَدَّ to seal (off), shut, close

خَتَمَ: اِخْتَتَمَ ـ راجع اِخْتَتَمَ

خَتْم: خَاتَم seal; stamp

خَتْمُ البَرِيد postmark

خَتَنَ (الصَّبِيَّ) to circumcise

خَجِلَ (مِنْ) to be ashamed of; to feel embarrassed by; to be shy

خَجَّلَ to shame, abash, embarrass, put to shame, make ashamed

خَجَل: حَيَاء shame, shyness, bashfulness, timidity, coyness

خَجِل، خَجْلان، خَجُول abashed, ashamed; shy, bashful, coy, timid

خَدّ: وَجْنَة cheek

خَدَّاع swindler, impostor; deceiver; deceitful, tricky; deceptive, delusive, illusory, misleading

خِدَاع deception, deceit, fraud, trickery, duplicity, double-dealing, cheat(ing), delusion, bluff(ing)

خَدَّرَ to anesthetize, narcotize, dope

خَدَشَ to scarify, scratch, cut, score

خَدَعَ to deceive, fool, bluff, mislead; to cheat, double-cross; to trick

خُدْعَة trick, artifice, ruse, wile, ploy

خَدَمَ to serve; to render a service to, do someone a favor

خِدْمَة service; favor; duty; work

خَدِيعَة ـ راجع خِدَاع، خُدْعَة

خَدِين friend, companion, pal
خُدَيْوِيّ، خِدَيْوِيّ : والٍ khedive
خَذَلَ to let down, fail, disappoint
خَرَّ الماءُ to murmur, purl, gurgle
خَرَّ النَّائِمُ to snore
خَرَّ : سَقَطَ to fall or sink (down)
خَرَاب : دَمَار ruin, destruction, devastation, desolation, wreck(age)
خَرَاج : ضَرِيبَة tax, tribute, duty
خُرَّاج، خُرَاجَة : دُمَّل abscess
خُرَافَة superstition; fable; legend, fairy tale, myth
خُرَافِيّ superstitious; fabulous, legendary, mythical, mythological
خَرَّبَ، خَرِبَ to ruin, destroy, wreck, ravage, wreak havoc on, devastate; to subvert; to sabotage
خَرْتِيت : كَرْكَدَنّ (حيوان) rhinoceros
خَرَجَ : طَلَعَ to go out, come out, emerge; to walk out, exit; to leave
خَرَجَ على أو عن to dissent from, disagree with; to deviate from; to exceed; to be outside (a certain topic), be beside (the point)
خَرَّجَ (طالبا) to graduate
خُرْدَة scrap metal, scrap (iron),
خُرْدَوَات hardware, ironmongery, haberdashery, sundries, smalls

خُرْدُق (small) shot, pellets, buckshot
خَرْدَل mustard
خَرَز (مفردها خرزة) bead(s)
خَرَزَةُ الظَّهْر : فِقْرَة vertebra
خَرِسَ : صارَ أَخْرَس to be(come) mute
خَرِسَ : سَكَتَ to be(come) silent, keep silent, say nothing, shut up
خَرَس : بَكَم muteness, dumbness
خَرَسَانَة concrete, béton, cement
خَرْشَف، خُرْشُوف (نبات) artichoke
خَرَصَ : كَذَبَ to lie, tell a lie
خَرَطَ : سَوَّى بالمِخْرَطَة to turn, lathe
خَرْطُوش، خَرْطُوشَة cartridge; cartouche
خُرْطُوم (الفِيل) trunk, proboscis
خُرْطُومُ ماء hose; fireplug
خَرِفَ، خَرِفَ to become senile
خَرَف dotage, senility
خَرِف dotard; senile
خَرَقَ، خَرَّقَ : مَزَّقَ to tear, rend, rip
خَرَقَ : ثَقَبَ، إخْتَرَقَ to pierce, puncture, perforate; to penetrate, break through, run through
خَرَقَ : خالَفَ to break, violate
خَرْق : ثَقْب، فُتْحَة hole, opening
خِرْقَة rag, tatter; piece of cloth; polishing cloth; (dust) cloth, duster

خَرَمَ، خَرَّمَ: ثَقَبَ to pierce, punch, puncture, perforate, riddle
خَرْم: ثَقْب، ثُقْب hole, perforation, punch, puncture
خُرْمَا، خَرْمَا (نبات) Japanese quince
خُرْنُوب، خَرُّوب (نبات) carob, locust
خَرُوف sheep; young sheep, lamb
خَرُوفُ البَحْرِ manatee, sea cow
خِرِّيج: مُتَخَرِّج graduate, alumnus
خَرِيطَة: خارِطَة map; chart
خَرِيطَةُ البُرُوج horoscope
خَرِيطَةُ المِسَاحَة cadastral map
خَرِيف autumn, fall
خَرِيفِيّ autumn(al), fall
خَزّ: حَرِير silk
خَزّ (حيوان) marten
خَزَّاف: صانِعُ الخَزَف potter; ceramist
خُزَامَى (نبات) lavender; tulip
خَزَّان reservoir, fountain; tank
خِزَانَة wardrobe, closet, locker, cupboard, cabinet, chest; safe
خِزَانَة (الدَّوْلَةِ) treasury, exchequer
خَزَف: فَخّار pottery, earthenware; porcelain, china(ware); ceramics
خَزَفِيّ: فَخّارِيّ earthen; fictile; porcelain, china-; ceramic
خَزَنَ، خَزَّنَ to store, stock, warehouse; to store up; to hoard
خَزْن: تَخْزِين storing, storage, warehousing; storing up; hoarding
خِزْي: ذُلّ، عار disgrace, discredit, dishonor, shame, humiliation
خَزِينَة (الدَّوْلَةِ) treasury, exchequer
خَسّ (نبات) lettuce
خَسِئْتَ beat it! scram! fie on you!
خَسَارَة، خُسْر، خُسْران loss; damage
خَسَائِر losses, casualties
خَسِرَ: ضِدّ رَبِحَ to lose, forfeit
خَسَّرَ to cause a loss to, make lose
خَسَفَ: هَبَطَ to sink down, fall down
خَسَفَ القَمَرُ to be eclipsed
خُسُوف eclipse, lunar eclipse
خَسِيس: دَنِيء mean, low, base, vile, villainous, ignoble, sordid
خَشَب wood, timber, lumber
خَشَبَة piece of wood, timber; log, block; stick, rod; board
خَشَبِيّ wooden, wood(y), timber
خَشْخَاش (نبات) poppy
خُشْخَيْشَة: لُعْبَةٌ لِلأَطْفال rattle
خَشَعَ to submit, show reverence
خَشُنَ to coarsen, roughen; to be or become coarse, rough, harsh
خَشَّنَ to coarsen, roughen; to make coarse, rough, harsh, tough

خَشِن coarse, rough, harsh; tough

خُشُوع reverence, awe; submissiveness, submission, humility

خَشِيَ to fear, dread, be afraid (of)

خَشْيَة : خَوْف fear, dread; awe

خَصَّ بـ : فَضَّلَ بـ to favor with; to endow with, confer upon

خَصَّ : تَعَلَّقَ بـ to pertain to, belong to, relate to, concern

فِيمَا يَخُصّ concerning, with regard to, regarding, with respect to

خَصَى to castrate, emasculate

خُصًى (مفردها خُصْيَة) testicles, testes

خِصَام ـ راجع خُصُومَة

خَصَبَ : أَخْصَبَ to fertilize

خَصِب، خِصْب : خَصِيب fertile, fat

خِصْب : خُصُوبَة fertility

خَصْر : وَسَط waist, middle; waistline

خَصَّصَ : عَيَّنَ to specialize; to specify

خَصَّصَ : أَفْرَدَ to earmark, assign

خَصَّصَ : كَرَّسَ to devote, dedicate

خَصْلَة : عادَة habit, practice

خُصْلَة (شَعْر) tuft, lock, wisp, tress

خُصْلَة : عُنْقُود bunch, cluster, tuft

خَصَمَ : حَسَمَ to discount

خَصْم : غَرِيم، عَدُوّ opponent, adversary, antagonist; enemy, foe

خَصْم : حَسْم discount, rebate

خُصُوبَة fertility, productivity

خُصُوص : صَدَد respect, regard

بِخُصُوص ـ راجع فِيمَا يَخُصّ (خَصّ)

خُصُوصاً، على (وَجْهِ) الخُصُوص (e)specially, particularly, in particular

خُصُوصِيّ : خاصّ ـ راجع خاصّ

خُصُوصِيَّة : سِرِّيَّة privacy

خُصُوصِيَّة : مِيزَة ـ راجع خاصِّيَّة

خُصُومَة quarrel, dispute, discord; antagonism, hostility, enmity

خَصِيب fertile, productive, fat

خِصِّيصاً ـ راجع خُصُوصاً

خَصِيصَة : مِيزَة ـ راجع خاصِّيَّة

خَضَّ to agitate, shake, jolt

خِضَاب dye, color, paint, tint

خُضَار : خُضَر vegetables

خَضَبَ، خَضَّبَ to dye, color

خُضَر، خَضْرَاوات، خُضْرَة vegetables

خُضْرَة : اِخْضِرَار greenness

خُضَرِيّ : بائِعُ الخُضَر (green)grocer

خَضَعَ لـ to submit to, yield to, surrender to; to undergo, be subjected to, experience

خَطَّ : كَتَبَ، رَسَمَ to write; to draw

خَطّ : سَطْر line

خَطّ : شَرِيط stripe, streak, bar

خطّ : كِتَابَة — (hand)writing; script

خطّ ، فَنُّ الخطّ — calligraphy

خطُّ الاستِواء ، خطُّ الاعْتِدال — equator

خطُّ أنابيب — pipeline

خطٌّ بَيانِيّ — graph; diagram, chart

خُطوطٌ جَوِّيَّة — airlines, airways

خطٌّ هاتِفِيّ — telephone line

خَطا : سارَ — to step, walk, march; to proceed, go on, progress

خطأ : غَلَط — error, mistake, fault

خطأ : غَيْرُ صَحِيح — wrong, incorrect

خَطأً — by mistake, erroneously; wrong(ly), incorrectly, faultily, improperly

خِطاب : خُطْبَة — address, speech

خِطاب : رِسالَة — letter, note, message

خُطّاف (طائر) — martin; swallow

خَطَبَ : ألْقَى خِطاباً — to make or deliver an address or speech

خَطَبَ الفَتاةَ — to propose to; to get engaged to; to betroth, engage

خُطْبَة : خِطاب — address, speech; oration; sermon, Friday sermon

خِطْبَة : خُطُوبَة — engagement, betrothal, espousal(s)

خُطَّة ، خِطَّة — plan, project, scheme

خَطَرَ لَهُ أو بِبالِهِ — to occur to, cross (or come to) someone's mind

خَطَر — danger, peril; hazard

خَطِر : مُخْطِر — dangerous, perilous, risky, hazardous, unsafe; critical

خَطَّطَ : سَطَّرَ — to draw, line; to sketch, design; to stripe, streak

خَطَّطَ : وَضَعَ خُطَّةً — to plan, make plans, design, project, scheme

خَطَفَ : انْتَزَعَ — to snatch, grab, seize, wrench away, wrest away

خَطَفَ شَخْصاً إلخ — to kidnap, abduct

خَطَفَ طائِرَةً — to hijack, skyjack

خُطُّف (طائر) ـ راجع خُطّاف

خَطْمِيّ ، خِطْمِيّ (نبات) — hollyhock

خُطُوبَة ـ راجع خِطْبَة

خُطْوَة — step; footstep; move

خُطُورَة : أهَمِّيَّة — gravity, seriousness; importance, significance

خَطِّيّ : كِتابِيّ — written, in writing

خَطِيئَة — sin; fault, misdeed

خَطِيب : مَنْ يُلْقِي الخُطْبَةَ — (public) speaker; orator; preacher

خَطِيب : خاطِبُ فُلانَة — fiancé; suitor

خَطِيبَة : مَخْطُوبَةُ فُلان — fiancée

خَطِير — grave, serious; weighty, important, significant; critical

خَفَّ : ضِدّ ثَقُلَ — to be(come) light, decrease in weight, lose weight

خَفَّ : نَقَصَ — to decrease, diminish, decline, fall; to ease, remit

خُفّ : مَشَّايَة — slipper(s); sandal(s)

خُفَّاش : وَطْواط — bat

خَفَّاقَة (البَيْض) whisk, (egg) beater
خَفَتَ to fade; to dim
خِفَّة : ضِدّ ثِقَل lightness, levity
خَفَرَ : حَرَسَ to guard; to patrol
خَفَر : حَيَاء shyness, bashfulness
خَفَر : حَرَس guard, watch; patrol
خَفَر السَّوَاحِل coast guard
خَفَضَ، خَفَّضَ to reduce, lower, lessen, decrease, diminish, cut
خَفْض ـ راجع تَخْفِيض
خَفَّفَ : ضِدّ ثَقَّلَ to lighten, make lighter, reduce in weight
خَفَّفَ : أَنْقَصَ to decrease, lessen, diminish, reduce, cut down
خَفَّفَ : لَطَّفَ to ease, lighten, mitigate, soothe, relieve, relax
خَفَّفَ (السَّائِلَ) to dilute
خَفَّفَ سُرْعَتَهُ to slow (down)
خَفَقَ القَلْبُ to beat, throb, palpitate
خَفَقَ العَلَمُ to flutter, flap, float
خَفَقَ البَيْضَ to beat, whip, whisk
خَفِيَ : اخْتَفَى to disappear, vanish; to hide; to be hidden, concealed; to be unknown
خَفِيّ hidden, concealed, invisible; unknown; secret, covert
خَفِيَّة (ج خَفَايَا) : سِرّ secret, mystery
خُفْيَةً، خِفْيَةً secretly, in secret, in secrecy, covertly, clandestinely, furtively, underhanded(ly)
خَفِير : حَارِس guard, patrol(man)
خَفِيف light; mild; weak, dilute(d)
خَفِيف : ضَئِيل slight, little
خَفِيف (الحَرَكَةِ) nimble, agile
خَفِيفُ الدَّمِ أو الظِّلِّ witty, humorous, funny, amusing
خَفِيفُ العَقْلِ feebleminded
خَلّ : ما حُمِّضَ مِنَ العَصِير vinegar
خِلّ : صَدِيق friend, pal
خَلا : فَرَغَ to be empty, vacant
خَلا مِنْ : اِفْتَقَرَ إلى to be free from, void of, lacking; to lack
خَلا : مَضَى to pass, be past
(ما) خَلا، فِيمَا خَلا except, but
خَلاء : فَرَاغ emptiness; vacuum
في الخَلاء outdoors, in the open
خَلّاب : فاتِن fascinating, charming
خِلاسِيّ mulatto
خَلاص : نَجَاة salvation, rescue, deliverance, liberation; escape
خَلاص : مَشِيمَة afterbirth, secundines, placenta
خُلاصَة : عُصَارَة، زُبْدَة extract, extraction, essence; quintessence
خُلاصَة : مُوجَز summary, résumé, abstract, outline, digest, brief

الخُلاصَة، خُلاصَةُ القَوْل in short, in a word, in a few words, to sum up, summing up, in summary, briefly, in brief

خَلاّط، خَلاّطة mixer, mix; blender

خِلاف : نِزاع disagreement, discord, conflict, clash, quarrel; controversy, dispute

خِلاف : فَرْق - راجع إخْتِلاف

خِلاف، بِخِلاف beside(s), apart from, other than; unlike, contrary to, in contrast with

وخِلافُه : إلى آخِرِه and the like, and so on, and so forth, etc.

خِلافَة (شَخْصٍ غَيْرَهُ) succession

خِلافَة : مَنْصِبُ الخَليفَة caliphate

خَلاّق : مُبْدِع creative, originative; creator, maker, originator

الخَلاّق : الله the Creator (God)

خِلالَ، في خِلالِ during, in the course of; within, in (a given period of)

مِنْ خِلالِ through; out of; from

خَلَبَ : فَتَنَ to fascinate, captivate, enchant, charm, thrill

خَلّة : خاصّيّة (natural) disposition; property, attribute, characteristic

خَلْجَة : عاطِفَة، إحْساس emotion, passion; sentiment

خَلْخال : حِلْيَةٌ تُلْبَسُ في الرِّجْل anklet

خَلْخَلَ to dislocate; to disengage, disconnect; to loosen; to shake

خَلَدَ : دامَ to remain or last forever; to be eternal, everlasting, immortal

خَلَّدَ : أَبَّدَ، سَرْمَدَ to perpetuate, eternize, immortalize

خَلَّدَ الذِّكْرى to commemorate

خَلَد : نَفْس mind, soul, spirit

خُلْد (ج مَناجِذ) (حيوان) mole

خُلْدُ الماء (حيوان) platypus, duckbill

خُلْد : خُلود - راجع خُلُود

خُلْسَةً stealthily, surreptitiously, furtively, clandestinely, secretly

خَلَصَ : صَفا to be pure, unmixed; to clear, clarify, be clear

خَلَصَ إلى to arrive at, reach

خَلَصَ مِنْ - راجع تَخَلَّصَ مِن

خَلَّصَ مِنْ : أَنْقَذَ to save from, rescue from, deliver from; to free from, liberate from, release from, rid of

خَلَّصَ البِضاعَة to clear (goods)

خَلَطَ، خَلَّطَ (بِـ) : مَزَجَ to mix, mingle, blend, commingle, combine

خَلَطَ بَيْنَهُما، خَلَطَ بَيْنَ كَذا وكَذا to confuse (with), mix up (with)

خِلْطَة : عِشْرَة company, companionship, association, intimacy

خَلَعَ : نَزَعَ (ثَوْباً، حِذاءً، قُبَّعَةً إلخ) to take off, doff, put off

خَلَعَ (ثِيابَهُ) : تَعَرّى to undress, take off one's clothes, disrobe

خَلَعَ : اِقْتَلَعَ to extract, pull out

خلَعَ (المِفْصَل) to dislocate, luxate, wrench, disarticulate, disjoint

خلَعَ (مِنْ مَنْصِب) : عَزَلَ to depose, oust, remove, dismiss, discharge

خَلَعَ : فَكَّكَ to disconnect, disjoin; to disassemble, dismantle

خَلَفَ : كانَ خَليفَتَهُ، أتى بَعْدَهُ to succeed, be the successor of; to follow, come after

خَلَفَ : حَلَّ مَحَلَّ to replace, take the place of, be a substitute for

خَلَّفَ : تَرَكَ to leave behind, leave

خَلَف : ضِدّ سَلَف successor

خَلَف : وَلَد descendant, offspring

خَلْف : ظَهْر، قَفاً back; rear (part), hind (part), rear side; reverse

خَلْفَ : وَرَاءَ behind, in the rear of, at the back of; after

خَلْفِيّ back, rear, hind, hinder, backward, rearward, posterior

خَلْفِيَّة background, setting, ground

خَلَقَ to create, make, originate; to produce, engender, generate, bring about, cause, give rise to

خَلُقَ بِـ أو لِـ : جَدُرَ بِـ to be fit for, suitable for, appropriate for

خَلْق : مَخْلُوقات creatures, creation; people, mankind, human beings

خُلْق، خُلُق (ج أخْلاق) character, nature, moral constitution

أخْلاق morals, ethics; morality; (good) manners

خِلْقَة : فِطْرَة nature, character

خِلْقَة : بِنْيَة، هَيْئَة (physical) constitution, makeup, setup, structure

خُلُقِيّ : أخْلاقِيّ ethical, ethic, moral

خِلْقِيّ، خَلْقِيّ : فِطْرِيّ congenital, inborn, innate, inbred, inherent

خِلْقين : مِرْجَل caldron, boiler

خَلَّلَ : كَبَسَ، مَقَرَ to pickle; to preserve in vinegar; to marinate

خَلَل : عَيْب، عِلَّة defect, flaw, blemish, imperfection, deficiency, shortcoming, drawback

خَلَل : إضْطِراب trouble, disorder

خَلَل : إخْتِلالُ التَّوَازُن imbalance, unbalance, disequilibrium

خَلَنْج (نبات) heath, erica

خُلَنْجان (نبات) galingale

خُلُوّ : فَراغ emptiness; vacancy

خُلُوّ (العَقارِ إلخ) goodwill

خِلْوٌ مِنْ : خالٍ مِنْ free from; devoid of, lacking, wanting; without

خَلْوَة : اِنْفِراد privacy, solitude

خَلْوَة : اِجْتِماعٌ مُغْلَق conclave, closed (private, secret) meeting

خَلْوَة : مَكانُ الاخْتِلاء retreat, recess, place of privacy or seclusion

خَلْوَة : بَيْتُ العِبادَةِ عِنْدَ الدُّرُوز cell, hermitage, religious house or assembly hall of the Druzes

خُلُود : دَوَام ، بَقَاء immortality, perpetuity, eternity, eternal existence
خَلُوق : كَرِيمُ الأَخْلاق high-minded; well-mannered, polite
خَلِيَّة [أحياء وكهرباء وسياسة] cell
خَلِيَّة (نَحْل) beehive, hive
خَليج [جغرافيا] gulf, bay
خَليط mixture, blend, mélange, mix, medley, hodgepodge
خَليفَة : مَنْ يَخْلُفُ غَيْرَهُ successor
خَليفة (المُسْلِمِين) caliph
الخُلَفاءُ الرَّاشِدُون the orthodox caliphs
خَليق (بِـ) : جَدير fit (for), appropriate (for); worthy (of), deserving, meriting; becoming, befitting
خَليقَة (ج خَلائِق) : مَخْلُوقات ـ راجع خَلْق
خَليقَة : خُلُق ـ راجع خُلُق
خَليل : صَدِيق friend, pal, intimate, comrade
خَليل : عَشيق boyfriend, sweetheart, paramour, lover
خَليلَة : عَشيقَة girlfriend, sweetheart, paramour, mistress, concubine
خَمَّ : أَنْتَنَ to stink; to rot, decay
خُمّ (الدَّجاج) coop, (poultry) pen
خِمار : حِجاب veil, yashmak
خَمّارَة : دُكَّانُ بَيْعِ الخَمْر wineshop
خَمّارَة : حانَة bar, tavern, pub

خُماسِيّ fivefold, quintuple; five
خَمّان (نبات) elder, elderberry
خَمَّة : نَتانَة stench, stink, fetor
خَمَدَ، خَمِدَ : خَبا، هَمَدَ to go out, die; to abate, subside, let up, die down, fade away, cool off
خَمَّرَ : جَعَلَهُ يَخْتَمِر to ferment
خَمَّرَ العَجِينَ to leaven, raise (dough)
خَمَّرَ البِيرَةَ أو الجِعَةَ to brew (beer)
خَمْر، خَمْرَة wine; liquor, alcoholic beverage or drink; alcohol, spirits
خَمْرِيّ : بِلَوْنِ الخَمْر russet, vinaceous, wine-colored, winy, burgundy
خُمْس، خُمُس ($\frac{1}{5}$) (one) fifth
خَمْسَة (٥) five
خَمْسَةَ عَشَرَ (١٥) fifteen
خَمْسُون (٥٠) fifty
خَمَشَ، خَمَّشَ : خَدَشَ to scratch; to scarify; to cut, score
خَمْلَة : مُخْمَل، قَطِيفَة velvet; plush
خَمَنَ، خَمَّنَ : حَزَرَ to guess, surmise
خَمَنَ، خَمَّنَ : قَدَّرَ to assess, appraise, estimate, evaluate
خَمِيرَة yeast; leaven(ing); ferment
خَمِيرَةُ البِيرَة brewer's yeast, yeast
خَمِيس، الخَمِيس (يوم) Thursday
خَمِيسُ الجَسَد Corpus Christi Day

خَميسُ الصُّعود Holy Thursday, Ascension Day

خَميسُ الفِصْح ، خَميسُ الأَسْرار Maundy Thursday

خَميلَة : أَيْكَة thicket, wood, brush

خَنَّ : خَنْخَنَ to twang, snuffle, nasalize, speak through the nose

خِناق : عُنُق ، حَنْجَرَة neck; throat

أَخَذَ (أو أَمْسَكَ) بِخِناقِهِ to collar, seize by the neck

خُنْثَى hermaphrodite, bisexual

خَنْخَنَ : خَنَّ ـ راجع خَنَّ

خَنْدَق (ج خَنادِق) trench; ditch

خَنْجَر dagger, poniard, stiletto

خِنْزير (حيوان) pig, swine, hog

خِنْزيرُ الأَرْض aardvark

خِنْزيرُ البَحْر porpoise

خِنْزير بَرّي (wild) boar

خِنْزيرُ الماء capybara, water hog

خِنْزير هِنْدِيّ guinea pig, cavy

لَحْمُ الخِنْزير pork; ham; bacon

خِنْزيرَة : أُنْثَى الخِنْزير sow

خِنْشار (نبات) fern

خِنْصَر ، خِنْصِر little finger, pinkie

خَنَعَ لَهُ أو إلَيْه to cringe before, truckle before, lower oneself before

خُنْفَساء ، خُنْفَساءَة ، خُنْفُسَة beetle

خَنَقَ to strangle, strangulate, throttle, choke to death; to suffocate, stifle, smother, choke; to asphyxiate

خَنوع : ذَليل subservient, servile, slavish, cringing, submissive

خَوًى ، خَواء : خَلاء ، فَراغ emptiness; empty space, void, vacuum

خُوان ، خِوان : بوفيه buffet, sideboard, credenza

خُوان ، خِوان : طاوِلَة (dining) table

خُوَّة : اِبْتِزاز ، دَفْعَة قَسْرِيَّة kickback, coercive payment

خَوخ : بَرْقوق (نبات) plum, bullace

خَوخ : دُرّاق (نبات) peach

خُوذَة : قُبَّعَةُ المُحارِب helmet, casque

خُوري : كاهِن ، قَسّ curate, priest, clergyman, parson, pastor

خَوَّفَ to frighten, scare, alarm, terrify, terrorize, horrify

خَوْف fear, fright, dread, alarm, terror, panic, scare, horror

خَوْفاً مِن for fear of

خَوَّلَ : فَوَّضَ to entitle (to), authorize (to), empower (to); to entrust (with), charge (with)

خَوَّنَ to charge with treason, accuse of betrayal or disloyalty

خِيار : اِخْتِيار option, choice, alternative

خِيَار: خِيَرَة - راجع خِيَرَة
خِيَار (نبات) cucumber
خيّاط tailor, seamster; dressmaker
خيّاطَة seamstress; dressmaker
خِيَاطَة sewing, stitching; tailoring, dressmaking
خَيَال: وَهم، تَصَوُّر imagination, fancy, vision; fiction
خَيَال: طَيْف، شَبَح ghost, spirit, specter, eidolon, phantom
خَيَال: ظِلّ shadow
خَيَال (الصَّحْراءِ): فَزّاعَة scarecrow
خيّال: فارِس horseman, rider; cavalier, knight; cavalryman
خيّالَة: فُرْسان cavalry, horsemen
خَيالِيّ: وَهمِيّ imaginary, unreal, fanciful; imagined, fancied
خِيَانَة treason, treachery, perfidy, betrayal, disloyalty, unfaithfulness, infidelity; deception, cheat(ing)
خَيَّبَ أَمَلَهُ أو آمالَهُ to disappoint, frustrate; to fail, let down
خَيْبَة: إخفاق failure, fiasco, flop
خَيْبَةُ أَمَل disappointment, frustration, letdown
خَيَّرَ to let choose (from or between), give the option or choice
خَيِّر: مُحْسِن charitable, benevolent, philanthropic, almsgiving; benefactor, philanthropist, almsgiver
خَيْر: ضِدّ شَرّ good
خَيْر: نَفْع good, benefit, advantage
خَيْر: رَخاء welfare, well-being
خَيْر: نِعْمَة blessing, boon
خَيْر: ثَرْوَة wealth, fortune, riches
عَمَلُ (فِعْلُ) الخَيْر charity, beneficence, benevolence, philanthropy, almsgiving
خَيْرٌ مِن better than; the best
خَيْراً، بِخَيْر well; fine, good, all right, OK
خَيْرات blessings, boons, good things; resources, treasures
خِيْرَة: نُخْبَة choice, pick, elite, top
خَيْرِيّ: خاصّ بالخَيْر philanthropic, charitable, benevolent, beneficent
خِيرِيّ (نبات) gillyflower, wallflower
خَيْزُران (نبات) bamboo
خَيْزُران: قَصَب cane(s), reed(s)
خَيْزُرانَة: قَصَبَة cane, reed, stick
خَيْش jute, sackcloth, burlap
خَيْشُوم (السَّمَكَةِ) gill (of a fish)
خَيَّطَ - راجع خاطَ
خَيْط thread, yarn; fiber, filament; string, packthread, twine
خُيِّلَ إلَيْهِ أو لَهُ to imagine, fancy, think, take as; to seem to
خَيْل: جَماعَةُ الأَفْراس horses
خُيَلاء conceit(edness), self-conceit,

vainglory; arrogance, pride

خَيَّم : عَسْكَرَ to camp, encamp, tent; to pitch (set up, erect) a tent

خَيَّم على : سادَ، عَمَّ to reign in, prevail in, spread through, pervade

خَيْمَة tent; pavilion; awning

داء : مَرَض disease, malady, ailment

داءُ الجَنْب pleurisy

داءُ المَفَاصِل، داءُ المُلُوك gout

دائِب ـ راجع دُؤُوب

دائخ dizzy, giddy, vertiginous

دائِرَة : مُسْتَدِيرَة، حَلْقَة circle; ring

دائِرَة : نِطَاق، مَجَال sphere, scope, range, area; domain, field

دائِرَة : إدارَة، قِسْم department, division, section, office

دائِرَة (في تَقْسِيمِ البِلادِ الإدَارِيّ) circle, division, district, province

دائِرَةُ البُرُوج zodiac

دائِرَةُ مَعَارِف encyclopedia

دائِرِيّ : مُسْتَدِير circular, round

دائِم lasting, enduring, permanent, durable; eternal, everlasting; continuous, constant, unceasing

دائِماً always, all the time, continually, constantly, forever

دائِن : صاحِبُ الدَّيْن creditor

دَأَبَ في أو على to persevere in, persist in, devote oneself to; to keep doing, have the habit of; to be accustomed to, be used to

دَأْب، دَأَب : جِدّ، مُثَابَرَة perseverance, persistence, diligence, hard work

دَأْب، دَأَب : عادَة habit, custom

دابَّة sumpter, pack animal; riding animal; animal, beast

دابِر : ماضٍ، غابِر past, bygone

دابِر : أَصْل root, origin

داجَى to play the hypocrite with; to flatter, adulate, cajole, coax

داجِن : أَلِيف tame(d), domestic(ated)

دَواجِن، حَيَوانَاتٌ داجِنَة domestic animals

دَواجِن، طُيُورٌ داجِنَة poultry, fowls

داخَ to be(come) dizzy, giddy

داخِل inside, interior, inner

داخِلَ within, inside, in

داخِلَة interior, inside, inner self, inward thoughts; intent(ion)

داخِلِيّ internal, interior, inside, inner; domestic, local; indoor
داخِلِيَّة interior; inland
دارَ: دَوَّمَ to turn, revolve, rotate, twirl, spin, circle, go around
دارَ: حَدَثَ، جَرَى to take place, occur, happen, go on
دارَ على أو حَوْلَ: تَرَكَّزَ على to center on or around, focus on
دارَتِ الآلَةُ أو المُحَرِّكُ to run, move, operate, be in operation; to start up, start running
دار: مَنْزِل house, home, residence
دارُ الأيْتام orphanage
دارُ العَجَزة infirmary, old age hospital
دارُ مُعَلِّمِين teachers college
دارُ نَشْر publishing house
دارَى: لاطَفَ، سايَرَ to humor, indulge, favor, be willing to please
دارَة (القَمَر) halo (of the moon)
دارَة: فِيلا villa
دارِج: شائِع current, prevailing, widespread, common, popular; fashionable, stylish
دارِج: عامِّيّ colloquial, slang, vernacular, spoken
دارِس: تِلْمِيذ، باحِث studier, learner; student; scholar, researcher
داسَ: دَعَسَ، وَطِئَ to tread on, step on; to trample down

داسَ: دَهَسَ to run over
داعٍ (الدّاعِي): سَبَب، ضَرُورَة cause, reason; need, exigency, requirement, necessity
داعٍ: صاحِبُ الدَّعْوَة، مُضِيف inviter, one who invites; host; inviting
داعٍ: مُرَوِّجٌ لِدَعْوَة ـ راجع داعِيَة
بِداعِي: بِسَبَب because of, on account of, due to, owing to
لا داعِيَ لِـ there is no need to (or for), there is no reason for (or to)
داعَى: اِدَّعَى على to sue
داعَبَ to joke with, jest with, tease, kid; to play with, trifle with
داعِيَة: مُرَوِّجٌ لِدَعْوَة propagandist, herald
دافِئ: دَفِيء، حارّ warm; hot
دافَعَ عن to defend, protect, vindicate; to support, stand by, stand up for, advocate
دافِع: باعِث، حافِز motive, incentive, inducement, drive, urge, impulse; stimulus; cause, reason
دافِع (المال إلخ) payer, payor
بِدافِعِ كَذا out of, because of, by reason of, motivated by
داكِن: قاتِم dark, blackish, dusky, swarthy; deep
دالٌّ على indicative of, suggestive of
دالَّة: أُلْفَة familiarity, intimacy; informality, unreserve; liberty

دالِيَة : شَجَرَةُ الكَرْم vine, grapevine
دامَ : اِسْتَمَرَّ to last, continue, go on, persist, subsist, endure, remain
ما دامَ as long as, so long as
دامٍ (الدَّامِي) bloody, sanguinary
داما (لعبة) checkers, draughts
دامِس dark; deep-black
دانَ (لَهُ بـ) to owe, be indebted (to)
دانَ : أَدانَ ـ راجع أَدانَ
دانَ (لِـ) : خَضَعَ to submit (to), yield (to), be subject (to), obey
دانَ بِدِينٍ : اِعْتَنَقَ to profess, adopt, embrace, follow, believe in
دانٍ (الدَّانِي) : قَرِيب near, close
داهَمَ to break in(to), storm into; to raid, attack; to come suddenly upon, overtake; to surprise
داهِيَة : ذُو دَهاء sly, cunning, wily, crafty; shrewd, smart; resourceful
داهِيَة : مُصِيبَة misfortune, disaster
داوَى to treat, remedy, cure
دَؤُوب persevering, persistent, diligent, assiduous, hardworking
داوَمَ على to persist in, persevere in, pursue steadily, continue to do, keep doing, keep on
دايَة : مُوَلِّدَة midwife, accoucheuse
دَبَّ : زَحَفَ ، حَبَا to creep, crawl; to go on all fours
دَبَّ في to creep into, spread into or through, fill, pervade
دُبّ (حيوان) bear
دُبُّ النَّمْل (حيوان) ant bear
دَبَّابَة : آلَةُ حَرْبٍ حَدِيثَة tank
دَبَّاغ : مَنْ يَدْبُغُ الجُلُودَ tanner
دِبَاغ ، دِبَاغَة : دَبْغ tanning, tannage
دِبَاغ : ما يُدْبَغُ بِهِ tan; tannin
دَبَّاغَة : مَدْبَغَة tannery
دَبَجَ ، دَبَّجَ to embellish, adorn; to write (in an elegant style)
دَبَّرَ : أَعَدَّ to arrange, prepare, plan, engineer, design; to organize
دَبَّرَ : أَدارَ to manage, handle, direct, conduct, run
دَبَّرَ : اِقْتَصَدَ to economize
دَبَّرَ : حَصَلَ على to procure, secure, get, obtain; to wangle, finagle
دُبُر rear (part), hind (part), rear end; back; buttocks, posterior
دِبْس molasses, (black) treacle
دِبْسُ الخُرْنُوب carob bean juice
دَبَغَ (الجِلْدَ) to tan (hide)
دَبْغ : دِبَاغَةُ الجُلُود tanning, tannage
دَبِق : لَزِج sticky, gluey, glutinous
دِبْق : غِرَاءٌ لَزِج birdlime, lime
دِبْلُوم diploma
دِبْلُوماسِيّ diplomatic; diplomat

دِبْلوماسِيَّة diplomacy
دَبُّور : زُنْبور (حشرة) hornet; wasp
دَبُّوس pin; safety pin
دَبُّوسٌ إنكليزيٌّ أو إفرنجيّ safety pin
دَبُّوسٌ زِينِيّ brooch, pin, breastpin
دَبُّوسُ شَعْر hairpin, bodkin, pin
دُجّ (طائر) thrush, fieldfare, throstle
دُجَى : ظُلْمَة dark(ness), gloom(iness)
دَجاج chickens; poultry; fowl(s)
دَجاجٌ حَبَشِيّ guinea fowl; turkey
دَجاجَة hen; fowl; chicken
دَجاجَةُ الأَرْض woodcock
دَجاجَةُ البَرّ bustard
دَجاجَةُ الحَبَش، دَجاجَةٌ حَبَشِيَّة guinea hen, guinea fowl; turkey
دَجاجَةُ الماء moorhen, water hen
دَجَّال quack, charlatan, fake(r), fraud, impostor; cheat, swindler
دَجَلَ، دَجَّلَ (على) to lie (to); to deceive, fool, delude, bluff, cheat
دَجَل charlatanism, quackery; imposture, swindle, fraud, deceit
دَجَّنَ to tame, domesticate
دَحَرَ to drive away, expel, force out, put out; to defeat, vanquish, rout
دَحْرَجَ to roll
دَحَضَ to refute, confute, disprove
دَخان، دُخّان smoke, fume, vapor

دُخَان، دُخّان : تَبْغ tobacco
دَخَلَ (في أو إلى) to enter, come in(to), go in(to), get in(to), step in(to), move in(to)
دَخَلَ (في) : إنْضَمَّ to join, enter
دَخَلَ : بَدَأَ to set in, begin, start
دَخْل : أُدْخَل ـ راجع أُدْخَل
دَخْل : إيراد، رَيْع income; revenue, returns, proceeds, receipts
دَخْل : شَأْن، عَلاقَة business; connection, relation(ship), relevance
دُخَّلَة (طائر) warbler, chiffchaff
دَخَنَ، دَخِنَ، دَخَّنَ to smoke, fume
دَخَّنَ (سِيجارَةً) to smoke (a cigarette)
دَخَن : دُخَان smoke, fume, vapor
دُخْن (نبات) millet, pearl millet
دُخُول entry, entrance, entering, going in(to); admission; joining
دَخِيل : أَجْنَبِيّ foreigner, alien, stranger; foreign, alien, strange
دَخِيلَة : داخِلَة ـ راجع داخِلَة
دَرَّ : تَدَفَّقَ to flow copiously, well out, spurt, gush, pour out
دَرَّ : أَغَلَّ to yield, produce
دَرّ : لَبَن، حَلِيب milk
دُرّ : لُؤْلُؤ pearls
دَرَأَ : دَفَعَ، صَدَّ to ward off, parry, fend off, keep off, avert, repel

دَرَى (بِـ) : عَلِمَ to know (of); to be cognizant of, aware of; to learn (about), find out (about)

درابزُون، درابزين railing, (hand)rail, banister(s); balustrade, balusters

درّاج : راكِبُ الدَّرّاجة cyclist, cycler, bicyclist, bicycler

درّاجة (هَوائيّة) bicycle, bike, wheel

درّاجةٌ نارِيّةٌ أو بُخارِيّةٌ أو آلِيّة motorcycle, motorbike

دراخما : عُمْلَةٌ يُونانيّة drachma

دِراسَة : دَرْس ـ راجع دَرْس

دِراسة (ج دِراسات) : بَحْث study; survey; research; treatise, paper

دِراسِيّ of study or studies; scholastic, academic; educational

درّاق، دُرّاق، دُرّاقِن (نبات) peach

دراما drama

دراماتيكيّ، دراميّ dramatic

دَراهِم ـ راجع دِرْهَم، دِرْهِم

دِرايَة : عِلْم knowledge, cognizance, awareness, acquaintance

دَرَّبَ (على) : مَرَّنَ to train, drill, practice, rehearse, exercise, coach

دَرْب : طَرِيق path, track; road; way, route, course

دِرْباس bolt, bar; latch; lock

دَرْبَس to bolt, latch, lock

دِرْبَكّة earthen hand drum

دُرّة : لُؤْلُؤة pearl

دَرَجَ : مَشَى to toddle, walk

دَرَجَ : راجَ to be current, prevalent, popular, in fashion, fashionable

دَرَجَ على to take to, get used to; to adopt a certain practice

دَرَّجَ : رَوَّجَ to circulate, spread, promote, popularize

دَرَج : سُلَّم stairs, staircase, stairway, flight of steps

دَرْج : طُومار roll, scroll

دُرْج : جارُور drawer; till

دَرَجة (السُّلَّم) step, stair, flier

دَرَجة (البابِ) : عَتَبَة doorstep, doorsill, sill, threshold

دَرَجة : رُتْبَة degree, grade, rank, level, class; position, status

دَرَجة : حَدّ، مِقْدار extent, degree, point; measure, magnitude, size

دَرَجة (عِلْمِيّة) degree

دَرَجة : عَلامَةٌ مَدْرَسِيّة mark, grade

دَرَجة : نُقْطة point

دَرَجةٌ أُولَى first class

دَرَجةُ التَّجَمُّد freezing point

دَرَجةُ الغَلَيان boiling point

دَرَجةُ الحَرارة (degree of) temperature

دَرَجةٌ سِياحِيّة tourist class; economy class; coach

إلى دَرَجة أنّ، لِدَرَجة أنّ to the extent that, to such an extent that

دَرْدار (شجر وخشبه) elm; ash
دُرْدُور : دُوَّامَة eddy, whirlpool, vortex
دَرَزَ : خاطَ ، قَطَّبَ to sew, stitch, seam; to whip, whipstitch
دَرْزَة stitch; whipstitch; seam
دَرْزِي : خَيَّاط tailor, seamster
دُرْزِيّ (ج دُرُوز) Druze
دَرَسَ العِلْمَ أو الكِتابَ to study, learn
دَرَسَ : فَكَّرَ في to study, consider carefully, think about or over
دَرَسَ الحِنْطَةَ to thresh, thrash
دَرَّسَ : عَلَّمَ to teach, instruct, school, educate, tutor
دَرْس : دِراسَة study(ing), learning; consideration, thinking over
دَرْس : ما يَتَعَلَّمُهُ المَرْءُ lesson
دَرْس : حِصَّةٌ دِراسِيَّة lesson, class, period
دُرَّسَة ، دُرُّسَة (طائر) bunting
دِرْع (coat of) mail, hauberk, armor, cuirass, breastplate; shield
دَرْفَة (الباب أو النَّافِذَةِ) leaf, shutter
دَرْفِيل : دُلْفِين dolphin
دَرْك : حَضِيض bottom, rock bottom
دَرَك ، رِجالُ الدَّرَك gendarmerie, gendarmery, gendarmes, police
دَرَكِيّ gendarme, policeman
دَرَّمَ (أَظْفارَهُ) to trim; to manicure

دَرَن : وَسَخ dirt, filth
دَرَنَة tubercle, nodule, outgrowth
دِرْهَم ، دِرْهِم : قِطْعَةٌ مالِيَّة dirham
دَراهِم : نُقُود money; cash
الدُّرُوز the Druzes
دُرَيْجَة : طائِرٌ مائِيّ dunlin; knot
دُزِّينَة dozen
دَسَّ (في) to foist into, slip into, insert into; to hide in, conceal in
دَسَّ الدَّسائِسَ to intrigue, scheme, plot, machinate, conspire
دُسْتُور constitution; law, code
دُسْتُورِيّ constitutional
دَسَرَ to propel, drive forward
دَسَم : شَحْم fat, grease
دَسِم fatty, fat, greasy, oily, rich
دِسَمْبِر : كانُونُ الأَوَّل December
دَسِيسَة : مَكِيدَة intrigue, scheme, machination(s), plot, conspiracy
دِسِيغْرام decigram
دِسِيلِتْر deciliter
دِسِيمِتْر decimeter
دُشّ shower, douche
دَشَّنَ : اِفْتَتَحَ to inaugurate, open
دَعْ : فِعْلُ أَمْرٍ مِنْ وَدَعَ ـ راجع وَدَعَ
دَعا : نادَى to call, call out to
دَعا (بِـ) : اِسْتَدْعَى to call for, send for

دَعا : وَجَّه إِلَيْهِ دَعْوَةً — to invite

دَعا (إلى) : حَثَّ، ناشَدَ — to call for; to call upon, appeal to, invite

دَعا (إلى أولِـ) : حَمَلَ على — to prompt, induce, motivate, make

دَعا إلى : إِسْتَلْزَمَ — to call for, require

دَعا بِـ : سَمَّى — to call

دَعا (اللّهَ) : إِبْتَهَلَ — to pray (to God), supplicate, invoke God, implore

دَعا لَهُ — to pray for, invoke God for

دَعا عَلَيْهِ — to curse, imprecate, invoke God against

دَعا إلى اجْتِماع — to call (for) a meeting; to convoke, call to a meeting

دُعاء : نِداء — call

دُعاء (إلى الله) — prayer, invocation (of God), supplication

دُعابَة — joking, jesting, fun(making); humor; joke, jest, banter

دَعارَة — prostitution, whoredom

دَعَّاسَة : دَوَّاسَة — pedal

دِعامَة — support, prop, stay, pillar

دَعاوَة، دِعايَة — propaganda; publicity, advertising; advertisement, ad

دَعَسَ : داسَ — to tread on, step on; to trample down, trample underfoot

دَعْسة : دَوَّاسَة — pedal

دَعَكَ — to rub, massage; to scrub

دَعَمَ، دَعَّمَ — to support; to consolidate, strengthen, fortify; to back (up), stand by, champion, uphold

دَعْم — support(ing)

دَعْم (مالِيّ) — subsidy; aid

دَعْوَى : قَضِيَّة — lawsuit, suit, case

بِدَعْوَى (أَنَّ) — on the pretext that, under the pretense that

دَعْوَة — invitation; call; appeal

دَعْوَة، نَشْرُ الدَّعْوَة — mission; call

دَعْوَة : دُعاء (إلى الله) ـ راجع دُعاء

دُعْوَيْقَة (طائِرٌ صَغِير) — wren

دَغْدَغَ — to tickle, titillate

دَغَل (ج أَدْغال) — jungle, thicket, wood

دَفّ، دُفّ : آلَةٌ مُوسِيقِيَّة — tambourine

دَفُؤَ، دَفِيءَ — to be (become, feel) warm

دَفَّأَ : سَخَّنَ، حَمَّى — to warm (up), make warm; to keep warm; to heat

دَفَأ، دِفْء — warmth, warmness

دَفِيء : دافِيء، حارّ — warm; hot

دِفاع (عن) — defense, protection

دِفاعٌ عَنِ النَّفْس — self-defense

دِفاعِيّ — defensive, defense; protective

دَفْآن : دافِيء — warm

دَفَّة (السَّفِينَة) — rudder, helm

دَفْتَر — notebook, copybook, book, writing book; pad; booklet

دَفْتَر شِيكات — checkbook

دَفَعَ : ضِدّ جَذَبَ — to push

دَفَعَ: رَدَّ، صَدَّ to push (or drive) back or away, repel, ward off
دَفَعَ: سَيَّرَ to propel, move, impel, drive forward
دَفَعَ إلى: حَمَلَ على to prompt, incite, induce, move, impel, drive
دَفَعَ إلى: أَجْبَرَ على to force to, compel to, oblige to, coerce to
دَفَعَ إلى: سَلَّمَ إلى to hand over to, turn in to; to send to
دَفَعَ (المالَ): سَدَّدَ to pay, settle, discharge, clear, liquidate
دَفْعَة: صَدَّة push, shove; thrust
دَفْعَة (ماليَّة) payment; installment
دَفْعَة، دُفْعَة (مِنَ المُتَخَرِّجِين) class
دُفْعَةً واحِدَةً all at once, all at the same time; in one stroke
دَفَقَ: صَبَّ to pour out, pour forth
دَفَقَ: تَدَفَّقَ - راجع تَدَفَّقَ
دِفْلَى (نبات) oleander, rosebay
دَفَنَ to bury, inter, (en)tomb
دَفِيء: دافِيء، حارّ warm; hot
دَقَّ: سَحَقَ to pound, grind, crush, bruise, beat, pestle
دَقَّ: طَرَقَ to beat, hit, strike, knock, hammer, percuss
دَقَّ البابَ: قَرَعَهُ to knock, rap, bang, beat (on or at a door)
دَقَّ الجَرَسَ to ring, sound, toll
دَقَّ المِسْمارَ إلخ to drive (in), ram (in), hammer (in)

دَقَّ على الآلَةِ الكاتِبَةِ to type, typewrite
دَقَّ على الآلَةِ المُوسِيقِيَّةِ to play, beat
دَقَّ الجَرَسُ to ring, toll, sound
دَقَّتِ السَّاعَةُ to strike; to tick
دَقَّ القَلْبُ to beat, throb, palpitate, pulsate, pulse
دَقَّة: قَرْعَة blow, beat, bang; knock, rap; toll, ring
دَقَّة: نَبْضَة beat, throb, pulse, pulsation; heartbeat, stroke
دِقَّة: ضَبْط accuracy, precision, exactness, exactitude; finesse
دِقَّة: تَدْقِيق strictness, exactness, scrupulousness, meticulousness
دِقَّة (في المَواعِيد) punctuality
دِقَّة: خُطُورَة delicateness, sensitivity; criticalness; seriousness
بِدِقَّة exactly, precisely, accurately; scrupulously, meticulously
دَقَّقَ (في) to scrutinize, examine carefully; to check (out), verify; to be strict, exact, meticulous
دَقَّقَ الحِسَابات to audit
دَقَل (المَرْكَب) mast (of a ship)
دَقِيق: رَقِيق fine, thin, delicate
دَقِيق: صَغِير small, little, tiny
دَقِيق: صَعْب، غامِض subtle
دَقِيق: مَضْبُوط accurate, exact, precise, correct, refined

دَقِيق : مُدَقِّق strict, exact, punctilious, scrupulous, meticulous
دَقِيق (في المَواعِيد) punctual
دَقِيق : خَطِر delicate, touchy, sensitive; critical; serious, grave
دَقِيق : طَحِين flour, meal
دَقِيقَة : $\frac{1}{٦٠}$ مِنَ السَّاعَة minute
دَقائِق : تفاصِيل details
دَكَّ : هَدَمَ to tear down, pull down, demolish, destroy
دَكَّ : حَشا to fill (up), load, cram, pack; to squeeze, (com)press
دِكالِتْر decaliter
دِكامِتْر decameter
دُكّان : حانُوت ، مَتْجَر shop, store
دِكْتاتُور dictator
دِكْتاتُورِيّ dictatorial
دِكْتاتُورِيَّة dictatorship
دُكْتُور doctor, Dr.
دُكْتُوراه doctorate
دَلَّ على : أَشارَ إلى to show, indicate, point out, imply, suggest
دَلَّ على : أَثْبَتَ ـ راجع دَلَّلَ على
دَلَّ على أو إلى (الطَّرِيق) : أَرْشَدَ to show the way (to), guide, lead, direct, conduct, pilot, usher
دَلَّى : جَعَلَهُ يَتَدَلَّى to dangle, suspend, hang (down), let hang

دَلّاع ، دُلّاع : بِطِّيخٌ أَحْمَر watermelon
دَلال : غُنْج coquetry, dalliance
دَلّال : بائِعٌ بالمَزادِ العَلَنِيّ auctioneer
دَلالَة : مَعْنًى meaning, sense, significance, import, purport
دَلالَة : إشارَة ـ راجع دَلِيل
دُلْب (شجر) plane, platan, sycamore
دِلْتا delta
دُلْدُل ، دُلْدُول (حيوان) porcupine
دَلَّس to cheat, defraud, swindle
دَلَّع : دَلَّلَ to pamper, spoil, coddle
دَلَفَ : قَطَرَ to drip, trickle, leak
دُلْفِين : دَرْفِيل dolphin
دَلَق (حيوان) marten; fisher
دَلَكَ ، دَلَّكَ to massage, rub (down)
دَلْك : تَدْلِيك massage; rubdown
دَلَّلَ : دَلَّعَ ، غَنَّجَ to pamper, spoil, (molly)coddle, indulge, baby
دَلَّلَ على : أَثْبَتَ to prove, establish, verify, demonstrate, show
دَلَّلَ على السِّلْعَة to auction (off)
دَلْو : جَرْدَل bucket, pail; bail
بُرْجُ الدَّلْو [فلك] Aquarius
دَلِيل : إشارَة sign, indication, mark, token, symbol
دَلِيل : بُرْهان evidence, proof
دَلِيل : مُرْشِد guide, leader, conductor, pilot, usher

دَليل (سِياحِيّ) (tourist) guide
دَليل : كِتاب guide(book), manual
دَليلُ التِلِفُونِ أو الهاتف telephone directory, telephone book
دَم : سائِل أحْمَرُ حَيَوِيّ blood
دَمَّى to bleed, cause to bleed
دَمَار : خَرَاب destruction, ruin, devastation, havoc, wreck(age)
دِمَاغ brain, cerebrum
دِماغٌ إلِكْتْرُونِيّ computer
دَمِث، دَمْث (الأخلاقِ) gentle, nice, friendly, amiable, polite
دَمَجَ to merge, amalgamate, unite, join, integrate; to incorporate
دَمْدَمَ to mutter, mumble, murmur
دَمَّرَ to destroy, ruin, wreck, devastate, wreak havoc on, demolish; to sabotage, subvert
دَمَعَ، دَمِعَ (تِ العَيْنُ) to water, fill with tears, shed tears
دَمْع، دَمْعَة tear(s), teardrop(s)
دَمَغَ : خَتَمَ، بَصَمَ to stamp, imprint
دَمَغَ المَصُوغاتِ أو السِّلَعَ to hallmark
دَمَغَ الحَيوانَ to brand
دَمْغَة stamp; imprint; hallmark
دِمُقراطِيّ ـ راجع دِيمقراطِيّ
دُمَّل، دُمَّلَة furuncle, carbuncle, boil; fester, pustule, sore; ulcer
دَمَوِيّ blood-, bloody; bloodthirsty, sanguinary; butcher, murderer
دَمِيَ : خَرَجَ مِنْهُ الدَّمُ to bleed
دُمْيَة doll; dummy; toy, plaything
دُمْيَة (مُتَحَرِّكَة) marionette, puppet
دَمِيم : قَبِيح ugly, unsightly, hideous
دَنّ : خابِيَة vat, cask, tun
دَنا (مِنْهُ أو إلَيْهِ) to approach, come near or close (to); to draw near
دَنْدَنَ : رَنَّمَ to hum; to chant
دَنَّسَ to soil, sully, dirty, pollute; to profane, desecrate, defile
دُنْقُلَة : طائِرٌ مائِيّ dipper, water ouzel
دُنُوّ : قُرْب nearness, closeness; approach, oncoming; imminence
دَنِيء : خَسِيس low, base, mean, lowly, vile, ignoble, abject
دُنْيا : عالَم world; earth; life in this world, the present life
دُنْيا : مُؤَنَّثُ أَدْنَى ـ راجع أَدْنَى
دُنْيَوِيّ worldly, earthly, mundane
دَهَاء slyness, cunning, craft(iness); shrewdness, resource(fulness)
دَهَّان : الذي يَدْهَن (house) painter
دِهَان : طِلاء paint; varnish
دَهْر age, epoch, era, (long) time
دَهَسَ : داسَ to run over
دَهِشَ، دُهِشَ to be astonished, amazed, surprised; to wonder (at)
دَهْشَة، دَهَش astonishment, amazement, wonder(ment), surprise

دِهْلِيز vestibule, lobby, corridor; gallery, drift, adit; tunnel
دَهَم، دَهِمَ ـ راجع داهَمَ
دَهَنَ : طَلَى بِلَوْن to paint, daub
دَهَنَ : دَلَكَ، مَرَخَ to anoint, embrocate, rub; to oil, smear
دُهْن : شَحْم fat, grease; suet
دُهْنَة : شَحْمَة piece of fat
دُهْنِيّ fatty, fat, greasy, adipose
دَهْوَرَ : أَوْقَعَ to hurl down, throw down, tumble down
دَهُون : مَرْهَم ointment, embrocation, liniment, unguent, unction
دَوِيَ، دَوَى to sound, boom, peal; to echo, resound, reverberate
دَوَاء : عَقَّار medicine, medicament, medication, drug, remedy, cure
دَوَاة : مِحْبَرَة inkwell; inkstand
دَوَاجِن ـ راجع داجِن
دَوَّار : يَدُور revolving, rotating
دَوَّار : مُسْتَدِيرَة (traffic) circle, rotary
دَوَّارُ الشَّمْس (نبات) sunflower, turnsole
دُوَار vertigo, dizziness, giddiness
دُوَارُ البَحْر seasickness
دُوَارُ الجَوّ airsickness
دَوَّاسَة pedal; treadle; accelerator
دَوَام continuance, continuity, continuation, duration, survival

ساعاتُ الدَّوَام working hours, office hours, business hours
على الدَّوَام ـ راجع دائِماً (دائِم)
دَوَّامَة : بُلْبُل (spinning) top
دَوَّامَة (الخَيْل) merry-go-round
دَوَّامَة : دُرْدُور whirlpool, eddy
دُوتَا : دُوطَة dot, dowry, dower
دَوَّخَ : أَدَارَ الرَّأْسَ to daze; to dizzy, giddy, make dizzy or giddy
دَوْخَة vertigo, dizziness, giddiness
دُودَة worm; larva, caterpillar
دُودَةُ القَزِّ أو الحَرِير silkworm
دَوَّرَ : جَعَلَهُ مُدَوَّراً to round, make round, make circular
دَوَّرَ : أَدَارَ ـ راجع أَدَارَ
دَوَّرَ السَّاعَةَ to wind, wind up
دَوَّرَ العَدَدَ أو الرَّقْمَ to round off
دَوْر (كقولنا : لَعِبَ دَوْراً) role, part
دَوْر (كقولنا : جاءَ دَوْرُكَ) (one's) turn
دَوْر : طَوْر stage, phase, period
دَوْر : نَوْبَةُ مَرَض fit, attack; spell
دَوْر : طابِق floor, story
دَوْر : جَوْلَة (مِنْ مُبَارَاةٍ إلخ) round
الدَّوْرُ الأَرْضِيّ ground floor
الدَّوْرُ الأَسْفَل downstairs
الدَّوْرُ السُّفْلِيّ basement
بِالدَّوْر : بِالتَّنَاوُب successively, in suc-

cession, one after the other, one by one; by turns; alternately
دَوْرَة : لَفَّة turn, revolution, rotation; cycle, circle, round
دَوْرَة : جَوْلَة round(s); patrol; circuit; tour, (round) trip
دَوْرَة : جَوْلَة (مِنْ مُباراةٍ إلخ) round
دَوْرَة (مُباريات) tournament; series
دَوْرَةُ امْتِحانات session, round
دَوْرَةٌ دَمَوِيَّة blood circulation
دَوْرَةُ المِيَاه lavatory, toilet, bathroom, water closet, WC
دَوْرَق : إناء flask; beaker
دَوْرِيّ : مُنْتَظِم periodic(al); regular
دَوْرِيّ [رياضة بدنية] series, tournament
دَوْرِيًّا، على نَحْوٍ دَوْرِيّ periodically
دُورِيّ، عُصْفورٌ دُورِيّ (طائر) sparrow
دَوْرِيَّة : جَوْلَةُ الحارِس round, patrol
دَوْرِيَّة (اسْتِكْشاف) patrol, reconnaissance squad; watch, guard
دَوْرِيَّة : مَجَلَّة periodical, journal
دُوش shower, douche
دُوطَة : بائِنَة dot, dowry, dower
دَوَّلَ to internationalize
دُولاب : عَجَلَة wheel; tire
دُولابٌ إضافِيّ spare tire, spare
دُولابٌ دَوّار Ferris wheel
دُولابٌ مائِيّ waterwheel, noria
دُولار : عُمْلَةٌ أميرِكيَّةٌ وكَنَدِيَّةٌ إلخ dollar
دَوْلَة state; country, nation
دَوْلَة (فُلانٍ) His Excellency
دُوَلِيّ، دَوْلِيّ : عالَمِيّ international
دَوَّمَ : دارَ، أدارَ to turn, revolve, rotate
دَوَّمَ : دَوَام ـ راجع دَوَام
دَوْماً ـ راجع دائِماً (دائِم)
دُومِينو (لعبة) dominoes
دَوَّنَ : سَجَّلَ to record, put on record, write (down), note (down)
دُونَ : تَحْتَ below, beneath, under
دُونَ، مِنْ دُونِ، بِدُونِ without
دُونِيَّة inferiority
دَوِيّ : هَدِير sound, boom, peal
دِيانَة : دِين religion, faith, belief
دِيباجَة : مُقَدِّمَة preamble, preface
دِيبْلُوماسِيّ ـ راجع دِبْلُوماسِيّ
دِيَة (القَتِيلِ) blood money, wergild
دَيْر monastery, abbey, convent
دَيْسَم (نبات) amaranth, blite
دِيسِمْبِر : كانُونُ الأوَّل December
دِيك : ذَكَرُ الدَّجاجَة cock, rooster
دِيك : زَنْدُ البُنْدُقِيَّة cock, hammer
دِيكُ الحَبَش، دِيكٌ رُومِيّ turkey

دِيكالِتْر	decaliter
دِيكامِتْر	decameter
دِيكْتاتُور ـ راجع دِكْتاتُور	
دِيكُور	decoration, décor
دِيمُقْراطِيّ	democratic; democrat
دِيمُقْراطِيَّة	democracy
دَيْمُومَة ـ راجع دَوَام	
دَيْن : أَقْرَضَ	to lend, loan
دَيِّن : تَقِيّ	religious, pious, godly
دَيْن : قَرْضٌ مُؤَجَّل	debt; liability
بِالدَّيْن	on credit
دِين : دِيَانَة	religion, faith, belief
دِينَار : عُمْلَةٌ عَرَبِيَّةٌ إلخ	dinar
دِينَارِيّ (في وَرَقِ اللَّعِب)	diamonds
دِينَاصُور : حَيَوَانٌ مُنْقَرِض	dinosaur
دِينَامِيت	dynamite
دِينَامِيكِيّ ، دِينَامِيّ	dynamic
دِينَامِيكِيَّة	dynamism, drive, energy
دِينِيّ	religious, spiritual
دِيوَان : مَجْمُوعَةٌ شِعْرِيَّة	divan, collection of poems, poetical works
دِيوَان : مَجْلِس ، مَكْتَب	divan, council, department, office, bureau
دِيوَان : أَرِيكَة	divan, sofa, couch

ذ

ذا، هذا، ذاكَ، ذَلِكَ، ذَلِكُم this, this one; that, that one

ذلِكَ أَنَّ because, for

كَذَلِكَ so, thus, like this; as such; too, also, as well; besides, in addition, further(more), moreover

لِذَا، لِذَلِكَ، لِهذا therefore, consequently, hence, thus, that is why, for that reason, because of that

مَعَ ذَلِكَ، مَعَ هذا in spite of this, nevertheless, still, and yet

هٰكَذَا so, thus, in this manner, like this, (in) this way; as such

ذائِع widespread, current, prevailing, circulating, popular, common

ذائِعُ الصِّيت famous, renowned

ذابَ to dissolve, melt (away)

ذِئْب (حيوان) wolf

ذِئْبُ الأَرْض (حيوان) aardwolf

ذات : نَفْس، جَوْهَر self, person; subject; being; essence, nature

ذاتُ (كَذَا)، ذاتُهُ، بِذَاتِهِ the same

ذاتَ الشِّمَال to the left, left

ذاتَ اليَمِين to the right, right

ذاتَ مَرَّةٍ once, one time

ذاتَ يَوْمٍ one day, once

بِالذَّاتِ personally; none other than; the very, the same

ذاتِيّ personal, subjective, self-

ذاتِيَّة identity; personality

ذادَ عن : حَمَى to defend, protect

ذاعَ : اِنْتَشَرَ to spread, circulate; to be widespread, widely known

ذاقَ : اِخْتَبَرَ طَعْمَهُ to taste, sample

ذاكَ ـ راجع ذا

ذاكِرَة memory

ذاهِب (إلى) going (to), heading (for)

ذُبَاب، ذُبَابَة (حشرة) fly, housefly

ذَبَحَ، ذَبَّحَ : نَحَرَ، قَتَلَ to slaughter, butcher; to massacre; to slay

ذَبَحَ : قَدَّمَ ذَبِيحَةً to sacrifice, immolate, offer up

ذَبْذَبَ to vibrate, oscillate, swing

ذَبَلَ، ذَبُلَ to wither, wilt, shrivel

ذَبِيحَة : قُرْبان، ضَحِيَّة sacrifice, offering, oblation, immolation

ذَبِيحَة، جَسَدُ الذَّبِيحَة carcass

ذَخِيرَة supply, supplies, store(s), provisions; reserve, reservoir

ذَخِيرَةٌ حَرْبِيَّة ammunition, munitions, (war) matériel

ذَخِيرَةٌ حَيَّة live ammunition

ذَرَّ to sprinkle; to strew, scatter

ذَرَى، ذَرَّى (الحِنْطَةَ) to winnow, fan

ذِراع (الإنسانِ إلخ) arm

ذَرَّة [فيزياء وكيمياء] atom

ذَرَّة، مِثْقالُ ذَرَّة ـ راجع مِثْقال

ذُرَة (نبات) corn, durra; maize

ذَرَفَ الدَّمْعَ to shed tears; to weep, cry

ذَرَقَ الطَّائِرُ to mute, drop excrement

ذُرْوَة، ذِرْوَة summit, top, peak, climax, acme, apex, apogee

ذَرُور : مَسْحُوق powder

ذَرِّيّ atomic

ذُرِّيَّة، ذِرِّيَّة progeny, offspring, descendants, posterity, children

ذَرِيعَة : حُجَّة excuse, pretext, pretense, plea

ذُعَاف : سُمّ (قاتِل) (deadly) poison

ذُعِرَ : خافَ to panic, fear, dread; to be(come) terrified, frightened

ذُعْر : خَوْف panic, terror, scare, fright, alarm, fear, dread, horror

ذَقَن، ذِقْن : ما تَحْتَ الفَم chin

ذَكاء intelligence, brightness, brilliance, smartness, cleverness

ذَكَرَ : أشارَ إلى to mention, refer to, name, state, indicate, point out to

ذَكَرَ : تَذَكَّرَ ـ راجع تَذَكَّرَ

ذَكَرَ اللّٰهَ to praise, glorify, eulogize, extol (God); to invoke God

لا يُذْكَر not worth mentioning; inconsiderable, insignificant, negligible, trivial, worthless

ذَكَّرَ (بِـ) : جَعَلَهُ يَتَذَكَّر to remind (of)

ذَكَر : ضِدّ أُنْثى male

ذِكْر : صِيت reputation, repute, renown, fame, name, standing

ذِكْر : ذِكْرَى ـ راجع ذِكْرَى

الذِّكْرُ الحَكِيم the (Holy) Koran

ذِكْرَى memory, remembrance, recollection, reminiscence

ذِكْرَيات memories, reminiscences, recollections; memoirs

ذِكْرَى سَنَوِيَّة anniversary

ذِكْرَى مِئَوِيَّة centennial

ذَكَرِيّ، ذُكُورِيّ male, masculine, virile, manly

ذُكُورَة، ذُكُورِيَّة masculinity, virility

ذَكِيّ : سَرِيعُ الفِطْنَة intelligent, bright, brilliant, clever, smart, witty

ذَكِيّ : مُنْتَشِرُ (أو طَيِّبُ) الرَّائِحَة fragrant, redolent, aromatic

ذَلَّ : حَقُرَ to be low, lowly, humble
ذُلّ lowness, lowliness, humbleness; disgrace, shame, humiliation; subservience, cringe, submissiveness
ذَلِكَ - راجع ذا
ذَلَّلَ (الصُّعُوباتِ إلخ) to surmount, overcome, master, get over, get past; to iron out, smooth out
ذَلِيل low, lowly, humble; subservient, servile, cringing, submissive
ذَمَّ to dispraise, censure; to slander, libel, defame, calumniate
ذَمّ dispraise, censure; slander, libel, defamation, calumniation
ذِمَّة : حُرْمَة ، أَمَان protection, care; security; safeguard, guarantee
ذِمَّة : ضَمِير conscience
ذِمَّة : دَيْن debt, liability
ذَنَب : ذَيْل tail
ذَنْب : إِثْم ، جُرْم offense, fault, misdeed; sin; crime; guilt
ذَهَاب going; leaving, departure
ذَهَبَ إلى : قَصَدَ to go to, repair to, take to, head for
ذَهَبَ : مَضَى to go (away), leave, depart
ذَهَّبَ : مَوَّه بالذَّهَب to gild
ذَهَب : مَعْدِنٌ ثَمِين gold
ذَهَبٌ أَبْيَض platinum
ذَهَبِيّ golden; aurous; auric
ذَهَلَ (عن) to forget, overlook, omit
ذَهِلَ to be distracted, absentminded; to be astonished, amazed, surprised, stunned
ذِهْن mind; intellect
ذِهْنِيّ mental; intellectual
ذِهْنِيَّة mentality
ذُهُول absentmindedness, abstraction; amazement, astonishment
ذُو : صاحِب possessor of, owner of, holder of; having
ذَوُو القُرْبَى ، ذَوُو فُلان relatives, kin, kindred, kinsmen; family
ذَوَى : ذَبُلَ to wither, wilt, wizen
ذَوَّاق ، ذَوَّاقَة epicure, gourmet, connoisseur, gastronome, bon vivant
ذَوَّبَ to dissolve, melt, liquefy
ذَوْق ، حاسَّةُ الذَّوْق taste, sense of taste
ذَوْق : لَبَاقَة tact, savoir faire, diplomacy; propriety, decency
ذَوِي - راجع ذَوَى
ذَيْل : ذَنَب tail
ذَيْل : أَسْفَل bottom, foot, end
ذُيُول (حادِثَةٍ ما) aftermath

ر

رأى : أبْصَرَ to see; to behold, view

رَأى : إعْتَقَدَ to regard (as), consider, deem, think, believe

راءَى : نافَقَ to dissemble, dissimulate

رائِج widespread; current; popular, in (good) demand, selling well

رائِحَة smell, odor, scent, aroma; fragrance, perfume

رائِحَةٌ كَرِيهَة malodor, stench, stink, bad odor, offensive smell

رائِد : مَنْ يُمَهِّدُ سَبِيلاً pioneer; explorer, pathfinder, reconnoiterer, scout

رائِد : رُتْبَةٌ عَسْكَرِيَّة major

رائِدُ فَضاء astronaut, spaceman, cosmonaut

رائِز : فَحْص test; examination

رائِز : فاحِص tester; examiner

رِئاسَة presidency; leadership

رِئاسَةُ الجُمْهُورِيَّة presidency

رِئاسَةُ الحُكُومَةِ أو الوِزارَة prime ministry, premiership

رِئاسِيّ presidential

رائِع : بَدِيع wonderful, marvelous, splendid, gorgeous, magnificent, superb, terrific, excellent

رائِعَة : تُحْفَة masterpiece, masterwork, chef d'oeuvre

رائِق clear, undisturbed, calm

رَأَبَ (الصَّدْعَ) to patch (up), mend, repair, make up, fix; to reconcile, make peace between

رابَ (اللَّبَنُ) to curdle, curd

رابّ : زَوْجُ الأُمّ stepfather, stepparent

رابَى : مارَسَ الرِّبا to practice usury

رابَّة : زَوْجَةُ الأب stepmother, stepparent

رابِح : كاسِب winner, gainer

رابِح : مُكْسِب ـ راجع مُرْبِح

رابِط : رِباط ـ راجع رِباط

رابِط : صِلَة، عَلاقَة ـ راجع رابِطَة

رابِطُ الجَأْشِ cool, composed, collected, unruffled, calm

رابِطَة : صِلَة، عَلاقَة bond, tie; connec-

tion, link; relation(ship)
league, union, association, society, organization — رابِطَة : جَمْعِيَّة
(the) fourth — رابِع ، الرَّابِع
hill, hillock, mound, knoll — رابِيَة
lung — رِئَة
salary, pay, wages — راتِب : أجْر
to circulate, spread, be widespread; to be popular, be hot, sell well, be in (great) demand — راجَ
راجِح ـ راجع مُرَجَّح
to consult, refer to, turn to; to look up (in) — راجَعَ : رَجَعَ إلى
to review, revise, go over, check (up) — راجَعَ : أعادَ النَّظَرَ في
returning, coming back, going back; returnee, returner — راجِع
going on foot, walking; pedestrian, walker — راجِل : ماشٍ
to go (away), leave, depart — راحَ
to begin, start — راحَ يَفْعَلُ كَذا
rest, relaxation; ease, relief; comfort; leisure — راحَة : ضِدّ تَعَب
palm (of the hand) — راحَة (اليَدِ)
peace of mind — راحَةُ البال
departing, leaving, going away; traveling; migrating — راحِل
the departed, the late — (الفَقِيدُ) الرَّاحِل
riding camel — راحِلَة : جَمَلٌ لِلرُّكُوب

'o explore, reconnoiter — رادَ : اِسْتَكْشَفَ
radar — رادار
deterrent, disincentive; restraint; inhibition; deterring, inhibitive, preventive — رادِع
radio; radio (receiving) set — راديُو
o test, examine; to weigh — رازَ
o head, lead; to preside over; to be the president of — رَأَسَ : تَرَأَّسَ
o make or appoint as (a) president, chief, head — رَأَّسَ
head — رَأْس : الجُزْءُ الأَعْلَى مِنَ الجِسْم
ip, point; end — رَأْس : طَرَف
op, summit, peak — رَأْس : قِمَّة
ape, headland — رَأْس [جغرافيا]
head — رَأْس (مِنَ الحَيَواناتِ الدَّاجِنَة)
eginning, start — رَأْس : أوَّل، بَدْء
headnotes; headings — رُؤُوسُ أقْلام
hort notes; outline, summary
New Year — رَأْسُ السَّنَة
irectly, straight; immediately, right away — رَأْساً
pside down — رَأْساً على عَقِب
regs, lees, sediment, settlings; residue — راسِب : ثُفْل
ailing, flunking — راسِب (في امْتِحان)
eep-rooted, deep-seated, firmly established; firm, fixed — راسِخ
o correspond with, ex- — راسَلَ : كاتَبَ

change letters with, write to

رَأْسْمال capital; fund(s); principal

رَأْسْمالِيّ capitalist(ic), capital

رَأْسْمالِيَّة capitalism

رأسِيّ : عَمُودِيّ vertical, perpendicular

راشٍ (الرَّاشِي) : مَنْ يُعْطِي رَشْوَةً briber

راشِد : بالِغ (legally) major, of (legal) age; adult, grown-up

راشِد : رَشِيد ـ راجع رَشِيد

راشِد : قَوِيم orthodox

راشِن : حُلْوان tip, gratuity, baksheesh

راضَ ـ راجع رَوَّضَ

راضٍ (الرَّاضِي) satisfied, pleased, content(ed); agreeing, consenting

راضَى ـ راجع إِسْتَرْضَى

راعٍ (الرَّاعِي) : مَنْ يَرْعَى القَطِيعَ shepherd, herdsman, herder

راعِي البَقَر cowboy, cowhand

راعٍ : وَصِيّ guardian, custodian

راعٍ : نَصِير patron, sponsor; protector, defender

راعِي الأَبْرَشِيَّة pastor

راعَى : تَقَيَّدَ بِـ to observe, comply with, abide by, keep, respect

راعَى : أَخَذَ بِعَيْنِ الاعْتِبار to take into consideration, take into account

راعَى (خاطِرَهُ) to humor, comply with, indulge; to defer to, respect

راغِب (في) desirous, desiring, wishful; willing; interested

رَأَفَ بِـ، رَؤُفَ بِـ، رَئِفَ بِـ to have mercy upon, be merciful toward

رَأْفَة mercy; compassion, pity

رافِد : ساعِدَة tributary, branch

رافِدَة : عارِضَة، دِعامَة rafter, beam, girder, support, prop

رافِض refusing, rejecting; refuser, rejecter

رافِعَة : مُخْل، عَتَلَة lever

رافِعَة : آلَةٌ رافِعَة crane, winch, windlass, hoist; tackle, jack

رافَقَ : صادَقَ to associate with; to be a companion of, be friends with

رافَقَ : واكَبَ، صاحَبَ to accompany, escort, go (along) with

راقَ : صَفَا to clear, be(come) clear

راقَ : أَعْجَبَ to appeal to, please

راقٍ (الرَّاقِي) : سامٍ، مُتَقَدِّم high, superior, high-ranking, high-class; top, upper; advanced, developed

راقَبَ : رَصَدَ to watch, observe, keep looking at, keep an eye on; to surveil; to monitor

راقَبَ : أَشْرَفَ على to control, supervise, superintend, oversee

راقَبَ (المَطْبُوعاتِ إلخ) to censor

راقَصَ : رَقَصَ مَعَ to dance with

راقِص : مَنْ يَرْقُص dancer

راقِص : مُتَعَلِّقٌ بالرَّقْص dancing, dance

راقِصَة : رَقّاصَة (female) dancer
راقِصَةُ باليه ballerina, danseuse
راكِب riding; traveling; rider; passenger; guest, boarder
راكِد stagnant; static; dull, slack, inactive, flat, sluggish
راكِض: جارٍ، عَدّاء running, racing; runner, racer
راكُون (حيوان) raccoon
رامَ: رَغِبَ to desire, wish, want
على ما يُرام well; fine, good, all right, OK
رَئِمَ: لاطَفَ to fondle, caress
رامٍ (الرّامي) rifleman; marksman, sharpshooter
رانَ على to reign in, prevail in
راهِب monk, friar, monastic
راهِبَة nun
راهَنَ to bet, wager, gamble, stake
راهِن: حالِيّ، حاضِر current, present, actual, existing
راوٍ (الرّاوي) storyteller, narrator
راوَحَ: تَراوَحَ ـ راجع تَراوَحَ
راوَحَ مَكانَهُ to mark time
راوَدَ (هُ عن نَفْسِه) to seduce, tempt
راوَغَ to dodge, evade; to circumvent; to deceive, cheat
رَؤُوف merciful, lenient; compassionate, pitiful; kind
رَؤُوم loving, tender, affectionate

راوِيَة ـ راجع راوٍ
رَأْي: فِكْر، فِكْرَة opinion, view; idea, thought; suggestion; advice
الرَّأْيُ العامّ public opinion
في رَأْيِي in my opinion, in my view
رُؤْيا: ما تَراهُ في المَنام vision; dream
رُؤْيَة: بَصَر، نَظَر seeing, view(ing); vision, sight, eyesight
رُؤْيَة، وُضُوحُ الرُّؤْيَة visibility
رايَة: عَلَم flag, banner, standard
رَئِيس: سَيِّد president, head, chief, leader, boss, superior
رَئِيس: رَئِيسِيّ ـ راجع رَئِيسِيّ
رَئِيسُ البَلَدِيَّة mayor
رَئِيسُ التَّحْرِير editor-in-chief
رَئِيسُ الجَلْسَةِ أو اللَّجْنَة chairman
رَئِيسُ الجُمْهُورِيَّةِ أو الدَّوْلَة president; head of state, chief of state
رَئِيسُ العُمّال foreman, ganger
رَئِيسُ مَجْلِسِ الإدارَة chairman of the board
رَئِيسُ مَجْلِسِ النُّوّاب speaker, president (of parliament)
رَئِيسُ الوُزَراءِ أو الحُكُومَةِ أو الوِزارَة premier, prime minister
رَئِيسِيّ: أَساسِيّ main, chief, principal, leading, major, key; basic
رَئِيف ـ راجع رَؤُوف
رَبّ: إله god, deity

الرَّبّ :اللّهُ عَزَّ وجَلَّ the Lord, God (the One and Only)

رَبُّ العائِلةِ أو البَيْت paterfamilias, master, father of a family, family

رَبُّ العَمَل employer, master

رُبَّ (مَرَّةٍ، رَجُلٍ) many a (time, man)

رُبَّما - راجعها في مكانها

رَبَأَ بِهِ عن to deem far above, consider too exalted for

رَبَا : زادَ، نَما to increase, grow

رَبَا على to exceed, be more than

رَبَّى (الوَلَدَ) to bring up, raise, rear; to educate, cultivate, refine

رَبَّى الحَيَواناتِ أو الطُّيورَ إلخ to breed, raise, grow

رِباً : فائِدَةٌ فاحِشَة usury

رَبَاح : حَيَوانٌ كالسِّنَّوْر genet

رُبَّاح : قِرْدٌ كَبِير baboon, drill

رِبَاط : ما يُرْبَطُ به ribbon, band, bond, tie, ligature, strap, lace

رِبَاط : ضِمَادَة bandage, dressing

رِبَاط : صِلَة، عَلاقَة - راجع رابِطَة

رِبَاطُ الحِذاء shoelace, shoestring, bootlace, lace

رُبَاعِيّ fourfold, quadripartite

رُبَّان (السَّفِينَة) captain, shipmaster

رُبَّان (الطَّائِرَة) pilot, captain

رَبَّانِيّ divine, of God, from God

رَبَّتَ (على) to pat, dab, caress

رَبَّة : إلَهَة goddess, deity

رَبَّةُ البَيْت housewife, materfamilias

رَبِحَ : كَسَبَ to gain, profit, win

رَبَّحَ : أكْسَبَ to pay, yield; to allow a profit, make gain or win

رِبْح : كَسْب profit, gain, winning(s)

رَبَضَ to kneel down; to lie (down)

رَبَطَ : أوْثَقَ to bind, tie (up), fasten

رَبَطَ : وَصَلَ to connect, link, join

رَبَطَ ذِهْنِيّاً to associate, relate

رَبْطاً attached, enclosed

رَبْطَة : حُزْمَة bundle, bale; bunch; parcel, package, pack, packet

رَبْطَة : رِبَاط - راجع رِبَاط

رَبْطَةُ العُنُق necktie, tie, cravat

رُبْع، رُبُع (١/٤) quarter, (one) fourth

رُبْعُ نِهائِيّ (مُبَاراة) quarterfinal

رُبَّما perhaps, maybe, possibly, probably, likely; may, might

رَبْو (مرض) asthma

رَبْوَة، رُبْوَة - راجع رابِيَة

رَبِيَ الوَلَدُ : نَشَأَ to grow up

رَبِيب : إبْنُ الزَّوْجِ أو الزَّوْجَة stepson, stepchild

رَبِيب : إبْنٌ بالتَّرْبِيَة foster son, foster child, fosterling

رَبِيب : زَوْجُ المَرْأةِ لها وَلَد foster father

رَبيب : حَليف ally, confederate

رَبيع ، فَصْلُ الرَّبيع spring, springtime

رَبيعِي vernal, spring

رَتابَة monotony, monotonousness, routine, dullness

رِتاج : مِزْلاج bar, bolt; latch; lock

رَتَّبَ : نَظَّمَ to arrange, array, organize, put in order, make up; to classify, categorize

رَتَّبَ : أَعَدَّ، سَوّى to prepare, ready, set, lay out, make, do up

رَتَّبَ : أَحْدَثَ to give rise to, produce, generate, cause; to entail

رُتْبَة : مَنْزِلَة، دَرَجَة rank, degree, grade, order, class; level; position

رَتَعَ (في) : تَنَعَّمَ to revel (in), carouse (in), luxuriate (in); to enjoy

رَتَعَتِ الماشِيَةُ to graze, pasture

رَتَقَ : رَفَأَ to mend, patch, sew up, darn, fine-draw

رَتَّلَ (القُرْآنَ) to recite or intone (the Koran) slowly and distinctly

رَتَّلَ (الصَّلاةَ إلخ) : تَرَنَّمَ بِها to hymn, sing, chant, intone, modulate

رَتَل : طابُور line, queue, file, row

رُتوش retouch, touch-up

رَتيب monotonous, monotone, routine, humdrum, boring, dull

رَتيب (في الجَيْش) officer

رُتَيْلاء (حشرة) harvestman, daddy longlegs; tarantula

رَثّ ragged, tattered, shabby, shoddy, worn-out, worn

رَثى، رَثا (المَيْتَ) to elegize; to bewail, bemoan, lament

رَثى لَهُ أو لِحالِهِ to deplore, lament; to pity, feel sorry for

يُرْثى لَهُ deplorable, lamentable, pitiful, rueful, miserable, poor

رَجَّ : هَزَّ to shake, convulse, agitate

رَجَّ : إِرْتَجَّ - راجع إِرْتَجَّ

رَجا to hope; to look forward to, wish; to ask (for), request

أَرْجُو I hope; I look forward to; I wish; please, will you please

رَجاً (ج أَرْجاء) side; direction; area

في أَرْجاء throughout, all over

رَجاء، رَجاة hope; wish; request

الرَّجاء - راجع أَرْجُو (رَجا)

رِجالِيّ men's, for men; male, masculine, manly

رَجَّة : هَزَّة convulsion, shock, jolt, jerk; tremor, shake, quake

رَجَحَ to outweigh, outbalance; to preponderate, predominate

رَجَّحَ (على) to give preponderance or preference to (over), prefer (to), favor

رَجَّحَ : اِعْتَبَرَهُ مُحْتَمَلاً to consider (more) probable, likely, likelier

رَجْرَجَ : هَزَّ - راجع رَجَّ

رَجَعَ : عادَ to return, come back, go

back; to revert; to recur

رَجَعَ : إِنْكَفأَ to retreat, withdraw, move backward, go back, back (away), recede, regress

رَجَعَ إلى : لَجأَ إلى ، راجَعَ to resort to; to consult, refer to, turn to

رَجَعَ إلى : إِسْتأْنَفَ to resume, recommence, return to, go back to

رَجَعَ (الأَمْرُ أو السَّبَبُ) إلى to be due to, go back to, be attributable to

رَجَعَ عن : تَراجَعَ to withdraw, take back, recant, cancel; to go back on one's word; to unsay

رَجَّعَ - راجع أَرْجَعَ

رَجْعَة : رُجُوع - راجع رُجُوع

رَجْعِيّ reactionary; old-fashioned, narrow-minded

مَفْعُولٌ رَجْعِيّ retroactive effect

رَجَفَ : إِرْتَجَفَ - راجع إِرْتَجَفَ

رَجْفَة tremor, tremble, quiver, quake, shudder, shiver, shake

رَجُل man

رَجُلُ أَعْمال businessman

رَجُلُ دَوْلَة statesman

رَجُلُ فَضاء astronaut, spaceman, cosmonaut

رِجْل : قَدَم ، ساق foot; leg

رِجْلُ الحَمام (نبات) alkanet

رِجْلَة (نبات) purslane, pussley

رَجَمَ : رَمَى بِالحِجارَة to stone, pelt with stones, throw stones at

رَجَمَ ، رَجَمَ بالغَيْب to divine, soothsay, predict, foretell, prophesy

رُجُوع : عَوْدَة return(ing), coming back, going back; reversion

رُجُوع : تَقَهْقُر retreat, withdrawal, going back, recession, regress

رُجُولَة ، رُجُولِيَّة manhood, manliness, masculinity, virility

رِجِيم : حِمْيَة diet; dietary, regime(n)

رَحّال ، رَحّالَة traveler, globe-trotter; nomad; nomadic; migratory

رَحَّبَ بِـ to welcome, greet, hail

رَحْب : واسِع wide, spacious, roomy, ample, vast, expansive

رَحَلَ to depart, leave, go away, part; to travel; to migrate

رَحَّلَ to evacuate, expel; to banish, exile, expatriate; to deport

رَحْل : سَرْج saddle; packsaddle

رُحَّل - راجع راحِل

رِحْلَة trip, journey, voyage, travel, tour, excursion; cruise; ride

رِحْلَة (بالطّائِرَة) ، رِحْلَةٌ جَوِّيَّة flight

رَحِمَ : رَأَفَ بِـ to have mercy upon, be merciful toward

رَحِم ، رَحْم womb, uterus

رَحْمَة : رَأْفَة mercy, leniency; compassion, pity; sympathy, kindness

تَحْتَ رَحْمَةِ . . at the mercy of..

الرَّحْمَن the (Most) Gracious, the

(Most) Merciful (God)

رَحُوم ـ راجع رحيم

رَحِيب ـ راجع رَحْب

رَحِيق nectar

رَحِيل departure, leaving, going away; travel(ing); migration

رَحِيم merciful, lenient, clement; compassionate, pitiful; kind

الرَّحِيم the (Most) Merciful (God)

رُخّ : طائِرٌ خُرَافِيٌّ ضَخْم roc

رُخّ (الشِّطْرَنْج) rook, castle

رَخَاء welfare, well-being; ease, comfort; luxury; affluence, opulence

رُخَام : حَجَرٌ كِلْسِيٌّ صُلْب marble

رَخُصَ : ضِدّ غَلا to cheapen, be or become cheap or inexpensive

رَخَّصَ : خَفَّضَ السِّعْر to cheapen, reduce (lower, cut) the price of, make cheap

رَخَّصَ : أَجَازَ to authorize, license, permit, allow, legalize, legitimize

رَخْص : لَيِّن supple, tender, soft

رُخْص : ضِدّ غَلاء cheapness, inexpensiveness

رُخْصَة : إجازة license, permit, warrant(y); permission, leave

رُخْصَةُ قِيَادَةٍ أو سَوْق driver's license, driving permit, operator's license

رَخَمَ (ـتِ الدَّجَاجَةُ البَيْضَ) to hatch, incubate, brood, sit or set (on eggs)

رَخَم، رَخَمَة (طائر) Egyptian vulture

رَخُوَ، رَخِيَ : اِرْتَخَى ـ راجع اِرْتَخَى

رَخْو، رُخْو، رِخْو loose, slack, lax; limp, flaccid, flabby; soft

رَخِيص : ضِدّ غالٍ cheap, inexpensive, low-priced

رَخِيص : حَقِير، مُتَدَنٍّ cheap, contemptible, low; tawdry, sleazy, inferior, worthless

رَخِيم soft, mellow, melodious, sweet-sounding, dulcet, tuneful

رَدَّ : أَعَادَ to return, give back, restore; to put back, lay back

رَدَّ : صَدَّ، دَرَأَ to repel, repulse, drive away, ward off, fend off

رَدَّ (على) : أَجَابَ to answer, reply

رَدَّ إلى : عَزَا إلى to attribute to, ascribe to, trace (back) to

رَدَّ : عَكَسَ to reflect, throw back

رَدَّ البابَ to close or shut the door

رَدَّ زِيَارَةً to repay or return a visit

رَدَّ مالاً (مَدْفُوعاً إلى) to refund, repay, pay back, reimburse, return

رَدَّ على الشَّيْءِ بِمِثْلِهِ : اِنْتَقَمَ to retaliate, requite, repay, return in kind

رَدّ : جَوَاب reply, answer, response

رَدُّ فِعْل reaction

رَدًى : هَلاك، مَوْت ruin, destruction; death, demise, decease

رِدَاء : ثَوْب dress, robe, garment,

gown, clothes; suit, costume

رَداءَة badness; inferiority, poorness, low level

رَدَّة فِعْل reaction

رِدَّة : اِرْتِدادٌ عن دِيْنٍ إلخ apostasy, defection, tergiversation, backsliding

ردح : مُدَّةٌ طَوِيلَة long (period of) time

رَدَحاً مِنَ الدَّهْرِ أو الزَّمَن for a long (period of) time

ردَّدَ : كَرَّرَ to repeat, reiterate, iterate

ردع (عن) to deter (from), prevent (from), keep (from), restrain (from), inhibit (from)

رِدْف، رِدْفان : كَفَل، عَجُز rump, buttocks, posteriors

رَدَمَ : سَدَّ، طَمَرَ to fill up (with earth)

رَدَنَ : غَزَلَ to spin

رُدْن : كُمّ sleeve

رَدْهَة hall, lobby, lounge, foyer, entrance hall, vestibule; parlor

رَدِيَ : هَلَكَ to perish, be destroyed

رَدِيَ : سَقَطَ to fall, tumble

رَدِيء bad; ill; evil; inferior, poor, low-grade, low-level

رَدِيف : جُنْدِيٌّ اخْتِياطِيّ reserve, reservist

رَدِيف : بَدِيل substitute, alternate, standby, stand-in, reserve

رذَّ : رَشَّ to spray, sprinkle, shower, splash, spatter

رَذَّتِ السَّماءُ to drizzle, sprinkle

رَذاذ : مَطَرٌ خَفِيف drizzle, dribble, light rain, light (rain) shower

رَذاذ : رَشاش spray

رَذَلَ : نَبَذَ to reject, discard, cast off

رَذِيل : سافِل low, base, mean, vile, despicable, contemptible

رَذِيلَة : ضِدّ فَضِيلَة vice; depravity

رُزّ : أُرُزّ (نبات) rice

رُزْء : مُصِيبَة disaster, calamity

الرَّزَّاق the Provider (God)

رَزَّة staple; screw eye; spike

رَزَحَ (تَحْتَ) : ناءَ to sink (under), fall down (under), collapse (under), be burdened (with)

رَزَقَ to provide with the means of subsistence; to bestow upon, endow with, bless with

رُزِقَ to be endowed or blessed with

رِزْق livelihood, means of living; sustenance, living, daily bread; blessing (of God); property

رَزَمَ، رَزَّمَ to pack, package, parcel, wrap up, bundle, bale

رِزْمَة : حُزْمَة parcel, package, pack, packet; bundle, bale

رُزْنامَة calendar, almanac

رَزِيئَة، رَزِيَّة : مُصِيبَة ـ راجع رُزْء

رَزِين sedate, staid, grave, solemn, sober, calm, composed

رَسا (المَرْكَبُ، رَسَتِ السَّفِينَةُ)	to anchor, cast anchor, drop anchor, moor, berth, land
رَسا: ثَبَتَ	to be firm, fixed
رُسابَة	sediment; sludge; alluvium
رِسالَة: خِطاب	letter, note, message, dispatch, communication
رِسالَة: أُطْرُوحَة	thesis, dissertation; paper; treatise, study
رِسالَة: مُهِمَّة، هَدَفٌ لِلْحَياة	mission, calling, vocation
رِسالَةُ مُحَمَّد	the Prophet's mission
رَسَّام	draftsman, drawer; painter, artist
رَسَبَ: تَرَسَّبَ	to precipitate, sink, settle, deposit, sediment
رَسَبَ (في امْتِحانٍ إلخ)	to fail, flunk
رَسَّبَ (في امْتِحانٍ إلخ)	to fail, flunk
رُسْتو	roast meat
رَسَخَ	to take root; to be deep-rooted, firmly established; to be firm, fixed, settled, stable, steady
رَسَّخَ	to establish, settle, stabilize; to fix, fasten; to implant; to strengthen, consolidate, firm up
رُسْغ (اليَد)	wrist, carpus
رَسَمَ: صَوَّرَ	to draw, sketch, design; to paint
رَسَمَ: وَصَفَ	to describe, depict, portray, picture
رَسَمَ (خُطَّةً)	to plan, make plans, design, project, scheme
رَسْم: صُورَة	drawing, figure, picture, portrait; illustration; painting; sketch; pattern, design
رَسْم: أُجْرَة، ضَرِيبَة	fee, rate, charge, dues; duty, duties, impost, toll, excise, tax
رَسْم بَيانِي	graph, chart, diagram
رُسُوم جُمْرُكِيَّة	customs, customs duties, customs tariffs
رَسْمٌ دِراسِيّ، رَسْمُ التَّعْلِيم	tuition, fee(s), tuition fee(s)
رَسْم شَمْسِيّ أو فُوتُوغرافِيّ	photograph, photo, picture
رُسُوم مُتَحَرِّكَة	(animated) cartoon
بِرَسْم	for; c / o, care of
رَسْمِيّ	official, formal; ceremonial, ceremonious
(مُوَظَّف) رَسْمِيّ	official
غَيْرُ رَسْمِيّ	unofficial, informal, unceremonious, casual
لِباس رَسْمِيّ	full dress; uniform
مَدْرَسَة رَسْمِيَّة	public school
رَسْمِيّات	formalities; ceremonies, ceremonial(s)
رَسَن: زِمام (الدّابَّة)	halter, leash
رُسُوب (في امْتِحان)	failure, flunk(ing)
رَسُول: مُرْسال، مَبْعُوث	messenger; runner; courier; envoy, emissary
رَسُول: نَبِيّ	prophet

الرَّسُول، رَسُولُ الله ﷺ the Prophet, God's Apostle, the Messenger of God, Mohammed (God's praise and peace be upon him)

رَشَّ : رَذَّ to sprinkle, spray, shower; to spatter, splash

رَشَا : بَرْطَلَ to bribe, buy off, corrupt

رَشَاد : رُشْد ـ راجع رُشْد

رَشَاد (نبات) peppergrass, cress

رَشَاش : رَذاذ spray; splash

رَشَّاش، مِدْفَع رَشَّاش machine gun

مُسَدَّس رَشَّاش submachine gun, Tommy gun

رَشَحَ : نَضَحَ، تَسَرَّبَ to ooze, sweat, exude, transude, seep, leak, filter, infiltrate

رَشَح (الجِلْدُ) : عَرِقَ to sweat, perspire; to transpire

رَشَّحَ (فُلاناً) to nominate, name, put up (as a candidate)

رَشَّحَ نَفْسَهُ to run, stand (as a candidate, for election)

رَشَّحَ : صَفَّى to filter, (in)filtrate, percolate, exude, strain

رَشْح : عَرَق sweat, perspiration; transpiration

رَشْح : زُكام (common) cold, coryza

رَشَدَ : أَرْشَدَ ـ راجع أَرْشَدَ

رَشَّدَ : عَقْلَنَ to rationalize

رُشْد : صَوَاب، عَقْل reason, mind; senses; consciousness

رُشْد : هُدًى right guidance

رُشْد، سِنّ الرُّشْد (legal) majority, full age, legal age, maturity, adulthood; age of reason or consent

رَشَفَ، رَشِفَ to sip, sup, suck

رَشَقَ بِـ to pelt with, strike with; to throw at, hurl at, fling at

رَشْوَة bribe; hush money; bribery

رَشِيد rational, reasonable; wise, prudent; rightly guided

رَشِيق (القَوَامِ) graceful, elegant, shapely, svelte, slender

رَشِيق : خَفِيف (الحَرَكَة) nimble, agile, swift, easy-moving, light

رَصَّ : دَكَّ to impact, (com)press, compact, serry; to cram, ram

رَصَاص (معدن) lead

رَصَاص (البَنادِقِ والمُسَدَّسات) bullets

قَلَم رَصَاص pencil, lead pencil

رَصَّاص : سَمْكَرِيّ plumber, tinker

رَصَاصَة bullet, pellet

رَصَاصِيّ leaden, lead

رَصَدَ : راقَبَ to observe, watch; to monitor; to surveil

رَصَدَ : تَرَصَّدَ لِـ ـ راجع تَرَصَّدَ لِـ

رَصَدَ : خَصَّصَ (مالاً) to appropriate, earmark, allocate, allot

رَصَّدَ (حِساباً) to balance (an account)

رَصَّعَ (بِـ) to inlay, set, enchase, stud (with jewels, gold, etc.)

رَصَفَ : بَلَّطَ to pave, lay with flagstones, flag, slab, floor

رَصَفَ : صَفَّ to align, line up

رَصيد balance; remainder; outstanding account

رَصيعَة medallion

رَصِيف (لِلْمُشاة) sidewalk, pavement

رَصِيفُ المِيناء quay, pier, dock

رَصِين : رَزِين sedate, staid, grave, sober; equable, composed

رَضَّ : كَدَمَ to bruise, contuse

رِضاً، رِضًى، رِضاء contentment, content(edness), satisfaction; consent, assent, approval, acceptance

رُضاب : لُعاب، رِيق saliva, spittle

رَضاعَة، رِضاع suckling, sucking, suck, nursing

رَضّاعَة : زُجاجَةُ الإرْضاع nursing bottle, feeding bottle

رَضَّة bruise, contusion; trauma

رَضَخَ لِـ to yield to, submit to, obey

رَضَعَ، رَضِعَ to suck (at the breast), suckle, nurse

رَضَّعَ ـ راجع أَرْضَعَ

رِضْوان، رُضْوان ـ راجع رِضاً

رَضِيَ to be satisfied (with), content (with); to content oneself (with); to be pleased (with); to accept (to), agree (to), approve (of)

رضيع : طِفْلٌ يَرْضَع suckling, nursling, infant, baby; sucking, suckling

رَطَّبَ : بَلَّ، نَدَّى to moisten, humidify, damp(en), wet, dabble

رَطْب : نَدِيّ humid, moist, damp, wet

رُطَب : بَلَحٌ ناضِج ripe dates

رَطْل، رِطل rotl; pound

رَطَمَ : اِرْتَطَمَ بِـ to collide with

رُطُوبَة humidity; moisture; moistness, damp(ness), wetness

رَعَى : عُنِيَ بِـ، حَفِظَ to take care of, look after; to guard, protect

رَعَى : تَعَهَّدَ، نَمَّى to patronize, sponsor; to cultivate, develop, promote

رَعَى : تَقَيَّدَ بِـ ـ راجع راعَى

رَعَى الماشِيَةَ to graze, pasture, grass; to shepherd; to herd, tend

رَعَتِ الماشِيَةُ to graze, pasture

رَعّاد (سمك) electric ray, torpedo

رَعّاش (سمك) electric eel

رَعاع : غَوْغاء rabble, mob, riffraff

رِعايَة care, keeping, protection, custody, guardianship; patronage, auspices, sponsorship

رَعَبَ، رَعَّبَ : خَوَّفَ ـ راجع أَرْعَبَ

رُعْب : خَوْف fright, fear, terror, panic, scare, horror, alarm

رَعَدَ (السَّحابُ) to thunder

رَعْد : صَوْتُ السَّحاب thunder

رَفَسَ: رَكَلَ to kick

رَفْسَة: رَكْلَة kick

رَفْش: مِجْرَفَة shovel, spade

رَفَضَ to refuse, reject, turn down, decline, disapprove; to veto

رَفْض refusal, rejection, nonacceptance

حَقُّ الرَّفْض (right of) veto

رَفَعَ: عَلَّى to raise, lift (up), uplift, hoist (up), elevate

رَفَعَ: زادَ to raise, increase, step up, hike; to heighten, enhance

رَفَعَ: بَنَى، شَيَّدَ to raise, erect, set up, put up, build, construct

رَفَعَ: أزالَ to remove, take away, eliminate; to lift, raise, end

رَفَعَ إلى to submit to, refer to, present to, hand over to, turn in to

رَفَعَ الجَلْسَة to adjourn

رَفَعَ دَعْوى أو قَضِيَّةً على to bring suit (or legal action) against, sue

رَفَعَ الكُلْفَةَ مع to make free with, take liberties with

رَفُعَ: سَمَا to be high, high-ranking

رَفُعَ: رَقَّ to be thin, fine, delicate

رَفَّعَ: رَقَّى to promote, raise, advance, upgrade

رَفَّعَ: رَقَّقَ to thin (out), make thin; to fine, make fine

رَفْع raising, lifting (up); increasing, stepping up; rise, increase; raise

رَفْعُ الأَثْقال weight lifting

رِفْعَة sublimity, highness, loftiness; high rank, eminence, prestige

رَفِقَ، رَفَقَ، رَفُقَ (بِهِ) to treat with kindness; to be kind to, lenient toward, mild toward

رِفْق: لُطْف، لِين kindness, gentleness, leniency, mildness, clemency

رُفْقَة، رِفْقَة: صُحْبَة company, companionship, association

رُفْقَة، رِفْقَة: رُفَقاء company, companions, comrades, friends

بِرِفْقَة accompanied by, in the company of, with

رَفَّهَ عن to entertain, amuse, cheer up

رَفَّهَ عن نَفْسِهِ to amuse oneself, recreate, take recreation

رَفَّهَ العَيْشَ to make life comfortable, pleasant, luxurious

رَفِيع: سامٍ high, high-ranking, high-level, top-level, lofty, exalted, elevated, sublime; refined

رَفِيع: رَقِيق thin, fine, slender

رُفَيْف (نبات) iris, fleur-de-lis, lily

رَفِيق: صَدِيق companion, associate, comrade; friend, pal, chum

رَفِيقُ لِفَتاةٍ أو امْرَأةٍ boyfriend

رَفِيقُ الصَّفّ classmate

رَفِيق: مُتَساهِل kind, gentle, lenient, merciful, forgiving, indulgent

رَفِيق: خَفِيف، لَطِيف light, soft, mild

رَغْدِي thunder-; thunderous
رِعْدِيد : جَبَان cowardly, fainthearted; coward, craven, poltroon
رَعَش، رَعِش to tremble, shiver
رِعْشَة : رَجْفَة tremor, tremble, shiver, thrill, quiver, shake
رُعُونة lightheadedness, frivolity, heedlessness, carelessness, recklessness, rashness, foolhardiness
رِعْيُ الحَمَام (نبات) verbena, vervain
رَعِيَّة : مُواطِنون subjects, citizens
رَعِيَّة [نصرانية] congregation, parish
رَعِيل advanced party (of men); leading group; generation
رَغَا، رَغَى to foam, froth; to lather
رَغِبَ (في) to desire, wish, want; to aspire to, seek
رَغَّبَ (في) to make desirous (of); to interest (in)
رَغْبَة desire, wish; craving, longing, appetite; interest, inclination
رَغَد، رَغْد : بَحْبُوحَة ease, comtort, opulence, affluence
رَغْد : رَغِيد pleasant, comfortable, easy, carefree, opulent
رَغْمَ، بِالرَّغْمِ (على الرَّغْمِ) مِنْ، بِرَغْمِ despite, in spite of
رَغْمَ أَنَّ، على الرَّغْمِ (بِالرَّغْمِ) مِنْ أَنَّ in spite of the fact that, although, even though, though
رَغْمَ أَنْفِهِ، بِالرَّغْمِ مِنْهُ in spite of him, against his will; unwillingly, forcedly
رُغْم ـ راجع رَغْم
رُغْوَة foam, froth, spume; lather
رَغِيد : رَغْد ـ راجع رَغْد
رَغِيف loaf of bread
رَفَّ : اِخْتَلَجَ to quiver, tremble, shiver, flutter; to flicker
رَفَّتِ العَيْنُ : اِخْتَلَجَتْ to twitch
رَفَّ الطَّائِرُ ـ راجع رَفْرَفَ
رَفّ : عارِضَة shelf; rack; ledge
رَفُّ كُتُب bookshelf
رَفّ (مِنَ الطَّيْرِ) flight, covey
رَفَأَ، رَفَا : رَتَقَ to darn, fine-draw, sew up, mend, patch
رُفَات (المَيِّتِ) remains, corpse, body
رَفَّاص (spiral) spring; (screw) propeller
رَفَاهَة، رَفَاهِيَة welfare, well-being; luxury, opulence, ease, comfort
رَفَدَ to support, assist, aid, help
رَفْرَاف (طائر) kingfisher
رَفْرَاف (السَّيَّارَةِ) fender, mudguard
رَفْرَفَ الطَّائِرُ to flap the wings, flutter, flicker, beat, flail
رَفْرَفَ العَلَمُ to flutter, flap, wave, stream, float, fly, whip

ق : دَقَّ to be(come) thin, delicate, fine, slender, tenuous

رَقَّ : لانَ to soften, relent

رَقَّ لَهُ to pity, feel (pity) for

ق : عُبُودِيَّة slavery, serfdom, servitude, bondage

رِقٌّ أَبْيَض white slavery

رِقّ : دُفّ tambourine

ى : عَوَّذَ to charm, enchant

ى : رَفَعَ to promote, raise, advance, upgrade, elevate

قابَة supervision, control, superintendence, surveillance, inspection; observation, watch(ing); monitoring

رَقابَةٌ على المَطْبُوعاتِ إلخ censorship

قاد sleep, slumber; dormancy

قاص : راقِص dancer

رَقّاصُ السّاعَةِ إلخ pendulum

قاصَة - راجع راقِصَة

قاقَة chip, flake; wafer

قَبَ : راقَبَ - راجع راقَبَ

بَة : عُنُق neck

قَدَ : نامَ to sleep, fall asleep; to go to bed, go to sleep

قْدَة : نَوْمَة sleep, nap

قَشَ، رَقَّشَ to variegate, dapple

قَصَ to dance

قَصَ : أَرْقَصَ to dance, make dance

رَقْص dancing, dance; choreography

رَقْصَة dance

رَقَّطَ to speckle, fleck, spot, dapple

رَقَعَ، رَقَّعَ (الثَّوْبَ) to patch

رُقْعَة patch; spot; lot, area

رُقْعَةُ الشِّطْرَنْج أو الدّاما chessboard, checkerboard

رَقَّقَ to thin (out), make thin; to fine, make fine

رَقَّمَ to number; to page, paginate

رَقْم number; numeral, figure, digit

رَقْمٌ قِياسِيّ record

رَقْمِيّ digital; numerical, numeral

رُقُود - راجع رُقاد

رَقِيَ - راجع إِرْتَقَى

رَقِيَ إلى to date (or go) back to

رَقِّيّ : بِطِّيخ أَحْمَر watermelon

رُقِيّ : تَقَدُّم progress, advance(ment); development; rise

رَقِيب observer, watcher; watch-(man), guard; supervisor, superintendent, overseer

رَقِيب (المَطْبُوعاتِ والأَفْلامِ) censor

رَقِيب : رُتْبَةٌ عَسْكَرِيَّة sergeant

رَقِيبٌ أَوَّل [illegible]

رُقْيَة : تَعْوِيذَة [illegible]

رَقِيق : عَبْد، عَبِيد slave(s), bondman (bondmen), bondsman (bondsmen), serf(s)

رَقِيق : دَقِيق، رَفِيع thin, fine, delicate, slender, tenuous, flimsy

رَقِيق : ناعِم soft, tender, gentle

رَقِيقُ الجانِب amiable, kind, nice

رَقِيقُ الشُّعُور sentimental; sensitive

رَقِيقُ القَلْب tenderhearted, loving

رَقِيقَة : صَفِيحَة foil, thin sheet of metal; leaf, lamina

رِكاب (السَّرْج) stirrup

رِكاز : خامَة، مَعْدِنٌ خام ore

رَكّاض : عَدّاء runner, racer

رُكام : كَوْمَة pile, heap, stack

رَكِبَ to ride, mount, get (up) on; to board, embark (on), go on board, get in; to travel (in, on, by), go by, take

رَكَّبَ : جَعَلَهُ يَرْكَب - راجع أَرْكَبَ

رَكَّبَ : جَمَع، أَنْشَأ to assemble, put or fit together; to set up, install; to compound, combine, make; to mount (on), fasten (on), fix (on); to set (in)

رَكْب : قافِلَة caravan; convoy; riders

رُكْبَة [تشريح] knee

... to stagnate; to be(co...

... stagnant, dull

... to fix, f...

... (im)plant, insert; to position, ...tation, place

رَكَّزَ : مَرْكَزَ، بَأَّرَ ... center, centralize; ... focus, focalize

رَكَّزَ : كَثَّفَ ... concentrate; to condense

رَكَّزَ على ... concentrate on, focus ...n; to stress, emphasize, highlight

رَكَضَ : عَدا ... run, race; to jog

رَكَعَ ... kneel (down); to bow (down)

رَكْعَة ...rostration, bow

رَكَلَ : رَفَسَ ... kick

رَكْلَة : رَفْسَة ...ick

رَكَمَ : كَدَّسَ ... accumulate, amass, ...eap up, pile up, stack (up)

رَكَنَ إلى ... lean on; to rely on, de...end on, count on; to trust

رُكْن : زاوِيَة ...orner; nook

رُكْن : دِعامَة ...upport, prop, pillar

رُكْن : أَساس ...asis, basic element

الأَرْكانُ العامَّة ...eneral staff

رَكْوَة ...offeepot

رُكُود ...tagnancy, stagnation; reces...ion, depression, slump, standstill

رَكِيزَة : دِعامَة ...upport, prop, rest, ...tay, brace, pier, pillar

رَكِيك : ضَعِيف ...eak, poor

رَمَى : أَلْقَى ... throw, cast, fling, hurl; ... pelt (with), strike (with)

رَمَى : أَطْلَقَ النّار ... shoot, fire

رَمَى بِـ : اِتَّهَمَ بِـ to charge with, accuse of
رَمَى إلى : قَصَدَ to drive at, aim at, intend to; to be aimed at
رَمَى بَيْنَ to sow dissension or stir up discord among or between
رَمَاد ash, ashes, cinders
رَمَادِيّ ashen, ashy, ash-colored, gray
رُمَّان، رُمَّانَة (نبات) pomegranate
رُمَّانَةٌ يَدَوِيَّة (hand) grenade
رِمَايَة ـ راجع رَمْي
رُمَّة، بِرُمَّتِهِ entirely, wholly, fully, completely; all, all of
رَمَث : طَوْف (log) raft, lighter, float
رُمْح spear, javelin; lance, pike
رَمَزَ (إلى) to symbolize; to represent, stand for; to indicate, point to
رَمْز : عَلاَمَة، شِعَار symbol; token, sign; emblem; insignia, logo
رَمْز : عُنْوان، مِثَال symbol, embodiment, image, typical example
رُمُوز : شِيفْرَة cipher, code
رَمْزِيّ symbolic(al); nominal, token
رَمْس : قَبْر grave, tomb, sepulcher
رَمَشَ (بِعَيْنِه) to blink, wink, bat
رَمْش، رِمْش eyelash(es), lash(es)
رَمَقَ : لَحَظَ، نَظَرَ إلى to glance at, look at, regard, eye

رَمَق، الرَّمَقُ الأخِير (last) spark of life, (last) breath of life
رَمْل : تُرَابٌ دَقِيق sand
رَمْلِيّ sandy, sand-, sabulous
حَجَرٌ رَمْلِيّ sandstone
سَاعَةٌ رَمْلِيَّة sandglass, hourglass
رَمَّمَ : أَصْلَحَ to repair, fix, overhaul, mend, restore (to good condition), recondition, rebuild
رَمْي : قَذْف throw(ing), cast(ing), fling(ing), hurl(ing); pelting
رَمْي : إطْلاَقُ النَّار shooting, firing
رَمْيُ الرُّمْح javelin throw(ing), javelin
رَمْيُ القُرْص discus throw(ing), discus
رَمْيُ الكُرَةِ الحَدِيدِيَّة shot put, putting the shot
رَمْيَة : المَرَّةُ مِنْ رَمَى throw, cast, fling
رَمْيَة : طَلَق (نارِيّ) shot
رَنَّ to ring, toll; to ting, tinkle; to resound, resonate
رَنَا إلى to gaze at, stare at, look at
رَنَّان ringing, resounding, resonant
رَنَّة (حيوان) reindeer, caribou
رَنَّة : رَنِين ـ راجع رَنِين
رَنْد (نبات) laurel, bay laurel
رَنْكَة (سمك) herring

رَنَّمَ to intone, modulate, recite; to chant, sing; to hum
رَنِين ring(ing); toll(ing); ting; tinkle; resonance
رُهَاب : خَوْفٌ مَرَضِيّ phobia
رِهَان bet, wager; stake(s)
رهب : خاف to fear, dread; to be afraid, frightened, terrified
رَهَّبَ ـ راجع أَرْهَبَ
رَهْبَة awe, dread, veneration; fear, fright, alarm, terror, horror
رَهْبَنَة، رَهْبانِيَّة monasticism; monastic order, friary
رَهْط، رَهَط group; family; tribe
رَهَنَ to mortgage, pawn, pledge
رَهْن (ج رُهُون ورِهان) mortgage, lien, pawn, pledge, security
رَهْنٌ بِـ، رَهْنَ subject to
رَهْو (طائر) crane, demoiselle
رَهِيب terrible, awful, dreadful, fearful, frightful, horrible, gruesome
رَهِيف ـ راجع مُرْهَف
رَهِينَة hostage
رَوَى : سَقَى to irrigate, water; to give to drink, quench someone's thirst
رَوَى : حَكَى to narrate, relate, tell, recount; to transmit, pass on
رِوَائِي : قَصَّاص novelist, fictionist, romancer, storywriter, storyteller
رَوَاج circulation, currency; popularity; salability; (great) demand

الأَكْثَر رَوَاجاً bestseller, top
رُوَاق، رِوَاق portico; open gallery, colonnade; corridor, hallway
رِوَايَة novel, story, fiction; narrative, narration, tale; version
رَوَّبَ (اللَّبَنَ) to curdle, curd
رُوبِل : عُمْلَة رُوسِيَّة ruble
رُوبِيَان : إِرْبِيَان shrimp, prawn
رُوبِيَّة : عُمْلَة شَرْقِيَّة rupee
رُوتِين routine; red tape
رُوتِينِيّ routine, monotonous, monotone, humdrum
رَوْث : بَعْر dung, droppings, manure
رَوَّجَ : نَشَرَ to circulate, spread; to propagate, publicize; to popularize
رَوَّجَ البِضَاعَةَ أو المَبِيعات to promote merchandise, push the sale of
رَوَّحَ (عن) to refresh; to soothe, ease; to entertain, amuse, cheer up
رَوَّحَ عن نَفْسِهِ to amuse oneself, recreate, take recreation
رُوح : نَفْس soul, spirit
رُوح : عُصَارَة essence, extract
رُوحٌ رِياضِيَّة sportsmanship
رُوحٌ مَعْنَوِيَّة morale, spirit(s)
الرُّوحُ القُدُس Holy Spirit, Holy Ghost
رُوحِيّ، رُوحانِيّ spiritual; immaterial

رُوحِيّ : كُحُولِيّ — spirituous, alcoholic

رُوحِيَّة — spirituality; spirit

رُوزْنَامَة — calendar, almanac

رُوسْتُو — roast meat

رَوَّضَ — to tame, domesticate; to housebreak; to break (in); to train

رَوْضَة، رَوْض — garden; meadow

رَوْضَةُ الأَطْفال — kindergarten

رَوَّعَ : خَوَّفَ — to frighten, scare, alarm, horrify, terrify, terrorize

رُوع : قَلْب، عَقْل — heart, soul, mind

رَوْعَة : جَمَال — splendor, magnificence, glamor, charm, beauty, magic

رَوَّقَ — to clarify, clear, filter

رُوكْبِي : ضَرْبٌ مِنْ كُرَةِ القَدَم — rugby

رُوماتِزْم — rheumatism

رُومانْسِيّ، رُومَنْطِيقِيّ — romantic

رُومِيّ، دِيكٌ رُومِيّ (حيوان) — turkey

رَوَنْد، رِوَنْد (نبات) — rhubarb

رَوْنَق : بَهَاء، جَمَال — glamor; splendor, luster; beauty, grace

رَوِيَّة — deliberation, premeditation; deliberateness, patience; care

رُوَيْداً — slowly, gently, deliberately

رُوَيْداً رُوَيْداً — gradually, slowly

رِيّ، رَيّ — irrigation, watering

رِيَاء — hypocrisy, dissemblance

رِيَادِيّ — pioneer; pathfinding

رِيَاش : أَثَاث — furniture, furnishings

رِيَاضَة (بَدَنِيَّة) — sport(s), athletics, gymnastics, physical exercise(s), physical education

رِيَاضَة : رِيَاضِيَّات — mathematics

رِيَاضِيّ: خاصٌّ بالرِّيَاضَة (البَدَنِيَّة) — sport(s), sportive, sporty, athletic

رِيَاضِيّ : خاصٌّ بالرِّيَاضِيَّات — mathematical

(لاعِبٌ) رِيَاضِيّ — athlete, sportsman

(عالِمٌ) رِيَاضِيّ — mathematician

رِيَاضِيَّات — mathematics

رِيَال : عُمْلَةٌ عَرَبِيَّةٌ إلخ — riyal; rial

رَيَّان — succulent, juicy, fresh, tender

رَيْب، رِيبَة — doubt, suspicion, distrust, uncertainty, misgiving, dubiosity, dubeity

بِلا رَيْب — undoubtedly, no doubt, certainly, sure, for sure, of course

رِيبَاس (نبات) — gooseberry, currant

رَيْثَمَا — pending; until, till

رِيجِيم : حِمْيَة — diet; dietary, regime(n)

رِيح : هَوَاءٌ مُتَحَرِّك — wind

رَيْحَان (نبات) — basil, sweet basil

رِيش : كِسَاءُ الطَّائِر — feather(s), feathering, plumage, plume

رِيشَة (الطَّائِر) — feather, plume, quill

رِيشَة : قَلَم ، يَرَاع	pen, quill
رِيشَة : فُرْشاة الرَّسْم	(paint)brush
رِيشَةُ المِرْوَحَةِ إلخ	blade; vane
رَيْع : دَخْل	revenue, income, proceeds, earnings; yield, produce
رَيْعان	prime, bloom, heyday
رِيف	country(side), rural area
رِيفِيّ	rural, rustic, country
رِيق : لُعَاب ، رُضَاب	saliva, spittle
رِيم : غَزَالٌ أَبْيَض	addax, white gazelle, white antelope

ز

زائِد : إضافِيّ additional, extra; excess, surplus; excessive

زائِد : مَع plus, in addition to

زائِر visitor, caller; guest

زائِف false, counterfeit, forged, falsified, fake, phony, pseudo, sham, unreal, mock, imitative, imitation

زائِل transient, transitory, ephemeral, evanescent, short-lived

زُؤان (نبات) darnel

زُؤانَة : بَثْرَة blackhead, comedo

زِئبر : وَبَر nap; fuzz, fluff, pile, down

زِئبق (معدن) mercury, quicksilver

زاحِف، زاحِفَة creeping, creepy, crawling; reptilian; reptile

زَواحِف reptiles, reptilians

زاحَمَ : نافس to compete with, vie with, contend with; to rival, emulate

زادَ : كَثُرَ، كَبُرَ to increase, grow, augment, intensify, heighten; to be(come) more, great(er), large(r)

زادَ عن أو على to exceed; to be more than, above, over

زاد : رَفَعَ، كَثَّرَ to increase, augment, raise, step up, boost; to intensify, heighten, build up

زاد : مَؤُونَة provisions, supplies, supply, store(s), victuals

زَأَرَ (الأَسَدُ) to roar

زارَ (فُلاناً أو مَكاناً) to visit, pay a visit to, call on, drop in (on), call at, drop by (at)

زاغَ (عن) to deviate from, depart from, turn away from

زاغ (طائر) crow; jackdaw

زاكٍ (الزّاكي) - راجع زَكِيّ

زالَ to disappear, vanish, go (away); to cease to exist; to end

ما زالَ، ما يَزالُ، لَمْ يَزَلْ، لا يَزالُ still, yet; to continue to be; to continue to do, keep doing

زامَلَ : كانَ زَميلَهُ to be a colleague of

زانَ - راجع زَيَّنَ

زان (شجر وخشبه) beech

زاهٍ (الزّاهِي) bright, brilliant, shining, shiny, lively, vivid

زاهِد : ناسِك، مُتَنَسِّك ascetic
زاهِد : غَيْرُ مُهْتَم indifferent, apathetic, disinterested, uninterested
زاهِر : مُشْرِق bright, brilliant, shining
زاوَجَ (بَيْن) : قَرَن to couple, pair
زاوَجَ : ضاعَف to double, geminate
زاوَلَ to practice, pursue, engage in
زاوِيَة : رُكْن corner; nook
زاوِيَة [هندسة] angle
زاوِيَة : مَكانٌ صَغِيرٌ لِلصَّلاة prayer room, small mosque
زايَدَ to outbid, overbid, bid or offer more than; to bid up
زَئِير (الأَسَد) roar(ing)
زَبابَة : حَيَوانٌ كالفَأْر shrew
زَباد، سِنَّوْرُ (قِطُّ) الزَّباد civet cat
زَبّال garbage collector, scavenger, street sweeper, street cleaner
زُبالَة garbage, refuse, rubbish, waste, sweepings
زَبَد foam, froth; scum, dross
زُبْدَة، زُبْد butter; cream
زُبْدَة : صَفْوَة، خِيرَة cream, prime, pick, flower, top, elite
زُبْدَة : خُلاصَة، جَوْهَر extract(ion), essence, substance, gist, pith
زُبْدِيَّة : أَفوكادُو (نبات) avocado
زُبْدِيَّة، زِبْدِيَّة : سُلْطانِيَّة bowl
زَبَرْجَد : حَجَرٌ كَرِيم aquamarine

زَبْزَب (حيوان) badger
زَبَلَ، زَبَّلَ : سَمَّدَ to dung, manure
زِبْل، زِبْلَة : سَماد dung, manure
الزَّبُور (Book of) Psalms, Psalter
زَبُون client, customer, patron
زَبِيب raisin(s); currant(s), sultana(s)
زَجَّ : أَلْقَى، رَمَى to throw, hurl
زَجَّ : دَسَّ، أَقْحَم to shove, push; to force, press, squeeze
زَجَّ : وَرَّطَ to entangle, embroil, implicate, involve
زَجّاج glassmaker, glassman
زُجاج glass
زُجاجَة : قِطْعَةُ زُجاج piece of glass
زُجاجَة : قِنِّينَة bottle, flask, vial
زُجاجَةُ الإِرْضاع nursing bottle, feeding bottle
زُجاجِيّ glass, glassy, vitreous
زَجَرَ : مَنَع to restrain, check, prevent
زَجَرَ : نَهَر to scold, chide, rebuke, reprimand, reprove, upbraid
زُحار dysentery
زُحاف، زُحافَة ـ راجع زاحِف، زاحِفَة
زِحام ـ راجع زَحْمَة
زَحْزَحَ to move, budge, displace
زَحَفَ : دَبَّ to crawl, creep

زُحَل [فلك] Saturn
زَحْلَق to slide, glide, slip, slither
زَحَم : حَشَر to (over)crowd, throng; to jam, pack, jam-pack; to congest; to press, squeeze
زَحْمَة jam; crowd, throng; congestion
زَخَر بِـ to be full of, filled with, replete with, rich in; to abound in
زَخْرَف to ornament, adorn, embellish, garnish, decorate, (be)deck
زُخْرُف ornament, garnish, adornment, decoration, décor
زَخْرَفَة ornamentation, adornment, decoration, décor
زُخْرُفِيّ ornamental, decorative
زَخْم : دَفْع، قُوَّة momentum, impetus; thrust, force
زِرّ (ج أَزْرار) button; push button
زِرَاعَة agriculture; farming; cultivation, culture; planting, growing
زِرَاعِيّ agricultural, agrarian, farm
زَرَافَة، زُرَافَة (حيوان) giraffe
زَرَبَ (الماشِيَةَ) to pen (up), fold, impound, shut up, fence in
زَرِبَ (الماءُ) to flow; to run (out), leak, escape, seep
زَرَد : دِرْع (coat of) mail, armor
حِمَارُ الزَّرَد zebra
زَرَدِيَّة : كَمَّاشَةٌ صَغِيرَة pliers

زَرَّرَ to button, button up
زُرْزُور، زُرْزُر (طائر) starling
زَرَعَ to sow; to plant, raise, grow, crop; to cultivate
زَرْع : زِرَاعَة ـ راجع زِرَاعَة
زَرْع : نَبَاتٌ مَزْرُوع plant(s); crop(s)
زَرْعُ القَلْبِ heart transplant
زَرَقَ الطَّائِرُ to mute, drop excrement
زَرَقَ : حَقَنَ to inject, shoot, syringe, give an injection to
زَرِقَ : اِزْرَقَّ ـ راجع اِزْرَقَّ
زَرَق، زُرْقَة blueness, blue (color)
زَرْقَة : حُقْنَة injection, shot
زُرْقُطَة (حشرة) yellow wasp
زَرْكَش to brocade, embroider; to ornament, embellish, adorn
زَرِيّ disparaged; despicable, miserable, wretched, poor; inferior
زِرْياب (طائر) jay
زَرِيبَة : حَظِيرَة pen, yard, corral, fold, stockade, zareba, pound
زَرِيعَة : نَبَاتٌ مَزْرُوع plant(s); crop(s)
زُرَيْقاء : رَبَاح، حَيَوَانٌ كَالسُّنُّور genet
زَعَامَة : قِيَادَة، رِئَاسَة leadership
زَعْتَر (نبات) thyme
زَعِجَ ـ راجع أَزْعَجَ
زُعْرُور (نبات) azarole, thorn, medlar
زَعْزَع to shake, convulse, unsettle

زَعْفَران (نبات) saffron, crocus
زَعَق: صاحَ، صَرَخَ to cry, yell, shout, scream, shriek, screech, squall
زَعَم: اِدَّعَى to allege, claim, maintain, pretend, purport, contend
زَعْم allegation, claim, contention
زِعْنِفة، زَعْنَفة (السَّمَك) fin (of fish)
زَعِيم: رَئِيس leader, chief, head, boss, strongman
زَغَب down, pile, fluff, fuzz, nap
زُغْبَة: حَيوانٌ مِنَ القَوارِض dormouse
زِغْبِر، زُغْبُر nap; fluff, fuzz, down
زَغْرَدَ to utter trilling cries of joy
زَغْرَدَة shrill, trilling cries of joy
زَغَل: غَشَّ to adulterate; to debase
زُغْلول squab, young pigeon
زُغَيم (طائر) cutthroat
زَفَّ العَرُوسَ to carry home the bride in procession; to give away (in a marriage ceremony)
زَفَّ البُشْرَى أو الخَبَرَ إلى to bring or announce good news to
زِفاف wedding, wedding ceremony, marriage, marriage ceremony
زَفَّتَ to pitch; to asphalt, blacktop
زَفَّة (العُرْس) (wedding) procession
زِفْت pitch; asphalt, blacktop
زَفَرَ to exhale, expire, breathe out
زَفَر (عِنْدَ المَسِيحِيِّين) greasy food
زَفِير exhalation, expiration, expiry
زِقّ: قِرْبَة (water)skin; bottle
زُقاق: طَرِيقٌ ضَيِّق lane, alley(way)
زُقَّة (طائِرٌ مائِيّ) darter, snakebird
زَقْزاق (طائر) plover; dotterel
زَقْزاقٌ شامِيّ (طائر) lapwing, peewit
زَقْزَقَ الطّائِرُ to chirp, cheep, tweet
زُقَيْقِيَّة: طائِرٌ مُغَرِّد linnet
زَكَّى: نَمَّى to increase, develop
زَكَّى: طَهَّرَ to purify, chasten
زَكَّى (مالَهُ) to give alms or charity, pay the alms tax
زَكَّى: أَوْصَى بِـ to recommend
زَكاة [شريعة إسلامية] almsgiving, alms, charity; alms tax
زُكام: رَشْح (common) cold, coryza
زُكْرَة: سُرَّةُ البَطْن navel, umbilicus
زُكِمَ to catch (or take) a cold
زَكِيّ: طاهِر، صالِح pure, chaste; innocent; righteous, virtuous
زَكِيّ: عطِر fragrant, sweet-smelling
زَلَّ: زَلِقَ، كَبا to slip, trip, stumble
زَلَّ: أَخْطَأَ to slip, lapse, stumble, blunder, trip, err
زَلابِيَة pancake, crepe
زِلَّاج - راجع مِزْلاج

زَلّاجة ـ راجع مَزْلَج ، مِزْلَجَة
زُلال [كيمياء] albumin, albumen
زُلالُ البَيْض albumen, white of egg
ماءٌ زُلال fresh pure (cold) water
زَلَّة slip, lapse, stumble, trip, misstep; (slight) fault, error
زَلَّةُ لِسان slip of the tongue
زِلْزال earthquake, quake, seism
زَلْزَلَ to shake, rock, convulse
زَلَقَ ، زَلِقَ to slip, stumble, trip; to slide, glide, skid, slither
زَلِق ، زَلْق slippery, slippy, slick, slithery, greasy, soapy
زَلَم (حيوان) hyrax, daman, dassie
زَلَم (نبات) chuffa; groundnut
زَمَّ to tighten; to tuck, pucker, draw together; to constringe, constrict
زَمّار : عازِفُ المِزْمار piper, flutist
زَمّارُ الرَّمْل (طائر) sandpiper, sandlark, sandplover, sandsnipe
زَمّارَة ـ راجع مِزْمار
زَمّارَة : صَفّارَةُ الإنْذار (warning) siren
زَمالَة colleagueship, fellowship
زِمام rein(s), bridle; halter, leash
زِمامُ الأَمْرِ أو الحُكْم (reins of) power or government, control
زَمان ـ راجع زَمَن
زُمّت : غُرابٌ أَعْصَم chough
زُمَّجُ الماء (طائر) (sea) gull, mew
زَمْجَرَ to roar; to snarl, growl
زُمْرَة : جَماعَة group, clique, coterie, set, circle, troop, company
زُمْرَةُ الدَّم blood group, blood type
زُمُرُّد : حَجَرٌ كَرِيم emerald
زَمَن time; period; age, epoch, era
زَمَنِيّ : دُنْيَوِيّ temporal, worldly
زَمَنِيّ : عِلْمانِيّ lay, laic(al), secular
زَمْهَرِير bitter cold, severe frost
زَمِيل : رَفِيق colleague, associate, companion, comrade, fellow
زِناد (البُنْدُقِيَّة) cock, hammer; firelock, gunlock; trigger
زُنّار : حِزام belt, girdle; waistband
زُنْبُرُك ، زُنْبَرَك spring; spiral spring
زَنْبَق ، زَنْبَقَة (نبات) lily
زُنْبُور : دَبُّور (حشرة) hornet; wasp
زِنَة ـ راجع وَزْن
زِنْجار : جِنْزار verdigris
زَنْجَبِيل (نبات) ginger
زِنْجِيّ ، زَنْجِيّ : أَسْوَد Negro, black
زِنْجِير : جِنْزِير ، سِلْسِلَة chain
زَنِخ : نَتِن rancid, rank
زَنْد [تشريح] forearm; cubitus; wrist
زَنْد (البُنْدُقِيَّة) ـ راجع زِناد

زَنْدَقَة atheism, unbelief, disbelief
زِنْدِيق : كافِر atheist, unbeliever, disbeliever, infidel
زَنَّر to belt, girdle, gird, wrap
زِنْزانَة (prison) cell; dungeon
زَنْزَلَخْت azedarach, chinaberry
زَنَقَ، زَنَّقَ to tighten, straiten; to jam, compress, squeeze
زَها (بِـ) : تَباهَى to boast (of), brag (of); to vaunt; to flaunt, show off
زَها . أَشْرَقَ to shine, gleam, beam
زُهاء : تَقْرِيباً about, approximately, around, roughly, nearly, almost
زَهَّار : بائِعُ الزُّهُور florist
زَهِدَ في to abstain from, abandon; to renounce worldly pleasures
زُهْد asceticism; renunciation, abstention; indifference, apathy
زَهْر : نَوْر flowers, blossoms
زَهْرُ النَّرْد، زَهْرُ الطَّاوِلَةِ إلخ dice
زَهْرَة flower, blossom, bloom
زَهْرَةُ الآلام passionflower, maypop
زَهْرَةُ الثَّالُوث pansy, heartsease
زَهْرَةُ الرَّبِيع primrose, primula
الزُّهْرَة [فلك] Venus
زَهْرِيّ : وَرْدِيّ pink; rosy, rose
زَهْرِيَّة : مَزْهَرِيَّة (flower) vase
زُهُورات : مَشْرُوبٌ كالشَّاي tisane, ptisan

زَهِيّ ـ راجع زاهٍ
زَهِيد insignificant, trivial, inconsiderable; slight, meager
زَواج : قِران marriage, matrimony, wedlock; wedding
زَواجِيّ ـ راجع زِيجِيّ
زَوال : انقِضاء disappearance, vanishing; cessation; end, lapse
زَوال : ظُهْر noon, midday
زُوان، زِوان ـ راجع زُؤان
زَوْبَعَة hurricane, whirlwind, cyclone, tornado, storm, tempest
زَوَّجَ to marry (off), give in marriage (to); to marry, wed, unite in wedlock, join in marriage
زَوْج : قَرِين husband, spouse, mate
زَوْج، زَوْجان : اثْنان pair, couple
زَوْجُ الابْنَة son-in-law
زَوْجُ الأُخْت brother-in-law
زَوْجُ الأُمّ stepfather, stepparent
زَوْجُ العَمَّةِ أو الخالَة uncle
زَوْجَة : قَرِينَة wife, spouse, mate
زَوْجَةُ الأَب stepmother, stepparent
زَوْجَةُ الابْن daughter-in-law
زَوْجَةُ الأَخ sister-in law
زَوْجَةُ العَمِّ أو الخال aunt
زَوْجِيّ : شَفْعِيّ even
زَوْجِيّ : مُزْدَوِج ـ راجع مُزْدَوِج

زَوْجِيّ، مُباراةٌ زَوْجِيَّة doubles
زَوْجِيّ : زِيجِيّ ـ راجع زِيجِيّ
زَوْجِيَّة ـ راجع زَوَاج
زَوَّدَ بـ to supply with, provide with, furnish with, equip with
زَوَّرَ to counterfeit, forge, falsify, fake, doctor, rig; to pirate
زَوْر [تشريح] thorax, chest
زُور : كَذِب falsehood, falsity, falseness, untruth, lie
زُور : كاذِب false, untrue
زُور : قُوَّة force
شاهِدُ زُور false witness
شَهادَةُ زُور false testimony, perjury
زَوْرَق : قارِب، مَرْكَب boat, dinghy, skiff, watercraft, launch
زَوْرَقُ النَّجاة lifeboat
زُوفَا، زُوفَى، زُوفاء (نبات) hyssop
زِيّ : لِبَاس dress, garment, attire, clothing, clothes; costume; uniform
على الزِّيِّ الحَدِيث fashionable, in fashion, stylish, a la mode
زِيادَة : ضِدّ نَقْص increase, increment, addition, growth; rise
زِيادَة : فَرْط، فائِض overabundance, excess, superfluity, surplus
زِيادَة : عِلاوَة increase, raise, allowance; bonus, premium
زِيادَة : رَفْع increasing, augmentation, raising, stepping up; intensification, heightening, increase, rise, step-up, hike
زِيارَة visit, call; visitation; tour
زَيَّتَ to oil, lubricate, grease
زَيْت : سائِلٌ لَزِجٌ لا يَذُوبُ في الماء oil
زَيْتُ الخِرْوَع castor oil
زَيْتُ السَّمَك cod-liver oil
زَيْتُ الوَقُود fuel oil
زَيْتُون، زَيْتُونَة olive(s); olive tree(s)
زَيْتِيّ oily, oil, oleic, oleaginous
زَيْتِيّ (اللَّوْنِ) olive-green, oil-green
لَوْحَةٌ زَيْتِيَّة oil painting, oil
زِيجَة ـ راجع زَوَاج
زِيجِيّ marital, matrimonial, conjugal, connubial, nuptial, married
زِيز، زِيزُ الحَصَاد (حشرة) cicada, cicala
زَيْزَفُون (نبات) linden, basswood
زَيَّفَ : زَوَّرَ to counterfeit, forge, falsify, fake, doctor, rig
زَيْف falseness, falsity, unreality
زَيَّنَ to adorn, ornament, embellish, garnish, decorate, (be)deck, dress
زَيْن : حَسَن beautiful, handsome, nice; good; fine, well
زِينَة embellishment, ornament, adornment, decoration, décor
زِينِيّ ornamental, decorative

س

سَـ : سَوْفَ will, shall

ساءَ to be bad, poor; to deteriorate, worsen, become worse or aggravated

ساءَهُ الأَمْرُ to sadden, grieve; to displease, annoy, vex, offend

سائِب left, abandoned, forsaken; loose, free, unrestrained

سائِح : مُسَافِر tourist; traveler

سائِد : مُسَيْطِر ruling, governing; prevailing, (pre)dominant, common

سائِر : ماشٍ walking, going on foot; walker, pedestrian

سائِرُ الـ . . . : بَقِيَّة ، كُلّ the remaining, the rest of, the other; all (of), the whole of, every, each

سائِس (الخَيْلِ) stableman, groom

سائِغ : لَذِيذ palatable, tasty, savory; pleasant; agreeable

سائِق driver, motorist; chauffeur

سائِقُ التّاكسِي taxi driver, taximan, cabdriver, cabman

ساءَلَ : حاسَبَ to call to account

سُؤَال : اِسْتِفْهام question; inquiry

سائِل : مَنْ يَسْأَلُ سُؤَالاً questioner, asker, inquirer

سائِل : مُسْتَعْطٍ beggar, mendicant

سائِل : مائِع ، ضِدّ جامِد liquid, fluid; flowing, running, streaming

سائِل ، مادَّة سائِلَة liquid; fluid

سابِح swimmer, bather; swimming

سابِع ، السّابِع (the) seventh

سابَق to race (with)

سابِق : آنِف previous, preceding, prior, earlier, former, ex-, onetime

سابِق : سَبّاق ـ راجع سَبّاق

سابِقاً ، في السّابِق previously, formerly, earlier, before, once

سابِقٌ لأَوانِه premature, (too) early, precocious

سابِقَة (قانُونِيَّة إلخ) precedent

ساتِر : حاجِز ، مِتْراس screen; mound, rampart; barrier, obstacle, block

ساج (شَجَرٌ وخَشَبُهُ) teak

ساحَ : سافَرَ to tour, travel, journey,

voyage, cruise, roam, rove
ساحَ : جَرَى to flow, run, stream
ساحِب (الحَوَالَةِ أو الشِّيك) drawer
ساحَة square, plaza; courtyard; yard, court; arena, field
ساحَةُ القِتَال battlefield
ساحِر : مُشْتَغِلٌ بالسِّحْر magician, sorcerer, wizard, enchanter, charmer
ساحِر : فاتِن charming, fascinating, enchanting, captivating, magic
ساحِرَة witch, sorceress, enchantress
ساحِق crushing, smashing, overwhelming, sweeping, extensive
ساحِل coast, shore, seashore, seacoast, seaboard, seaside
ساحِليّ coastal, littoral, seaboard
ساخِر sarcastic, ironic(al), satiric(al), mocking, derisive, cynical
ساخِط discontent(ed), dissatisfied
ساخِن : حارّ، دافِىء hot; warm
سادَ : حَكَمَ to be master (of, over); to rule, dominate
سادَ : عَمَّ to prevail (in), reign (in), predominate (in)
سُؤْدُد، سُؤْدَد : مَجْد glory, honor; eminence, prestige, dignity
سادِس، السَّادِس (the) sixth
ساذَج، ساذِج naive, ingenuous, innocent, artless, guileless, simple
سارَ : مَشَى to walk, go on foot; to march
سارَ : تَحَرَّكَ، تَقَدَّمَ to move (on, along), be in motion; to go, get going; to proceed, advance
سارَ : اِشْتَغَلَ، دارَ to run, function, work, operate, go
سارَ على : اِتَّبَعَ to follow, pursue
سارّ : بَهِيج، مُفْرِح delightful, pleasant, cheerful, happy, glad, joyful, bright
سارٍ (السَّارِي) : مُعْدٍ contagious, infectious, communicable
سارٍ، سارِي المَفْعُول effective, operative, in effect, in force
سارَعَ (إلى) to hurry (to), hasten (to), rush (to), dash (to), run (to)
سارِق : لِصّ thief, robber, burglar, housebreaker
سارِيَة : عَمُود column; pole, post
ساسَ : حَكَمَ to govern, rule
ساسَ الخَيْلَ to groom, tend
ساطِع glaring, glary, radiant, bright, luminous, shining; obvious, clear
ساطُور cleaver, butcher's knife
ساعٍ (السَّاعِي) : رَسُول messenger, courier; office boy, delivery boy
ساعٍ : نَمَّام calumniator, slanderer; informer, informant
ساعِي البَرِيد postman, mailman
ساعاتِيّ watchmaker; horologist
ساعَة : سِتُّونَ دَقِيقَة hour

ساعَة : آلَةٌ يُعْرَفُ بِها الوَقْتُ clock, watch, timepiece
ساعَدَ : عاوَنَ to help, aid, assist, support, back up
ساعَدَ على to contribute to, lead to; to help, promote
ساعِد [تشريح] forearm, cubitus
ساعِدَة : رافِد tributary, branch
سافَرَ to travel, journey, voyage, go on or make a journey or trip; to leave, depart, go away
سافِر : كاشِفَة عن وَجْهِها unveiled
سافِر : فاضِح barefaced, open, blatant, flagrant, gross, outrageous
سافِل low, base, mean, ignoble, vile; dirty, obscene, vulgar
ساقَ to drive; to carry (along), transport; to convey, bring
ساق : ما بَيْنَ الرُّكْبَةِ والقَدَم leg, shank
ساقُ الشَّجَرَة trunk, stock, bole
ساقُ النَّبْتَة stem, stalk, shank
ساقِط : واقِع falling, dropping, tumbling; sinking; fallen, dropped
ساقِط : راسِبٌ في امْتِحان failing, flunking; failure
ساقِيَة : جَدْوَل rivulet, rillet, brooklet
ساقِيَة : ناعُورَة waterwheel, noria
ساكِت silent; quiet, calm, still
ساكِن : هادِئ calm, still, motionless, tranquil, quiet, at rest
ساكِن : مُقِيم inhabitant, resident, dweller, occupant, lodger
سُكّان population, inhabitants
سَأَلَ (عن) to ask, question, inquire
سَأَلَ : طَلَبَ to ask for, request; to call upon, appeal to, entreat
سَأَلَ : اِسْتَعْطَى to beg, ask for alms
سالَ : جَرَى to flow, run, stream
سالِب : ضِدّ مُوجَب negative
سالِف : سابِق previous, former, preceding, prior, earlier, past, old
سَوالِف sideburns
سالِفاً previously, formerly
سالِفُ العَرُوس (نبات) amaranth
سالِك passable, clear, open
سالَمَ to make peace with
سالِم : سَلِيم ـ راجع سَلِيم
سَئِمَ to be bored (with), fed up (with), tired (of), sick (of)
سَأَم boredom, weariness, ennui
سامّ : مُسِمّ poisonous; toxic, toxicant
سامُّ أَبْرَص : أَبُو بُرَيْص gecko
سامٍ (السّامِي) high, lofty, exalted; sublime; high-minded
سامَحَ to forgive, pardon, excuse
سانِح favorable, good, opportune
سانَدَ : آزَرَ to support, sustain, back (up), stand by; to assist, aid
ساهَمَ (في) to contribute to, share in, participate in, take part in
ساوَى : عادَلَ، بَلَغَ to equal, be equal

to, be equivalent to, be worth

ساوَى (بـ، بَيْن) - راجع سَوَّى (بَيْن)

ساوَى بينَهُم - راجع سَوَّى

ساوَرَ to overcome, grip, preoccupy; to trouble, worry, disturb

ساوَمَ to bargain (with), haggle (with), chaffer (with)

سايَرَ to humor, comply with (some-one's wishes); to keep pace with

سَبَّ : شَتَمَ to curse, swear (at); to in-sult, call (somebody) names

سَبَى : أَسَرَ to capture, take captive, take prisoner

سَبّابَة forefinger, index finger

سُبات : نَوْم lethargy, torpor; dorman-cy; sleep, slumber

سِباتِيّ (في ورق اللعب) club

سَبّاح : سابِح swimmer, bather

سِباحَة swimming, natation, bathing

سَبّاق forerunner, precursor; first; winner (in a contest)

سِباق race, racing, run(ning)

سِباقُ الخَيْل horse racing, horse race

سِباقُ سَيّارات rally

سِباقُ الضّاحِيَة cross-country

سَبّاك (المَعادِن) founder

سَبّاك : سَمْكَرِيّ plumber

سَبانِخ، سَبانِغ (نبات) spinach

سَبَّبَ to cause, occasion, give rise to, result in, bring about, prompt, produce, make, create, generate

سَبَب : عِلَّة reason, cause, motive

سَبَب : وَسِيلَة means, medium

بِسَبَبِ (كَذا) because of, for, due to, owing to, in view of, as a result of

سَبَبِيّ causal, causative

السَّبْت (يوم) Saturday

سِبْتَمبر : أَيْلُول September

سَبَحَ : عامَ to swim, bathe

سَبَّحَ (بِحَمْدِهِ) to praise, glorify, extol

سُبْحانَ اللهِ، سُبْحانَهُ glory to God! praise the Lord!

سُبْحانَ اللهِ عن God is far above...

اللهُ سُبْحانَهُ وتَعالَى God to Whom be ascribed all perfection and majesty

سُبْحَة : مِسْبَحَة rosary, beads

سَبِخَة، سَبْخَة salina, marsh, swamp

سُبَد (طائر) goatsucker, nighthawk

سَبَرَ (غَوْرَه) to probe, sound, explore; to fathom, plumb

سِبِرْتُو alcohol, spirit

سَبْط : مُسْتَرْسِل lank, straight

سَبُع، سَبْع : حَيَوانٌ مُفْتَرِس beast of prey, predatory animal

سُبْع (١/٧) (one) seventh

سَبْعَة (٧) seven

سَبْعَةَ عَشَرَ (١٧) seventeen

سَبْعُون (٧٠) seventy

سَبَق : تَقَدَّم على to precede, antecede, forego; to antedate, predate

سَبَق : تَجاوَزَ to outstrip, outdistance, overtake, pass, go past

سَبَّقَ السَّاعَةَ to set forward

سَبْق : تَقَدُّم ، أَوْلِيَّة antecedence; precedence, priority

سَبْق صُحُفِي scoop, beat

سَبَكَ to found, cast, smelt; to mold; to shape, form, formulate

سَبَلَة : سُنْبُلَة ear, spike

سَبَلَة (اللِّحْيَةِ) whiskers

سَبُّورة : لَوْح blackboard, board

سِبِيدج : حَيَوانٌ بَحْرِيّ squid, sepia, cuttlefish, pen fish

سِبِيرْتُو alcohol, spirit

سَبِيكَة ingot, bar, bullion, cast

سَبِيل : طَرِيق ، وَسِيلَة way, road, path, track, course, route; channel; access; means, medium

سَبِيل (لِلشُّرْب) drinking fountain

في سَبِيل for (the sake of), toward

سِتار : حِجاب veil, screen; cover(ing)

سِتارَة : بُرْدايَة curtain, drape(s), drapery; blind(s), venetian blind(s)

سِتَّة (٦) six

سِتَّةَ عَشَرَ (١٦) sixteen

سْتُدِيُو studio; atelier

سَتَرَ ، سَتَّرَ to cover, veil, screen; to hide, conceal, mask; to disguise; to shelter, shield, protect

سِتْر shelter, shield, protection, screen; cover(ing); veil

ستراتِيجِيّ strategic(al)

ستراتِيجِيَّة strategy

سُتْرَة ، سِتْرَة jacket; coat; tunic

سَتَّفَ to stow, steeve, stack, store

سْتِنْسِل stencil

سْتُودِيُو studio; atelier

سِتُّون (٦٠) sixty

سْتِيرِيُو stereo

سَجَّى (المَيْتَ) to (en)shroud; to lay out

سَجَّادَة carpet, rug

سِجال competition; ups and downs

سَجَّان jailer; warden; prison guard

سَجَدَ to prostrate oneself (in worship), genuflect

سَجْدَة genuflection, prostration (in prayer)

سَجَعَ ، سَجَّعَ (الكَلامَ) to rhyme

سَجْع rhymed prose, rhyme

سُجُق sausage

سَجَّل : دَوَّنَ ، قَيَّدَ to register, record, enter, write down, note (down)

سَجَّل (ـهُ عُضْواً) to enroll, register

سَجَّل (على شَرِيط) to record, tape, tape-record

سَجَّلَ إصَابَةً أو هَدَفاً إلخ to score (a hit, a goal, etc.)
سِجِلّ register, record, book; log, logbook; journal; list
سِجِلَّات records, archives
سَجَنَ to jail, imprison, lock up, confine, detain, hold in custody
سِجْن : حَبْس prison, jail, lockup
سَجِيَّة nature, natural disposition
سَجِين prisoner, prison inmate
سَحَاب، سَحَابَة : غَيْم cloud(s)
سَحَّاب (لِلثِّيَاب) zipper, zip (fastener)
سَحَبَ : جَرَّ to pull, draw (off), drag, haul, tug, tow; to trail along
سَحَبَ : اِسْتَرْجَعَ to withdraw, draw back, take back, recall
سَحَبَ : تَرَاجَعَ عن to retract, recant, withdraw, take back
سَحَبَ شِيكاً أو وَرَقَةً to draw
سَحَجَ to scrape off, abrade
سَحَرَ to bewitch, witch; to charm, fascinate, spellbind, thrill
سَحَر time before daybreak
سِحْر : صِنَاعَةُ السَّاحِر magic, witchcraft, sorcery, wizardry
سِحْر : فِتْنَة magic, charm, charisma, glamor; fascination, bewitchment
سِحْرِيّ magic(al), sorcerous
سَحَقَ : دَقَّ to crush, pound, grind, bruise, powder, pulverize
سَحَقَ : قَضَى على to crush, suppress, repress, stifle, quell, quash, put down, squelch, smash, destroy
سَحْلَب salep; saloop
سِحْلِيَّة : عَظَاءَة lizard
سَحْنَة، سِحْنَة appearance, look(s), mien, air, aspect, visage
سُحْنُون : طَائِرٌ مَائِيّ gallinule
سَحِيق : بَعِيد remote, distant, far
سَحِيق : مُمْعِنٌ في القِدَم immemorial, ancient, very old
سَحِيق : عَمِيق bottomless, deep
سَخَا ـ راجع سَخِي
سَخَاء : كَرَم generosity, liberality
سَخَافَة ـ راجع سُخْف
سَخَّان، سَخَّانَة heater; boiler
سَخِرَ بِـ أو مِنْ to mock (at), ridicule, make fun of, laugh at, sneer
سَخَّرَ to exploit; to utilize, use
سُخْرَة forced (or unpaid) labor
سُخْرِيَة sarcasm, mockery, ridicule
سُخْرِيَةُ القَدَر irony
سَخِطَ to be discontented, resentful
سُخْط، سَخَط discontent, dissatisfaction, indignation, resentment
سُخْف silliness, absurdity, ridiculousness, foolishness, nonsense
سَخَنَ، سَخُنَ، سَخِنَ to heat, warm (up), be(come) hot or warm

سَخَّنَ to heat, warm (up), make hot or warm
سُخْن : حارّ، دافِىء hot; warm
سُخُونَة : ضِدّ بُرُودَة heat, hotness; warmth, warmness
سُخُونَة : حُمَّى fever, temperature
سَخِيَ to be generous, liberal
سَخِيّ generous, liberal, openhanded, freehanded, bountiful
سَخِيف silly, stupid, absurd, ridiculous, foolish
سَدَّ to plug up, close up; to seal, shut (off); to block (up), obstruct
سَدَّ ثُغْرَةً to fill, bridge, close (a gap)
سَدَّ حاجَةً to fulfill, satisfy, fill, meet
سَدّ : حاجِز، حِصْن block, barrier, bar; barricade, rampart, bulwark
سَدّ : خَزَّان dam
سَدّ (لِمَنْعِ الفَيَضان) levee, dike
سُدًى : عَبَثًا in vain, vainly, to no avail, unavailingly, uselessly, futilely
سِدَاد، سِدَادَة plug, stopper, stopple, cork, tap, spigot; seal
سُدَّة : مَنْصِب position, post, office
سَدَّدَ : دَفَعَ to pay, settle, clear
سَدَّدَ : صَوَّبَ، وَجَّهَ to aim (at), point (at), direct (to), deliver (at)
سَدَّدَ (خُطاهُ) to guide, direct, lead, show the right way to
سُدْس، سُدُس (١/٦) (one) sixth
سَدَلَ، سَدَّلَ ـ راجع أَسْدَلَ

سَدِيد : صائِب apposite, relevant, apt, right, correct, sound
سَدِيم haze; mist; nebula
سَذَاجَة naiveté, naivety
سَرَّ : أَفْرَحَ to delight, gladden, make happy; to please, satisfy
سُرَّ to be pleased (with), delighted (at), happy (at), glad (at)
سِرّ (ج أَسْرار) secret; mystery
سِرًّا، في السِّرّ secretly, in secret
سَرَى : ذاعَ، اِنْتَشَرَ to circulate, go around, spread, get about
سَرَى : جَرَى to flow, run, stream
سَرَى (مَفْعُولُهُ) to come into force, take effect; to be(come) effective, operative, valid
سَرَى على to apply to, be applicable to, hold good for, be true of
سَرَّاء joy; good times
في السَّرَّاءِ والضَّرَّاءِ for better or for worse, in sorrow and in joy, in good days and bad days
سَرَاب mirage; phantom
سِرَاج : نِبْراس، مِصْباح lamp; light
سَرَاح dismissal; release, discharge
أَطْلَقَ سَرَاحَهُ to release, discharge
سُرَادِق pavilion; canopy
سَرَّاق ـ راجع سارِق
سَرَاي، سَرَايَا palace; government house

سَرَّبَ to leak; to infiltrate
سِرْب : قَطِيع flock, herd, drove
سِرْبٌ مِنَ الطُّيُور flight, flock, bevy
سِرْبٌ مِنَ الطَّائِرات squadron, flight, formation, wing, group
سُرَّة (البَطْن) navel, umbilicus
سَرْج (الدَّابَّة) saddle; packsaddle
سَرَحَ : خَرَجَ to go out; to go away
سَرَّحَ المُوَظَّف to discharge, dismiss, fire, sack, lay off
سَرَّحَ المَوْقُوفَ أو السَّجِين to release, discharge, let go, free, set free
سَرَّحَ الشَّعْر to comb, do (up), dress, style, coif, coiffure
سَرْخَس (نبات) fern, bracken
سَرَدَ : عَدَّدَ to enumerate, list
سَرَدَ : رَوَى to relate, recite, recount; to present, set forth, state
سِرْداب vault, cellar; crypt; tunnel
سَرْدِين : سَمَكٌ صَغِير sardine(s)
سَرَطان : سَلَطَعُون crab
سَرَطان (مرض) cancer
بُرْجُ السَّرَطان [فلك] Cancer
سَرُعَ ، سَرِعَ to be quick, fast, rapid
سَرَّعَ to speed up, accelerate, expedite, hasten, hurry, quicken
سُرْعانَ ما soon, before long
سُرْعَة speed, velocity, pace; haste, hurry, quickness, fastness, rapidity, swiftness, promptness
بِسُرْعَة quickly, fast, promptly, rapidly, speedily, swiftly, in a hurry
سُرْعُوف (حشرة) mantis, soothsayer
سُرْغُوس (سمك) sargo
سَرَقَ to steal, pilfer; to burglarize; to rob, rip off; to hold up
سَرِقَة stealing, pilfering; theft, larceny; robbery; rip-off; burglary; holdup, armed robbery
سِيرْك : سِيرْك circus
سُرْمان : يَعْسُوب (حشرة) dragonfly
سَرْمَدِيّ eternal, perpetual, everlasting, endless; undying, immortal
سَرْو (شَجَرٌ وخَشَبُهُ) cypress
سِرْوال : بَنْطَلُون trousers; pants
سِرْوالٌ تَحْتِيّ underpants, drawers
سُرُور joy, delight, happiness, gladness, cheer(fulness); pleasure
سِرِّيّ secret; private, confidential, classified; covert, stealthy, clandestine, underhand(ed), undercover, underground
سَرِيَّة : قِطْعَةٌ مِنَ الجَيْش company; detachment, brigade
سَرِيَّةُ الإطْفاء fire brigade
سَرِيَّةُ خَيَّالَة (cavalry) squadron
سِرِّيَّة secrecy; privacy, confidentiality; covertness, underhandedness
سَرِير : تَخْت، مَرْقَد bed; bedstead
سَرِيرَة inner self, inward thoughts or

feelings; intent(ion), purpose

سَرِيع fast, quick, rapid, speedy, swift, prompt, hurried, instant

سَرِيعاً soon; quickly, promptly, rapidly, fast; immediately, at once

سِشْوار hair dryer, hair blower

سَطَا على to burglarize, rob, seize, usurp; to break in(to), attack

سِطَام plug, stopper, cork, tap

سَطَحَ : بَسَطَ to spread (out), unfold

سَطَحَ : سَوَّى to level (off), flatten

سَطَحَ : بَطَحَ to stretch; to prostrate

سَطَّحَ ـ راجع سَطَحَ

سَطْح : وَجْه، ظاهِرُ الشَّيْء surface, face

سَطْح [هندسة] plane; surface

سَطْح (البَحْرِ) : مُسْتَوى (sea) level

سَطْحُ البَيْتِ أو البِناء roof, rooftop, housetop, terrace

سَطْحُ السَّفِينَة deck (of a ship)

سَطْحِيّ superficial, shallow; surface, external, outer, outside

سَطَرَ، سَطَّرَ : كَتَبَ to write (down); to compose, draw up, draft

سَطَرَ، سَطَّرَ : رَسَمَ خُطُوطاً to rule, line, draw lines; to streak, stripe, bar

سَطْر : خَطّ line

سَطَعَ : تَأَلَّقَ to glare, shine, radiate

سَطَعَ : فاحَ to spread, diffuse

سَطْل : دَلْو bucket, pail

سَطْو burglary, robbery; theft; usurpation; breaking in(to), attack

سَطْوَة influence, sway, authority; power, control; domination

سَطِيحَة (البَيْتِ إلخ) terrace

سَعَى (إلى، لِـ) : حاوَلَ to seek (to), attempt (to), endeavor (to); to strive for

سَعَى : عَمِلَ to work, be busy

سَعَى : تَحَرَّكَ to move, walk, go

سَعَى بِـ : نَمَّ على to slander, calumniate; to inform against, denounce

سُعَادَى (نبات) sedge

سَعَادَة happiness, bliss, felicity

صاحِبُ السَّعادَة His Excellency

سُعَار ـ راجع سُعْر

سُعَال cough; coughing

سَعَة : إسْتِيعاب capacity; volume

سَعَة (العَيْش) affluence, opulence, wealth; luxury; ease, comfort

سَعْتَر (نبات) thyme

سَعِدَ to be happy, lucky

سَعْد good luck, good fortune

سُعْد (نبات) galingale; sedge

سَعْدان (حيوان) monkey; ape

سَعَّرَ (النَّارَ أو الحَرْبَ) to kindle, start

سَعَّرَ (البِضاعَةَ أو السِّلْعَةَ) to price

سُعْر، سُعُر : جُنُون madness; frenzy

سُعْر : كَلَب rabies, madness

سُعْر : كالُورِي، وَحْدَةٌ حَرارِيَّة calorie

سِعْر : ثَمَن price; rate; quotation

سُعْرَة : كالُوري ، وَحْدَةٌ حَرارِيَّة calorie

سَعَف - راجع أَسْعَف

سَعَف (النَّخْلِ) palm leaves or branches, fronds

سَعَلَ : أَخَذَهُ السُّعَالُ to cough

سُعُودِيّ Saudi, Saudi Arabian

السُّعُودِيَّة ، المَمْلَكَةُ العَرَبِيَّةُ السُّعُودِيَّة Saudi Arabia

سَعُوط : نَشُوق snuff

سَعْي effort, endeavor, attempt; seeking, striving (for); pursuit

سَعِيد happy; blessed; lucky

سَعِير blaze, flame; fire; hell

سَفَّاح ، سَفَّاكُ دِمَاء butcher, assassin, killer; bloodthirsty, bloody

سِفارَة ، سَفارَة embassy

سَفَحَ : أَراقَ to shed, spill, pour out

سَفْح (الجَبَلِ) foot, versant

سَفَرَ (تِ المَرْأَةُ) to unveil her face, remove the veil

سَفَّرَ to send on a journey; to send (away), dispatch, ship

سَفَر : رَحِيل travel, journey, voyage, tour; traveling, journeying

سِفْر : كِتاب book

سَفْرَة : رِحْلَة journey, trip, voyage, travel, tour, excursion

سُفْرَة : مائِدَةُ الأَكْل dining table

سَفَرْجَل (نبات) quince

سَفَعَ ، سَفَّعَ to tan; to scorch, burn

سَفَكَ (الدَّمَ إلخ) : أَراقَ to shed, spill

سَفْكُ الدِّمَاء bloodshed

سُفْل ، سِفْل bottom, lowest part

سُفْلِيّ lower; inferior; downstairs

سَفَن : وَرَقُ الصَّنْفَرَة sandpaper

سَفَن (سمك) skate, ray

سَفَنْج ، سِفَنْج : إِسْفَنْج sponge

سَفُّود : سِيخ skewer, spit, brochette

سَفِير : مُمَثِّلُ دَوْلَة ambassador

سَفِين : إِسْفِين wedge, cotter; peg

سَفِينَة : مَرْكَب ship, boat, vessel

سَفِينَةٌ حَرْبِيَّة warship, battleship, man-of-war; gunboat

سَفِينَةٌ فَضائِيَّة ، سَفِينَةُ الفَضاء spaceship, spacecraft

سَفِيه : أَحْمَق foolish, stupid, silly

سَفِيه : بَذِيء obscene, vulgar

سَفِيه : مُبَذِّر spendthrift; prodigal

سَقَى to give (someone) to drink; to irrigate, water

سِقاء : قِرْبَة (water)skin

سَقَّاطَة (door) latch; click, catch

سِقالَة : إِسْقالَة scaffold

سِقَايَة ، سَقَّايَة : عَظَاءَة lizard

سَقْساق (طائر) plover, crocodile bird

سَقسَقَ الطَّائِرُ to chirp, cheep, tweet
سَقَطَ : وَقَعَ to fall (down), drop, tumble; to sink (down), decline
سَقَطَ في امْتِحان : رَسَبَ to fail, flunk
سَقَطَ : قُتِلَ، ماتَ to fall, be killed, die
لِيَسْقُطْ، فَلْيَسْقُطْ down with!
سَقَط (سَقْط) المَتاعِ rubbish, junk
سَقَفَ، سَقَّفَ to roof, ceil
سَقْف ceiling; roof, rooftop
سَقُمَ، سَقِمَ to be(come) sick or ill
سَقَم، سُقْم : مَرَض illness, sickness; ailment, disease, malady
سُقوط fall, falling (down), dropping, tumbling; decline, downfall
سُقُوطٌ في امْتِحان failure, flunk(ing)
سَقِيفَة shed, shelter, awning
سَقِيم : مَريض sick, ill, ailing; sickly, unhealthy, unwell
سَكَّ (النُّقودَ) to mint, coin, monetize
سَكَّاف : إسْكاف shoemaker, cobbler
سَكاكِر candy, sweetmeats, confectionery, confections; sweets
سُكَّان : دَفَّةُ السَّفِينَة rudder, helm
سُكَّان : جَمْعُ ساكِن ـ راجع ساكِن
سُكَّانِيّ demographic; population
سَكَبَ to pour (out), shed, empty
سَكَتَ to be(come) or keep silent or quiet, stop talking

سَكَّتَ ـ راجع أَسْكَتَ
سِكَّة : طَرِيق road, way; street; lane
سِكَّةٌ حَدِيدِيَّة railroad; railway
سِكِتْش sketch
سَكِرَ : ثَمِلَ to be (become, get) drunk or intoxicated
سَكَّرَ : حَلَّى بِالسُّكَّر to sugar, sweeten
سَكَّرَ : أَسْكَرَ ـ راجع أَسْكَرَ
سُكَّر sugar
سُكْر intoxication, drunkenness, inebriety
سِكْر : أَدَاةُ تَوَقُّفٍ أو تَسُدّ shutoff; sluice
سَكْران : ثَمِل drunk(en), intoxicated
سِكْرِتير، سِكْرِتيرَة secretary
سِكْرِتيرٌ عامّ secretary-general
سِكْرِتيرِيَة، سِكْرِتارِيَة secretariat
سُكَّرِيّ sugary, sugar, saccharine
داءُ (البَوْلِ) السُّكَّرِيّ diabetes
سُكَّرِيَّة : وِعاءُ السُّكَّر sugar bowl
سَكَّرِين saccharin
سَكَنَ (في) : قَطَنَ to live in, dwell in, reside in; to inhabit, populate; to settle (down) in, stay in
سَكَنَ : هَدَأَ to calm down, cool down; to be(come) calm, quiet, tranquil; to abate, subside, remit
سَكَّنَ : هَدَّأَ، خَفَّفَ to calm, cool,

quiet(en), tranquilize, lull; to soothe, relieve, ease, alleviate

سَكَّنَ : أَسْكَنَ ـ راجع أَسْكَنَ

سَكَن، سُكْنَى : إقامَة dwelling, living, residing; residence, stay

سَكَن : مَسْكِن ـ راجع مَسْكَن، مَسْكِن

سَكَنِيّ residential, housing-

سكواش [رياضة بدنية] squash

سَكُوت taciturn, reticent, silent

سُكُوت : صَمْت silence, quiet, hush

سُكُون : هُدُوء calm(ness), quiet(ness), tranquility, peace, stillness, repose, rest, inactivity

سِكِّير drunkard, drunk, alcoholic, hard or heavy drinker, tippler

سِكِّين، سِكِّينَة knife

سَكِينَة : طُمَأْنِينَة calm(ness), tranquility, peace(fulness), peace of mind

سَلّ ـ راجع سَلَّة

سُلّ، سِلّ (مرض) tuberculosis

سَلاَ : نَسِيَ to forget

سَلَّى : آنَسَ، أَلْهَى to amuse, entertain; to divert, distract

سِلاَح weapon, arm; arms, weapons, weaponry, armament

سِلاَحُ الطَّيَرانِ أو الجَوّ air force

سِلاَحُ البَحْر navy

سِلاَحُ المِدْفَعِيَّة artillery

سِلاَحٌ نارِيّ firearm, gun

بِالسِّلاَحِ الأَبْيَض with cold steel

سَلاَطَة : سَلَطَة salad

سُلاَلَة : نَسْل، ذُرِّيَّة progeny, offspring, descendants, issue

سُلاَلَة : نَسَب، أَصْل lineage, descent, ancestry, pedigree, stock; breed

سُلاَلَةٌ حاكِمَة dynasty

سَلاَم : سِلْم peace

سَلاَم : تَحِيَّة greeting, salutation, salute

سَلاَمَة safety, security; soundness

مَعَ السَّلاَمَة goodbye! farewell!

سَلَبَ : سَرَقَ to steal, rip off, rob, plunder, pillage, rifle, loot, (de)spoil, spoliate, ransack

سَلْب : سَرِقَة (de)spoliation, plunder(ing), pillage, loot(ing), robbery, theft, stealing, rip-off

سَلْب : نَفْي negation, negative

سَلْبِيّ negative, negatory; passive

سَلَّة : قُفَّة basket; frail; scuttle

سَلَّةُ المُهْمَلات wastebasket

سَلْجَم (نبات) turnip; rape, colza

سَلَحَ : ذَرَقَ to mute, drop excrement

سَلَّحَ : زَوَّدَ بِالسِّلاَح to arm, weapon

سُلَحْفاة (حيوان) turtle, tortoise

سَلَخَ : قَشَرَ، نَزَعَ to skin, flay; to detach, take off, strip off

سَلَخَ : أَمْضَى، قَضَى to spend, pass

سَلِس : لَطِيف، سَهْل mild, light, soft, smooth; pleasant, fluent, easy
سَلِس (القِيَادِ) docile, tractable
سَلْسَلَ : رَتَّبَ to seriate, sequence, arrange in a series or sequence
سِلْسِلَة chain; series; hierarchy
سِلْسِلَةُ جِبَال range, mountain chain
سِلْسِلَةُ الظَّهْر spinal column, spine, vertebral column, backbone
سِلْسِلَةُ النَّسَب genealogy, pedigree, lineage, line of ancestors
سَلَّطَ (على) : أَمَّرَ to set up as absolute master or ruler (over)
سَلَّطَ الضَّوْءَ على to highlight, shed light upon, spotlight, illuminate
سُلْطان : حاكِم sultan
سُلْطان : سَيْطَرَة، نُفُوذ authority, sovereignty, power, sway, influence
سُلْطان ابْراهِيم (سمك) red mullet
سُلْطانَة : مُؤَنَّثُ سُلْطان sultana
سُلْطانِيَّة : زُبْدِيَّة، قَصْعَة bowl; tureen
سَلَطَة : سَلاطَة salad
سُلْطَة : حُكْم authority, power, sway, command, control, dominion
السُّلْطَةُ الإجْرائِيَّةُ أو التَّنْفِيذِيَّة the executive, executive power
السُّلْطَةُ التَّشْرِيعِيَّة the legislative, the legislature, legislative power
السُّلْطَةُ القَضائِيَّة the judiciary, judicial power

السُّلُطاتُ المُخْتَصَّة the competent authorities
سَلْطَعُون : سَرَطان crab
سَلْطَنَة sultanate
سِلْعَة commodity, article, ware
سِلَع goods, merchandise, commodities, articles, wares
سَلَفَ : مَضَى to pass, elapse, go by
سَلَفَ : سَبَقَ to precede, antecede
سَلَّفَ : أَقْرَضَ to advance, lend, loan
سَلَف : جَدّ ancestor(s), forefather(s), grandfather(s), ascendant(s)
سَلَف (في مَنْصِب) predecessor
سَلَفاً in advance, beforehand
سِلْف (المَرْأةِ أو الرَّجُلِ) brother-in-law
سُلْفَة : قَرْض advance (payment), loan
سِلْفَة (المَرْأة) sister-in-law
سَلَقَ to boil, cook in boiling water
سِلْق (نبات) chard, white beet
سَلَكَ : تَصَرَّفَ to behave, act
سَلَكَ : اتَّبَعَ to follow, pursue; to proceed through, travel along
سِلْك : خَيْط wire, cable; string; line
سِلْك : مِلاك cadre; corps; body
سِلْكِيّ wire, wiry
سَلِمَ to escape danger; to be safe, secure; to be sound, intact
سَلَّمَ (إلى) : ناوَلَ to hand over (to),

hand in (to), submit (to), present to, deliver (to)
سَلَّمَ (مِنْ) : خَلَّصَ — to save, rescue; to protect, preserve, (safe)guard
سَلَّمَ على : حَيَّا — to salute, greet
سَلَّمَ بِـ : أَقَرَّ — to admit, acknowledge
سَلِّمْ (لي) عَلَيْه — give him my best regards! remember me to him!
سُلَّم : مِرْقاة — ladder
سُلَّم : دَرَج — stairs, staircase, stairway
سُلَّمٌ مُتَحَرِّكٌ او كَهْرَبائِيّ — escalator
سُلَّمٌ مُوسِيقِيّ — (musical) scale
سِلْم : سَلام — peace
سَلْمُون (سمك) — salmon
سِلْمِيّ — peaceful, peaceable, pacific
سَلْوَى : تَسْلِيَة ـ راجع تَسْلِيَة
سَلْوَى (طائر) — quail
سُلْوان : عَزاء — consolation, solace
سُلْوان : نِسْيان — oblivion, forgetting
سِلَّوْر (سمك) — catfish, silurid
سِلُوفان — cellophane
سَلُوقِيّ (مِنَ الكِلاب) — saluki, greyhound
سُلُوك : تَصَرُّف — behavior, conduct, manners; attitude
سُلُوكِيّ — behavioral
سَلِيَ : نَسِيَ — to forget
سَلِيط : وَقِح — impudent, insolent, pert, saucy, sharp-tongued
سَلِيقَة : طَبِيعَة — nature, natural disposition; instinct; intuition
سَلِيل : إبْن — descendant, offspring, son
سَلِيم — sound; intact, unimpaired, unharmed; flawless, unblemished; good; healthy, fit; correct
سَمَّ : سَمَّمَ — to poison; to (en)venom
سُمّ، سَمّ، سِمّ : مادَّةٌ سامَّة — poison, toxin, bane; venom
سُمّ، سَمّ، سِمّ : ثُقْبُ الإِبْرَة — eye, threading hole
سَمّ (ج مَسَامّ) : أَحَدُ ثُقُوبِ الجِلْد — pore
سَمَا : عَلَا — to rise (high), go up; to be high, lofty, exalted, sublime
سَمَّى : دَعَا بِـ — to name, call, designate
سَمَاء — sky, blue; heaven(s)
سَمَاحَة — magnanimity; generosity
صاحِبُ السَّمَاحَة — His Eminence
سَمَاد : زِبْل — fertilizer, manure, dung
سَمَار (نبات) — rush
سَمَاع — hearing, listening, audition
سَمَّاعَة (التِّلِفُون) — (telephone) receiver
سَمَّاعَة (الرّاديُو إلخ) — earphone, earpiece; headphone
سَمَّاعَة (الطَّبِيب) — stethoscope
سُمَّاق — sumac
سَمَاكَة : ثَخانَة ، غِلَظ — thickness
سَمَامَة (طائر) — swift

سَمَّان butter dealer; grocer
سُمَانَى (طائر) quail
سَمَانَة : بَدَانَة ـ راجع سِمْنَة
سِمَانَة grocery, grocery business
سَمَاوَر : إناءٌ لإعدادِ الشاي samovar
سَمَاوِيّ heavenly, celestial
سَمَاوِيّ (اللَّوْن) sky-blue, azure
سِمَة : عَلاَمَة mark, sign, token
سِمَة : مِيزَة characteristic, feature, mark, property, character, trait
سِمَة، سِمَةُ دُخول : تأشيرة، فِيزَا visa
سَمِج، سَمْج antipathetic, repugnant, repulsive; boring, dull
سَمَحَ (لِـ أو بِـ) : أجازَ، أذِنَ to allow, permit, let; to authorize, sanction
سَمَحَ بِـ : أعْطَى to grant, give
لا سَمَحَ اللهُ God forbid!
سَمْح magnanimous, generous, forgiving, largehearted, liberal
سَمَّدَ : زَبَّلَ to fertilize, dung, manure
سَمُرَ، سَمِرَ ـ راجع اِسْمَرّ
سَمَّرَ : ثَبَّتَ to nail, fasten
سَمَّرَ : جَعَلَهُ أسْمَر to tan, brown
سَمَر night chat, entertainment
سُمْرَة brownness, brown color; tan
سِمْسَار broker, jobber, middleman, agent, go-between
سَمْسَرَة brokerage; commission
سِمْسِم (نبات) sesame

سَمَطَ to depilate; to scald
سَمِعَ : أدْرَكَ بالأُذُن to hear
سَمِعَ (اللهُ لِـ)، سَمِعَ الدُّعاءَ to hear, accept, answer, grant, fulfill
سَمَّعَ : جَعَلَهُ يَسْمَع to make or let hear
سَمَّعَ الدَّرْسَ to recite, say
سَمْع hearing
سُمْعَة reputation, repute, standing
سَمْعِيّ auditory, audio; acoustic(al)
سَمْعِيّ بَصَرِيّ audiovisual
سِمْفُونِيَّة [موسيقى] symphony
سَمُكَ to thicken, be(come) thick
سَمَّكَ to thicken, make thick(er)
سَمَك، سَمَكَة fish
سَمَكُ التُّرْس turbot
سَمَكُ سُلَيْمان salmon
سَمَكُ السَّيْف swordfish
سَمَكُ مُوسَى sole
سُمْك : سَمَاكَة، ثَخَانَة thickness
سَمْكَرِيّ plumber, tinker; tinsmith, tinner, tinman, whitesmith
سَمَلَ عَيْنَهُ to gouge out, scoop out
سَمَل tatters, rags, worn clothes
سَمَّمَ to poison, envenom, venom
سَمِنَ to put on weight; to be(come) fat, corpulent, stout, obese
سَمَّنَ to fatten, plump (up), make fat
سَمْن، سَمْنَة (cooking) fat; (cooking)

butter; ghee; shortening
سُمْنَة (طائر) thrush, fieldfare
سِمْنَة، سِمَن fatness, corpulence, stoutness, obesity, overweight
سَمَنْدَل، سَمَنْدَر (حيوان) salamander
سُمُوّ highness, loftiness, sublimity
سُمُوُّ الأمِير His Highness, the Prince
صاحِبُ السُّمُوِّ المَلَكِيّ His Royal Highness
سَمُّور (حيوان) sable, beaver
سَمِيح ـ راجع سَمْح
سَمِيد، سَمِيذ semolina
سَمِير companion; entertainer
سَمِيع : مُسْتَمِع ـ راجع مُسْتَمِع
سَمِيك : ثَخِين، غَلِيظ thick
سَمِين fat, corpulent, stout, obese, overweight, plump, fleshy
سَنَّ : شَحَذَ، جَلَخَ to whet, sharpen, grind, hone, strop
سَنَّ قانوناً to enact or pass (a law); to legislate, make laws
سِنّ (الفم إلخ) tooth
سِنّ : عُمْر age
سِنّ : ثَلْم notch, indentation
سِنّ (الثوم) clove (of garlic)
سَنَا (نبات) senna, cassia
سَناً، سَنًى، سَنَاء : ضِياء brilliance, brightness, radiance, splendor
سَنَاء : رِفْعَة sublimity, highness

سِنَاتُور senator
سَنَام : حَدَبَةٌ في ظَهْرِ الجَمَل hump
سِنَان spearhead, arrowhead
سُنْباذَج : صَنْفَرَة emery
سُنْبُل، سُنْبُلَة ear, spike
سَنَة : عام، حَوْل year
سَنَةٌ دِراسِيَّة academic year; scholastic year, school year
سَنَةٌ شَمْسِيَّة calendar year
سَنَةٌ ضَوْئِيَّة light-year
سَنَةٌ كَبِيسَة leap year, bissextile
سُنَّة rubric, norm; rule; custom, practice, usage, tradition
سُنَّةُ الرَّسُول، السُّنَّةُ النَّبَوِيَّة Sunna (of the Prophet)
أَهْلُ السُّنَّة the Sunnites, the Sunnis
سِنَة (مِنَ النَّوم) doze, nap, sleep
سِنْت cent
سنترال (للتِلِفُون) (telephone) exchange, central, central office
سَنْتِيغراد، سَنْتِيغرادِيّ centigrade
سَنْتِيغرام centigram
سَنْتِيلِيتر centiliter
سَنْتِيمِتْر centimeter
سِنْجاب (حيوان) squirrel
سَنْجَق : مُقاطَعَة province, district
سَنْجَق : عَلَم standard, flag, banner

سَنَحَ (لِـ) : خَطَرَ — to occur to

سَنَحَتْ لَهُ الفُرْصَةُ — he had the chance or the opportunity

سَنَدَ، سَنَّدَ — to support, prop (up), shore up, hold up; to stake (out)

سَنَد : دِعَامَة — support, prop, stay

سَنَد : صَكّ — bond, bill; security; debenture; document, deed, paper

سَنَدُ خَزِينَة — treasury bond or bill

سَنَدُ كَفَالَة — bail bond, bond, bill

سَنَدَاتٌ مَالِيَّة — securities; bonds; stocks

سَنَدُ مِلْكِيَّة — title deed, title, deed

سَنْدَان، سِنْدَان — anvil

سَنْدَوِيش : شَطِيرَة — sandwich

سِنْدِيَان، سِنْدِيَانَة (نبات) — oak

سِنْسَار (حيوان) — marten

سَنْط (نبات) — acacia, mimosa

سَنْفَرَة : صَنْفَرَة، سُنْبَاذَج — emery

وَرَقُ السَّنْفَرَة — sandpaper, emery paper

سُنْقُر، سُنْقُور (طائر) — gyrfalcon

سَنْكَرِيّ ـ راجع سَمْكَرِيّ

سَنَّنَ : فَرَّضَ، ثَلَّمَ — to dent, indent, jag, notch, tooth, serrate

سِنُودُس : مَجْمَعٌ كَنَسِيّ — synod

سِنَّوْر : هِرّ، قِطّ — cat

سِنَّوْرٌ بَرِّيّ — wildcat

سِنَّوْرُ الزَّبَاد — civet cat

سُنُونُو، سُنُونُوَة (طائر) — swallow

سَنَوِيّ — annual, yearly

سَنَوِيًّا — annually, yearly, per year

سَنِيّ : سامٍ — sublime, high, grand

سُنِّيّ : واحِدُ أَهْلِ السُّنَّة — Sunnite, Sunni

سَهَا عن : نَسِيَ — to forget, overlook

سُهَاد : أَرَق — insomnia, sleeplessness

سَهْب، سُهْب — steppe; peneplain

سَهِدَ : أَرِقَ — to find no sleep, get no sleep, be sleepless

سَهَّدَ : أَرَّقَ — to make sleepless

سُهْد، سَهَد ـ راجع سُهَاد

سَهِرَ (اللَّيْلَ) — to stay up (late) at night, sit up (late); to pass the night awake; to burn the midnight oil

سَهِرَ على — to take care of, attend to, look after, watch over, guard

سَهَّرَ — to keep awake

سَهْرَان : صاحٍ — awake, wakeful, up

سَهْرَان : يَقِظ — watchful, vigilant, wide-awake, alert, on the alert

سَهْرَة — evening; soirée

سَهُلَ : كانَ هَيِّنًا — to be(come) easy

سَهَّلَ — to facilitate, make easy

سَهْل : هَيِّن — easy, facile, simple

سَهْل : مُسَطَّح، مُسْتَوٍ — smooth, plane, flat, level, even

سَهْل : أَرْضٌ مُنْبَسِطَة plain, flat(s), level, level land

سَهْم : نَبْلَة arrow; dart

سَهْم : حِصَّة، نَصِيب share, portion, part, lot, allotment

سَهْم (مالِيّ) share

أَسْهُمٌ في شَرِكَة stock(s), shares

سَهْو inattention, inadvertence, forgetfulness; oversight, unintentional mistake, careless omission

سُهُولَة ease, easiness, facility; plainness, simplicity

سَوَّى : مَهَّدَ to level (off), even, plane, flat(ten); to smooth(en)

سَوَّى : رَتَّبَ to dress, make, do up; to arrange, fix (up), adjust

سَوَّى (بَيْنَ) to equalize, equate, make equal, put on an equal footing, treat equally

سَوَّى : سَدَّدَ to settle, pay, clear

سَوَّى نِزَاعاً to settle, fix, resolve

سَوَّى بَيْنَهُم to reconcile, conciliate

سَوَّى بِحَلٍّ وَسَط to compromise

سُوْء : شَرّ evil, ill; mal-, mis-

سُوْءُ الاسْتِعْمال abuse, misuse

سُوْءُ التَّفَاهُمِ أو الفَهْم misunderstanding

سُوءُ الحَظِّ bad luck, misfortune

سُوءُ المُعَامَلَة maltreatment, mistreatment, ill-treatment

لِسُوْءِ الحَظِّ unfortunately, unluckily

سِوَى : بِاسْتِثْناء except, with the exception of, but, excluding

سَوَاء : مُتَسَاوِيَان، مُتَسَاوُون equal, alike, similar, the same

سَوَاء . . . أَمْ (أَوْ) whether... or, no matter whether... or

سَوَاد : ضِدّ بَيَاض blackness, black

السَّوَادُ الأَعْظَم the great majority

سَوَادُ العَيْن iris; pupil of the eye, apple of the eye

سُوَار، سِوَار bracelet, armlet, bangle

سَوَاسِيَة ـ راجع سَوَاء

سَوَّاق ـ راجع سائِق

سِوَاك ـ راجع مِسْواك

سَوَالِف sideburns

سُوبِرْمارْكِت supermarket

سَوَّدَ to black(en), make black

السُّودان Sudan

سُودانِيّ Sudanese

فُولٌ سُودانِيّ peanut(s)

سَوَّرَ to enclose, wall in, fence in

سُور : حائِط، سِيَاج wall; fence, enclosure, rail(ing)

سُوْرَة (مِنَ القُرْآنِ الكَرِيم) sura, chapter of the Holy Koran

سُورِيّ Syrian

سُورِيَّا، سُورِيَة Syria

سُوس، سُوسَة (حشرة) mite, moth; weevil; beetle

سُوس (نبات) licorice, liquorice

سَوْسَن (نبات) iris, fleur-de-lis, lily

سُوسْيُولُوجِيّ sociologic(al)

سَوْط (للجَلْد) whip, lash, scourge

سَوَّغ : أَبَاحَ to allow, permit

سَوَّغ : بَرَّر to justify, warrant

سَوَّفَ : ماطَلَ to procrastinate, stall, put off, postpone, delay

سَوْفَ : سَـ will, shall

سُوفْيَاتِيّ، سُوفْيِيتِيّ Soviet

سَوَّقَ (البِضَاعَةَ) to market, sell

سُوْق (ج أَسْوَاق) market; marketplace

سُوقٌ حُرَّة free market

سُوقٌ سَوْداء black market

سَوَّكَ (الأَسْنانَ) to clean, brush

سَوَّلَ لِـ to entice, seduce, tempt

سُونَا sauna

سَوِيّ : سَلِيم normal; sound, intact

سَوِيًّا، سَوِيَّةً : مَعاً together, jointly; with one another, with each other

سَيِّء، سَيِّئ bad, evil, ill; poor; vicious, vile, wicked

سَيِّءُ الحَظّ unlucky, unfortunate

سَيِّئَة : خَطِيئَة sin, fault, offense

سَيِّئَة : ضِدّ حَسَنَة disadvantage, drawback, shortcoming

سِيَاج fence, fencing; enclosure; rail(ing); palisade

سِيَاحَة : سَفَر tourism; touring, traveling; tour, travel, journey

سِيَاحِيّ tourist(ic)

سِيَادَة sovereignty; supremacy

صاحِبُ السِّيَادَة His Excellency

دَوْلَةٌ ذاتُ سِيَادَة sovereign state

سَيَّارَة : مَرْكَبَةٌ تَسِيرُ بِمُحَرِّك car, automobile, motorcar

سَيَّارَة : كَوْكَبٌ سَيَّار planet

سَيَّارَةُ أُجْرَة taxicab, cab, taxi

سَيَّارَةُ إِسْعاف ambulance

سَيَّارَةُ إِطْفاء fire engine

سِيَاسَة policy; politics

سِيَاسِيّ : مُتَعَلِّقٌ بالسِّيَاسَة political

سِيَاسِيّ : رَجُلُ سِيَاسَة politician

سَيَّاف : جَلَّاد executioner, headsman

سِيَاق context, connection; course, sequence

سَيَّال : جارٍ، مِدْرار flowing, running, streaming; torrential

سِيَّان ـ راجع سَوَاء

سِيبَة : مِرْقاة، سُلَّمٌ نَقَّال stepladder

سِيبَة : حامِلٌ ذو ثَلاثِ قَوائِم tripod

سَيَّجَ : أَحاطَ بِسِيَاج to fence in, hem in,

hedge in, rail in, enclose

سِيجَار cigar

سِيجَارَة cigarette

سِيخ : سَفُّود skewer, spit, brochette

سَيِّد : مَوْلَى master, lord, chief, head

سَيِّد : لَقَبُ كُلِّ رَجُل Mr.

سَيِّد : ذُو سِيَادَة sovereign

سَيِّدِي sir

سَيِّدَة lady, woman; Mrs., madam(e)

السَّيِّدَةُ الأُولَى first lady

سَيَّرَ : حَرَّكَ، وَجَّهَ to drive, set in motion; to steer, direct, orient

سَيَّرَ : شَغَّلَ to start (up), operate, run, work, actuate

سَيَّرَ : أَدَارَ to run, direct, manage, handle, conduct

سَيَّرَ : دَفَعَ to propel, move, impel

سَيَّرَ : أَرْسَلَ to send, dispatch

سَيَّرَ : رَوَّجَ to circulate, spread

سَيْر : مَشْي، تَحَرُّك walk(ing), march(ing); motion, movement

سَيْر : تَقَدُّم progress, advance(ment), course

سَيْر : حَرَكَةُ المُرُور traffic

سَيْر : شَرِيط thong, strap, belt

سَيْراً على القَدَمَيْن on foot, walking

سِيرَة : سُلُوك conduct, behavior

سِيرَة (حَيَاةُ شَخْصٍ) biography, memoir; life history; curriculum vitae

سِيرْك : سِرْك circus

سَيْطَرَ على to dominate, control, sway; to overpower, overcome

سَيْطَرَة domination, dominance, control, grasp, grip, power, supremacy, upper hand, hegemony

سَيْف : حُسَام sword; saber; rapier

سَيْفُ المُبَارَزَة foil, saber, épée

سِيف : سَاحِل (sea)shore, (sea)coast

سِيف (لِلتَّنْظِيف) steel wool, steel strands, utility pads

سِيفُون siphon

سِيكَار، سِيكَارَة ـ راجع سِيجَار، سِيجَارَة

سِيكُولُوجِيّ psychological

سَيْل flood, inundation; flowage; torrent, torrential stream

سِيَّمَا، لا سِيَّمَا ـ راجع لا

سِيمَاء : هَيْئَة mien, expression, countenance, visage, look(s)

سِيمَاء : عَلَامَة sign, mark

سِيمْفُونِيَّة [موسيقى] symphony

سِينَارِيُو scenario, script

سِينَمَا cinema, movie(s)

سِينَمَائِيّ cinematographic, cinematic, filmic, movie-, cinema-

(نَجْم، مُمَثِّل) سِينَمَائِيّ movie star, (film) star; actor

سِينُودُس : مَجْمَع كَنَسِيّ synod

سُيُولَة liquidity; fluidity

ش

شاءَ : أَرادَ — to want, wish, desire, will, be willing (to); to intend

شاءَ أَمْ أَبى ـ راجع أَبى

إِنْ شاءَ اللّٰهُ — God willing

إلى ما شاءَ اللّٰهُ — forever; for good

شائِب : أَشْيَب ـ راجع أَشْيَب

شائِبَة : عِلَّة — blemish, stain; impurity; defect, flaw, shortcoming

شائِع : مُنْتَشِر — widespread, current, prevailing, popular, common

شائِعَة : إِشاعَة — rumor; hearsay

شائِق : مُشَوِّق ـ راجع مُشَوِّق

شائِك : ذُو شَوْك ـ راجع شَوْكِيّ

شائِك : صَعْب، حَرِج — thorny, spiny, difficult, critical, delicate

سِلْكٌ شائِك — barbed wire

شائِن : مُشِين — disgraceful, dishonorable, shameful, infamous

شابَ : أَفْسَدَ، وَصَمَ — to vitiate, corrupt, spoil; to stain, taint, blemish

شابَ : اِبْيَضَّ شَعْرُهُ — to become white-haired, gray-haired

شابَ الشَّعْرُ — to gray; to turn or become gray or white

شابّ (اسم) — youth, young man, youngster

شابّ (صفة) — young, youthful

شابَّة — young woman, (young) girl

شابَكَ — to interlace, interlock, intertwist, intertwine, interweave

شابَهَ — to resemble, look like, be like, be similar to

وما شابَهَ ذٰلِك — and the like

شاة : نَعْجَة — ewe, female sheep

شاتٍ (الشّاتِي) : مُمْطِر — rainy, pluviose

شاجَرَ — to quarrel with, fight with

شاحِب — pale, pallid, wan, dull, faded, faint, dim, lusterless

شاحَنَ — to spat with, wrangle with, quarrel with, fight with

شاحِن : ناقِل — shipper, freighter, forwarder, transporter, carrier

شاحِن : جِهازٌ لِشَحْنِ البَطّارِيَّة — charger

شاحِنَة truck, lorry, camion; pickup; van; wagon
شاخ : هَرِم to age, grow old
شادَ : بَنى - راجع شَيَّدَ
شادٍ (الشادي) singer, chanter
شادِر : خَيْمَة tent; pavilion; awning
شاذّ irregular, abnormal, unusual, bizarre, queer, odd, weird
شارٍ (الشاري) - راجع مُشْتَرٍ
شارِب : مَنْ يَشْرَب drinker
شارِب، شاربان، شَوَارِب mustache
شارَة : عَلامَة، رَمْز badge; insignia; emblem; symbol; sign, mark
شارِد stray(ing), wandering, roaming, erratic; tramp, vagabond
شارِدُ الذِّهن absentminded
شارَطَ to stipulate, specify as a condition
شارِع : طَرِيق street
شارِع : مُشَرِّع - راجع مُشَرِّع
شارَفَ - راجع أَشْرَفَ على
شارَكَ (في) - راجع إِشْتَرَكَ (في، مَع)
شاسِع : واسِع، كَبِير vast, wide, large; great, big, huge, enormous
شاش gauze; muslin
شاشَة screen; scanner
شاطِئ shore, coast, beach; seashore, seacoast, seaside
شاطَرَ to share equally with; to share (in), participate (in), take part (in)
شاطِر sly, cunning, crafty, shrewd, clever, smart; experienced
شاعَ to spread, circulate, get about, be(come) widespread
شاعِر : ناظِمُ الشِّعْر poet
شاعِرِيّ poetic(al), romantic, soft
شاغَبَ to riot, disturb the peace, make trouble
شاغِر vacant, unoccupied, empty, open, free
مَرْكَزٌ شاغِر vacancy, vacant post
شاغُور : شَلّال cascade; waterfall
شافِع - راجع شَفِيع
شاقّ hard, difficult, tough, arduous, exacting; exhausting, fatiguing, tiring, trying, tiresome
شاكّ : مُرْتاب doubtful, in doubt, suspicious, distrustful, skeptical
شاكِر thankful, thanking, grateful, appreciative, appreciating
شاكَسَ to pick a quarrel with
شاكَلَ : ماثَلَ، شابَهَ to conform to, correspond to, resemble; to be like, similar to, analogous to
شاكِلَة : شَكْل - راجع شَكْل
شالَ : رَفَعَ، حَمَلَ to raise, lift (up), pick up; to carry, transport
شال : لِفاع shawl, muffler
شاليه cabana, beach cabin

شُؤْم evil omen, evil portent; bad luck, misfortune
شامْبو shampoo
شامَة : خال beauty spot, mole, nevus
شامِخ : عالٍ high, lofty, towering
شامِل comprehensive, inclusive, exhaustive, thorough, large-scale, wide, sweeping, general, all-out
شانَ : وَصَمَ to disgrace, dishonor, taint, stain, soil, sully, tarnish
شَأْن : مَسْأَلة ، دَخل matter, affair; concern, business
شَأْن : حال condition, situation
شَأْن : أَهَمِّيَّة ، مَقام importance, significance; standing, prestige
الشُّؤُونُ الخارِجيَّة foreign affairs
بِشَأْنِ concerning, regarding, with regard to, with respect to, about
شاه : إِمْبَراطُورُ إِيران shah
شاه : قِطْعَةٌ مِنْ قِطَعِ الشِّطْرَنج king
شاهُ بَلُّوط : كَسْتَناء (نبات) chestnut
شاهَدَ : رَأَى to see, view, witness; to watch, observe; to attend
شاهِد : مَنْ يَشْهَدُ witness
شاهِد : دَلِيل evidence, proof
شاهِد : مَثَل example, illustration
شاهِد : اِقْتِباس quotation, citation
شاهِد ، شاهِدَة : بَلاطَةُ الضَّرِيح tombstone, gravestone, headstone
شاهِدُ زُور false witness
شُهُودُ يَهْوَه Jehovah's Witnesses
شاهِق : مُرْتَفِع high, towering, lofty
عُلُوٌّ شاهِق tremendous height
شاهِين : صَقْر ، باز falcon, peregrine
شاوَرَ (في) to consult, counsel with
شاوِيش : رُتْبَةٌ عَسْكَرِيَّة sergeant
شاي tea
شايَعَ : أَيَّدَ to follow, adhere to, support; to side with, take sides with
شَبَّ : صارَ شابًّا فَتِيًّا to grow up, become a youth, become a young man
شَبَّ : اِرْتَفَعَ to shoot up, rise, spring
شَبَّ الفَرَسُ to rear, ramp; to capriole; to prance
شَبَّتِ النّارُ أو الحَرْبُ to break out, flare up, erupt
شَباب : صِباً youth, youthfulness
شَباب ، شُبّان : نَشْء (the) youth, (the) young, youths, young men, young people, young generation, youngsters
شَبّابَة : مِزْمار flute, clarinet
شُباط : فِبْراير February
شُبّاك : نافِذَة window
شَبَث : عَنْكَبُوت tarantula; spider
شِبِث (نبات) dill
شَبَح ghost, specter, spirit, phantom, eidolon, apparition, phantasm
شِبْر (اليَد) span of the hand

شِبْشِب slipper(s), scuff, mule

شَبِعَ (مِنَ الطَّعَام) to eat one's fill; to be full, satisfied, sated

شَبِعَ (مِنْ) : مَلَّ to be fed up (with), sick (of); to have enough (of)

شَبَّعَ - راجع أَشْبَعَ

شَبْعان full, satisfied, sated

شَبَكَ، شَبَّكَ - راجع شابَكَ

شَبَكَة net; dragnet, fishnet, dredge; network, netting, mesh, reticulation, grid; system, set, suit

شَبَكِيَّة (العَيْنِ) retina

شِبْل : وَلَدُ الأَسَد (lion) cub

شِبْل (في الجَيْش إلخ) cadet

شَبْنَم : طائِرٌ كالنَّعامَة cassowary

شَبَّهَ بِـ to liken to, compare to; to assimilate to; to make similar to

شَبَه، شِبْه : تَشابُه - راجع تَشابُه

شَبَه، شِبْه : شَبِيه - راجع شَبِيه

شِبْه : كَأَنَّهُ، تَقْرِيباً semi-, quasi-, para-, -like, sub-; almost

شِبْهُ جَزِيرَة peninsula

شِبْهُ جُمْلَة phrase

شِبْهُ مُعَيَّن rhomboid

شِبْهُ مُنْحَرِف trapezoid

شَبَهان، شِبْهان : نُحاسٌ أَصْفَر brass

شُبْهَة : شَكّ suspicion, doubt

شَبُّوط (سمك نهري) carp

شَبِيبَة - راجع شَباب

شَبِين، شَبِينَة - راجع إِشْبِين، إِشْبِينَة

شَبِيهٌ بِـ : مِثْل like, similar to, resembling, (just) as, analogous to, corresponding to; identical with

شَبِيه : مَثِيل، نَظِير match, like, parallel, counterpart, duplicate

شَتا، شَتَّى (بِـ) to winter (at), pass the winter (at)

شَتَّى : مُخْتَلِف various, different, diverse, miscellaneous, sundry

شِتاء (فَصْل) winter, wintertime

شِتائِيّ - راجع شَتَوِيّ، شَتْوِيّ

شَتّانَ بَيْنَهُما there is a great difference between them! what a difference between them!

شَتَّتَ : فَرَّقَ to disperse, scatter, dispel, break up, disband, separate

شَتْلَة : غَرِيسَة cutting, set, transplant, sapling, seedling

شَتَمَ : سَبَّ to curse, swear (at); to call (somebody) names, insult

شَتَوِيّ، شَتْوِيّ winter, wintry, winterly, hibernal

شَتِيمَة : مَسَبَّة swearword; abuse, vituperation, revilement, insult

شَجَّ : كَسَرَ to break, fracture; to split

شَجاً : حُزْن grief, sorrow, distress

شِجار : مُشاجَرَة quarrel, fight, hassle, wrangle, squabble, brawl

شُجاع courageous, brave, bold,

valiant, undaunted, intrepid

شَجَاعَة courage, bravery, boldness, valor, valiance, intrepidity, guts

شَجَبَ : اِسْتَنْكَرَ to condemn, denounce, censure, disapprove of

شَجَّرَ : حَرَّجَ to afforest, forest, wood, plant with tress

شَجَر trees, arbores

شَجَرة tree, arbor

شَجَرَةُ النَّسَبِ أو العائِلَة genealogical tree, family tree, pedigree

شَجَّعَ to encourage, embolden, hearten; to further, promote

شَجَن : هَمّ، حُزْن anxiety, worry; sorrow, grief, sadness, blues

شَجِيّ : حَزِين sad, grieved

شَجِيّ : مُثِيرٌ لِلعاطِفَة moving, touching, emotional, sentimental

شُجَيْرَة shrub, bush

شَحَّ : قَلَّ to run short, run out, be scarce, decrease, dwindle

شُحّ ، شِحّ : بُخْل stinginess, niggardliness, miserliness

شُحّ ، شِحّ : قِلَّة scarcity, insufficiency, shortage, dearth, lack

شَحَّاذ : مُتَسَوِّل beggar, mendicant

شَحَّاذ (العَيْن) sty

شَحَذَ : سَنَّ، جَلَخَ to whet, sharpen, grind, hone, strop

شَحَذَ : تَسَوَّلَ to beg, ask for alms

شُحْرُور (طائر) blackbird

شَحْطَة : شَرْطَة (-) dash; hyphen

شَحَّمَ (الآلَةَ إلخ) to grease, lubricate

شَحْم : دُهْن fat, grease; lipid, lipoid; suet, tallow

شَحْمَة : دُهْنَة piece of fat

شَحْمَةُ الأُذُن earlobe, lobe

شَحَنَ البِضَاعَةَ إلخ to ship, freight, consign, transport, forward

شَحَنَ (بِـ) to charge (with), load (with)

شَحْناء enmity, feud; grudge, rancor

شَحْنَة ، شِحْنَة shipment, consignment; cargo, load, freight

شَحْنَة ، شِحْنَة [كهرباء] charge

شَحِيح : بَخِيل stingy, niggardly, miserly, penny-pinching; miser

شَحِيح : ضَئِيل scarce, short, insufficient, scanty, sparse, meager

شَخَرَ to snort

شَخَصَ إلى to stare at, gaze at

شَخَّصَ (المَرَضَ أو الحالَةَ) to diagnose

شَخْص person, individual, man

شَخْصِيّ personal, individual, private, subjective

شَخْصِيًّا personally, in person

شَخْصِيَّة personality; character; identity

شَخِير snorting, snort

شَدَّ : ضِدّ أَرْخَى to tighten, tauten, strain, draw tight, pull taut

شَدَّ : رَبَطَ — to tie, bind, fasten

شَدَّ : جَذَبَ — to pull, draw, drag

شَدَا : غَنَّى — to sing, chant, warble

شَدَّة : وَرَقُ اللَّعِب — playing cards, deck

شِدَّة : قُوَّة — strength, power, force, violence, intensity, severity

شِدَّة : ضِيْق — distress, hardship, difficulty, trouble; straits, pinch; need

شَدَخَ — to break, smash, fracture

شَدَّدَ على : أكَّدَ على — to emphasize, stress, focus on, concentrate on

شَدَّدَ على : ضَيَّقَ على — to press, pressure; to restrain, constrain

شَدَّدَ في أو على : أَلَحَّ — to insist upon; to press, urge

شِدْق — corner of the mouth; mandible, lower jaw, jawbone

شَدَهَ — to amaze, astonish, astound

شَدِيد — strong, powerful, vigorous; severe, harsh; intense, violent, acute, keen, drastic, tough

شَذَّ (عن) — to be irregular, abnormal, odd, queer, bizarre; to deviate (from); to be an exception (to)

شَذًا : أرِيج — fragrance, scent, perfume, aroma, redolence

شَذَّبَ — to trim, clip, prune, lop, pare, cut back; to refine, polish

شُذُوذ — irregularity, abnormality, perversity, bizarreness, weirdness

شَذِيّ : أرِج — fragrant, sweet-smelling, aromatic, odorous, redolent

شَرّ : ضِدّ خَيْر — evil, ill; bad(ness); wickedness, viciousness, malice

شَرّ (مِنْ) : أَسْوَأ — worse, more evil; the worst, the most evil

شَرَى : إشْتَرَى — to buy, purchase

شِرَاء — buy(ing), purchase, purchasing

شِرَائِيّ — purchasing, buying

قُوَّة شِرَائِيَّة — purchasing power

شَرَاب — drink, beverage; syrup, juice, sherbet; potion

شَرَاب (مُسْكِر) — alcoholic beverage, drink, spirituous liquor

شَرَارَة (ج شَرَار) — spark(s)

شِرَاع (المَرْكَب أو السَّفِينَة) — sail

شِرَاعِيّ — sailing, sail-

شَرَاكَة ـ راجع إشْتِراك

شَرَاهَة ـ راجع شَرَه

شَرِبَ — to drink

شَرِبَ السِّيجَارَةَ أو الدُّخَانَ — to smoke

شَرَّبَ : سَقَى — to give (someone) to drink; to water, irrigate

شَرَّبَ : أَشْرَبَ ـ راجع أَشْرَبَ

شُرْب، شِرْب : مَصْدَر شَرِبَ — drinking

شَرْبات : شَرَاب — sherbet, syrup, juice

شَرْبَة : مُسْهِل — laxative, purgative

شَرْبِين (شجر) — evergreen cypress

شَرَحَ : فَسَّرَ — to explain, elucidate, ex-

plicate, expound, make clear

شَرَح صَدْرَهُ to delight, gladden, please; to comfort; to relieve

شَرَّح اللَّحْمَ إلخ to slice, cut into slices

شَرَّح الجُثَّةَ to anatomize, dissect; to autopsy, necropsy, perform a postmortem examination upon

شَرْح explanation, elucidation, explication, expounding, exposition

شَرْحَة ـ راجع شريحة

شَرْخ : رَيْعان prime, spring, bloom, heyday

شَرَدَ (الفَرَسُ) : نفر to bolt, start

شَرَدَ : ضَلَّ، تاهَ to stray, go astray, straggle, wander, roam, rove

شَرَدَ ذِهْنُهُ to be absentminded

شَرَّدَ : نفّر to frighten away, startle

شَرَّدَ : هَجَّرَ to displace, make homeless, drive away, dislodge, expel

شِرْذِمَة : زُمْرَة group, troop, band

شَرَرَة (ج شَرَر) spark(s)

شَرِس quarrelsome, truculent, contentious, aggressive, ill-natured; wild, fierce, ferocious

شَرْشَف (السَّرِير) bedsheet, sheet, bedspread, bedcover

شَرْشَفُ المائِدَةِ أو الطَّاوِلَة tablecloth

شُرْشُور (طائر) chaffinch

شُرْشُورٌ جَبَلِيّ (طائر) brambling

شَرْشِير : بَطٌّ نَهْرِيٌّ صَغِير teal; garganey

شَرَطَ، شَرَّطَ : شَقَّ to slash, slit open, cut open; to lance, scarify

شَرَطَ : اِشْتَرَطَ ـ راجع اِشْتَرَطَ

شَرْط (ج شُرُوط) condition, prerequisite, requirement; provision, stipulation, clause, term(s), proviso

شَرْطَ أنْ، بِشَرْطِ أنْ provided that, on condition that, if

شَرْطَة : شَحْطَة (-) dash; hyphen

شُرْطَة police(men), police force

شُرْطَةُ السَّيْرِ أو المُرُور traffic police

شُرْطَةٌ عَسْكَرِيَّة military police

شَرْطِيّ : مَشْرُوط ـ راجع مَشْرُوط

شُرْطِيّ policeman, (police) officer

شَرَعَ (في) : بَدَأَ to begin, start, commence; to go into, enter upon

شَرَعَ، شَرَّعَ (قانوناً) ـ راجع اِشْتَرَعَ

شَرْع ـ راجع شَرِيعَة

شِرْعَة law; bill; statute; charter

شَرْعِيّ legitimate, legal, lawful, authorized, admissible; religious

غَيْرُ شَرْعِيّ illegitimate, illegal, unlawful, prohibited, forbidden

شَرْعِيَّة legitimacy, legality, lawfulness

شَرْغ، شُرْغُوف : فَرْخُ الضِّفْدِع tadpole

شَرْغ، شُرْغُوف : فَرْخُ التَّم cygnet

شَرَّفَ : كَرَّمَ to honor, do honor to,

give the honor; to ennoble, exalt

شَرَف : كَرامَة ، مَجْد — honor; dignity; glory; nobility, distinction

شَرَف : أَمَانَة — honesty, integrity

على شَرَفِهِ — in his honor

شُرْفَة — balcony; veranda; terrace

شَرَفِيّ — honorary, honor-

شَرِقَ — to choke, become choked

شَرْق : جِهَةُ شُرُوقِ الشَّمْس — east

الشَّرْق — the East, the Orient

الشَّرْقُ الأَدْنى — the Near East

الشَّرْقُ الأَقْصى — the Far East

الشَّرْقُ الأَوْسَط — the Middle East, the Mideast

شَرْقاً — eastward(s), east

شَرَقْرَق (طائر) — roller

شَرْقِيّ — eastern, east; Oriental

شَرَك : أُحْبُولَة — trap, snare, gin, net

شِرْك : الإِيمانُ بِعِدَّةِ آلِهَةٍ — polytheism

شَرِكَة ، شِرْكَة — company, corporation; firm, business; partnership

شَرِكَةُ طَيَران — airline

شَرَمَ — to split; to rend, rip, slash

شَرَنقَة : فِيلَجَة ، صُلَّجَة — cocoon

شَرَه : نَهَم — gluttony, gourmandism

شَرَه : جَشَع — greed(iness), avidity

شَرِه : نَهِم — gluttonous, greedy, voracious; glutton, gourmand

شَرِه : جَشِع — greedy, covetous

شُرُوق — sunrise, rise (of the sun)

شَرْيان ، شِرْيان — artery

شَرِيحَة : قِطْعَةٌ مُسْتَطِيلَة — slice; section

شَرِيحَة (لَحْم) — steak; rasher

شَرِيحَة : جُزْء ، قِسْم ، قِطاع — section

شَرِيد ـ راجع مُشَرَّد ، مُتَشَرِّد

شِرِّير ، شَرِّير — wicked, vicious, malicious, evil, ill, sinister; evildoer; scoundrel, rascal, rogue, villain

شَرِيط ، شَرِيطَة — tape, ribbon; band, strip; line; string, cord, lace; wire, cable; stripe, streak, bar

شَرِيطُ تَسْجِيل — (magnetic) tape

شَرِيطُ الحِذاء — shoelace, shoestring

شَرِيطٌ سِينَمَائِيٌّ إلخ — film, motion picture, movie; filmstrip

شَرِيطُ فِيدْيُو — videotape

شَرِيطَةَ (أَنْ) ـ راجع شَرْطَ أَنْ

شَرِيعَة : قانُون — law; code

الشَّرِيعَة (الإسْلامِيَّة)	Sharia, Islamic law, law of Islam
شَرِيعَةُ الغاب	law of the jungle
شَرِيف : نَبِيل	noble, highborn; a noble, nobleman, peer
شَرِيف : أَمِين	honorable, honest, upright, righteous
الأشْراف	the nobility
شَرِيك	partner, associate; sharer
أَحْمَد حُسَيْن وشُركاؤُه	Ahmed Hussein and Company
شِصّ، شَصّ (لِصَيْدِ السَّمَك)	fishhook
شَطَبَ، شَطَّبَ : شَقَّ	to scarify, scratch, incise, slit, slash
شَطَبَ، شَطَّبَ : حَذَفَ	to strike off, cross out, cancel, delete; to eliminate, remove, take out
شَطَرَ : قَسَمَ	to halve, bisect, divide; to split, intersect, cut across
شَطْر : نِصْف	half, moiety
شَطْر (مِنَ الشِّعْر)	hemistich
شَطْر : قِسْم، جُزْء	part, portion, division, section
شَطْر : جِهَة، اِتِّجاه	direction
شَطْرَ : بِاتِّجاه، صَوْبَ	toward(s), to
شِطْرَنْج (لعبة)	chess
حَجَرُ الشِّطْرَنْج	pawn, man
شَطَفَ : غَسَلَ	to rinse, wash
شَطِيرَة : سَنْدوِيش	sandwich
شَظِيَّة : قِطْعَةٌ مُتَناثِرَة	splinter, sliver, chip, fragment, shrapnel
شَعائِر (مفردها شَعِيرَة) ـ راجع شَعِيرَة	
شِعَار	slogan; watchword; motto, logo; emblem; insignia; sign
شُعَاع : شَرِيطٌ ضَوْئِيّ	ray, beam, streak
شُعَاع : نِصْفُ قُطْر [رياضيات]	radius
أَشِعَّةُ إكْس إلخ ـ راجع أَشِعَّة	
شَعَانِين، أَحَدُ الشَّعانِين	Palm Sunday
شَعَّبَ : فَرَّعَ	to ramify, branch, bifurcate, divide (up), subdivide
شَعْب : قَوْم	people; nation; public
شِعْب : طَرِيقٌ في جَبَل	mountain pass, defile, gap, gate, col
شِعْب : حَيْدٌ بَحْرِيّ	reef
شُعْبَة : فَرْع	branch, ramification; section, (sub)division; department
شَعْبِيّ	popular; people's; public; folk
شَعْبِيَّة	popularity
شَعَرَ بِـ	to feel, sense; to perceive, notice; to be(come) conscious of
شَعِر، شَعْرانِيّ	hairy, hirsute, shaggy
شَعْر، شَعَر	hair
شَعْرٌ مُسْتَعار	wig, peruke, periwig
شِعْر : قَرِيض	poetry, verse
شَعْرَة : واحِدَةُ الشَّعْر	a hair
شِعْرِيّ : خاصٌّ بِالشِّعْر	poetic(al)

شَعْرِيَّة : تَعْرِيشَة lattice, trellis, grating, grate, grill(e), grid
شَعْرِيَّة : شُعَيْرِيَّة (مِنْ عَجِين) vermicelli
شَعْشَع : خَفَّف، مَزَج بِالماء to dilute
شَعَل، شَعَّلَ ـ راجع أَشْعَلَ
شُعْلَة torch; flame, blaze, fire
شَعْنِينَة، أَحَدُ الشَّعَانِين Palm Sunday
شَعْوَذَة jugglery, legerdemain, conjuration; charlatanism, quackery
شُعُور feeling, sensation, sense; consciousness; perception; sensibility, sensitivity; sentiment, affection, emotion
شَعِير (نبات) barley
شَعِيرَة (ج شَعَائِر) rite, ritual, ceremony, ceremonial, liturgy
شُعَيْرَة small hair, little hair
شُعَيْرِيَّة : فَتَائِلُ مِنْ عَجِين vermicelli
شَغَّال ـ راجع شَغِيل، مُشْتَغِل
شَغَب، شَغِبَ ـ راجع شاغَبَ
شَغَب riot, disturbance, trouble, unrest, tumult, commotion, turmoil
شَغَرَ to be or become vacant, unoccupied, empty, free
شَغِفَ بِـ to love, adore, be fond of
شَغَف love, passion; fondness; strong enthusiasm; interest
شَغَلَ : مَلأَ وَقْتَهُ to occupy, busy, keep busy; to preoccupy, take up
شَغَلَهُ الأَمْرُ، شَغَلَ بالَهُ to worry, disquiet, trouble, disturb, upset
شَغَلَ مَكاناً to occupy, fill, take up
شَغَلَ مَنْصِباً to occupy, hold, fill, be in charge of
شَغَّلَ : إِسْتَخْدَمَ to employ, hire, recruit; to make work, keep busy
شَغَّلَ : أَدارَ، سَيَّرَ to work, run, operate, make work, start (up)
شُغِلَ ـ راجع إِنْشَغَلَ
شُغْل : عَمَل work; labor; job; occupation, business, profession, career
شُغْلُ الإِبْرَة needlework
أَشْغال شاقَّة hard labor
شُغْل يَدَوِيّ، أَشْغالٌ يَدَوِيَّة handwork, handcraft; craftwork; manual work
شُغُور : خُلُوّ vacancy
شَغِيل : عامِل laborer, worker
شَفَى to cure, heal, restore to health, make healthy, make well
شَفاً : حافَّة edge, rim, verge, brink
شِفاء : بُرْء recovery, recuperation
شِفاء : عِلاج cure, remedy
شَفاعَة intercession, mediation
شَفَّاف transparent, diaphanous
شِفاهاً، شِفاهِيّ ـ راجع شَفَهِيًّا، شَفَهِيّ
شَفَة : القِسْمُ الخارِجِيُّ مِنَ الفَم lip
شَفَة : حافَّة ـ راجع شَفاً

شَفْرَة : نَصْل — blade

شَفْرَة (الحِلاقَة) — (razor) blade

شِفْرَة : شِيفْرَة — cipher, code

شفع (لِـ أو في) - راجع تَشَفَّع

شَفَعَ : أَضافَ — to add, attach, supplement; to enclose; to couple (with)

شَفع ، شَفْعِيّ : زَوْجِيّ — even

شَفِق - راجع أَشْفَق

شَفَق (الشَّمس) — twilight, afterglow

شَفَق : خَوْف — fear, fright

شَفَقَة : حَنان — pity, compassion, sympathy, mercy, feeling

شَفَهِيّ : ضِدّ كِتابِيّ — oral, spoken, verbal

شَفَهِيّاً — orally, verbally

شَفُوق — compassionate, pitiful, merciful, tender(hearted)

شَفَوِيّ : شَفَهِيّ - راجع شَفَهِيّ

شُفِيَ — to recover, recuperate, convalesce, get well, regain health

شَفِير : طَرَف — edge, border, rim, brim, verge, brink

على شَفِيرِ كذا — on the verge of, on the brink of, at the point of, about to

شَفِيع — intercessor, mediator

قِدِّيس شَفِيع — patron saint

شَفِيق - راجع شَفُوق

شَقَّ : فَلَعَ ، مَزَّقَ — to split, cleave, crack, break; to tear, rend, rip (apart), rive; to cut open, slash open

شَقَّ السِّنُّ — to break through, grow

شَقَّ (عَلَيْهِ) الأَمْرُ — to be hard (for), difficult (for), unbearable (for)

شَقّ ، شِقّ : فَلْع — fissure, crack, crevice, split, tear, rip, rent, slit, fracture

شِقّ : جُزْء — half; side; part, section

شَقاء — unhappiness, misery

شَقائِق (مفردها شَقِيقَة) - راجع شَقِيقَة

شِقاق — dissension, discord, disunity

شِقَّة : مَسْكَن، بَيْت — apartment, flat, suite; house, place

شَقِرّاق، شِقِرّاق (طائر) — roller

شَقَّق - راجع شَقَّ

شَقْلَبَ — to tumble; to upset, overturn, capsize, turn upside down

شَقِيّ : بائِس — unhappy, miserable

شَقِيّ : شِرِّير — scoundrel, rascal

شَقِيق : أَخ — brother, full brother

شَقِيقَة : أُخْت — sister, full sister

شَقِيقَة : أَلَمُ نِصْفِ الرَّأْس — migraine

شَقائِقُ النُّعْمان (نبات) — anemone, windflower

شَكَّ (في) — to doubt, suspect, be suspicious (of), be skeptical (about)

شَكَّ : غَرَزَ — to stick; to pierce, stab, thrust, jab; to prick, sting

شَكّ : رَيْب — doubt, suspicion, distrust,

dubiety, dubiosity, skepticism
بِلا شَكّ، لا شَكّ undoubtedly, no doubt, certainly, sure, of course
شِكّ ـ راجع شِيك
شَكا، شَكى to complain, nag, repine; to suffer (from)
شَكّاك : مُرْتاب ـ راجع شاكّ
شِكال : قَيْد hobble, fetter, shackle
شُكُب (طائر) snipe
شَكَرَ (لِـ) to thank
شُكْر، شُكْران thanks, gratitude, acknowledgment, appreciation
شُكْراً (لكَ) thank you! thanks!
شَكِس peevish, petulant, fractious
شَكَّلَ : كَوَّنَ، ألَّفَ to form, shape; to create, make; to establish, set up; to constitute, make up, compose
شَكَّلَ : نَوَّعَ to diversify, vary
شَكَّلَ، شَكَلَ (كَلِمَةً) to vowelize
شَكْل : هَيْئَة form, shape, figure, (outward) appearance
شَكْل : طِراز type, make, model, mode, manner, style; kind, sort
شَكْل : صُورَة figure, picture; design
شَكْل (على حَرْف) vowel (point)
شَكْلاً in form, formally
شَكْلِيّ formal
شَكْلِيّاً formally, in form
شَكْلِيّات formalities

شَكَمَ : لَجَمَ to bridle; to curb, bit
شَكْوَى (ج شَكاوَى) complaint, grievance; protest; claim
شَكُور ـ راجع شاكِر
شَلَّ to paralyze, cripple
شَلّال : شاغُور waterfall, cataract, falls, chute; cascade
شِلَّة (مِنْ خُيُوطِ الغَزْل) hank, skein
شَلَحَ : عَرَّى to undress, unclothe, disrobe; to denude, strip off, bare
شَلَحَ : سَلَبَ to rob, rip off
شَلَل paralysis, paralyzation, palsy
شَلَلُ الأَطْفال poliomyelitis, polio
شِلِن، شِلِنْغ shilling; schilling
شِلْو (ج أَشْلاء) (torn-off) limb; stump; remnant, remains
شَمَّ (الرّائِحَة) to smell, sniff, scent
شَمّ smelling; smell, olfaction
شَمّاس : رَجُل دِينٍ مَسِيحِيّ deacon
شَمال : الجِهَةُ التي تُقابِلُ الجَنُوبَ north
شَمالاً northward(s), north
الشَّمالُ الشَّرْقِيّ northeast
الشَّمالُ الغَرْبِيّ northwest
شِمال : يَسار left, left side, left hand
شَمالِيّ northern, north, northerly
شَمّام : بِطِّيخ أَصْفَر muskmelon, cantaloupe, (sweet) melon

شِمْبانْزِي (حيوان) chimpanzee

شَمِتَ بِـ to gloat over someone's grief, rejoice at the misfortune of

شَمَخ : عَلا to tower, rise, be high

شُمْرَة (نبات) fennel

شَمَّسَ : عَرَّضَ لِأَشِعَّةِ الشَّمْس to sun, insolate, expose to the sun's rays

شَمِس : مُشْمِس sunny; sunlit

شَمْس sun

شَمْسِيّ solar, sun

شَمْسِيَّة umbrella; parasol, sunshade

شَمَّعَ to wax, treat with wax

شَمْع wax

شَمْعَة (wax) candle

شَمْعَةُ الإشْعال (spark) plug

شَمْعَدان candlestick, candleholder, candelabrum

شَمْعِيّ waxy, waxen

شَمَلَ، شَمِلَ : اِحْتَوَى to include, contain, comprise, embody, cover

شَمْل : اِتِّحاد union, unity

شَمَم : تَكَبُّر، أَنَفَة pride, haughtiness; self-esteem, sense of honor

شَمَنْدَر (نبات) beet, red beet

شَمَنْدَرٌ سُكَّرِيّ sugar beet

شُمُولِيّ ـ راجع شامِل

شَمِيلَة (ج شَمَائِل) merit, good quality; trait, characteristic; nature

شَنَّ حَرْباً على to wage (carry on) war against, fight, combat

شَنَّ هُجُوماً على to launch or make an attack on, attack, assail, assault

شَنَّجَ to convulse, cramp; to contract, constrict, constringe

شِنْجار (نبات) alkanet, dyer's bugloss

شَنُعَ to be(come) ugly, unsightly

شَنَّعَ : قَبَّحَ، بَشَّعَ to uglify, make ugly

شَنَّع على : ذَمَّ to vituperate, revile

شَنِيع ـ راجع شَنِيع

شَنَقَ : أَعْدَمَ شَنْقاً to hang, halter, gibbet, execute by hanging

شُنْقُب (طائر) snipe

شَنِيع : قَبِيح ugly, unsightly, repulsive

شَهَّى to whet the appetite; to be appetizing; to arouse one's desire (for), make desirous (of), allure

شِهَاب : نَيْزَك meteor, shooting star

شَهَادَة : بَيِّنَة، إقْرار testimony, witness, evidence; affidavit; statement

شَهَادَة (عِلْمِيَّة) certificate, degree, diploma

شَهَادَة : اِسْتِشْهاد martyrdom

شَهِدَ : رَأَى to witness, see; to attend

شَهِدَ : أَدْلَى بِشَهَادَةٍ to testify, give evidence or testimony, witness

شَهِدَ (على صِحَّةِ كَذَا) to certify; to witness, attest to; to prove

شَهْد : عَسَل honey; honeycomb

شَهَر : جَعلَهُ مَشْهُوراً to make famous

شَهَرَ : أَعْلَنَ to declare, announce

شَهَر الحَرْبَ to declare war

شَهَرَ السَّيْفَ to draw, unsheathe

شَهَّرَ بِـ : ذَمَّ to libel, slander, defame, vilify, vituperate, calumniate

شَهْر : أَحَدُ أَشْهُرِ السَّنَة month

شَهْرُ العَسَل honeymoon

شُهْرَة : صِيت fame, renown, repute

شُهْرَة : إسْمُ العائِلَة surname, family name, last name

شَهْرمان : نَوْعٌ مِنَ البَطّ sheldrake

شَهْرِيّ monthly, mensal

شَهْرِياً monthly, every month, once a month, per month

شَهْرِيَّة : أَجْرٌ شَهْرِيّ monthly salary

شَهْرِيَّة : مَجلَّةٌ شَهْرِيَّة monthly

شَهَقَ (الحِمارُ) : نَهَقَ to bray, hee-haw

شَهَقَ : تَنَشَّقَ to inspire, inhale

شَهَقَ : بَكَى بِأَنفاسٍ سَرِيعَة to sob

شَهْم magnanimous, generous; gallant, noble; gentleman

شَهْوَة : رَغْبَة appetite, desire, craving

شَهِيّ appetizing, palatable, savory, mouthwatering, tasty, delicious

شَهِيَّة : شَهْوَة appetite

شَهِيد : قَتِيلٌ في سَبِيلِ المَبْدَأ إلخ martyr

شَهِيد : شاهِد witness

شَهِير ـ راجع مَشْهُور

شَهِيق inspiration, inhalation

شَهِيق (الحِمارِ) bray(ing), hee-haw

شَوَى (الطَّعامَ) to grill, broil, roast

شِوَاء، شُوَاء grill, broil, roast, grilled or broiled or roast(ed) meat

شَوائِب (مفردها شائِبَة) ـ راجع شائِبَة

شَوارِب mustache

شُوْبَق، شَوْبَك : مِرْقاق rolling pin

شُوح (شجر) fir

شُوحَة (طائر) kite, glede

شُورَى ـ راجع مَشُورَة

شُورَبا، شَوْرَبَة : حَسَاء soup; pottage

شَوَّش : بَلْبَل to confuse, mix up, disorder, disarrange, unsettle

شَوَّشَ على إرْسالٍ إذاعِيٍّ إلخ to jam

شَوْط round, half, course; cycle; run; race; stage, phase

شَوْط (في كُرَةِ القَدَمِ إلخ) half

شُوفان (نبات) oat(s)

شَوَّق to fill with desire (interest, suspense); to excite, thrill, work up

شَوْق longing, yearning, craving, desire, eagerness; nostalgia

شَوْك، شَوْكَة (النَّباتِ) thorn(s), spine(s)

شَوْك (السَّمَكِ) fishbones

نَباتُ الشَّوْك thistle

fork شَوْكَة (الطَّعَامِ أو الجِرَاثَةِ إلخ)
power, might, strength شَوْكَة : قُوَّة
hemlock شَوْكَران (نبات)
chocolate شُوكُولا ، شُوكُولاتَة
spiny, thorny, prickly, spinose, echinate شَوْكِيّ : ذُو شَوْك
spinal, vertebral شَوْكِيّ : فقرِيّ
comma شَوْلَة : فاصِلَة (،)
semicolon شَوْلَةٌ مَنْقُوطَة (؛)
شَونْدَر ـ راجع شَمَنْدَر
to deform, disfigure, deface, misshape, distort, mar شَوَّهَ (الشَّكْلَ)
to distort, pervert, misstate, falsify, corrupt شَوَّهَ (المَعْنَى)
to defame, slander, libel; to sully, disgrace, discredit شَوَّهَ السُّمْعَةَ
thing; object; something شَيْء
little by little, bit by bit, gradually, step by step شَيْئاً فَشَيْئاً
nothing; none لا شَيْء
porter, carrier شَيَّال : حَمَّال
gray or white hair شَيْب (الشَّعْرِ)
old man; old, aged شَيْخ : هَرِم
sheik(h); chieftain; chief, head; leader; master شَيْخ : زَعِيم
senator شَيْخ : سِناتور
fleabane شَيْخُ الجَبَل (نبات)
old age, senility شَيْخُوخَة : هَرَم

to build, erect, construct شَيَّدَ : بَنَى
foil, saber, épée شِيش (المُبارَزَة)
skewer, brochette شِيش : سِيخ
narghile, hubble-bubble, water pipe, hookah شِيشَة : نارَجِيلَة
the Devil, Satan, Lucifer; devil, fiend, demon الشَّيْطان ، شَيْطان
devilish, satanic, fiendish شَيْطانِيّ
to behave like a devil شَيْطَنَ : تَشَيْطَنَ
to see off, bid farewell (to); to escort, accompany شَيَّعَ : رافَقَ مُوَدِّعاً
to escort the deceased to his final resting place شَيَّعَ المَيْتَ
sect; faction, group; followers, adherents شِيعَة : فِرْقَة ، أَتْباع
the Shia(h), the Shiites الشِّيعَة
Shiite; Shiitic شِيعِيّ
cipher, code شِيفْرَة : شِفْرَة
شَيِّق : مُشَوِّق ـ راجع مُشَوِّق
check شِيك (مَصْرِفِيّ)
traveler's check شِيكٌ سِياحِيّ
rye; darnel شَيْلَم (نبات)
chimpanzee شِيمْبانْزِي (حيوان)
habit, custom; nature, character; characteristic, trait, quality, property شِيمَة : عادَة ، مِيزَة
porcupine, quill pig شَيْهَم (حيوان)
communist; communist(ic) شُيُوعِيّ
communism شُيُوعِيَّة

ص

صائِب : على صَوَاب — right, correct; well-advised, sound; apposite

صائِد ـ راجع صَيَّاد

صائِغ : جَوْهَرِي — goldsmith, jeweler

صائِم — fasting; faster

صابِر ـ راجع صَبُور

صابُوغَة (سمك) — shad; clupeid

صابُون : مُنَظِّفٌ يَذُوبُ في الماء — soap

صابُونَة : قِطْعَةٌ مِنَ الصَّابُون — cake of soap

صاتَ : أَحْدَثَ صَوْتاً — to sound, make a sound or noise; to shout, cry

صاحَ — to cry, yell, shout, scream, screech, shriek, squall

صاحَ الدِّيكُ — to crow

صاحِ ، يا صاحِ — my friend!

صاحٍ (الصَّاحِي) : صَحْو — clear, cloudless, bright, sunny, fine

صاحٍ : مُسْتَيْقِظ — awake, wakeful, unsleeping, up

صاحٍ : غَيْرُ سَكْران — sober

صاحَبَ : صادَقَ — to be a companion of, a friend of; to make friends with

صاحَبَ : رافَقَ — to accompany, escort, go (along) with, take along

صاحِب : رَفِيق — companion, comrade, associate, fellow; friend, pal

صاحِب : مالِك — owner, proprietor, possessor, holder

صاحِبُ الجَلالَة — His Majesty

صاحِبَة : مُؤَنَّثُ صاحِب ـ راجع صاحِب

صاحِبَةُ الجَلالَة — Her Majesty

صاخِب — noisy, loud, clamorous, boisterous, tumultuous, uproarious

صادَ الطَّيْرَ والحَيَوانَ إلخ — to hunt, shoot

صادَ السَّمَكَ — to fish, catch

صادَرَ : حَجَزَ — to confiscate, seize, sequester, requisition, expropriate

صادِرات : ضِدّ وارِدات — exports

صادَفَ : اِلْتَقَى مُصادَفَةً — to come across, run into, light upon, encounter

صادَفَ (في تاريخ مُعَيَّن) — to fall on (a given date); to correspond to,

coincide with, concur with

صادَفَ: حَدَثَ مُصادَفَةً to happen, take place by chance

صادَقَ to make friends with, be-(come) friends with, associate with, befriend

صادَقَ على - راجع صَدَّقَ على

صادِق true, honest, sincere, candid; earnest, wholehearted

صارَ: أَصْبَحَ، باتَ to become, come to be, grow, turn (into)

صارٍ (الصّارِي) mast (of a ship)

صارَحَ (بِـ) to speak out frankly (to), be frank (with)

صارِخ: فَظيع flagrant, glaring, gross, blatant, outrageous, shocking

صارِخ: قَوِيّ، حادّ glaring, gaudy, flashy; sharp, stark

صارَعَ to wrestle (with); to struggle (with), fight (with)

صارِم severe, strict, stern, rigorous, hard, harsh, tough, drastic

صارُوخ rocket, missile

صاع: مِكْيال measure

صاعِق: مُذْهِل، مُفاجِىء astounding, shocking; sudden, unexpected, abrupt; swift, fast, quick

صاعِقَة thunderbolt, bolt

صاغَ: شَكَّلَ to form, shape, fashion, mold, forge, create, make

صاغَ: حَرَّرَ to draft, draw up, formulate, frame, write (down); to phrase, word, put, express

صاغِر servile, subservient, slavish

صافٍ (الصّافِي): نَقِيّ، خالِص clear, fine, pure, unmixed, plain

صافٍ: صاحٍ، صَحْو clear, cloudless, serene, fine

صافٍ: ضِدّ قائِم أو إجْماليّ net

رِبْحٌ صافٍ، صافي الرِّبْح net profit

صافَحَ to shake hands with

صافِر (طائر) oriole

صالَة hall, room; auditorium

صالَةُ عَرْض showroom; gallery

صالَحَ to make peace with, make up with, become reconciled with

صالِح: جَيِّد good; right; valid; fit

صالِح: نافِع useful, serviceable

صالِح: مُخْتَصّ competent

صالِح: مُسْتَقِيم، بارّ virtuous, righteous, upright, honest; devoted, pious, dutiful, true

صالِح: مَصْلَحَة - راجع مَصْلَحَة

صالِحٌ لِلأَكْل edible, eatable

صالِحٌ لِلشُّرْب drinkable, potable

الصّالِحات the good deeds

صالُون salon, saloon, parlor, reception room

صالُونُ حِلاقَة barbershop

صامَ (عَنِ الطَّعامِ والشَّراب) to fast

صامِت silent; quiet; soundless

صامِد steadfast, perseverant; resistant, resisting; resister

صامِدٌ لِلرَّصاص bulletproof

صامِدٌ لِلْماء waterproof

صانَ to preserve, conserve, keep, protect, (safe)guard; to maintain

صانَعَ : داهَنَ to flatter, cajole, coax

صانِع : مُنْتِج maker, manufacturer, producer, creator, author

صاهَرَ : ناسَبَ to be or become related by marriage to

صَبَّ : سَكَبَ to pour, pour out, pour forth, empty, shed

صَبَّ : سَبَكَ to cast, found, mold

صَبَّ مِفْتاحاً to cut a key

صَبَّ النَّهْرُ (في) to flow (into), pour out (into), disembogue (into), empty (into), discharge (into)

صَبا إلى to yearn for, long for, desire; to aspire to, strive for

صِباً : شَباب، حَداثة youth, youthfulness, juvenility, boyhood

صَباح : صُبْح morning

صَباحاً in the morning

صَباحُ الخَيْر good morning!

صَباحِيّ morning, matutinal

صَبّار، صُبّار (نبات) cactus; prickly pear, Indian fig, opuntia, nopal

صِباغ ـ راجع صِبْغ

صَبَّحَ : أَتاهُ صَباحاً to come in the morning to

صَبَّحَ : حَيّاهُ صَباحاً to wish a good morning (to)

صُبْح : صَباح morning

صُبْحِيَّة : صَباحٌ باكِر early morning

صُبْحِيَّة : زِيارَةٌ صَباحِيَّة morning visit

صَبَرَ (على) to be patient, forbearing; to have patience; to bear patiently, stand, endure, tolerate

صَبَّرَ : طَلَبَ مِنْهُ أَنْ يَصْبِر to ask to be patient, ask to have patience

صَبَّرَ الجُثَّة to embalm, mu[illegible]

صَبَّرَ الحَيَواناتِ أو الطُّيور to stuff

صَبِر (نبات) aloe

صَبْر patience, forbearance, long-suffering, endurance, tolerance

صَبَغَ : لَوَّنَ to dye, tint, tinge, color, paint, tincture

صِبْغ، صِبْغَة : ما يُصْبَغُ بِهِ، صِباغ dye, dyestuff, color(ing), paint; tint, tinge, tincture

صِبْغَة : مَحْلولٌ طِبِّي tincture

صِبْغَةُ شَعْر tint, dye for the hair

صِبْغَة : طابَعٌ مُمَيِّز، مَسْحَة tincture, cast, character, stamp, mark, color, tinge, shade, air, touch

صَبُور patient, forbearing, long-suffering, enduring, tolerant

صَبِيّ : وَلَد، فَتىً boy, youth, lad

صِبْيانِيّ childish, childlike, boyish, puerile, juvenile, silly
صَبِيَّة : فَتاة girl, young girl, lass
صَبِيحة : صَباح morning
صَبيدَج، صَبيدِج ـ راجع سِبِيدَج
صُبَيْر (نبات) ـ راجع صَبّار، صُبّار
صَحَّ : شُفِيَ to recover, get well
صَحَّ : كانَ سَليماً أو حقيقياً to be right, correct; to be true, real
صَحَّ : تحقَّق، ثبت to turn out to be true or right, prove (to be) true or correct; to come true, materialize
صَحَّ على : سَرَى على to hold good for, be true of, apply to
صَحا النّائِمُ : اِسْتَيقَظَ، أَفاقَ to wake up, awake(n); to get up
صَحا السَّكْرانُ to sober up
صَحا مِنْ إغْماء to come to, recover consciousness, revive
صَحا اليَوْمُ إلخ : صَفا to clear up; to be clear, cloudless, sunny, bright
الصَّحابَة، صَحابَةُ رَسُولِ الله the Companions of the Prophet
صَحابِيّ : واحِدُ الصَّحابَة a Companion of the Prophet
صِحافَة، صَحافَة journalism; the press
صِحافِيّ، صَحافِيّ : مُشْتَغِلٌ بِالصَّحافَة journalist, newsman, reporter
صِحافِيّ، صَحافِيّ : مُتَعلِّقٌ بِالصَّحافَة ـ راجع صُحُفِيّ، صَحَفِيّ

صَحِبَ ـ راجع صاحَبَ
صُحْبَة : رِفْقَة companionship, company, association, friendship
صُحْبَة : أَصْدِقاء companions, company, comrades, friends
بِصُحْبَة، صُحْبَةَ accompanied by, in the company of, with
صِحَّة : عافِيَة health; good health
صِحَّة، حِفْظُ الصِّحَّة hygiene
صِحَّة : حَقِيقَة truth, trueness, reality, rightness; soundness, validity
صَحَّحَ : أَصْلَحَ to correct, amend, rectify, adjust, make right, restore, fix, repair, mend
صَحَّحَ : شَفَى to cure, heal
صَحَّحَ التَّجارِبَ الطِّباعِيَّة to proofread, proof, read
صَحْراء desert; wilderness, wild
صَحْراوِيّ desert
صَحَّفَ to misread, mispronounce; to distort, pervert, misstate
صَحْفَة bowl, dish, platter, plate
صُحُفِيّ، صَحَفِيّ : مُتَعلِّقٌ بِالصَّحافَة press-, news-, newspaper-, journalistic
صُحُفِيّ، صَحَفِيّ : مُشْتَغِلٌ بِالصَّحافَة ـ راجع صِحافِيّ، صَحافِيّ
تَحْقِيقٌ صُحُفِيّ reportage, report
سَبْقٌ صُحُفِيّ scoop, beat
مُؤْتَمَرٌ صُحُفِيّ press conference, news conference

صَحْن : طَبَق dish, plate

صَحْنُ الدَّار yard, courtyard, patio, court, dooryard

صَحْنُ سَجايِر، صَحْنُ سِيجَارَة ashtray

صَحْنٌ طائِر flying saucer, UFO

صَحْنُ الفِنْجان saucer

صَحْو : يَقَظَة wakefulness, waking

صَحْو : صَفاء clearness, cloudlessness, serenity, brightness

صَحْو : صاحٍ ـ راجع صاحٍ

صِحِّيّ healthy, healthful, wholesome; health-; sanitary; hygienic

صَحِيح : حَقِيقِيّ true, real, veritable, genuine, authentic

صَحِيح : صَوَاب، مَضْبُوط right, correct; exact, accurate; valid, sound

صَحِيح : سَلِيم، تامّ sound, intact; whole, perfect, complete

صَحِيح : مُعافىً، سَلِيم healthy, well, sound, healthful

صَحِيح : غَيْرُ كَسْرِيّ [رياضيات] integral

عَدَدٌ صَحِيح [رياضيات] whole number, integer

صَحِيفَة : وَرَقَة، صَفْحَة leaf, sheet; page

صَحِيفَة : جَرِيدَة newspaper, paper, journal

صَخَب : ضَجَّة clamor, din, noise

صَخْر، صَخْرَة rock(s)

صَخْرِيّ rocky

صَدَّ : دَرَأَ، رَدَّ to repel, repulse, drive back or away, keep off or back; to force out, put out

صَدَّ عن : أَعْرَضَ عن to turn away from, avoid, keep away from

صَدِئَ، صَدِئ : عَلاهُ الصَّدَأ to rust, oxidize, corrode, be(come) rusty

صَدَأ rust, oxidation, corrosion

صَدِيء : يَعْلُوهُ الصَّدَأ rusty

صَدَى echo, reverberation, reecho

صَدَارَة front, forefront, lead, first place; precedence, priority

صُدَاع : أَلَمُ الرَّأْس headache

صُدَاعٌ نِصْفِيّ migraine

صَدَاق، صِدَاق : مَهْر dower, dowry

صَدَاقَة : مَوَدَّة، أُلْفَة friendship, amity

صِدَام : اِصْطِدام collision, clash

صَدَحَ : غَرَّدَ to sing, chant, warble

صَدَد : خُصُوص respect, regard

في صَدَدِ، بِصَدَدِ concerning, regarding, respecting, with respect to, with regard to, in connection with

في هٰذا الصَّدَد in this connection, in this respect, in this matter

هُوَ في صَدَدِ كَذا he is busy with, occupied with, working at

صَدَرَ (الكِتَابُ) to be published, issued, put out; to appear, come out

صَدَرَ (الحُكْمُ) to be pronounced, delivered, given, rendered

صَدَرَ عَنْ أو مِنْ : اِنْبَعَثَ to emanate

from, issue from, come out of
to export صَدَّرَ (إلى الخارِج)
to preface, introduce صَدَّرَ (بِمُقَدِّمَةٍ)
to put in the front, give the first place to صَدَّرَ: وَضَعَ في الصَّدَارَة
صَدَّرَ: أَصْدَرَ - راجع أَصْدَرَ
chest, breast صَدْر: ما بَيْنَ العُنُقِ والبَطْن
breast(s), bosom(s) صَدْر: ثَدْي
front, front part; forefront, lead صَدْر: مُقَدِّمَة، طَلِيعَة
beginning, start, outset, rise, dawn, early stage صَدْر: بَدْء، أَوَّل
first hemistich صَدْرُ بَيْتِ الشِّعْر
vest, waistcoat صُدْرَة، صُدْرِيَّة
brassiere, bras صُدْرِيَّة (لِلثَّدْيَيْن)
to split, cleave, crack, break صَدَعَ، صَدَّعَ: شَقَّ
to have or get a headache صُدِعَ: أَصابَهُ الصُّدَاعُ
crack, break, split, fissure, crevice, breach, chasm صَدْع: شَقّ
temple صُدْغ: ما بَيْنَ العَيْنِ والأُذُن
to turn away from, avoid صَدَفَ عن
shell, conch, oyster صَدَف، صَدَفَة
صُدْفَة، صِدْفَة - راجع مُصَادَفَة
صُدْفَةً، بالصُّدْفَة - راجع مُصَادَفَةً
to say or tell the truth; to be true, sincere صَدَقَ: قالَ الصِّدْقَ
to prove to be true or correct, turn out to be true, come true; to be(come) true, real صَدَقَ: تَحَقَّقَ، ثَبَتَ
to believe, accept as true صَدَّقَ (فُلاناً أو كَلامَهُ)
to certify, authenticate; to ratify, confirm, endorse, approve, consent to, assent to صَدَّقَ (على): أَقَرَّ
believe it or not صَدِّقْ أو لا تُصَدِّقْ
incredible, unbelievable لا يُصَدَّقُ
truth, trueness, truthfulness; validity صِدْق: صِحَّة
sincerity, honesty, candor; faithfulness صِدْق: إخْلاص
truly, really, verily, in truth صِدْقاً
alms, charity, dole, benefaction, handout صَدَقَة: حَسَنَة
dower, dowry صُدُقَة، صَدُقَة: مَهْر
to shock صَدَمَ (نَفْسِيّاً أو مادِّيّاً أو كَهْرَبائِيّاً)
صَدَمَ: اِصْطَدَمَ بِـ - راجع اِصْطَدَمَ بِـ
shock; blow, stroke, bump, hit, impact صَدْمَة
publication, issue, issuance, coming out صُدُور (الكِتابِ إلخ)
reliable, trustworthy; sincere, honest, truthful صَدُوق: صادِق
pus, matter صَدِيد: قَيْح
brassiere, bras صُدَيْرِيَّة (لِلثَّدْيَيْن)
friend, comrade, pal, chum; friendly صَدِيق: صاحِب، رَفِيق
boyfriend صَدِيقٌ لِفَتاةٍ أو امْرَأَةٍ
veracious, very truth- صِدِّيق: صَدُوق

ful, honest, sincere; upright
صَدِيقَة : مُؤَنَّثُ صَدِيق friend
صَدِيقَةٌ لِرَجُل girlfriend
صَرَّ : رَزَم to bundle, wrap (up), pack, package; to bind, tie (up)
صَرَّ : صَوَّت to stridulate, creak, squeak, screech, chirp
صَرَّ بِأَسْنانِهِ أو على أَسْنانِهِ to gnash (grate, grind) one's teeth
صُراح pure, unmixed, plain
صَراحَة frankness, openness, candor, sincerity, explicitness
صَراحَةً، بِصَراحَة frankly, openly, candidly, explicitly, expressly
صُراخ : صِياح crying, yelling, shouting, screaming, shrieking
صَرَّارُ اللَّيْل : جُدْجُد cricket
صِراط : طَرِيق way, path, road
صِراع : نِزاع struggle, fight, strife; conflict, clash, controversy
صَرّاف money-changer; cambist
صِرافَة money-changing, exchange
صُرَّة : حُزْمَة bundle, bale, packet, pack, package, parcel
صَرَّحَ : أَعْلَنَ to declare, state, announce; to tell; to say in public
صَرَّحَ بِـ : أَجازَ، رَخَّصَ to permit, allow; to license, authorize
صَرْح : بِناءٌ عالٍ edifice, tower, high building; palace; castle
صَرَخَ : صاحَ to cry, yell, shout, scream, shriek, screech, squall
صَرْخَة : صَيْحَة cry, outcry, yell, shout, scream, shriek, screech
صُرَد (طائر) shrike
صُرْصُور، صُرْصُر cockroach
صَرَعَ : طَرَحَ أَرْضاً to throw down, fell, knock down; to knock out
صَرْع : داءٌ عَصَبِيٌّ مُزْمِن epilepsy
صَرْعَة : بِدْعَة، مُوضَة fad, craze, rage, fashion, style, vogue
صَرَفَ : أَذِنَ لَهُ بالانْصِراف to dismiss
صَرَفَ (المُوَظَّفَ) to dismiss, discharge, remove, fire, lay off
صَرَفَ عن : ثَنَى عن to turn (away) from, dissuade from
صَرَفَ : أَنْفَقَ to spend, expend
صَرَفَ (وَقْتاً) : قَضَى to spend, pass
صَرَفَ النُّقُودَ : بَدَلَها ـ راجع صَرَّفَ
صَرَّفَ (الماءَ) to drain, empty, draw
صَرَّفَ النُّقُودَ : بَدَلَها to change, exchange
صَرَّفَ البِضاعَةَ to sell (out), market; to dispose of
صَرَّفَ [لغة] to conjugate (a verb)
صَرْف (المُوَظَّفِ) dismissal, discharge, firing, layoff
بِصَرْفِ النَّظَرِ عن ـ راجع نَظَر
صِرْف : مَحْض pure, unmixed, plain, straight; sheer, absolute
صَرِيح frank, open, candid, sincere,

outspoken, explicit, express
صَرِيخ ـ راجع صُراخ

صَعُبَ : كانَ صَعْباً to be difficult, hard

صَعَّبَ : عَسَّرَ، عَقَّدَ to make difficult or hard, complicate

صَعْب difficult, hard, arduous, tough; complicated, complex

عُمْلَةٌ صَعْبَة hard currency

صَعْتَر (نبات) thyme

صَعِدَ : اِرْتَقَى، عَلا to ascend, climb, mount (up); to rise, go up

صَعَّدَ : زادَ to escalate, aggravate

صَعَّدَ : بَخَّرَ to evaporate, vaporize

صُعَداء : زَفْرَة (deep) sigh

تنفَّس الصُّعداءَ to sigh (deeply); to breathe again, enjoy relief

صَعَقَ to strike, hit, shock

صُعْلُوك pauper; poor; low, base, vile, menial, inferior; powerless

صَعْو (طائِرٌ صَغِير) wren; kinglet

صُعُوبَة difficulty; hardness, toughness; complication

صَعِيد : نَجْد highland, upland

صَعِيد : مُسْتَوًى، نِطاق level, standard, plane; sphere; field, domain

صَغَرَ، صَغِرَ (هُ سِناً) to be younger than

صَغُرَ، صَغِرَ to be(come) small, little, tiny; to decrease, diminish

صَغَّرَ to diminish, decrease, reduce, minimize, make small(er)

صِغَر smallness, littleness, tininess

صِغَر (السِّنِّ) youthfulness, youth, youngness; minority, infancy

صَغِير (الحَجْم) small, little; tiny, minute, diminutive, mini-

صَغِير (السِّنِّ) young, youthful, junior; child; minor

صَفَّ : رَصَفَ to line up, align, row, range, rank, array, arrange

صَفَّ (طِبَاعِياً) to set, typeset, compose

صَفّ (طِبَاعِيّ) typesetting, composition

صَفّ : رَتَل، طابُور line, row, queue, file, rank, range, column

صَفّ (مَدْرَسِيّ أو دراسيّ) class, grade

صَفا : كانَ صافِياً to be clear, pure, serene; to clear, clarify

صَفَّى : نَقَّى to clarify, clear, purify, refine; to strain, filter, (in)filtrate; to drain liquid from

صَفَّى (شَرِكَةً إلخ) to dissolve; to liquidate

صَفَّى (فَرِيقاً رِيَاضِياً) to eliminate, drop

صَفَّى حِساباً to settle, liquidate, pay (up), clear, discharge

صَفَّى حِسابَهُ مَع to settle an account with, get even with

صَفَاء clearness, clarity, fineness, pureness, purity

صُفَار (البَيْض) (egg) yolk, yellow

صَفَّارَة: أَداةٌ صَغِيرَةٌ يُصْفَرُ فيها whistle
صَفَّارَةُ الإِنْذارِ أو الخَطَرِ (warning) siren
صُفارِيَّة (طائر) oriole
صِفَة: مِيزَة quality, property, attribute, characteristic, feature
صِفَة [لغة] adjective, attribute
بِصِفَتِهِ كَذا in the capacity of (in his capacity as), as, qua
صَفَحَ عن to forgive, pardon, excuse
صَفَّحَ to plate, overlay, foliate; to armor
صَفْح: غُفْران pardon, forgiveness
صَفْحَة: أَحَدُ وَجْهَيِ الوَرَقَة page
صَفْحَة: وَرَقَة sheet, leaf
صَفْحَة: سَطْح، وَجْه surface, face
صَفَدَ، صَفَّدَ to fetter, shackle, (en)chain, bind; to (hand)cuff
صَفَد: قَيْد fetter(s), shackle(s), chain(s); handcuff(s), cuff(s)
صَفَرَ: أَحْدَثَ صَفِيراً to whistle; to hiss
صَفِرَ: خَلا to be empty, void, vacant
صَفَّرَ: جَعَلَهُ أَصْفَر to yellow, make yellow
صَفَّرَ: أَحْدَثَ صَفِيراً ـ راجع صَفَرَ
صُفْر: نُحاسٌ أَصْفَر brass
صُفْر، صِفْر: خالٍ empty, void, vacant; devoid (of)
صِفْر [رياضيات] zero, cipher, naught
صِفْرُ اليَدَيْن empty-handed

صِفْرِد (طائر) corncrake, land rail
صَفْصاف (شجر) willow
صَفَعَ to slap, cuff, buffet
صَفْعَة slap, cuff, buffet, flap, blow
صَفَّفَ: رَصَفَ ـ راجع صَفَّ
صَفَّفَ الشَّعْرَ to comb, do, do up, style, dress, coiffure, coif
صَفَقَ: ضَرَبَ to slap, strike
صَفَقَ البابَ to slam, bang, shut
صَفَّقَ to applaud, clap the hands
صَفْقَة: بَيْعَة deal, transaction, bargain; package, package deal
صَفْوَة: خِيرَة، نُخْبَة choice, prime, pick, cream, elite, top; the best
صَفُوح: غَفُور forgiving, excusing; indulgent, lenient, merciful
صَفِيّ sincere (true, best) friend
صَفِيح tin, tinplate
صَفِيحَة: رَقِيقَة plate, sheet, leaf, foil; lamina; tinplate
صَفِيحَة: وِعاء can, container
صَفِيحَة (بِنْزِين) jerrican, jerry can
صَفِير whistling, whistle; hiss(ing)
صَقَّار: بازْدار falconer
صِقالَة: إِسْقالَة scaffold
صَقْر: باز falcon, hawk, accipiter
صَقْرٌ جَرّاحٌ أو حَوّام buzzard
صَقَعَ: بَرَدَ، تَثَلَّجَ to be ice-cold, icy,

frozen; to freeze, frost

صُقع: مِنْطَقَة، بَلَد region, area, place, land, territory, country

صَقَلَ to polish, burnish, scour, glaze, gloss, shine, (re)furbish, luster, buff; to refine, cultivate

صَقِيع frost, hoar(frost); freeze

صَقِيل ـ راجع مَصْقُول

صَكّ: مُسْتَنَد document, deed, instrument, paper, muniments

صَكّ: شيك check

صَلَّ: قَعْقَعَ to rattle, clank, clink

صِلّ: أفعى سامّة asp; cobra

صَلَى: شوى to roast, broil, grill

صَلَى البُنْدُقِيَّةَ أو المُسَدَّسَ to cock

صَلَّى: أقامَ الصَّلاة to pray

صَلَّى اللهُ على: بارَكَ to bless

صَلَّى اللهُ عَلَيْهِ وَسَلَّمَ God's blessing and peace be upon him

صَلاة: اِبْتِهال prayer

صَلاة (مِنَ الله): بَرَكَة blessing

صَلاح: جُودَة، صِحَّة goodness, rightness, validity

صَلاح: مُلاءَمَة fitness, suitability, appropriateness, propriety

صَلاح: نَفْع serviceability, usability; use(fulness), utility

صَلاح: اِسْتِقامَة righteousness, uprightness, integrity; piety

صَلاحِيَّة: اِخْتِصاص competence, jurisdiction; power, authority

صَلَبَ: عَلَّقَ على صَلِيب to crucify

صَلُبَ، صَلِبَ to be(come) hard, solid, firm, stiff, rigid; to harden, solidify, stiffen, toughen

صَلُبَ: قَسَى to harden, solidify, stiffen, indurate, set

صَلَّبَ: رَسَمَ إشارَةَ الصَّلِيب to make the sign of the cross; to cross (oneself)

صَلْب: تَعْلِيقٌ على صَلِيب crucifixion

صُلْب: قاسٍ hard, solid, rigid, firm, stiff, inflexible

صُلْب: عَنِيد ـ راجع مُتَصَلِّب

صُلْب: فُولاذ steel

صُلْب: العَمُودُ الفِقْرِيّ spinal column, vertebral column, backbone

صُلْب: مَتْن body, text

صُلْب: صَمِيم heart, innermost, core, essence, pith, center

مادَّةٌ صُلْبَة، جِسْمٌ صُلْب a solid

صِلَة: عَلاقَة connection; contact; relation(ship); bearing, relevance; link, tie

صَلُحَ، صَلَحَ to be good, right; to be virtuous, righteous; to be fit, suitable; to suit, fit; to serve (for); to be serviceable, useful

صَلَّحَ ـ راجع أَصْلَحَ

صُلْح peace, peacemaking, concilia-

tion, reconciliation

صَلْد : صُلْب — hard, solid, rigid, firm

صَلْصال : طِين — clay, argil

صَلْصَة : مَرَق — sauce; gravy; dressing

صَلْصَلَ : قَعْقَعَ - راجع صَلَّ

صَلِعَ : صارَ أَصْلَع — to be(come) bald

صَلَع — baldness, alopecia

صَلَف — boast(ing), brag(ging), vaunt(ing), swagger(ing), vainglory

صِلَّوْر (سمك) — catfish, silurid

صَلِيب — cross

صَمَّ : طَرِش — to be or become deaf

صَمَّ : حَفِظَ — to learn by rote, learn by heart, memorize

صِمَام — valve

صَمَتَ : سَكَتَ — to be(come) silent or quiet, keep silent or quiet, hush up, stop talking, say nothing

صَمْت : سُكُوت — silence, quiet, hush

صَمَدَ — to withstand, resist; to hold (out), remain firm, be steadfast

صَمَّغَ — to paste, glue; to gum

صَمْغ — gum; paste, glue; adhesive

صَمَّمَ على : عَزَمَ على — to determine to, resolve to, decide to, be determined to or on; to intend to

صَمَّمَ : خَطَّطَ — to design, style; to plan, lay out

صَمَّمَ : صَيَّرَهُ أَصَمّ — to deafen, make deaf

صَمَم : طَرَش — deafness

صُمُود — steadfastness, perseverance, firmness; resistance

صَمُولَة : عَزَقَة — nut (of a bolt)

صَمِيم : خالِص، صافٍ — real, true, genuine, pure, straight, absolute

صَمِيم : صُلْب — heart, core, essence, pith, center

مِنْ صَمِيمِ قَلْبِي — from the bottom (or depth) of my heart

في صَمِيمِ المَوْضوع — to the point, relevant, pertinent, apposite

صِنَّارَة — hook, fishhook; (fishing) rod

صِنَّارَةُ الحَبْك — needle

صِناعَة — industry; manufacture

صِناعَة : صَنْعَة - راجع صَنْعَة

صِناعِيّ : مُتَعَلِّقٌ بالصِّناعَة — industrial

صِناعِيّ : غَيْرُ طَبِيعِيّ - راجع صُنْعِيّ

(رَجُل) صِناعِيّ — industrialist

صُنْبُور : حَنَفِيَّة — tap, cock, faucet

صَنْج — cymbal(s); castanet(s)

صَنْدَقَ — to (en)case, box, pack(age)

صَنْدَل (شَجَرٌ وخَشَبُهُ) — sandalwood

صَنْدَل : خُفّ، حِذاء — sandal(s)

صَنْدَل : قارِب — lighter, hoy, barge

صُنْدُوق : عُلْبَةٌ كَبِيرَة — case, box, chest,

صُنْدُوق: trunk, crate; pack(age)

صُنْدُوق: خِزَانَة safe; strongbox, coffer; till; money box

صُنْدُوق: خزينة treasury, coffers; pay office, cashier's office

صُنْدُوق: مُؤَسَّسَةٌ تُدِيرُ أَموالاً fund

صُنْدُوقُ الدُّنْيا أو الفُرْجَة peep show, raree show

صُنْدُوقُ السَّيَّارَة trunk

صُنْدُوقُ كَرْتُون carton

صِنْدِيد: شُجاع valiant, brave, bold, courageous, stouthearted

صَنَعَ: عَمِلَ to make, do; to manufacture, fabricate, produce; to form, create, fashion

صَنَّعَ (بَلَداً أو مِنْطَقَةً) to industrialize

صَنْعَة: حِرْفَة craft, handicraft; trade, occupation, vocation, profession

صُنْعِيّ: غَيْرُ طَبِيعِيّ artificial, synthetic, man-made, imitation, unnatural

صَنَّفَ: بَوَّبَ to classify, categorize, assort, group, grade, rank, rate

صَنَّفَ كِتاباً to compile, compose, write

صِنْف، صَنْف: نَوْع category, class, grade, range, group; kind, sort, type, variety; brand

صَنْفَرَة: سُنْباذَج emery

صَنَم: وَثَن idol, image

صِنْو، صَنْو (full) brother; twin, double; one of a pair; equal, peer, equivalent, counterpart, parallel

صَنَوْبَر، صَنَوْبَرَة (شَجَرٌ وخَشَبُهُ) pine

صَنِيع: عَمَل deed, act, action

صَنِيع، صَنِيعَة: أَداة creature, tool, cat's-paw, puppet

صَهَرَ: أَذابَ to fuse, melt, smelt

صِهْر: زَوْجُ الابْنَة son-in-law

صِهْر: زَوْجُ الأُخْت brother-in-law

صِهْرِيج: حَوْض cistern, reservoir, tank, container

صِهْرِيج: شاحِنَة tank truck, tanker

صَهَلَ الفَرَسُ to neigh, whinny

صَهْوَة horseback, back of a horse

صَهْيُونِيّ Zionist(ic); Zionist

صَهْيُونِيَّة Zionism

صَوَاب: صَحِيح، مَضْبُوط right, correct, proper; accurate, exact

صَوَاب: صِحَّة rightness, correctness, propriety

صَوَاب: عَقْل، رُشْد reason, mind; consciousness, senses, awareness

صَوَّان flint, firestone; granite

صِوَان cupboard; buffet, sideboard

صَوَّبَ: وَجَّهَ to aim (at), point (at), direct (to), deliver (at)

صَوَّبَ: صَحَّحَ to correct, rectify, right, make right, put right

صَوْب: جِهَة، ناحِيَة direction; side

صَوْبَ : بِاتِّجاه، نَحْوَ toward(s), to, in the direction of

صَوَّتَ : اِقْتَرَعَ to vote, cast a vote

صَوَّتَ : صاتَ ـ راجع صاتَ

صَوْت : كُلُّ ما يُسْمَع sound

صَوْت (الإنسانِ) voice

صَوْت (في انْتِخاب) vote

صُوَّة : مَعْلَم road sign; landmark

صَوْتِيّ sonic, sound-, acoustic(al), phonic, vocal

صَوَّرَ : رَسَمَ to draw, paint, portray, figure, picture, illustrate

صَوَّرَ : وَصَفَ to describe, depict, picture, portray, paint

صَوَّرَ : شَكَّلَ to shape, form, mold, fashion, create, make

صَوَّرَ : نَسَخَ to copy, photocopy, duplicate, reproduce, xerox

صَوَّرَ (فوتوغرافِيًّا) to photograph, take photographs, take pictures; to film, shoot, snap, snapshoot

صُورَة : رَسْم picture, portrait, drawing; illustration, figure; painting; image

صُورَة : شَكْل، هَيْئَة form, shape, figure, appearance

صُورَة : نُسْخَة copy, reproduction

صُورَة : طَرِيقَة، كَيْفِيَّة manner, mode, fashion; way, method

صُورَةٌ جانِبِيَّة profile

صُورَةٌ زَيْتِيَّة oil painting, oil

صُورَةٌ فوتوغرافِيَّة photo(graph), picture; snap(shot), shot

صُورَةٌ كارِيكاتُورِيَّة cartoon, caricature

صُورَةُ الكَسْر [رياضيات] numerator

صُوَرٌ مُتَحَرِّكَة (animated) cartoon

بِصُورَةٍ خاصَّة، بِصُورَةٍ عامَّة ـ راجع خُصُوصاً، عُمُوماً

صُورِيّ، صُورِيّ formal; nominal; false, sham, fictitious, unreal

صُوص chick, young chicken

صُوف : شَعْرُ الغَنَم إلخ wool; fleece

صُوفِيّ : مِنَ الصُّوف woolen, fleecy; woolly, wool

صُوفِيّ : واحِدُ الصُّوفِيِّين Sufi, mystic

صَوَّلَ : نَقَّى to pan, wash out, leach

صَوْلَة : حَمْلَة attack, assault

صَوْلَة : سَطْوَة power, influence

صَوْلَجان (المَلِكِ) scepter, mace, wand

صَوْلَجان (الأُسْقُفِ) crosier, staff

صَوْم : صِيَام fasting, fast

الصَّوْمُ الكَبِير [نصرانية] Lent

الصُّومَال Somalia

صُومَالِيّ Somalian

صَوْمَعَة cell, hermitage

صُويَا، فُولُ الصُّويَا soybean, soya

صِيَاح : صُرَاخ crying, yelling, shouting, screaming, shrieking

صِيَاحُ الدِّيك crow(ing)

صَيَّاد hunter, huntsman, shooter

صَيَّادُ السَّمَك fisherman, fisher

صِيام : صَوْم fasting, fast

صِيانة maintenance, upkeep; preservation, conservation, protection

صِيت : سُمْعَة reputation, repute, standing, name, fame, renown

صَيَّحَ ـ راجع صاحَ

صَيْحَة cry, outcry, yell, shout, scream, screech, shriek

(آخِرُ) صَيْحَة fad, craze, rage, style, fashion, vogue, mode

صَيْدُ الطُّيُورِ والحَيَوانات hunt(ing), shoot(ing)

صَيْدُ السَّمَك fishing, fishery

صَيْد : حَيَواناتٌ مَصِيدَة game, quarry, kill

صَيْدَلَة pharmacy, pharmaceutics, pharmacology

صَيْدَلِيّ pharmacist, druggist, chemist

صَيْدَلِيَّة pharmacy, drugstore

صَيْدَنانِيّ (حيوان) chipmunk

صَيَّرَ : جَعَلَ to make, render; to reduce to, turn into

صَيْرَفَة money-changing, exchange

صَيْرَفِيّ money-changer; cambist

صَيْرُورَة becoming, turning (into)

صِيغَة : شَكْل formula; form, shape; fashion, mode, manner

صِيغَة : نَصّ wording, version; text

صَيَّفَ (بِـ) ـ راجع إصْطافَ (بِـ)

صَيْف summer, summertime

صَيْفِيّ summer(y), (a)estival

تَوْقِيتٌ صَيْفِيّ daylight-saving time

مَدْرَسَةٌ صَيْفِيَّة summer school

صِينِيَّة : طَبَقٌ يُقَدَّمُ عَلَيْه tray, salver

صِيوان tent, pavilion, marquee

ض

ضائِع lost, missing; wasted

ضائِقة : شِدَّة، عُسْر ـ راجع ضِيْق

ضائِقةٌ مالِيَّة financial straits, insolvency

ضاءَل : خَفَّض to decrease, diminish, reduce, lower, cut

ضابِط (في الجَيْشِ او الشُرْطَةِ إلخ) officer

ضابِط : مُنَظِّم regulator, governor, control(s)

ضابِط : وازِع control, restraint, check

ضابِط : مِعْيار criterion, standard

ضابِطة : شُرْطَة police, policemen, police force

ضاحِك ـ راجع ضَحُوك

ضاحِيَة (ج ضَواحٍ) suburb(s); outskirts, environs, precincts

ضادَّ to contradict, counter; to be contrary to, contradictory to

ضارّ : ضَرٌّ، أضَرّ ـ راجع ضَرّ

ضارّ : مُضِرّ harmful, injurious, detrimental, prejudicial, noxious

ضارٍ (الضّارِي) predatory, rapacious; savage, wild; fierce, violent

حَيَوانٌ ضارٍ beast of prey, predatory animal, predator

ضارَبَ (تِجارِيًّا) to speculate

ضارِب beating, striking, knocking; beater, striker, knocker

ضارِبٌ على الآلَةِ الكاتِبَة typist

ضارَعَ to match, equal, be like; to rival (successfully)

ضاعَ to be lost, get lost; to go to waste, be wasted

ضاعَفَ to double, duplicate

ضاغِط compressing, pressing

جَماعَةُ (كُتْلَةُ، قُوَّةُ) ضاغِطَة pressure group, lobby

ضافَ to stay with as a guest

ضافَرَ to help, aid, assist, support

ضاقَ to narrow, contract; to be-(come) narrow, tight, close

ضَؤُلَ ـ راجع تَضاءَل

ضالّ straying, wandering, stray, (going) astray, lost, erratic

ضَآلَة - راجع تَضاؤُل
ضالَّة (مَنْشودَة) object of search; goal, aim; wish, desire
ضامَ to wrong, oppress, harm
ضامِر : نَحيل atrophied, emaciated; lean, thin; slim, slender
ضامِن : كَفيل guarantor, guarantee, surety, bail(sman), sponsor
ضَأْن : غَنم sheep
ضأني، ضاني : لَحْمُ الضَّأْن mutton
ضاهَى to match, equal, be like; to compete with or rival (successfully), emulate, strive to excel
لا يُضاهَى incomparable, matchless, peerless, unequaled, unique
ضايَق to annoy, vex, bother, disturb, irritate, molest, harass, upset
ضَئيل small, little, slight, meager, scanty, insufficient, negligible
ضَبّ (حيوان) lizard; dabb
ضَباب fog, mist
ضَبابِيّ foggy, misty, hazy, cloudy
ضَبان (الحِذاء) insole
ضَبَطَ : قَبَضَ على to catch, seize; to apprehend, arrest; to hold
ضَبَطَ : حَجَزَ، صادَرَ to seize, distrain, impound, sequester, confiscate
ضَبَطَ : كَبَحَ to control, check, curb, contain, hold (back), restrain
ضَبَطَ : دَقَّقَ to check (up), verify
ضَبَطَ : عَدَّلَ، نَظَّمَ to adjust, regulate, tune, fix, set; to correct
ضَبَطَ : شَكَّلَ to vowelize, point
ضَبْط، بِالضَّبْط exactly, precisely, accurately
مَحْضَرُ ضَبْطِ سَيْر (traffic) ticket
ضَبُع، ضَبْع (حيوان) hyena
ضَجَّ : صَخِبَ to clamor, roar, din, vociferate, shout, cry be noisy
ضَجَّة noise, din, uproar, clamor
ضَجِرَ (مِنْ) to be bored (with), fed up (with), (sick and) tired (of)
ضَجَر boredom, weariness, tedium
ضَجِر bored (with), fed up (with), weary (of), tired (of)
ضَجيج - راجع ضَجَّة
ضَحَّى (بِـ) to sacrifice
ضَحَّى بِنَفْسِه to sacrifice oneself
ضُحًى : ضَحْوَة forenoon; morning
ضَحِكَ to laugh
ضَحِكَ مِنْ أو على to laugh at, poke fun at, make fun of, ridicule, mock, deride, scoff at, jeer at
ضَحِك، ضِحْك laughter, laughing
ضَحْكَة، ضِحْكَة laugh
ضَحْل shallow, shoal
ضَحْوَة : ضُحًى forenoon; morning
ضَحُوك laugher; laughing, risible, pleasant, merry, good-humored
ضَحِيَّة : فَرِيسَة، مَجْنِيٌّ عَلَيْه victim

ضَخَّ (الماءَ، المالَ إلخ) to pump
ضَخُمَ to be huge, big, large; to increase in size or volume, swell
ضَخَّمَ : كَبَّرَ to inflate, distend, blow up, enlarge, swell, magnify
ضَخَّمَ : بالَغَ في to exaggerate
ضَخْم : كَبِير huge, big, large, great, sizable, bulky, gross, enormous, tremendous, gigantic, giant
ضِدّ opposite, contrary, contrast; converse; antonym; against, opposed to; anti-, counter-, contra
ضِدُّ الحَرِيقِ أو النّار fireproof
ضِدُّ الرَّصاص bulletproof
ضِدُّ الماء waterproof
ضَرَّ : أَضَرَّ to harm, damage, hurt, injure, wrong, do harm to
ضَرَّاء distress, adversity, trouble
في السَّرَّاءِ والضَّرَّاء ـ راجع سَرَّاء
ضَرَبَ : خَبَطَ to beat, strike, hit; to knock, punch; to slap, flap
ضَرَبَ على الآلَةِ الكاتِبَة to type, typewrite
ضَرَبَ على الآلَةِ المُوسِيقِيَّة to play (on)
ضَرَبَ أَجَلاً أو مَوْعِداً to fix a date, make an appointment
ضَرَبَ البابَ to knock, rap, beat (on or at a door)
ضَرَبَ الجَرَسَ to ring, sound, toll (a bell)

ضَرَبَ رَقْماً قِيَاسِيّاً to set a record
ضَرَبَ النُّقُودَ to coin, mint
ضَرَبَ عَدَداً في آخر to multiply (a number by another)
ضَرَبَ مَثَلاً to give (as) an example, quote as an example, cite
ضَرْب (الأعْدادِ) multiplication
ضَرْبٌ على الآلَةِ الكاتِبَة typing, typewriting
ضَرْب : نَوْع kind, sort, type, variety
ضَرْبَة : طَرْقَة blow, stroke, hit, beat, knock; slap, flap, strike; tap; rap
ضَرْبَة جَزاء penalty kick
ضَرْبَة شَمْس sunstroke, insolation
ضَرَّة (المَرْأَة) fellow wife (of a polygyny)
ضَرَر : أَذًى damage, harm, injury, hurt, wrong, detriment
أَضْرار، عُطْلٌ وضَرَر damages, indemnity, compensation, reparation
ضِرْس molar, molar tooth, grinder
ضَرُورَة necessity, need, demand, (pre)requisite; must
بِالضَّرُورَة necessarily, of necessity
عِنْدَ الضَّرُورَة in case of need, if need be, when necessary, if necessary
ضَرُورِيّ necessary, (pre)requisite, indispensable, essential, required
ضَرُوس fierce, destructive, deadly
ضَرِيبَة tax, duty, excise, levy

ضَرِيح : قَبْر grave, tomb, sepulcher

ضَرِير : أعْمَى blind

ضَعْضَعَ to undermine, weaken, sap, debilitate; to dilapidate

ضَعُفَ to weaken, fail, languish; to be(come) weak or feeble

ضَعَّفَ : أضْعَفَ ـ راجع أضْعَفَ

ضَعَّفَ : ضاعَفَ ـ راجع ضاعَفَ

ضَعْف، ضُعْف : ضِدّ قُوّة weakness, feebleness, languor, impotence

ضِعْف (ج أضْعاف) double; twice (as much); multiple; -fold

ثلاثةُ أضْعاف triple; thrice (as much), threefold

ضَعِيف weak, feeble, debilitated, languid, powerless, impotent

ضَغَطَ : عَصَرَ to (com)press, squeeze

ضَغَطَ : حَشَرَ to (com)press, push, pack (tight), jam; to squeeze

ضَغَطَ على to exert pressure on, pressure; to push; to press, compel, force, constrain, coerce

ضَغْط، قُوّةُ الضَّغْط pressure; stress

ضَغْطٌ جَوِّيّ atmospheric pressure

ضَغْطُ الدَّم blood pressure

ضَغْطُ الهَواء air pressure

ضَغِينَة، ضِغْن rancor, spite, grudge, malice, venom, hatred

ضِفَّة، ضَفَّة bank, shore, riverside

ضِفْدِع، ضِفْدِعَة (حيوان) frog

ضِفْدِعُ الطِّين (حيوان) toad

ضِفْدِعٌ بَشَرِيّ، رَجُلٌ ضِفْدِع frogman

ضَفَرَ، ضَفَّرَ to braid, plait, cue

ضَفِيرَة braid, plait, queue, pigtail

ضَلَّ to go astray, stray; to lose one's way, get lost

ضَلال، ضَلالَة going astray; error; perversity; delusion, deception

ضِلْع : عَظْمٌ مُسْتَطِيل [تشريح] rib

ضِلْع، لَحْمُ الأضْلاع cutlet, chop; rib

ضِلْع [هندسة] side

ضِلْع : دَوْر، يَد role, part, hand

ضَلَّلَ to mislead, lead astray, misguide, misdirect; to deceive, fool

ضَلِيع (في عِلْم) versed (in), skilled (in); erudite; expert, specialist

ضَمَّ : جَمَعَ، دَمَجَ to join, unite, bring together, connect; to combine, merge, amalgamate; to group

ضَمَّ : ألْحَقَ to join, attach, annex, append, add

ضَمَّ : اِحْتَوَى to contain, comprise, include, encompass, embrace

ضَمَّ : عانَقَ to embrace, hug

ضِماد، ضِمادَة dressing, bandage, swathe, pad, compress

ضَمَان، ضَمانَة : كَفالَة guarantee, warrant(y), security, collateral

ضَمَان : تَأْمِين insurance, assurance

ضَمانٌ اجْتِماعِيّ social security
ضَمَخَ، ضَمَّخَ to perfume, scent
ضَمَدَ، ضَمَّدَ to bandage, dress, bind up
ضَمُرَ، ضَمَرَ : هَزَلَ to atrophy, waste away; to be(come) lean or thin
ضَمِنَ to guarantee, ensure, secure; to insure
ضَمَّنَ : أَدْرَجَ to include, enclose, embody, incorporate, enter
ضَمَّنَ : غَرَّمَ to fine, amerce
ضِمْنَ : داخِلَ، بَيْنَ within, inside (of), in, among
مِنْ ضِمْنِ among, within; included in, falling under
ضِمْناً inclusively; inclusive
ضِمْنِيّ implied, implicit, tacit
ضَمِير : وِجْدان conscience; heart, mind; innermost
ضَمِير [لغة] pronoun
ضَنَّ (بِـ، على) to (be)grudge, give reluctantly (to), withhold (from)
ضَنًى : ضَعْف exhaustion; weakness
ضَنِين : بَخِيل grudging, sparing
ضَنِينٌ بِـ clinging to, sticking to, adhering to; hanging on to
ضَوْء light; brightness, gleam
الضَّوْءُ الأَخْضَر the green light, OK

ضَوْءُ الشَّمْس sunlight, sunshine
ضَوْءُ القَمَر moonlight
على (أو في) ضَوْءِ كَذا in the light of
ضَوْئِيّ light-, luminary, luminous
سَنَةٌ ضَوْئِيَّة light-year
ضَوْضاء : ضَجَّة noise, din, uproar, clamor, hubbub, hurly-burly
ضِياء ـ راجع ضَوْء
ضَياع loss; forfeiture; waste
ضِيافَة entertainment, entertaining; accommodation, housing
ضَيْر : ضَرَر harm, damage, injury
ضَيَّعَ ـ راجع أَضاعَ
ضَيْعَة : قَرْيَة (small) village, hamlet
ضَيَّفَ : إسْتَضافَ ـ راجع إسْتَضافَ
ضَيْف : نَزِيل، زائِر guest; visitor
ضَيَّقَ to narrow, make narrow(er), tighten, straiten, constrict
ضَيَّقَ على to confine, hem in, corner; to restrain, press, oppress
ضَيِّق narrow, tight, close; confined
ضِيق : ضِدّ اتِّساع narrowness, tightness, closeness
ضِيق : شِدَّة، عُسْر distress, difficulty, hardship; straits, pinch; need
ضَيْم wrong, injustice, oppression

ط

طائِر : طَيْر bird

طائِرَة : طَيَّارَة airplane, plane, aircraft

طائِرَةٌ حَرْبِيَّةٌ أو عَسْكَرِيَّة warplane, military airplane

طائِرَةٌ عَمُودِيَّةٌ أو مِرْوَحِيَّةٌ أو حَوَّامَةٌ أو طَوَّافَة helicopter

طائِرَةٌ نَفَّاثَة jet airplane, jet plane, jet, jetliner

طائِرَةٌ وَرَقِيَّة kite

طائِش : مُتَهَوِّر reckless, rash, heedless, careless, foolhardy, frivolous

طائِش : بِلا هَدَف aimless, desultory, random, stray

طائِع ـ راجع مُطِيع

طائِفَة (دِينِيَّة) : مِلَّة sect, denomination, confession

طائِفَة : جَماعَة group, troop, body

طائِفَة : جُزْء part, portion; section

طائِفِي sectarian, denominational, confessional

طائِفِيَّة sectarianism, denominationalism, confessionalism

طائِل : كَبِير enormous, huge, big

طائِل : نَفْع use, avail, benefit

طابَ to be good, pleasant, agreeable, delicious, sweet

طابَ لِـ to please, delight, give pleasure to, appeal to

طابَتْ لَيْلَتُكُمْ good night!

طابَة : كُرَة ball

طابِخ : طَبَّاخ، طاهٍ cook; chef

طابَع : مِيزَة stamp, mark, character, characteristic, feature

طابَع : خَتْم seal, signet; stamp, imprint, impress(ion)

طابَعٌ بَرِيدِي postage stamp, stamp

طابِع printer, pressman

طابِعٌ على الآلَةِ الكاتِبَة typist

طابِع : طابَع ـ راجع طابَع

طابَقَ to be identical with; to correspond to, conform with, coincide with, agree with; to be consistent with, compatible with

طابِق، طابَق : دَوْر floor, story

الطَّابِقُ الأَرْضِيّ ground floor

الطَّابِقُ الأَسْفَل downstairs

الطَّابِقُ السُّفْلِيُّ أو التَّحْتانِيّ basement

طابُور : رَتَل، صَفٌّ طَوِيل line, queue, file, row, rank, column

طاحِن : ضارٍ، ضَرُوس fierce, violent, destructive, ruinous, deadly

طاحُون، طاحُونَة mill, grinder

طاحُونَةُ الماء water mill

طاحُونَةُ الهَوَاء windmill

طاحُونَةُ اليَد quern, hand mill

طارَ : حَلَّقَ to fly; to fly away

طارِىء : غَيْرُ مُنْتَظَر accidental, incidental, unexpected, unforseen

طارِىء : غَرِيب، دَخِيل foreign, alien

طارِىء : إسْتِثْنائِيّ extraordinary, unusual; emergency

طارِىء، طارِئَة : حادِثٌ طارِىء emergency, contingency; accident

حالَةُ الطَّوارِىء state of emergency

طارَة : طَوْق hoop, ring, circle

طارَدَ : لاحَقَ to chase, pursue, follow, hunt, track, trail, trace

طازَج : جَدِيد، طَرِيّ fresh, new

طاس، طاسَة : كَأْس bowl; cup; glass, tumbler; goblet

طَأْطَأَ (رَأْسَهُ) to bow, duck, lower, bend, incline (one's head)

طاعَة obedience, compliance, submission; allegiance; piety

طاعِن (في السِّنّ) old, aged, advanced in years

طاعُون (مرض) plague, pestilence

طاغٍ (الطَّاغِي) : ظالِم tyrant, autocrat, dictator; tyrannical, oppressive, autocratic, dictatorial, arbitrary

طاغٍ : سائِد prevailing, (pre)dominant, preponderant

طاغِيَة : ظالِم ـ راجع طاغٍ

طافَ : دارَ to circle, circumambulate, go around; to roam, rove, tour

طافَ : فاضَ to overflow, flow over, run over; to flood, inundate

طافٍ (الطَّافِي) : عائِم floating, afloat

طافِح replete, full, brimful, overfull

طافِيَة : عَوَّامَةٌ لإرْشادِ السُّفُن buoy

طاقَة : قُوَّة energy; power; capacity; ability, capability, faculty

طاقِم (السَّفِينَةِ أو الطَّائِرَةِ) crew

طاقِم : طَقْم ـ راجع طَقْم

طالَ : صارَ طَوِيلاً to be(come) long; to lengthen, extend, stretch

طالَ : دامَ طَوِيلاً to last long

طالَبَ (بِـ) to claim, demand; to call upon, request, ask (someone to do something), appeal to

طالِب : تِلْمِيذ student

طالِبٌ جامِعِيّ university student

طالِبٌ عَسْكَرِيّ (في كُلِّيَّةٍ حَرْبِيَّة) cadet

suitor طالِبُ يَدِ المَرْأةِ، طالِبُ زَواج
طالِح : شِرِّير bad, evil, wicked, vicious
طالَعَ : قَرَأَ to read, peruse
طالَعَ بـ : زَوَّدَ بـ to bring (to), present with; to supply with
طالَع بـ : أَعْلَم بـ - راجع أَطْلَعَ على
طالِع : صاعِد rising, ascending, going up, mounting, climbing
طالِع : حَظّ luck, fortune
طالِق، طالِقَة - راجع مُطَلَّقَة
طالَما، لَطالَما : مِراراً often, frequently, many times, repeatedly
طالَما : ما دامَ as long as, so long as
طالَما أَنَّ since, as, inasmuch as
طامَّة : مُصِيبَة disaster, catastrophe
طاهٍ (الطّاهِي) : طَبّاخ cook; chef
طاهِر : نَظِيف clean, pure, immaculate
طاهِر : عَفِيف chaste, modest, virtuous, pure
طاوَعَ : وافَقَ to consent to, assent to
طاوَعَ : أَطاعَ - راجع أَطاعَ
طاوِلَة table
لُعْبَةُ الطّاوِلَة backgammon, trictrac
طاوُوس (طائر) peacock
طِبّ medicine
طِبُّ الأَسْنان dentistry
طِبُّ الأَطْفال pediatrics
طِبٌّ بَيْطَرِيّ veterinary medicine

طِبابَة medical treatment
طَبّاخ : طاهٍ cook; chef
طَبّاخ : فُرْن، آلَةُ الطَّبْخ - راجع مِطْبَخ
طَباشِير chalk
طَبّاع : طابِع printer, pressman
طِباع : سَجِيَّة، خُلُق - راجع طَبْع
طِباعَة printing, press, typography
طِباعِيّ typographic(al), printing, press
طَبَّبَ to treat medically, medicate
طَبَخَ : طَهَا to cook
طَبْخ : طَهْو cooking, cookery; cuisine
طَبْخ : طَعامٌ مَطْبُوخ cooked food
طَبْشُورَة : إِصْبَعٌ مِنَ الطَّباشِير chalk
طَبَعَ (الكِتابَ إلخ) to print
طَبَعَ على الآلَةِ الكاتِبَة to type, typewrite
طُبِعَ على to have a natural disposition for; to be innate in
طَبَّعَ : جَعَلَهُ طَبِيعِيًّا to normalize
طَبْع (الكُتُبِ إلخ) printing, print
طَبْعٌ على الآلَةِ الكاتِبَة typing, typewriting
طَبْع : سَجِيَّة، خُلُق nature, disposition, character, temper, setup
طَبْعاً، بِالطَّبْع naturally; of course, certainly, sure(ly), for sure
طَبْعَة (مِنْ كِتابٍ إلخ) edition, impres-

sion; printing, print

طَبَّقَ : نَفَّذَ — to apply, put into effect, implement; to enforce, carry out; to honor, observe, comply with

طَبَّقَ : عَمَّ — to spread (through), pervade

طَبَق : صَحْن — plate, dish

طَبَق : صِينِيَّة — tray, salver

طِبْقَ، طِبْقاً لِـ — according to, in conformity with, pursuant to

صُورَةٌ طِبْقُ الأَصْل — true copy, (exact) copy, replica, duplicate

طَبَقَة (مِنَ الأَرْضِ أو الهَوَاءِ إلخ) — layer; stratum; bed; sheet

طَبَقَة (خارِجِيَّة) : غِشَاء — coat(ing), film, screen, outer layer

طَبَقَة : دَوْر، طابِق — floor, story

طَبَقَة : صِنْف، دَرَجَة — class, category, grade; degree, rank, level

طَبَقَة (اجْتِماعِيَّة) — (social) class, rank

طَبَقِيّ — class

طَبَلَ، طَبَّلَ — to drum, beat a drum

طَبْل، طَبْلَة — drum

طِبِّي — medical; medicinal

طَبِيب — physician, doctor, MD

طَبِيبُ الأَسْنان — dentist

طَبِيبُ الأَطْفال — pediatrician

طَبِيبٌ بَيْطَرِيّ — veterinarian

طَبِيبُ العُيُون — ophthalmologist

طَبِيبُ القَلْب — cardiologist

طَبِيبٌ نِسائِيّ — gynecologist

طَبِيبٌ نَفْسانِيّ — psychiatrist

طَبِيخ : طَعامٌ مَطْبُوخ — cooked food

طَبِيعَة : قُوَّةٌ في الكَوْنِ أو الفَرْد — nature

طَبِيعَة : سَجِيَّة، خُلُق ـ راجع طَبْع

طَبِيعَة، عِلْمُ الطَّبِيعَة — physics

طَبِيعِيّ : مَنْسُوبٌ إلى الطَّبِيعَة — natural

طَبِيعِيّ : عادِيّ — normal, regular, ordinary, usual, natural

طَبِيعِيّ : فِيزيائِيّ — physical

طَبِيعِيَّات : عِلْمُ الطَّبِيعَة، فِيزياء — physics

طِحَال [تشريح] — spleen

طُحْلُب، طِحْلِب (نبات) — moss, alga

طَحَنَ — to grind, mill, crush

طَحِين، طِحْن : دَقِيق — flour, meal

طُرًّا : جَمِيعاً — altogether, all

طَرَأَ : حَدَثَ، جَدَّ — to happen, occur, take place, develop, arise

طَرَّى : لَيَّنَ — to soften, mellow, make soft, make tender

طَرَّاد، طَرَّادَة : سَفِينَةٌ حَرْبِيَّة — cruiser

طِرَاز : نَوْع — style, fashion; type, model, brand, class, kind, sort

طَرِبَ — to be delighted, gleeful, rapt, enraptured, exultant, hilarious

طَرَب — joy, glee, hilarity, rapture, exultation; singing; music

آلَةُ طَرَب musical instrument

طَرْبُوش، طُرْبُوش tarboosh, fez

طَرَبِيزَة : طاوِلَةٌ صَغِيرَة small table; coffee table; end table

طَرَحَ : حَسَمَ to subtract, deduct

طَرَحَ : رَمَى to throw, cast, fling

طَرَحَ (سُؤَالاً او مَوْضوعاً) to put forth, put forward, raise, bring up, pose, introduce, advance, present

طَرْح : حَسْم subtraction, deduction

طَرْحَة mantilla, scarf, throw; veil

طَرَدَ to drive away or out, expel, throw out, oust, dismiss; to deport, banish, exile; to fire

طَرْد : رِزْمَة parcel, package

طَرْدِيّ : مُباشِر direct

طَرَّزَ (ثَوباً) to embroider, brocade

طَرْز ـ راجع طِراز

طَرِشَ : صَمَّ to be or become deaf

طَرَش، طُرْشَة : صَمَم deafness

طَرَفَ (بِعَيْنَيْهِ) to blink, wink, bat

طَرَف : حَدّ edge, border; limit, end, extremity, extreme

طَرَف : رَأْس tip, point, apex

طَرَف : جانِب، ناحِيَة side; area, region; part(s)

طَرَف : فَرِيق party, side

طَرَف : عُضْو، جارِحَة limb, extremity, appendage

مِنْ طَرَف on the part of, from, by

طَرْف : عَيْن eye

طُرْفَة : نادِرَة anecdote, witticism, wisecrack, gag, drollery, joke

طَرَقَ : دَقَّ to hammer, strike, forge; to knock, hit, beat, bang, tap; to batter, pound, ram

طَرَقَ البابَ to knock, rap, bang, beat (on or at a door)

طَرَقَ مَوْضُوعاً to broach, bring up, raise, treat, deal with

طَرْقَة knock, rap, tap, bang, beat, blow, stroke, hit

طَرِيَ to be(come) soft or tender

طَرِيّ : لَيِّن، غَضّ soft, tender, mellow; fresh, new; supple

طَرِيد : هارِب fugitive, runaway

طَرِيدُ العَدالَة outlaw

طَرِيدَة (مِنْ صَيْدٍ وغَيْرِه) game, quarry

طَرِيف : نادِر original, rare, uncommon; curious, strange, odd

طَرِيفَة ـ راجع طُرْفَة

طَرِيق : سَبِيل، دَرْب way, road, path, track, course, route

طَرِيق : شارِع street

عَنْ طَرِيق، مِنْ طَرِيق، بِطَرِيق by means of, through, by; by way of, via

طَرِيقَة : أُسْلُوب، كَيْفِيَّة way, method, procedure, technique, process; manner, mode, fashion

طَرِيقَة : وَسِيلَة means

طَرِيقَة : مَذْهَب order; creed, faith; doctrine, school

طَسْت، طَشْت washtub; washbowl, washbasin; basin

طَعَام food, nourishment, nutriment

طَعَّمَ النَّبَاتَ إلخ to graft, engraft

طَعَّمَ : لَقَّحَ، زَرَقَ to inoculate, vaccinate; to inject, shoot

طَعَّمَ : رَصَّعَ (بِـ) to inlay (with)

طَعْم : مَذَاق taste, flavor, savor, relish

طُعْم (النَّبَاتِ) graft, scion

طُعْم (لِلصَّيْد) bait, lure, decoy

طُعْم : لَقَاح vaccine, inoculum

طَعَنَ : وَخَزَ، شَكَّ to stab, thrust, jab, pierce, transfix, lunge

طَعَنَ في : شَهَّرَ بِـ to defame, slander, libel, calumniate, speak evil of

طَعَنَ في صِحَّةِ شَيْءٍ أو حُكْمٍ to contest, challenge, impugn

طَعَنَ في السِّنِّ to be old, aged; to age, grow old

طَعْنَة stab, thrust

طَغَى : إسْتَبَدَّ to be tyrannical, oppressive, despotic; to oppress

طَغَى (على) : سادَ to prevail (in), predominate (in), dominate

طُغْمَة band, troop, group, party

طُغْيان : ظُلْم tyranny, oppression

طَفَا : عامَ to float, buoy

طَفَحَ : إمْتَلأَ to be full (to the brim); to flow over, overflow

طَفْح (جِلْدِيّ) (skin) eruption, rash

طِفْل : وَلَدٌ صَغِير infant, baby, child

طُفُولَة (early) childhood, infancy, babyhood

طُفُولِيّ infantile, infant, childish, babyish; child, baby, children's

طَفِيف slight, small, little, light, insignificant, trivial, minor

طُفَيْلِيّ parasite, sponge(r), hanger-on, leech; intruder; parasitic(al)

طُفَيْلِيَّات parasites

طَقْس : حالَةُ الجَوّ weather

طَقْس (دِينِيّ) rite, ritual, liturgy, ceremony, ceremonial

طَقْطَقَ to crackle, clack, click, clatter; to crack, snap, pop

طَقْم : مَجْمُوعَة set, kit; group; series

طَقْم (ثِيَاب) suit (of clothes)

طَقْم (مَفْرُوشات) suite (of furniture)

طَقْمُ أَسْنان denture, set of (false) teeth

طَلّ : مَطَرٌ خَفِيف drizzle, fine rain

طَلّ : نَدَى dew

طَلَى : دَهَنَ (بِلَوْن) to paint, daub

طَلَى : غَشَّى to coat, overlay, plate

طَلَى بالذَّهَب to gild

طِلاء : غِشاء، دِهَان coat(ing), cover-

ing, overlay, plating; paint
طِلاءُ الأَظافِر nail polish
طُلاَّبِيّ student, student's, of students
طَلاق divorce
طَلَبَ : حاوَلَ نَيْلَهُ to ask for, request, seek; to order, demand, require; to want, wish (for); to look for
طَلَبَ (إلى أو مِن) : سأل، دعا to ask, request, call upon, appeal to, invite; to demand, order, require
طَلَبَ : اسْتَدْعى to send for, call for, call, summon
طَلَبَ بِضاعَةً إلخ to order, place an order (for)
طَلَبَ فَتاةً، طَلَبَ يَدَ فَتاةٍ to propose to, ask for a girl's hand
طَلَب demand, request, claim, call (for), wish; order; search, quest
طَلَب (تِجارِيّ) order; demand
طَلَب (وَظيفَةٍ أو مُساعَدَةٍ) application, petition, motion, appeal, request
طَلَب، اسْتِمارَةُ طَلَب form, application form, application
طَلَبِيَّة : طَلَبٌ تِجارِيّ order
طَلَعَ : ارْتَفَعَ to rise, go up, ascend
طَلَعَ : ظَهَرَ، بَرَزَ to rise; to appear, come out, show, emerge
طَلَعَ، طَلِعَ : صَعِدَ، تَسَلَّقَ to mount (up), ascend, climb, scale
طَلْع (النَّخْلِ إلخ) spadix
طَلْع، غُبارُ الطَّلْع pollen
طَلْعَة : مُحَيّا look(s), appearance, aspect, mien, visage, countenance
طَلَّقَ (زَوْجَتَهُ) to divorce, repudiate
طَلْق (نارِيّ) shot, gunshot
طَلْق : أَلَمُ الوِلادَة labor, travail, pains
طَلْق : غَيْرُ مُقَيَّد free, open
طَلْقُ اللِّسان fluent, eloquent, glib
طَلْقُ الوَجْه cheerful, bright-faced
في الهَواءِ الطَّلْق in the open, in the open air, outdoors
طَلْقَة (نارِيَّة) shot, gunshot
طَلَل (ج أَطْلال وطُلُول) ruins, remains
طُلُمْبَة : مِضَخَّة pump
طَليعَة front, forefront, lead, head; vanguard; avant-garde
طَلائِع pioneers; forerunners; signs, indications; beginnings
في الطَّليعَة at the head, ahead, in (the) front, in the lead
طَليعِيّ avant-garde; pioneer; pathfinding; leading, foremost
طَليق : حُرّ free, freed, liberated, at liberty; loose, unrestrained
طَمَّ to overflow, flood, inundate
طَما، طَمى to flow over, overflow, run over; to surge, swell (up)
طَماطِم : بَنَدورَة (نبات) tomato(es)
طَمَّاع greedy, covetous, avid

طَمْأَنَ to reassure, assure, relieve someone's worry or fear

طُمَأْنِينَة tranquility, (re)assurance, peace (of mind); trust; security

طَمْث : حَيْض menstruation, period

طَمَحَ إلى to aspire to or after, seek (to), aim to

طَمَرَ to bury, inter; to embed; to fill up (with earth)

طَمَسَ to efface, obliterate, erase; to suppress, black out, hush up

طَمِعَ في أو بـ to covet, desire, wish for; to aspire to, seek

طَمَع greed(iness), covetousness, cupidity, avidity, avarice

طَمُوح ambitious, aspirant, aspiring

طُمُوح ambition, aspiration

طَنَّ : أَزَّ to buzz, hum, drone

طُنّ : وَحْدَةُ وَزْن ton

طَنَّان (طائر) hummingbird

طُنْبُور : آلَةٌ مُوسِيقِيَّة mandolin, lute

طَنْجَرَة cooker, cooking pot, cooking pan, casserole

طُنُف ledge, eaves, cornice, frieze

طَنْفَسَة ، طُنْفُسَة ، طِنْفِسَة carpet, rug

طَهَا : طَبَخَ to cook

طَهَرَ ، طَهُرَ to be(come) clean or pure

طَهَّرَ : جَعَلَهُ طاهِراً to disinfect, sterilize; to purge, purify, clean, deterge

طَهَّرَ : خَتَنَ to circumcise

طَهْو : طَبْخ cooking, cookery; cuisine

طَوَى : ثَنَى to fold; to roll up, tuck; to bend, flex, turn

طَوَى (صَفْحَتَهُ) to end, finish; to be finished with; to turn a new page

طَوًى : جُوع hunger, starvation

طَوَّافَة : هِلِيكُوبْتِر، حَوَّامَة helicopter

طَوَالَ : طِيْلَةَ during, all during, during all, throughout, all through

طَوَالَ اليَوْم all day long, all day

طَوَايَة ، طِوايَة : مِقْلاة frying pan

طُوب ، طُوبَة : لِبْن brick(s), adobe(s)

طُوبَى لِـ . . blessed is.., blessed be..

طُوبَاوِيَّة utopianism; utopism; utopia

طَوَّحَ (بِـ) to fling, hurl, throw, toss

طَوْد : جَبَل mountain

طَوَّرَ to develop, promote, advance; to evolve; to sophisticate

طَوْر : مَرْحَلَة phase, stage, period

طَوْر : حال state, condition

طَوْر : حَدّ limit, bound

طَوْراً sometimes, at times

طُور : جَبَل mountain

طَوَّعَ : أَخْضَعَ to subdue, subjugate

طَوَّعَ (الجُنُودَ) to enlist, recruit, sign in, draft, conscript, muster in

طَوْعاً voluntarily, willingly

طَوْعِيّ voluntary, free, freewill

طَوْعِيًّا - راجع طَوْعاً

طَوَّف: دارَ - راجع طافَ

طَوْف: عَوَّامَة (log) raft, lighter, float

طُوفان flood, inundation, deluge

طَوَّق to surround, (en)circle, encompass, ring, enclose, embrace

طَوْق (العُنُق) neckband, collar

طَوْق: طارَة hoop, circle, ring, rim

طَوَّلَ: أطالَ - راجع أطالَ

طُول: ضِدّ قِصَر، ضِدّ عَرْض length

طُول: إرْتِفاع، عُلُوّ height

طُوَل - راجع طِوال

طُولُ العُمْر longevity, long life

طُولُ القامَة tallness

طُولِيّ linear, longitudinal

طُومار: دَرْج roll, scroll

طَوِيَّة interior, inner self, inward thoughts; conscience; intent(ion)

طَوِيل: ضِدّ قَصِير، ضِدّ عَرِيض long

طَوِيل: مُرْتَفِع high; tall; big

طَوِيل: مُطَوَّل - راجع مُطَوَّل

طَوِيلاً long, (for) a long time

طَوِيلُ البَصَرِ أو النَّظَر farsighted, long-sighted, hyperopic

طَوِيلُ العُمْر long-lived, longevous

طَوِيلُ القامَة tall

طَيّ: ثَنْي fold(ing); rolling up, tuck(ing); bend(ing), turn(ing)

طَيَّه enclosed, attached, herewith

طَيَّار: مَلَّاحٌ جَوِّيّ pilot, aviator, flier, flyer, airman, navigator

طَيَّارَة: طائِرَة - راجع طائِرَة

طَيَّب: جَعَلَهُ طَيِّباً to make good, pleasant, delicious, sweet

طَيَّبَ: عَطَّر to scent, perfume

طَيَّبَ: نَكَّهَ to aromatize, flavor

طَيِّب: جَيِّد good; pleasant, nice

طَيِّب: لَذِيذ delicious, tasty, savory, palatable, toothsome, good

طَيِّب (القَلْب) good-hearted, generous, good, kind(hearted)

طِيب: عِطْر perfume, scent

طَيَّة: ثَنْيَة fold, pleat, ply; tuck; bend, flexure, flexion, turn

طَيَّر to fly, wing, give wing(s) to

طَيْر: طائِر bird; fowl

طَيْر، طُيُور birds; fowls; poultry

طَيَران flying, flight; aviation

خُطُوطُ الطَّيَران airlines, airways

سِلاحُ الطَّيَران air force

شَرِكَةُ طَيَران airline

طَيْش recklessness, rashness, foolhardiness, frivolity, imprudence

طِيطَوَى (طائر) sandpiper; redshank

طَيِّع - راجع مُطِيع، مِطْواع

طَيْف: خَيال vision, apparition, phan-

tom, specter, phantasm

طَيْف، طَيْفُ الضَّوْء spectrum

طِيْلَة - راجع طَوَال

طَيَّنَ to lute; to mortar, plaster; to whitewash; to clay, mud (off)

طِين clay, argil; mud, mire, slime; lute, luting; mortar, plaster

طِينِيّ clayey, argillaceous

طَيْهُوج (طائر) grouse

ظ

ظافِر victorious, triumphant; successful; victor, conqueror; winner

ظالِم unjust, unfair; tyrannical, oppressive, despotic, arbitrary; tyrant, oppressor, despot

ظامِىء : عَطْشان thirsty

ظاهَرَ : ناصَرَ to help, support, back (up), stand up for, champion

ظاهِر : بادٍ، بَيِّن apparent, visible, distinct, manifest, plain, clear

ظاهِر : خارِجِيّ external, exterior, outward, outside, outer

ظاهِر : سَطْح ، ضِدّ باطِن outside, exterior, surface, face

ظاهِر : مَظْهَر - راجع مَظْهَر

الظّاهِرُ أنَّ - راجع يَظْهَرُ أنَّ (ظَهَرَ)

ظاهِرَة phenomenon

ظاهِرِيّ outward, outer, outside, external; ostensible, apparent

ظَبْي (حيوان) antelope, buck; gazelle, deer

ظَبْيُ الماء waterbuck

ظَبْيَة (حيوان) doe, roe, female gazelle

ظَرِبَان (حيوان) polecat, fitchet, fitch(ew); zoril(le), ictonyx

ظَرِبَانٌ أَمِيرِكِيّ skunk

ظَرْف : مُغَلَّف envelope

ظَرْف : حال، وَضْع circumstance, condition; situation, case

ظَرْف : فُكَاهَة wit, wittiness, esprit, humor; charm, cuteness

ظُرُوفٌ اسْتِثْنائِيَّة exceptional circumstances

في ظَرْف، بِظَرْف within, in (a given period of); during

ظَرِيف witty, full of esprit, humorous, charming, cute; humorist

ظَفِرَ (بِـ) to win, gain, obtain, get

ظَفِرَ على to win a victory over, triumph over, defeat, beat

ظَفَر : نَصْر، غَلَبَة victory, triumph

ظُفُر، ظُفْر، ظِفْر nail, fingernail

ظُفْرُ إِصْبَعِ القَدَم toenail

ظَلَّ يَفْعَلُ كَذَا to continue to do, keep doing, keep on, go on doing

ظَلَّ : بَقِيَ، دامَ to remain, stay; to last, continue, go on, persist

ظِلّ shadow, shade, umbra

في (تَحْتَ) ظِلِّ under; under the protection of, under the auspices of

ظَلام dark(ness), gloom(iness)

ظُلامَة grievance, complaint; injustice, injury, wrong

ظِلْف (الحَيَوانِ) hoof

ظَلَّلَ : أَلْقى عَلَيْهِ ظِلَّهُ to shade, overshadow, cast a shadow over

ظَلَّلَ (رَسْماً) to shade; to hachure

ظَلَمَ : جارَ على to wrong, oppress, tyrannize, aggrieve, be unjust or unfair to, do wrong or injustice to

ظَلِمَ ـ راجع أَظْلَمَ

ظُلْم : جَوْر injustice, unfairness, inequity; tyranny, oppression

ظُلْمَة، ظُلُمَة ـ راجع ظَلام

ظَمِيءَ : عَطِشَ to be thirsty, feel thirsty, suffer thirst, thirst

ظَمَأ، ظِمْء، ظَمَاء : عَطَش thirst

ظَمِيء، ظَمْآن : عَطْشان thirsty

ظَنَّ : حَسِبَ، خالَ to think, suppose, assume, imagine, guess, take for

ظَنَّ (بِـ) : اِشْتَبَهَ بِـ to suspect; to accuse (of), charge (with)

ظَنّ : حُسْبان supposition, assumption; thinking, opinion, view

ظَنّ : شَكّ doubt, suspicion, distrust, mistrust, misgiving

كانَ عِنْدَ حُسْنِ ظَنّ . . to live up to, measure up to

في أَغْلَبِ الظَّنِّ most probably

ظَهَرَ : بانَ، بَدَا to appear, come out, show, emerge, arise; to be apparent, visible, manifest, clear; to seem, look, appear, sound

يَظْهَرُ (أَنْ) it seems, it looks, it appears, it sounds; apparently, most likely, most probably

ظَهَّرَ : جَيَّرَ (شِيكاً) to endorse, back

ظَهَّرَ : حَمَّضَ (فِيلْماً) to develop

ظَهْر : قَفا back; rear (part), hind (part), hinder part

ظَهْر : سَطْح surface, face, top

ظُهْر : نِصْفُ النَّهار، ظَهِيرَة noon, midday

ظُهُور : بُرُوز appearance, emergence, emersion, rise, manifestation

حُبُّ الظُّهُور exhibitionism, show-off; ostentation, pomposity

عِيدُ الظُّهُور Epiphany

ظَهِير : نَصِير help(er), supporter, backer; patron, sponsor; partisan

ظَهِير [جغرافيا] hinterland

ظَهِير (في كُرَةِ القَدَمِ إلخ) back

ظَهِيرٌ مُساعِد halfback

ظَهِيرَة ـ راجع ظُهْر

ع

عاب : إنْتَقَدَ to find fault with, criticize, censure, blame

عابَ : وَصَمَ to disgrace, dishonor, stain, taint, soil, sully; to mar

عابِد : مَنْ يَعْبُدُ worshiper, adorer

عابِر : زائِل، عَرَضِيّ passing, fleeting, transient, transitory, evanescent; incidental, accidental, casual

عابِس frowning, scowling; sullen, sulky, surly, morose

عاتٍ (العاتي) : مُتَكَبِّر insolent, overbearing, arrogant, haughty

عاتٍ : قَوِيّ ، عَنِيف strong, powerful; violent, fierce, ferocious, wild

عاتَبَ (على) to admonish, reprove mildly, reproach gently, blame (in a friendly manner), twit

عاتِق : كَتِف shoulder

عاثَ ، عاثَ فَساداً (في) to ravage, devastate, damage; to make trouble, do harm, cause mischief

عاثِر : سَيِّء ، مَنْحُوس bad, ill

عاج : مادَّةٌ تَتَكَوَّنُ مِنها أنْيابُ الفِيل ivory

عائِد : راجِع returning, coming back, going back; returnee

عائِدٌ إلى : مَرَدُّهُ إلى due to, going back to, attributable to, ascribable to

عائِدٌ إلى او لِـ : مُتَعَلِّقٌ بِـ related to, relating to, belonging to

عائِد : زائِر visitor, caller

عائِدات : رَيْع proceeds, revenue(s), returns, yield, receipts, earnings; royalties, royalty

عائِش : حَيّ alive, living, existent

عائِق : عَقَبَة hindrance, obstacle, impediment, obstruction, barrier, (stumbling) block; handicap

عائِق (نبات) delphinium, larkspur

عائِل : فَقير poor, needy, destitute

عائِل : مُعِيل ـ راجع مُعِيل

عائِلَة : أُسْرَة family, house(hold)

عائِلَةٌ مالِكَة royal family

عائِلِيّ family, familial, domestic; homely, homelike, homey

عائِم floating, afloat, natant

عاجِز : ضَعِيف weak, feeble, powerless, impotent, helpless, unable
عاجِز : مُقْعَد disabled, crippled, incapacitated, infirm, invalid
عاجِز : هَرِم decrepit
عاجِزٌ عن unable to, incapable of
عاجَل to anticipate, forestall; to overtake, catch up with; to hurry
عاجِل immediate, instant; quick, fast, speedy, prompt, rapid, hurried, hasty; urgent, pressing
عاجِلاً soon, shortly; quickly, promptly, speedily, fast; immediately, at once
عاجِلاً أو آجِلاً sooner or later
عاجِيّ : مَنْسُوبٌ إلى العاج ivory
بُرْجٌ عاجِيّ ivory tower
عادَ : رَجَعَ to return, come back, go back; to recur, reoccur
عادَ (الأَمْرُ أو السَّبَبُ) إلى to go back to, be due to, be attributable to
عادَ إلى أو لـ : تَعَلَّقَ بِـ to relate to, be related to, concern, belong to
عادَ إلى : إِسْتَأْنَفَ، واصَلَ to resume, recommence, return to, go back to
عادَ (عَلَيْهِ) بِـ : جَلَبَ to entail, bring about, bring in, return, yield
عادَ عَلَيْهِ (بِـ) : طالَبَهُ (بِـ) to claim of, demand of
عادَ : زارَ to visit, call on
عادَى to antagonize; to show enmity toward, be hostile to
عادَة habit, wont, use, custom, usage, practice; manner(s)
عادَةً usually, as a rule, generally, habitually, normally
كَالعادَة as usual
عَوائِد ـ راجع عائِدات
عادَلَ : ساوَى، بَلَغَ to equal, be equal to, be equivalent to, be worth, amount to, make
عادَلَ : وازَنَ to balance, equilibrate
عادَلَ (بَيْنَهُما) : سَوَّى to equate (with), equalize, make equal
عادِل : مُنْصِف just, fair, equitable, impartial, unbiased, evenhanded
عادِيّ ordinary, common, usual, conventional; normal, regular, standard; average, mediocre
عاذَ بِـ : إِحْتَمَى to seek refuge with
عار : خِزْي، ذُلّ shame, disgrace, dishonor, discredit, infamy
عارٍ (العارِي) naked, nude, undressed, bare; stripped, denuded
عارِي القَدَمَيْن barefoot(ed), unshod
عارٍ عَنِ الصِّحَّة unfounded, groundless, baseless, untrue, false
عارَضَ : قاوَمَ to oppose, resist
عارَضَ : خالَفَ to oppose, object to, be against; to dissent from, disagree with, differ in opinion with
عارَضَ : ناقَضَ to contradict, conflict with, disagree with; to be contrary to, in disagreement with

عارِض: مَنْ يَعْرِض exhibitor, demonstrator, exposer
عارِض: نَوْبَة fit, attack; spell
عارِض: حادِثٌ طارِئ accident, incident; contingent, contingency
عارِض: عَرَضِيّ ـ راجع عَرَضِيّ
عارِضَة: رافِدَة beam, girder, rafter
عارِضَةُ أَزْياء mannequin, model
عارَكَ: قاتَلَ to fight (with), combat
عارِم: كَبير great, enormous; sweeping, overwhelming
عارِيَة، عارِيَّة: قَرْض loan
عازَ: اِحْتاجَ إلى to need, require, want
عازِب ـ راجع أَعْزَب
عازِف (مُوسِيقِيّ) player, musician, instrumentalist, recitalist
عازِل insulator; nonconductor
عازِم (على): مُصَمِّم resolved to or on, determined to or on, intent on
عاشَ: حَيِيَ to live, be alive, exist, subsist; to lead a life
عاشَ! فَلْيَعِشْ! long live! viva! vive!
عاشَرَ to associate with, mix with
عاشِر، العاشِر (the) tenth
عاشِق lover, adorer; fancier; in love with, enamored of
عاصٍ (العاصِي) disobedient, insubordinate; insurgent; rebel
عاصَرَ to be a contemporary of, be contemporary with

عاصِف stormy, windy, gusty, rough, violent, turbulent, wild
عاصِفَة (ج عَواصِف) storm, tempest, gale, windstrom, violent wind
عاصِفَةٌ ثَلْجِيَّة snowstorm, blizzard
عاصِفَةٌ رَعْدِيَّة thunderstorm
عاصِفَة رَمْلِيَّة sandstorm
عاصِمَة capital, metropolis
عاضِد ـ راجع عَضَدَ
عاطِر ـ راجع عَطِر
عاطِف: عَطُوف ـ راجع عَطُوف
عاطِفَة (ج عَواطِف) sentiment, feeling; emotion, affection, passion
عاطِفِيّ sentimental; emotional, passionate; romantic; moving, touching, pathetic
عاطِل (عَنِ العَمَل) unemployed, jobless, workless, idle, out of work
عافَ: كَرِهَ، اِشْمَأَزَّ مِنْ to loathe, detest, be disgusted by
عافَى: شَفَى to heal, cure
عافاكَ! bravo! well done!
عافِيَة: صِحَّة (جَيِّدَة) (good) health
عاقَ ـ راجع أَعاقَ
عاقّ: ضِدّ بارّ undutiful, impious, disloyal, untrue, ungrateful
عاقَبَ: قاصَّ to punish, penalize, chastise, chasten, discipline
عاقِبَة: نَتِيجَة end, issue, effect, outcome, result, consequence

عاقَرَ : أدْمَنَ على to be addicted to

عاقِر : عَقِيم barren, sterile

عاقِل : مُدْرِك، حَكِيم rational, reasonable, sane, wise, judicious

عاكَسَ : ضادَّ to contradict, counteract, counter, oppose

عاكَسَ : تَحَرَّشَ بِـ to make passes on; to molest, proposition, make improper advances to; to tease

عالَ : أعَالَ ـ راجع أعَالَ

عالَ (عِيلَ) صَبْرُهُ to lose patience

عالٍ (العالِي) high, elevated, tall, towering, lofty, exalted; high-ranking, high-level, sublime

عالٍ : صِفَةٌ لِلصَّوْت loud, strong

عالَة (على غَيْرِهِ) dependent, parasite

عالَة : عِبْء burden, charge

عالَجَ : داوَى، طَبَّبَ to treat, remedy, cure, doctor, medicate

عالَجَ : بَحَثَ to treat, deal with, handle, tackle, discuss, study

عالَم : دُنْيا world; realm

عالَم : كَوْن universe, cosmos

العالَمُ الثَّالِث Third World

عالَمُ الحَيَوان the animal kingdom

عالِم (اسم) scientist; scholar; expert, authority, master; knower

عالِمٌ بِـ (صفة) knowing, erudite; (well-) informed about, acquainted with, familiar with, aware of

عالَمِيّ world, worldwide, global, universal; international

عامَ : طَفَا to float, buoy

عامَ : سَبَحَ to swim

عام : سَنَة year

عامّ public; general; common; universal; prevalent, prevailing

الأمْنُ العامّ public security

أمِينٌ عامّ secretary-general

الرَّأْيُ العامّ public opinion

مُدِيرٌ عامّ director general, general manager

العامَّة، عامَّةُ النّاسِ او الشَّعْب the common people, the masses

عامَّةً، بِعامَّةٍ ـ راجع عُمُوماً (عُمُوم)

عامِر : آهِل inhabited, populated

عامِر : مُزْدَهِر flourishing, thriving, prosperous, booming, full of life

عامِر : وافِر ample, abundant

عامِر : كَبِير big, large, sizable

عامِر (بِـ) : مَلِيء full (of), filled (with)

عامَلَ to treat, deal with

عامَلَ (تِجارِيّاً) to trade with, deal with, do business with

عامَلَ بِالمِثْل to reciprocate

عامِل : شَغِيل worker, laborer

عامِل : عُنْصُر factor; element

عامِل : مُشْتَغِل working, acting, functioning, operating; active

عامِلُ تَنْظِيفٍ أو تَنْظِيفات sweeper, scavenger; street sweeper, street cleaner, garbage collector
عامِّيّ : مَحْكِيّ ، دارِج slang, colloquial, vernacular, spoken
عامِّيّ : أَحَدُ عامَّةِ النّاس commoner, rank and filer, layman
العامِّيَّة slang, vernacular, colloquial (language), spoken language
عانَى : قاسَى to suffer, undergo, experience, pass through, sustain
عانَدَ : عارَضَ to oppose, resist
عانِس spinster, old maid
عانَقَ to embrace, hug, cuddle, enfold, nestle, take in the arms
عاهَة (جَسَدِيَّة) handicap, (physical) disability; defect; deformity
عاهَدَ to promise, pledge, vow, undertake, take upon oneself
عاهِل : مَلِك king, monarch
عاوَدَ : عادَ إلى ، واصَلَ to return to, go back to, revert to, resume
عاوَدَ : عادَ ، رَجَعَ to recur, reoccur
عاوَنَ : ساعَدَ to help, aid, assist, support, back (up), extend aid to
عايَدَ to wish (someone) a merry feast, felicitate (someone) on the occasion of a feast
عايَرَ to gauge, test, check; to tune, fix; to calibrate
عايَشَ : عاشَ مَع to live with
عايِق (نبات) delphinium, larkspur

عايَنَ to view, eye, see, look at or over, examine, inspect
عَبَّ (الشَّرابَ) to quaff; to toss, drink up; to pour down, gulp (down)
عَبَأَ، لَمْ يَعْبَأْ بِـ not to care for, pay no attention to
عَبَّأَ : جَنَّدَ to mobilize; to recruit
عَبَّأَ : مَلأَ to fill (up); to stow, pack
عَبَّأَ : عَلَّبَ to box; to (en)case; to pack(age); to can, tin
عَبَّأَ (في زُجاجات) to bottle
عَبَّأَ : شَحَنَ to charge, load, fill (up)
عَبَّأَ السّاعَةَ to wind, wind up
عِبْء burden, onus, charge, load
عَباءَة aba, cloak; frock; gown
عُباب torrent; flood; waves, billows
عَبّادُ الشَّمْس (نبات) sunflower, turnsole
عِبادَة worship, adoration; cult
عِبادَةُ الأَوْثان idolatry, paganism
عِبارَة phrase; expression, term
عِبارَةٌ اصْطِلاحِيَّة idiom
عِبارَةٌ عَنْ is, consisting in
بِعِبارَةٍ أُخْرَى in other words
عَباية ـ راجع عَباءَة، عَباء
عَبِثَ (بِـ) to play (with), toy (with), trifle (with), fool (with)
عَبَث : لَعِب play(ing), frivolity
عَبَث : لا جَدْوَى futility, vanity

عَبَثاً : سُدًى in vain, vainly, futilely, uselessly, to no avail
عَبَدَ (اللّٰه) to worship, adore
عَبَّدَ (الطَّرِيقَ) : مَهَّدَ to pave
عَبْد : رَقِيق slave, bond(s)man, serf
عَبْدَلاَّوِي (نبات) (orange) melon
عَبَرَ : اِجْتازَ to cross, traverse, go across, pass through, transit
عَبَرَ : اِنْقَضَى to pass, go by, elapse
عَبَّرَ (عن) to express, voice, utter, declare, state, indicate, bring out
عَبْرَ across, trans-; through, via, by way of; by means of, by
عَبْرَة : دَمْعَة tear, teardrop
عِبْرَة : أُمْثُولَة، عِظَة example, lesson
عِبْرِيّ، عِبْرانِيّ Hebrew, Hebraic
العِبْرِيَّة Hebrew (language)
عَبَسَ to frown, scowl, glower
عَبْس ـ راجع عُبُوس
عَبِقَ (المَكَانُ بِالرَّائِحَة) to be redolent of, full of, filled with (a scent)
عَبْقَرِيّ : نابِغَة genius
عَبْقَرِيَّة : نُبُوغ، ذَكاءٌ عالٍ genius
عُبُوَّة : مُنْتَجٌ مُعَدٌّ لإِعادَةِ مَلْءِ جِهازٍ ما refill
عُبُوَّة (ناسِفَة) bomb
عُبُودِيَّة slavery, servitude, bondage
عُبُور crossing, traversing, transit
عَبُوس ـ راجع عابِس

عَبِير : شَذاً fragrance, scent, perfume, aroma, redolence
عِتاب : مُعاتَبَة admonition, gentle reproof, blame, twit
عَتاد : عُدَّة، تَجْهِيزات equipment(s), outfit, apparatus, gear
عَتاد (حَرْبِيّ) (war) material, (war) matériel; ammunition; ordnance
عَتّال : حَمّال porter, carrier
عَتَبَ (على) ـ راجع عاتَبَ (على)
عَتَبَة (البابِ إلخ) threshold, doorstep, doorsill, sill
عَتُقَ to be(come) old, ancient
عَتَلَة : رافِعَة، مُخْل lever, crowbar
عَتَّمَ : جَعَلَهُ مُعْتِماً to darken, dim
عَتَّمَ (على) : مَنَعَ مِنَ الانْتِشار to black out, suppress, hush up
ما عَتَّمَ أَنْ soon he..
عَتْمَة : ظُلْمَة dark(ness), dimness
عَتَه، عُتْه idiocy, imbecility
عَتِيد : مُقْبِل future, prospective, forthcoming, intended
عَتِيق old, ancient, antique, age-old
عُثّ، عُثَّة (حشرة) moth; mite
عَثَرَ : زَلَّ to stumble, trip, tumble
عَثَرَ على : وَجَدَ to find, hit upon, come across, light upon
عَثْرَة : سَقْطَة stumble, trip, slip
عَجَّ بِـ : اِكْتَظَّ بِـ to swarm with, teem with; to be (over)crowded with

عَجَائِبِيّ miraculous, wonder, magic

عُجَالَة rush job; quick report (talk, etc.); brief meeting; short time

عَجِبَ مِنْ أو لِـ - راجع تَعَجَّبَ مِنْ

عَجَّبَ to amaze, astonish, surprise

عَجَب : دَهَش astonishment, amazement, wonder, surprise

عَجَب : أُعْجُوبَة wonder, marvel

لا عَجَبَ no wonder!

عُجْب : غُرُور conceit(edness), self-conceit, vanity, vainglory

عُجَّة : بَيْض مَخْفُوق مَقْلِيّ omelet(te)

عُجْرَة : عُقْدَة node, nodule, knot

عَجَزَ عن to fail to, fall short of, be unable to, be incapable of

عَجَّزَ : أَعْجَزَ to disable, incapacitate, paralyze; to frustrate, thwart

عَجَزَتِ المَرْأَةُ to age, grow old

عَجُز : كَفَل، رِدْف buttocks, rump

عَجُزُ بَيْتِ الشِّعْر second hemistich

عَجْز : ضَعْف weakness, powerlessness, impotence, helplessness, inability; disability, infirmity

عَجْز : قُصُور failure (to), inability, incapability, incapacity

عَجْز : نَقْص deficit, shortage

عَجَّلَ : أَسْرَعَ to hurry, hasten, speed, rush, dash, run; to be quick, fast

عَجَّلَ : سَرَّعَ to speed up, accelerate, hasten; to hurry, rush, urge

عَجَل : سُرْعَة - راجع عَجَلَة

عِجْل : وَلَدُ البَقَرَة (حيوان) calf

عِجْلُ البَحْر : فُقْمَة seal, sea calf

لَحْمُ العِجْل veal

عَجَلَة : سُرْعَة hurry, haste, speed, quickness, fastness, rapidity

عَجَلَة : دُولاب wheel

عَجَم : فُرْس Persians

عجم : غَيْرُ عَرَب non-Arabs, foreigners, barbarians

عَجَمَة : بِزْرَة stone, kernel, pip, seed

عَجَمِيّ : فارِسِيّ Persian

عَجَنَ to knead; to blunge

عُجْهُوم : طائِرٌ مائِيّ skimmer

عَجْوَة : تَمْرٌ مَكْبُوس pressed dates

عَجُوز old woman; old man; old, aged, advanced in years

عَجُول hasty, rash; quick, hurried

عَجِيب wonderful, amazing; strange, odd, queer, weird, unusual, extraordinary; bizarre

عَجِيبَة (ج عَجائِب) : أُعْجُوبَة miracle, marvel, wonder, prodigy

عَجِين، عَجِينَة dough, paste; pasta

عَدَّ : أَحْصَى to count, number, enumerate, calculate

عَدَّ : اعْتَبَرَ to consider, deem, find

عَدَا : رَكَضَ to run, race; to jog

عَدَا، ما عَدَا، فِيمَا عَدَا except, save

عَدَّاء : راكِض runner, racer
عِداء، عَداء : عَداوَة enmity, hostility, antagonism, animosity, feud
عِدائِيّ، عَدائِيّ hostile, antagonistic, unfriendly, aggressive, offensive
عَدَّاد counter, meter
عِداد : مَثِيل equal, match, peer
في عِداد among, one of
عَدالَة ـ راجع عَدْل
عَداوَة ـ راجع عِداء، عَداء
عُدَّة (ج عُدَد) : أدوات equipment(s), apparatus, set, tool(s), material(s)
عِدَّة : جُمْلَة، عَدَدٌ مِنْ several, a number of, many, numerous
عَدَّدَ : أحْصَى to enumerate, list, count (off), number
عَدَد : رَقْم number, figure, digit
عَدَد (مِنْ مَجَلَّةٍ إلخ) number, issue
عَدَدٌ مِنْ : عِدَّة، جُمْلَة ـ راجع عِدَّة
عَدَدِيّ numerical, numeral; digital
عَدَس (نبات) lentil(s)
عَدَسَة : قُرْصٌ مِنْ مادَّةٍ شَفَّافَة lens
عَدَسَةٌ لاصِقَة contact lens
عَدَلَ، عَدُلَ : كانَ عادِلاً to act justly, establish justice, be just, be fair
عَدَلَ عَنْ to turn (away) from; to give up, abandon, renounce
عَدَلَ عَنْ رَأْيِه to change one's mind
عَدَّلَ : ضَبَطَ to adjust, regulate, settle, fix, put in order, put right
عَدَّلَ : بَدَّلَ to modify, change, alter, qualify; to adapt
عَدَّلَ (دُسْتُوراً أو قانُوناً إلخ) to amend
عَدْل : عَدالَة justice, fairness
عَدْل : عادِل ـ راجع عادِل
عَدْلٌ وإنْصاف equity
عَدْلِيّ : قَضائِيّ judicial, juridical
عَدِمَ : فَقَدَ to be bereaved of, bereft of, deprived of, destitute of; to lack, want; to lose
عَدَم nonexistence, nonbeing, nihility, nullity; lack, want, absence
عَدَّنَ (المَعادِنَ) to mine
عَدُوّ : خَصْم enemy, foe
عَدْوَى [طب] infection; contagion
عُدْوان aggression; assault, attack
عُدْوانِيّ aggressive, offensive, hostile
عَدِيد numerous, many, several
عَدِيل : زَوْجُ أُخْتِ الزَّوْجَة brother-in-law
عَدِيل : نَظِير equal, like, match
عَدِيم lacking, wanting, in need of; deprived of, devoid of; without, -less, un-, in-, im-, non-, dis-
عَذاب torture, torment, agony, anguish, pain, suffering
عَذَّبَ to torture, torment, agonize
عَذْب sweet; pleasant, agreeable
ماءٌ عَذْب fresh water

عَذَرَ to excuse, forgive, pardon
عُذْر excuse; pretext, pretense, plea
عُذْراً ـ راجع مَعْذِرَةً
عَذْراء : بِكْر virgin, maiden
(مَرْيَمُ) العَذْراء the Virgin (Mary)
بُرْجُ العَذْراء [فلك] Virgo
عَذَلَ، عَذَّلَ : لامَ to blame, censure
عَرَّى (مِنْ) to disrobe, unclothe, undress; to denude, strip off, bare, lay bare, uncover, expose
عَرَاء : فَضاء، خَلاء the open, outdoors, open air, open space
عَرّاب [نصرانية] godfather, sponsor
عَرّاف : بَصّار diviner, fortune-teller, soothsayer, augur
العِراق Iraq
عِراقِيّ Iraqi
عَراقِيل impediments, hindrances, obstacles, obstructions, barriers
عِراك : قِتال، شِجار fight(ing), combat, battle; quarrel, wrangle
عَرَّبَ : نقل إلى العَرَبِيَّة to translate into Arabic
عَرَّبَ : جَعَلَهُ عَرَبِيّاً to Arabicize, make Arabic; to Arabize
عَرَب، عُرْب، عُرْبان Arabs
عَرَبَة carriage, vehicle, wagon, van, cart; trolley
عَرَبَة (يَجُرُّها حِصانٌ) cab(riolet), hack(ney), victoria, carriage

عَرْبَدَ to revel, carouse, roister
عُرْبُون earnest (money), down payment, handsel, deposit
عُرْبُونُ مَحَبَّة tribute, pledge, token
عَرَبِيّ Arab, Arabian, Arabic
العَرَبِيَّة : اللُّغَةُ العَرَبِيَّة Arabic
عَرَجَ، عَرِجَ to limp, hobble, go lame, walk lamely, be lame
عَرَّجَ على to stop at; to visit
عَرَج lameness, limp(ing)
عِرْزال hut, cottage, shack, shanty
عُرْس wedding (ceremony), marriage (ceremony), bridal, nuptials
عَرْش : كُرْسِيُّ المَلِكِ إلخ throne
عَرَضَ : أَظْهَرَ to show, demonstrate, exhibit, display, present
عَرَضَ : قَدَّمَ to offer, proffer, tender, extend, present
عَرَضَ : طَرَحَ، أَثارَ to put forward or forth, bring up, advance, set forth, propound, present
عَرَضَ : إقْتَرَحَ to offer, suggest, propose
عَرَضَ (لِـ) : إسْتَعْرَضَ، بَحَثَ to review; to examine, survey, consider; to discuss, study, treat, deal with
عَرَضَ الجُنْدَ to review; to parade
عَرُضَ : صارَ عَرِيضاً to broaden, widen, expand, be(come) broad or wide
عَرَّضَ : جَعَلَهُ عَرِيضاً to broaden, wid-

en, expand, extend
عَرَّضَ لِـ: جَعَلَهُ عُرْضَةً لِـ to expose to, make subject to; to subject to
عَرَّضَ لِلْخَطَر to endanger, imperil, jeopardize, expose to danger
عَرَض: ما لَيْسَ جَوْهَراً accident; something nonessential
عَرَض [طب] symptom, indication
عَرَضاً by chance, casually, incidentally, by accident, accidentally, haphazardly, by coincidence
عَرْض: ضِدّ طُول breadth, width
عَرْض: إظْهار، تَقْدِيم presentation, demonstration, show(ing), exhibition, display(ing)
عَرْض: اقتِراح offer, suggestion, proposal, proposition
عَرْضٌ عَسْكَرِيّ parade; review
عَرْضاً، بِالعَرْض crosswise, across, breadthways, widthways
العَرْضُ والطَّلَب supply and demand
عَرْضُ أَزْياء fashion show
ُرْض: جانِب side
عُرْض: وَسَط middle
عُرْضُ البَحْر high seas, open sea
ِرْض: شَرَف honor
ُرْضَةٌ لِـ subject(ed) to, exposed to, liable to, open to, vulnerable to
َرَضِيّ: عارِض accidental, nonessential, incidental; casual, passing
َرْضِيّ: ضِدّ طُولِيّ cross, transverse

عَرْعَر (شجر) juniper
عَرَفَ: عَلِمَ، أَدْرَكَ to know; to be aware of, acquainted with, familiar with; to learn, find out (about); to recognize
عَرَّفَ: أَعْلَمَ to inform of, acquaint with, let know about, tell about
عَرَّفَ شَخْصاً بِآخَر to introduce to, present to, acquaint with
عَرَّفَ: حَدَّدَ to define
عُرْف: اِصْطِلاح، عادَة custom, usage, practice, convention, tradition
عُرْفُ الدِّيكِ ونَحْوِه comb, crest
عِرْفان: مَعْرِفَة ـ راجع مَعْرِفَة
عُرْفِيّ: تَقْلِيدِيّ customary, conventional, traditional, usual
حُكْمٌ عُرْفِيّ martial law
عَرِقَ: أَفْرَزَ عَرَقاً to sweat, perspire
عَرَق (الجِسْم) sweat, perspiration
عَرَق: مَشْرُوبٌ مُسْكِر arrack
عِرْق: وَرِيد vein, blood vessel
عِرْق: جِنْس، عُنْصُر race, stock
عِرْق: ساقُ النَّباتِ أو وَرَقَتِهِ أو ثَمَرَتِه stem
عِرْقٌ في الرُّخامِ أو الخَشَبِ إلخ vein
عَرْقان sweaty, sweating, perspiring
عَرْقَلَ: عاقَ to hinder, hamper, impede, obstruct, block
عِرْقِيّ: عُنْصُرِيّ racial; ethnic; racist
عِرْناس (الذُّرَة) corncob, cob, ear

عُرُوبَة Arabism; Arab nationalism; Pan-Arabism

عُرْوَة (الثَّوْب) buttonhole

عُرْوَة (الصَّداقَة إلخ) tie, bond

عَرُوس، عَرُوسَة bride

العُرُوسان the newlyweds, the bride and (bride)groom

عَرُوض: مِيزانُ الشِّعْر prosody

عِلْمُ العَرُوض metrics, prosody

عَرِيَ to be naked, nude, bare

عُرْي nakedness, nudity, nudeness

عُرْيان ـ راجع عارٍ

عريس bridegroom, groom

عريش: تعْرِيشة arbor, bower

عريض broad, wide; extensive, vast

عَرِيضة: اِسْتِدْعاء، مُذَكِّرَة petition

عَرِيف: رُتْبَةٌ عَسْكَرِيَّة corporal

عَرِيف: مُساعِد، مُراقِب monitor

عَرِيف: مَنْ يُعَرِّفُ القَوْمَ introducer

عَرِيق deep-rooted, firmly established; old; highbred, highborn

عَرِيكَة disposition, character

عَرِين: مَأْوَى الأَسَدِ إلخ lair, den

عَزَّ: قَوِيَ to be strong, powerful

عَزَّ: نَدَرَ، غَلا to be rare, scarce; to be dear, precious, costly

عَزَّ عَلَيْهِ (أَنْ) to pain, hurt, be painful for, be difficult for

عِزّ: جاه glory, honor, prestige, esteem; high rank, high standing

عَزا إلى: نَسَبَ to ascribe to, attribute to, impute to, refer to

عَزَّى to console, comfort, condole, solace, offer one's condolences to

عَزاء: سُلْوان consolation, comfort

عَزَب، عُزْباء ـ راجع أَعْزَب

عِزْبَة: مَزْرَعَة country estate, farm

عِزَّة ـ راجع عِزّ

عِزَّةُ النَّفْس sense of honor, self-esteem, self-respect, pride

عَزَرَ، عَزَّرَ: وَبَّخَ to censure, rebuke, reprove, reprimand, scold

عَزَّزَ: قَوَّى to consolidate, strengthen, reinforce; to corroborate, confirm; to promote, further, foster

عَزَفَ (على آلَةٍ مُوسِيقِيَّة) to play, play on (a musical instrument)

عَزَفَ لَحْناً to play a tune

عَزَفَ عن to abstain from, refrain from, abandon, give up

عَزَقَ (الأَرْض) to hoe, dig up

عَزَقَة: صَمُولَة nut (of a bolt)

عَزَلَ: أَبْعَدَ، فَصَلَ to separate, isolate, seclude, segregate; to insulate

عَزَلَ: خَلَعَ to depose, oust, remove, dismiss, discharge, displace, expel

عُزْلَة isolation, seclusion, retirement; privacy, solitude, loneness

عَزَمَ على to resolve to, determine to,

decide to, be determined to or on; to intend to, plan to

عَزْم : تَصْمِيم — resolution, resolve, determination, decision, intention

عُزُوبَة، عُزُوبِيَّة — celibacy, bachelorhood

عَزِيز : غالٍ، ثمين — precious, costly, valuable, dear

عَزِيز : مَحْبُوب — dear, (well-)beloved, cherished; dear one, love(r)

عَزِيز : نادِر — rare, scarce

عَزِيز (الجانِب) — mighty, strong

عَزِيزِي — (my) dear

الكِتابُ العَزِيز — the (Holy) Koran

عُزَيْزاء (طائر) — pipit

عَزِيمَة : تَصْمِيم - راجع عَزْم

عَسَّ — to patrol (at night)

عَسَى — maybe, perhaps, possibly; it may (might, could) be that; I hope

عِسْبار، عُسْبُر (حيوان) — aardwolf

عَسْجَد : ذَهَب — gold

عَسُرَ، عَسِرَ — to be difficult, hard

عَسَّرَ — to make difficult or hard

عَسِر - راجع عَسِير

عُسْر — difficulty; distress; poverty

عُسْرُ الهَضْم — indigestion, dyspepsia

عَسَس — patrol, night watch(men)

عَسْف : ظُلْم — tyranny, arbitrariness, oppression; injustice, inequity

عَسْكَرَ : خَيَّمَ — to camp, encamp, tent

عَسْكَر : جُنْد، جَيْش — soldiers, troops, soldiery, army

عَسْكَرِيّ : حَرْبِيّ — military, army-

عَسْكَرِيّ : جُنْدِيّ — soldier, private

عَسَل — honey

شَهْرُ العَسَل — honeymoon

قُرْصُ العَسَل — honeycomb

عَسَلِيّ — honey; honey-colored

عَسِير — difficult, hard, arduous, tough

عُشّ (الطَّائِر) : وَكْر، وَكْن — nest

عَشَّى : قَدَّمَ العَشَاءَ لِـ — to give dinner to

عَشَاء : طَعَامُ المَسَاء — dinner, supper

عِشَاء : عَشِيّ، مَسَاء — evening, eve

عَشَائِرِيّ : قَبَلِيّ — clannish, tribal

عُشْب — grass, herbage; pasture; herb

عُشْبَة — herb, plant; wort

عُشْبِيّ — herbaceous, herbal, grassy

عُشْر، عِشْر ($\frac{١}{١٠}$) — (one) tenth

عَشَرَة (١٠) — ten

عِشْرَة : صُحْبَة — association, companionship, company, intimacy

عِشْرُون (٢٠) — twenty

عَشْرِيّ، عُشْرِيّ [رياضيات] — decimal

كَسْرٌ عَشْرِيّ — decimal fraction

عَشَّشَ (الطَّائِرُ) : اِتَّخَذَ عُشًّا — to nest, build or settle in a nest

عَشِقَ to love passionately, adore, be in love with, be enamored of
عِشْق (passionate) love, passion
عَشْوائيّ random, haphazard, aimless, purposeless
عَشْوائِياً at random, random(ly), haphazard(ly), aimlessly, purposelessly, blindly, hit or miss
عَشِيّ، عَشِيَّة : مَساء evening, eve
عَشِيَّةَ كَذا on the eve of
عَشِير : رَفِيق companion, comrade
عَشِيرَة : قَبِيلَة clan, kinsfolk; tribe
عَشِيق love(r), sweetheart
عَشِيقَة sweetheart, mistress
عَصَى : خَرَجَ عَنِ الطَّاعَة to disobey; to resist, oppose; to revolt against
عَصاً : قَضِيب، عُود stick, staff, rod
عَصاً : عُكّاز walking stick, cane
عَصاً : صَوْلَجان scepter, mace, wand
عُصاب : اِضْطِرابٌ عَصَبِيّ neurosis
عِصابَة : زُمْرَة، جَماعَة gang, ring; band, group, troop, company
عِصابَة : رِباط band; bandage, dressing, swathe
عِصابَةٌ لِلرَّأس headcloth, headband
عِصابَةٌ لِلْعَيْنَيْن blindfold
رَجُلُ عِصابَة، عُضْوٌ في عِصابَة gangster
عَصَّارَة : آلَةُ العَصْر juicer, press, squeezer, wringer, mill
عُصارَة : عَصِير، خُلاصَة juice, sap; extract, extraction, essence
عِصامِيّ : بَنَى نَفْسَهُ بِنَفْسِه self-made
عَصَبَ : رَبَطَ to fold, tie, bind, wrap
عَصَبَ : ضَمَّدَ to bandage, dress
عَصَبَ العَيْنَيْن to blindfold, muffle
عَصَب [تشريح] nerve
عُصْبَة league, union; coterie, clique, circle, set, group, troop
عُصْبَةُ الأُمَم League of Nations
عَصَبِيّ nervous
عَصَرَ : ضَغَطَ to press (out), squeeze (out), compress, wring
عَصْر : بَعْدَ الظُّهر afternoon
عَصْر : دَهْر، زَمَن age, era, epoch, time, period
عَصْرَنَ : حَدَّثَ to modernize, update
عَصْرِيّ modern, up-to-date, new
عَصَفَ (ـتِ الرِّيحُ) to storm, rage, blow violently
عُصْفُر : قِرْطِم (نبات) safflower
عُصْفُور (طائر) sparrow; finch; bird
عُصْفُورُ الجَنَّة swallow
عُصْفُورٌ دُورِيّ sparrow
عُصْفُورُ الشَّوْك hedge sparrow
عَصَمَ : حَفِظَ to (safe)guard, protect
عَصَمَ : مَنَعَ to prevent, restrain
عِصْيان disobedience, insubordination; insurrection, rebellion

عَصِيب : حَرِج ، صَعْب — critical, crucial, grave, serious, difficult

عَصِيدَة : ثَرِيد — porridge, gruel

عَصِير : عُصَارَة ، شَرَاب — juice, syrup

عَضّ : أَمْسَكَ بِأَسْنَانِه — to bite

عُضَال : مُزْمِن ، مُسْتَعْص — chronic, inveterate, incurable, irremediable

عَضَّة : المَرَّة مِنْ عَضّ — bite

عَضَدَ : أَعَانَ — to support, back (up), help, aid, assist

عَضُد [تشريح] — upper arm, brachium

عَضَلَة [تشريح] — muscle

عَضَلِيّ — muscular, muscle

عُضْو (مِنْ أَعْضَاءِ الجِسْم) — organ, member, limb, (bodily) part

عُضْو (في جَمْعِيَّةٍ إلخ) — member

عُضْوِيّ — organic

عُضْوِيَّة (في جَمْعِيَّةٍ إلخ) — membership

عَطَاء ، عَطاً : مِنْحَة ـ راجع عَطِيَّة

عَطَاء : عَرْض — tender, bid, offer

عَطَّار : بائِعُ العِطْر — perfumer, druggist

عَطَّار : بائِعُ البَهَارات — spice dealer

عُطَارِد [فلك] — Mercury

عَطِبَ — to be damaged, impaired

عَطَب — damage, injury, harm; impairment, spoilage, wreck(age)

عَطَّرَ — to perfume, scent; to aromatize

عَطِر ، عِطْرِيّ — sweet-smelling, fragrant, aromatic, perfumed

عِطْر : طِيب — perfume, scent; essence

عِطْر : كُولُونِيَا — (eau de) cologne

عَطَسَ : أَتَتْهُ العَطْسَةُ — to sneeze

عَطْسَة : المَرَّة مِنْ عَطَسَ — sneeze

عَطِشَ : ظَمِئَ — to be thirsty, feel thirsty, suffer thirst, thirst

عَطَّشَ — to make thirsty, cause to thirst

عَطَش : ظَمَأ — thirst

عَطْشَان ، عَطِش : ظَمْآن ، ظَمِئ — thirsty

عَطَفَ : حَنَى — to bend, incline, curve, bow, twist, turn

عَطَفَ على : حَنَّ — to sympathize with, feel for, pity

عَطْف : حَنَان — sympathy, compassion, pity, feeling, affection

عَطَّلَ — to break down; to leave without work; to disable, cripple; to suspend; to deactivate, defuse

عُطْل — failure, breakdown, trouble, disorder; defect(iveness)

عُطْل وضَرَر ـ راجع ضَرَر

عُطْلَة — holiday(s), vacation, recess

عُطْلَةُ (نِهَايَةِ) الأُسْبُوع — weekend

عَطِن : نَتِن — putrid, rotten; stinking

عَطُوف — sympathetic, compassionate, pitiful, affectionate, loving

عَطِيَّة : مِنْحَة — gift, present; grant, donation; bonus

عَظَاءَة : سِحْلِيَّة ، سِقَايَة — lizard

عِظَة : مَوْعِظَة sermon; preachment
عِظَة : عِبْرَة lesson, example
عَظُمَ to be(come) great, big, large; to grow, increase
عَظَّمَ to glorify, exalt, extol; to aggrandize, enlarge, magnify
عَظْم ، عَظْمَة bone; piece of bone
عَظَمَة : فَخامَة grandeur, grandness, greatness, magnificence, majesty
عَظْمِيّ osseous, osteal, bony, bone
هَيْكَلٌ عَظْمِيّ skeleton
عَظِيم great, big, large; huge, enormous; grand, grandiose, majestic; mighty, strong; important
عَفَّ to be chaste, modest, virtuous
عَفَّ عن to abstain from, keep from
عَفَا عن to forgive, pardon, excuse
عِفَّة ، عَفاف abstinence, continence, virtue, chastity, modesty
عِفْرِيت : شَيْطان afreet, demon, devil
عِفْرِيت (السَّيَّارَة) (automobile) jack
عَفْص (شجر) gall oak
عَفِنَ : تَعَفَّنَ to rot, decay, decompose, putrefy, spoil; to mold
عَفَن : عُفُونَة ، فَساد mold; rot(tenness), decay, decomposition, putridity
عَفِن : مُتَعَفِّن rotten, putrid, decayed, decomposed, moldy, foul
عَفُوّ : صَفُوح forgiving, indulgent
عَفْو : صَفْح pardon, forgiveness
عَفْواً : مَعْذِرَةً I beg your pardon! pardon me! excuse me!
عَفْواً : تِلْقائِياً spontaneously, automatically; by oneself
عُفُونَة ـ راجع عَفَن
عَفْوِيّ : تِلْقائِيّ spontaneous, unprompted, automatic, impulsive
عَفِيف : ذُو العِفَّة chaste, continent, pure, modest, virtuous
عَقائِدِيّ ideological; doctrinal
عُقاب : نَسْر (طائر) eagle
عِقاب : جَزاء ، عُقُوبَة punishment, penalty, sanction
عَقار real estate, real property
عَقَّار : دَواء drug, medicine, medicament, medication, remedy
عَقارِيّ : خاصٌّ بِالعَقارات landed, land, real real, estate
عِقال (الرَّأْس) headband, headcord
عَقَبَ : تَبِعَ to follow, succeed
عَقَّبَ على : عَلَّقَ على to comment on
عَقِب : مُؤَخَّرُ القَدَم ، كَعْب heel
عَقِب : وَلَد child, offspring
عَقِب : آخِر ، بَقِيَّة end; remainder, rest; butt, stub, stump
عَقِبَ كَذا ، في أَعْقابِ كَذا (immediately) after, subsequent to, following
عَقَبَة : عائِق obstacle, hindrance, impediment, barrier, obstruction
عَقَدَ : رَبَطَ to knot, tie; to fasten

عَقَدَ : أَبْرَمَ	to conclude, make
عَقَدَ اجْتِماعاً أو جَلْسَةً	to hold (convene, call) a meeting or session
عَقَدَ مُحادَثاتٍ	to hold talks, discuss, talk, dialogue, confer
عَقَّدَ : صَعَّبَ	to complicate; to make complicated, complex, difficult
عَقْد : اِتِّفاق	contract; agreement
عَقْد : قَنْطَرَة	arch, vault
عَقْد : عَشْرُ سَنَوات	decade
عِقْد : قِلادَة	necklace; collar
عُقْدَة : أُنْشُوطَة	knot, loop; snarl
عُقْدَة : عُجْرَة	knot, knur, knob, node, nodule, tubercle
عُقْدَة : وَحْدَةٌ لِلسُّرْعَة، مِيلٌ بَحْرِيّ	knot
عُقْدَة (نَفْسِيَّة) : مُرَكَّب	complex
عُقْدَة (الرِّوايَةِ أو المَسْرَحِيَّة)	plot
عُقْدَة : مُشْكِلَة	problem, knot
عُقْدَةٌ صَفْراء : كُرْكُم	turmeric
عَقَرَ : جَرَحَ	to wound, injure
عَقَرَ : ذَبَحَ	to slaughter, butcher
عُقْر : عُقْم	barrenness, sterility
في عُقْرِ دارِه	on his own ground, in his own house (place, country)
عَقْرَب : دُوَيْبَّةٌ سامَّة	scorpion
عَقْرَب (السّاعَةِ)	hand, pointer
بُرْجُ العَقْرَب [فلك]	Scorpio
عَقَصَ : ضَفَرَ	to braid, plait
عَقْعَق (طائر)	magpie
عَقَفَ : حَنَى	to crook, bend, curve
عَقَلَ : فَهِمَ	to realize, understand, comprehend, grasp, conceive
عَقَلَ : قَيَّدَ	to hobble, fetter
عَقْل	mind, intellect, brain, reason
عَقْلٌ إلِكْتُرونِيّ	computer
العَقْلُ الباطِن	the unconscious
عَقْلانِيّ	rational, reasonable, intellectual, intellective, mental
عَقْلِيّ	mental, intellectual, rational
عَقْلِيَّة : ذِهْنِيَّة، عَقْل	mentality, mind
عَقَّمَ (مِنَ الجَراثِيم)	to sterilize, disinfect, antisepticize; to pasteurize
عُقْم، عَقْم	sterility, barrenness
عُقُوبَة ـ راجع عِقاب	
عُقُوق : عاقّ ـ راجع عاقّ	
عَقِيد (في الجَيْش)	colonel
عَقِيد (في القُوّاتِ البَحْرِيَّة)	captain
عَقِيدَة : مَذْهَب	belief, faith, creed; cult; tenet, doctrine; ideology
عَقِيق : حَجَرٌ شِبْهُ كَرِيم	agate
عَقِيقٌ أَحْمَر	carnelian; garnet
عَقِيقٌ يَمانِي	onyx
عَقِيلَة : زَوْجَة، قَرِينَة	wife, spouse
عَقِيم : عاقِر	sterile, barren
عَقِيم : بِلا جَدْوَى	futile, useless, unavailing, unfruitful, abortive, vain
عُكّاز، عُكّازَة	crutch; walking stick, cane; staff, stick

عَكِرَ : تَكَدَّرَ — to be turbid, muddy; to be disturbed, troubled

عَكَّرَ : كَدَّرَ — to muddy, muddle; to disturb, disorder, unsettle

عَكِر — turbid, muddy; troubled, disturbed, disordered, unsettled

عَكَزَ على — to lean on (a staff, etc.)

عَكَسَ : قَلَبَ — to reverse, invert

عَكَسَ (الضَّوْءَ) — to reflect, mirror

عَكَسَ : أَظْهَرَ، أَبْدَى — to reflect, mirror, show, demonstrate, express

عَكْس : نقيض، ضِدّ — reverse, inverse, converse, counter, opposite

بالعَكْس، على العَكْس — on the contrary

بالعَكْس : عَكْسِياً ـ راجع عَكْسِياً

والعَكْسُ بالعَكْس — vice versa

عَكْسِيّ — contrary, opposite, adverse, counter(active), converse; inverse; reverse, backward

عَكْسِياً — backward(s), in reverse, reversely; conversely; inversely

عَكَفَ على — to devote or dedicate oneself to; to engage in; to be engaged in, occupied with

عَلَّ : لَعَلَّ — perhaps, maybe

عَلا : اِرْتَفَعَ — to rise (high), go up; to be high, lofty; to be loud

عَلَّى : رَفَعَ — to raise, lift (up), hoist (up), boost, jack up, hike

عَلَّى صَوْتَهُ — to raise one's voice

عَلَّى صَوْتَ المِذْياعِ إلخ — to turn up

عَلَى : فَوْقَ — on, upon, above, over

عَلَى : عِنْدَ — at, on, by

عَلَى أَنْ — provided that, on the condition that, if, as long as

عَلَى أَنَّ — however, but, yet, still

(و) عَلَيْهِ — accordingly, therefore, so

عَلَيْكَ (أَنْ) — you have to, should, must, ought to; it is your duty to

عُلَى، عَلاء — ighness, sublimity; emi- ence, high rank, prestige, glory

عِلاج : دَواء — emedy; cure, medicine, nedicament, medication, drug

عَلاقَة : صِلَة — elation(ship), connec- ion, contact; bond, tie, link

عَلاقاتٌ عامَّة — ublic relations

عَلَّاقَة (ثِياب) — coat) hanger

عَلَّاقَة (مَفاتِيح) — ey holder

عَلامَ؟ — herefore? what for? why?

عَلامَة : إشارَة — nark, sign, indication, oken; insignia; emblem

عَلامَة (على امْتِحان) — rade, mark

عَلامَةُ اسْتِفْهام — uestion mark

عَلَّامَة ـ راجع عالِم

عَلانِيَة : جَهْر — penness, publicness

عَلانِيَةً — penly, publicly, in public

عِلاوَة — icrease, raise, allowance; onus, premium; addition

عِلاوَةً على — addition to, over and

above, along with, as well as

عَلَّبَ to can, tin; to pack, package; to box; to case, encase

عُلْبَة box, case; pack(et), package

عُلْبَة (طَعَام مَحْفُوظ) can, tin, tincan

عُلْبَةُ كَرْتُون carton

عِلَّة : مَرَض disease, malady, ailment; illness, sickness; disorder

عِلَّة : عَيْب defect, flaw, fault, shortcoming, drawback, disadvantage

عِلَّة : سَبَب cause, reason

عُلْجُوم : ضِفْدِعُ الطِّين (حيوان) toad

عَلَفَ (الدَّابَّةَ) : أَطْعَمَها to feed, fodder

عَلَف fodder, forage, provender

عَلِقَ بِـ : وَقَعَ to get caught in, catch in, get stuck in

عَلِقَ بِـ : تَعَلَّقَ بِـ - راجع تَعَلَّقَ بِـ

لَّقَ : دَلَّى to hang (down), suspend, dangle, let hang, sling

عَلَّقَ بِـ : رَبَطَ، ثَبَّتَ to attach, fasten, tie; to post, affix, stick

عَلَّقَ (مَفْعُولَ كَذا) to suspend

عَلَّقَ على : عَقَّبَ على to comment on

عَلَّقَ أَهَمِّيَّةً to attach importance (to)

لَق، عَلَقَة : دُودَةُ العَلَق leech

لْقَم : حَنْظَل (نبات) colocynth

لَكَ : مَضَغَ to chew, masticate

لْك، عِلْكَة chewing gum, gum

لَّلَ : بَرَّرَ، فَسَّرَ to justify, warrant

عَلِمَ (بِـ) to know (of); to be aware of, cognizant of, acquainted with, familiar with, informed about; to learn (about), find out (about)

عَلَّمَ : دَرَّسَ to teach, instruct, school, educate, tutor

عَلَّمَ : وَسَمَ to mark, label

عَلَم : رايَة flag, banner, standard

عَلَم : شَخْصٌ بارِز distinguished personality; master; authority; star

عِلْم science; knowledge, learning; cognizance, awareness

عِلْمُ الآثار archaeology

عِلْمُ الاجْتِمَاع sociology

عِلْمُ الأَحْياء، عِلْمُ الحَيَاة biology

عِلْمُ الأَخْلاق ethics, morals

عُلُومٌ إِنْسانِيَّة humanities

عِلْمُ البَلاغَةِ أو البَيَان rhetoric

عِلْمُ البِيئَةِ أو البِيئِيَّات ecology

عِلْمُ التَّشْرِيح anatomy

عِلْمُ الحَيَوان zoology

عِلْمُ الذَّرَّة atomistics; atomics

عِلْمُ الرِّيَاضِيَّات mathematics

عِلْمُ الزِّرَاعَة agriculture, agronomy

عِلْمُ السُّكَّان demography

عِلْمُ السِّيَاسَة، عُلُومٌ سِياسِيَّة political science(s), politics

عِلْمُ الطَّبِيعَة physics

عِلْمُ الفَلَك astronomy

عِلْمُ الكَوْنِيَّات، عِلْمُ الكَوْن cosmology

عِلْمُ اللُّغَة linguistics, lexicology

عِلْمُ المَنْطِق logic

عِلْمُ النَّبَات botany

عِلْمُ النَّحْو grammar; syntax

عِلْمُ النَّفْس psychology

عِلْمُ الوِرَاثَة genetics

عِلْمُ وَظَائِفِ الأَعْضاء physiology

عِلْمانِيّ secular, lay, laic(al)

عِلْمِيّ scientific; learned; scholarly

عَلَن، عَلَناً ـ راجع عَلانِيَة، عَلانِيَةً

عَلَنِيّ، عَلِن open, overt, public

عَلَنِيَّة ـ راجع عَلانِيَة

عُلُوّ height, altitude, elevation; highness, loftiness; loudness

عُلْوِيّ: فَوْقِيّ upper, higher; upstairs; superior, supreme

عَلْياء: سَماء heavens, sky, firmament

عَلْياء: عُلُوّ ـ راجع عُلُوّ

عُلِّيَّة (البَيْت) attic, garret, loft

عِلْيَةُ القَوْم upper class, elite, VIPs

عُلَّيْق (نبات) bramble, blackberry

تُوتُ العُلَّيْق raspberry

عَلِيل: مَرِيض ـ راجع مُعْتَلّ

عَلِيل: لَطِيف soft, gentle, mild, light

عَمَّ: سادَ to prevail in, reign in, spread through or over; to be prevailing, general, common

عَمّ: أَخُو الأَب ncle, paternal uncle

عَمّ: أَبُو الزَّوْج أو الزَّوْجة ather-in-law

عَمَّ، عَمّا bout what, of what

عَمًى: فِقْدانُ البَصَر lindness

عِماد: دِعامَة upport, prop, stay, rest, hore, brace, buttress, pillar

عِماد: لِواء eneral, major general

عِمارَة uilding, edifice, structure

فَنُّ (هَنْدَسَةُ) العِمارَة rchitecture

عَمالَة، عِمالَة: ضِدّ بِطالَة mployment

عَمالَة: خِيانَة reason, treachery

عُمّالِيّ abor, worker's, blue-collar

عِمامَة: لِباسٌ لِلرَّأْس urban

عُمان Oman

عُمانِيّ Omani

عَمَّة: أُخْتُ الأَب unt, paternal aunt

عَمَدَ إلى أو لِـ resort to; to under- ake, embark upon; to turn to

عَمَّدَ (الوَلَد) baptize, christen

عَمْد tent(ion), purpose, design; remeditation, willfulness

عَمْداً، عَنْ عَمْد n purpose, inten- onally, deliberately, willfully

عُمْدَة (المَدِينَة إلخ) ayor; governor

عُمْدَة (الكُلِّيَّة إلخ) aculty

عَمْدِيّ ـ راجع مُتَعَمَّد

عَمَرَ: سَكَنَ inhabit, live in, dwell in

عَمَّرَ: عاشَ طَوِيلاً live long

عَمَّرَ: بَنَى to build, construct, erect
عُمْر، عُمُر: سِنّ age
عُمْر، عُمُر: حَيَاة life(time), life span
ما عُمْرُكَ؟ how old are you?
عُمْران building, construction; civilization, culture; populousness
عُمْرَة [شريعة إسلامية] minor hajj, minor pilgrimage to Mecca
عَمُقَ to deepen, be or become deep(er) or (more) profound
عَمَّقَ to deepen, make deep(er)
عُمْق، عُمُق depth, deepness, profoundness; bottom, innermost
عَمِلَ: فَعَلَ to do, make; to act; to perform, carry out; to produce
عَمِلَ: اِشْتَغَلَ to work; to toil, labor; to function, operate, run
عَمِلَ على to work toward(s), endeavor to, strive to, aim at
عَمَل: فِعْل، صَنِيع act, deed, action
عَمَل: شُغْل work; labor; job; occupation, business, profession, career, trade; employment
عَمَلاً بِـ pursuant to, according to, in conformity with, by virtue of
عِمْلاق giant; gigantic
عُمْلَة، عِمْلَة: نَقْد currency, money
عَمَلِيّ practical, practicable, feasible, workable, realistic, pragmatic
عَمَلِيّاً practically, in practice
عَمَلِيَّة operation; process; procedure; act(ion), activity
عَمَلِيَّةٌ تِجارِيَّة transaction, deal
عَمَلِيَّةٌ جِراحِيَّة (surgical) operation, surgery
عَمَلِيَّةٌ عَسْكَرِيَّة (military) operation
عَمَّمَ: أَطْلَقَ، ضِدّ خَصَّصَ to generalize
عَمَّمَ: نَشَرَ to popularize, publicize, circulate, spread, send out
عَمَّنْ about whom, of whom
عَمُود column, pillar, post, pole, pier
العَمُودُ الفِقْرِيّ spinal column, spine, vertebral column, backbone
عَمُودِيّ vertical, perpendicular
عَمُودِيّاً vertically; perpendicularly
عُمُولَة commission, brokerage
عُمُوم: كُلّ whole, entire; all (of)
العُمُوم the public, the people
عُمُوماً، على العُمُوم in general, generally, on the whole, by and large
عُمُومِيّ public; state; general, common, universal
عَمِيَ: فَقَدَ بَصَرَهُ to be or become blind
عَمِيد: سَيِّد chief, head, leader
عَمِيد (كُلِّيَّةٍ إلخ) dean
عَمِيد: رُتْبَةٌ عَسْكَرِيَّة brigadier general
عَمِيدٌ في القُوّاتِ البَحْرِيَّة commodore
عَمِيق: ذُو عُمْق deep, profound
عَمِيل: وَكِيل agent, representative

عَمِيل : زَبُون	client, customer
عَمِيل (سِيَاسِيّ) : مُرْتَزِق	agent; hireling, mercenary; traitor
عَمِيلٌ جُمْرُكِيّ	customs broker, customs agent
عَنْ : مِنْ	from; off, away from
عَنْ : بِدَافِع	out of, motivated by
عَنْ : حَوْلَ	about, on, over, regarding, concerning, with respect to
عَنْ : بِالنِّيَابَةِ عَنْ	for, on behalf of
عَنَى : قَصَدَ، أَرَادَ	to mean, intend
عَنَى : أَفَادَ مَعْنًى	to mean, denote
عَنَاهُ الأَمْرُ	to concern, affect, interest, mean; to worry, disquiet
عُنِيَ بِـ - راجعها في مكانها	
يَعْنِي، أَعْنِي	i.e., that is, that is to say, namely, viz.
عَنَاء : تَعَب، كَدّ	pains, trouble, effort, toil, labor, hard work
عُنَّاب (نبات)	jujube
عُنَّابِيّ (اللَّوْنِ)	russet, burgundy
عِنَاد : مُعَانَدَة	stubbornness, obstinacy, adamancy, intransigence
عِنَايَة : رِعَايَة	care, keeping, protection, custody; attention, heed
عِنَايَة : حَيْطَة	care(fulness), caution
العِنَايَةُ الإِلَهِيَّة	divine providence
عِنَب (نبات)	grape(s)
عَنْبَر : مادَّةٌ شَمْعِيَّة	ambergris
عَنْبَر : مَخْزَن	warehouse, magazine, storehouse, depot, store(room)
عَنْبَر : مَخْزَنُ السَّفِينَةِ أو الطَّائِرَة	hold, cargo deck, cargo department
عَنْبَر : حَظِيرَةُ طائِرات	hangar, shed
عُنْجُهِيَّة	arrogance, haughtiness
عِنْدَ	at, by, near; on, upon; with; when, at the time when, as
عِنْدَ الحاجَة، عِنْدَ الاقْتِضاء	if need be, in case of need, if necessary
عِنْدِي : لَدَيَّ، أَمْلِكُ	I have
عِنْدَئِذٍ : حِينَئِذٍ	then, at that time
عَنْدَلِيب (طائر)	nightingale
عِنْدَمَا	when, as; while, during
عَنْز، عَنْزَة (حيوان)	she-goat
عُنْصُر : عِرْق، جِنْس	race, stock
عُنْصُر : مادَّة، عامِل	element; constituent, ingredient; factor
عُنْصُر (كيميائيّ)	(chemical) element
العَنْصَرَة، عِيدُ العَنْصَرَة	Whitsuntide; Whitsunday, Pentecost
عُنْصُرِيّ	racial; ethnic; racist
عَنَّفَ	to intensify, heighten, strengthen; to be(come) violent, severe
عَنَّفَ : وَبَّخ	to scold, upbraid, chide
عُنْف	violence; vehemence, fierceness, intensity, toughness; force
عَنَفَة : تُرْبِينَة	turbine
عُنْفُوان	vigor; prime, bloom; power, might, force; pride, haughtiness

عُنُق، عُنْق : رَقَبَة neck
عُنْقود cluster, bunch; raceme
عُنْقودُ عِنَب bunch of grapes
عَنْكَبوت (حيوان) spider
بَيْتُ العَنْكَبوت cob(web), spiderweb
عُنْوان : رَأْسِيَّة title, heading, headline
عُنْوان (الشَّخصِ أو المَكانِ) address
عُنْوان : رَمْز، مِثال epitome, symbol, image, typical example
عَنْوَةً by force, forcibly, coercively
عَنْوَنَ to entitle, title; to address
عُنِيَ بِـ to take care of, look after, see to, tend, watch over
عَنِيد stubborn, obstinate, inflexible, adamant, intransigent
عَنِيف violent, vehement, fierce, harsh, severe, drastic, tough
عَهِدَ : عَرَفَ to know, be familiar with
عَهِدَ : رَعَى ـ راجع تَعَهَّدَ
عَهِدَ إلَيْهِ بِـ to entrust to; to entrust with, charge with; to authorize to
عَهْد : مِيثاق covenant, compact, convention, pact, treaty, agreement
عَهْد : وَعْد، اِلْتِزام pledge, vow, promise; commitment, obligation
عَهْد : عَصْر، زَمان epoch, era, time, period, age
عَهْد : حُكْم reign, rule, period, regime; term (of office)
العَهْدُ الجَدِيد the New Testament
العَهْدُ القَدِيم the Old Testament
عُهْدَة : رِعايَة care, keeping, protection, custody, guardianship
عَوَى to howl, yelp, yowl
عَوّاد : عازِفُ العُود lutist, lutanist
عَوّامَة buoy; raft, pontoon, float
عَوّامَةُ النَّجاة life buoy
عَوِجَ ـ راجع اِعْوَجَّ
عَوَّجَ to bend, crook, curve, twist
عَوَّدَ على to accustom to, habituate to, inure to, make used to
عُود : عَصاً، قَضِيب stick, rod
عُود : خَشَب wood
عُود : خَشَبُ عِطر aloes (wood)
عُود : مِزْهَر (آلَةٌ مُوسِيقِيَّة) lute
عُودُ أَسْنان toothpick
عُودُ الثِّقابِ أو الكِبْرِيت match(stick)
عَوْدَة return(ing), coming back, going back; resumption
عَوْرَة : سَوْءَة private parts, genitals
عَوْرَة : عِلَّة defect, fault, blemish
عَوَز : فَقْر lack, want, need(iness), destitution, poverty, indigence
عَوْسَج : نَباتٌ شائِك boxthorn
عَوَّضَ to compensate, recompense; to repair, redress, remedy, make good; to make up for
عِوَض substitute, offset, compensation, recompense; consideration

عِوَض، عِوَضاً عن instead of, in place of, in lieu of, as a substitute for

عَوَّق ـ راجع أَعاق

عَوَّلَ على : إعْتَمَدَ، إتَّكَلَ to rely on, depend on, count on; to trust (in)

عَوَّمَ : جَعَلَهُ يَعوم to float, buoy up

عَوِيص abstruse, recondite, difficult; complicated, complex, intricate

عَوِيل wail(ing), lament(ation)

عِيادَة : زِيارَة visit, call

عِيادَة (الطَّبِيب) clinic, office

عِيار : مِقْياس standard; gauge, (standard) measure(ment); caliber

عِيارٌ نارِيّ shot, gunshot

عَيْب : نَقِيصَة defect, fault, blemish, shortcoming, drawback

عَيْب : عار، خِزْي shame, disgrace

عَيَّدَ to celebrate a feast

عِيد feast, feast day, festival, holiday

عِيدُ الاسْتِقْلال Independence Day

عِيدُ الأَضْحى Greater Bairam

عِيدُ الأُمّ Mother's Day

عِيدُ انْتِقالِ العَذْراء Assumption

عِيدُ البِشارَة Annunciation

عِيدُ التَّجَلِّي Transfiguration (Day)

عِيدُ جَمِيعِ القِدِّيسِين All Saints' Day

عِيدُ رَأْسِ السَّنَة New Year's Day

عِيدٌ سَنَوِيّ anniversary

عِيدُ الشُّكْر Thanksgiving Day

عِيدُ الصُّعُود Ascension Day

عِيدُ الظُّهُورِ أو الغِطاس Epiphany

عِيدُ العَلَم flag day

عِيدُ العُمّال Labor Day, May Day

عِيدُ العَنْصَرَة Whitsunday, Pentecost

عِيدُ الفِصْح ، عِيدُ القِيامَة Easter

عِيدُ الفِطْر Lesser Bairam

عِيدٌ مِئَوِيّ centennial, centenary

عِيدُ المَرْفَع carnival

عِيدُ المَوْلِدِ النَّبَوِيِّ الشَّرِيف the Prophet's Birthday

عِيدُ المِيلاد Christmas, Xmas

عِيدُ مِيلادِ شَخص birthday

عِيدِيَّة feast's gift or present (given on the occasion of a feast)

عَيَّرَ : هَزَأَ بِـ، عابَ to gibe, taunt, scoff at; to reproach, rebuke

عَيْر : حِمارُ الوَحْش wild ass, onager

عَيَّشَ to keep alive, let or make live

عَيْش، عِيشَة : حَياة life; living

عَيْش : خُبْز bread

عَيَّنَ : حَدَّدَ to specify, determine, fix, pinpoint, identify, set, appoint

عَيَّنَ (في مَنْصِب) to appoint, assign

عَيْن : عُضْوُ البَصَر eye

عَيْن : يَنْبوع spring, source, fountainhead, headspring, wellspring

عَيْن : جاسُوس spy

عَيْن : نَقْد، مِلْك cash; property

عَيْن : وَجِيه notable, dignitary, VIP

عَيْن (كذا)، عَيْنُهُ، بِعَيْنِهِ : نَفْسُهُ the same

عَيْناً in kind, in specie

عَيِّنَة : نَمُوذَج sample, specimen

عَيْنِيّ : ذُو عَلاقَةٍ بِالعَيْن ocular, eye-

عَيْنِيّ : عَقارِيّ real (estate), land(ed)

عَيْنِيّ : غَيْرُ نَقْدِيّ in kind, in specie

عَيِيَ (في النُّطْقِ أو الكَلام) to falter, hem and haw, stammer, stutter

غ

absent, not present, not there غائِب
feces, excrement, stool غائِط : بِراز
cloudy, overcast غائِم : مُغَيِّم
to absent oneself, be absent, fail to show up غابَ : تَخَلَّفَ عَنِ الحُضُور
to disappear, vanish; to hide (oneself), be hidden غابَ : اِخْتَفَى
to set, go down غابَ : أَفَلَ ، غَرَبَ
to be far from; to leave, quit, part with, desert غابَ عن
to lose consciousness, become unconscious, faint, swoon, pass out غابَ عن صَوابِهِ أو وَعْيِهِ
forest, wood, thicket, woodland, jungle غاب ، غابَة : حَرَجَة
past, bygone, elapsed غابِر : ماضٍ
to leave, depart from, go away from, go out of, quit غادَرَ
to sink, sink down, sink in, fall in, cave in, collapse غارَ : اِنْخَسَفَ
to penetrate (into) غارَ في : دَخَلَ
to be jealous of غارَ مِنْ
cave, cavern, grotto غار : كَهْف

laurel, bay; daphne غار (نبات)
raid, invasion, foray, attack غارَة
gardenia غارْدينيا (نبات)
drowned; sunk; sunken غارِق
gas غاز
invader, raider, attacker غازٍ (الغازِي)
to court, woo, show love to غازَلَ
gaseous غازِيّ : مَنْسُوبٌ إلى الغاز
unjust, unfair; oppressive, yrannical; outrageous; brutal غاشِم
o dive into, plunge nto, submerge in, sink into غاصَ في أو على
ngry, furious, wrathful, nad, enraged, infuriated, vexed غاضِب
غاظَ ـ راجع أغاظَ
sleep; sleeping غافٍ (الغافِي) : نائِم
o take unawares, take y surprise, surprise غافَلَ : باغَتَ
nattentive, inadvertent, nmindful, unaware, negligent غافِل : ساهٍ
ormorant, shag غاق : طائِرٌ مائِيّ
row غاق : غُراب

غال : قُفْل padlock; lock, latch
غالٍ (الغالي) : غَيْرُ رَخِيص expensive, high-priced, costly, dear
غالٍ : ثَمِين dear, valuable, precious, costly, invaluable
غالٍ : عزِيز dear, (well-)beloved, dearly loved, cherished
غالٍ : في حالَةِ الغَلَيان boiling, ebullient, bubbling (up)
غالَى في to exaggerate, overstate, overdo, be excessive in
غالَبَ to fight, combat; to contend with, struggle with, wrestle with
غالِب : ظافِر، مُنْتَصِر victor, conqueror; winner; victorious, triumphant
غالِب : سائِد (pre)dominant, preponderant, prevailing
غالِباً، في الغالِب in most cases, mostly, generally, in general, most of the time; most probably
غالِبِيَّة : أَغْلَبِيَّة majority
غالُون gallon
غالِيرِي gallery; furniture showroom
غامَ (ـتِ السَّماءُ) to cloud (over), become cloudy or overcast
غامَرَ (بـ) to venture, risk, hazard, stake, take a risk, take a chance
غامِض obscure, vague, ambiguous, equivocal, unclear, mysterious
غامِق : داكِن، قاتِم dark, deep
غانِيَة beauty, beautiful woman
غايَة : هَدَف purpose, aim, goal, end, object(ive), intent(ion)
غايَة : أَقْصَى utmost, extreme, limit
لِغايَةِ كَذَا as far as, up to, to the degree of, until, till
لِلْغايَة، في غايَةِ كَذَا extremely, highly, greatly, too, very
غايَرَ : خالَفَ to differ from, be in contrast with; to be contrary to, inconsistent with, incompatible with
غِبَّ : بَعْدَ after, following
زارَ غِبًّا to visit at intervals
غَباء، غَباوَة stupidity, foolishness
غُبار، غَبَرَة dust
غَبَرَ : مَضَى to pass, elapse, go by
غَبَطَ : تَمَنَّى مِثْلَ حالِ فُلَان to envy
غِبْطَة : سَعادَة happiness, bliss, felicity
غِبْطَة : طُوبَى beatitude, blessedness
غَبَنَ : ظَلَمَ to wrong, aggrieve; to prejudice; to cheat, defraud
غَبْن، غُبْن injustice, inequity, wrong; prejudice, detriment; cheat(ing)
غَبِيّ stupid, foolish, silly, dumb, dim-witted; fool, idiot, simpleton
غَثَى، غَثِيَ (ـتْ نَفْسُهُ) to nauseate, feel nausea, be nauseated, feel or become sick, be disgusted
غَثْي، غَثَيان nausea, sickness, disgust
غَد، الغَد، غَداً، في الغَد tomorrow
بَعْدَ غَد the day after tomorrow
غَدَا : صارَ to become, grow, turn

غَذّى : قَدَّمَ الغَداءَ لِـ — to give lunch to

غَداء : طَعامُ الظُّهر — lunch, luncheon

غَداة : غُدْوَة ، بُكْرَة — early morning

غَدّار — perfidious, disloyal, treacherous, traitorous, false, untrue; traitor, betrayer, double-crosser

غُدَاف : غُراب (طائر) — raven; rook

غُدَّة [تشريح] — gland

غَدَرَ ، غَدِرَ (فُلاناً أو بِهِ) — to betray, sell out, be disloyal to; to double-cross, deceive, cheat

غَدْر — perfidy, betrayal, treachery, disloyalty; double cross

غُدْوَة : بُكْرَة — early morning

غَدِير — brook, creek, rill, small stream

غَذّى — to feed, nourish, nurture

غِذاء : قُوت — nourishment, nutriment, nurture, nutrient, food

غَرَّ : خَدَعَ — to deceive, mislead, fool; to lure, tempt; to dazzle, blind

غِرّ : عَدِيمُ الخِبْرَة — inexperienced, unskilled; naive, artless, gullible

غِرّ ، مُجَنَّدٌ غِرّ — cadet, recruit

غَرَا ، غَرِيَ : أَلْصَقَ — to glue

غِراء ، غَراً : لِصاق — glue

غُراب (طائر) — crow

غُرابٌ أَسْوَد (طائر) — raven; rook

غُرابٌ أَعْصَم (طائر) — chough

غُرابُ الزَّرْع (طائر) — jackdaw

غُرابُ اللَّيل (طائر) — night heron

غِرار : مِثال — example, model, type

على غِرارِ كَذا — like, similar to

غَرام : حُبّ — love, passion, fondness

غْرام : $\frac{١}{١٠٠٠}$ مِنَ الكِيلُوغرام — gram(me)

غَرامَة — fine, mulct; penalty

غَرامِيّ — amorous, amatory, love

غَرَبَ : غابَ ، أَفَلَ — to set, go down, sink

غَرْب ، الغَرْب — west; the West

غَرْباً — westward(s), west

غِرْبال : مُنْخُل — sieve, riddle, screen

غَرْبَلَ — to sift, sieve, riddle, screen

غَرْبِيّ — western, westerly, west

غَرَدَ ، غَرَّدَ : غَنّى — to sing, warble

غَرْدِينْيا (نبات) — gardenia

غَرَّرَ بِـ : خَدَعَ ـ راجع غَرَّ

غَرَزَ ، غَرَزَ الشَّيْءَ في — to stick into, insert into, drive into, thrust into

غَرَسَ : زَرَعَ — to plant

غَرَسَ : ثَبَّتَ — to (im)plant, (in)fix

غِرْس ، غَرْسَة ـ راجع غَرِيسَة

غِرْش : قِرْش — piaster

غَرَض : هَدَف ، غايَة — purpose, aim, end, object(ive), goal, intent(ion)

أَغْراض : حاجات — objects, things, effects, belongings, stuff

غَرْغَرَ : تَغَرْغَرَ — to gargle

غَرَفَ to ladle, scoop (up), dip out
غُرْفَة : حُجْرَة room; chamber; cabin
غُرْفَةُ انْتِظار waiting room
غُرْفَةُ تِجارَة chamber of commerce
غُرْفَةُ جُلُوس living (or sitting) room
غُرْفَةُ طَعامٍ أو أَكْل dining room
غُرْفَةُ نَوْم bedroom, bedchamber
غَرِقَ (الشَّيْءُ) to sink; to founder
غَرِقَ (الشَّخْصُ) to drown
غَرَّقَ - راجع أَغْرَقَ
غَرَق : مَصْدَر غَرِقَ sinking; drowning
غَرَّمَ : أَلْزَمَ بِغَرامَة to fine, mulct, amerce
غُرْم : خَسارَة loss, damage
غُرْنوق، غِرْنِيق (طائر) crane
غُرْنوقِيّ (نبات) geranium, cranesbill
غَرْو، لا غَرْوَ no wonder!
غُروب setting (of the sun); sunset, sundown; nightfall, dusk
غُرور conceit(edness), self-conceit, vainglory, pride, arrogance
غَرِيب : عَجِيب strange, odd, queer, unusual, uncommon, weird
غَرِيب : أَجْنَبِيّ stranger, foreigner, alien; strange, foreign
غَرِيبُ الأَطْوار eccentric, odd, queer
غَرِيبَة : عَجِيبَة oddity, curiosity; wonder, marvel, prodigy
غُرَيْر (حيوان) badger

غَرِيزَة instinct; impulse, urge, drive
غَرِيسَة : شَتْلَة (nursery) plant, seedling, sapling, cutting, transplant
غَرِيق : غارِق drowned; sunk
غَرِيم : خَصْم opponent, adversary, antagonist, rival
غَزا : أَغارَ على to invade, raid, attack, assault, harry; to maraud
غَزا : اِكْتَسَحَ ، غَمَرَ to flood, overrun, overspread, sweep (away)
غَزارَة abundance, copiousness, plenty, plenitude, profusion
غَزال (حيوان) gazelle; deer
غَزالَة doe, female gazelle or deer
غَزُرَ : كَثُرَ to abound; to be abundant, copious, plentiful, ample
غَزَلَ : رَدَنَ to spin
غَزَل flirt(ation); court(ship), wooing; love; love poetry
غَزْوَة invasion, incursion, raid, foray, attack, assault; conquest
غَزِير abundant, copious, ample, plentiful, profuse, heavy
غَسَّالَة (آلِيَّة) washing machine, washer; dishwasher
غَسَق dusk, twilight, nightfall
غَسَلَ ، غَسَّلَ to wash, rinse, clean
غَسَلَ الثِّياب to launder
غَسَلَ الدِّماغ to brainwash
غَشَّ : خَدَعَ to cheat, swindle; to dou-

ble-cross; to deceive, fool, delude, bluff; to trick, dupe

غَشّ : مَذَق، زَغَل to adulterate

غِشّ cheat(ing), swindle, swindling, imposture, double-dealing, deception, deceit, fraud

غَشّى to haze, mist, cloud, blur; to cover; to overlay, coat, plate

غِشاء membrane; thin layer; screen; film; coat(ing); cover(ing)

غَشّاش cheat(er), crook, swindler, double-dealer, double-crosser; deceitful, double-dealing

غِشاوَة haze, mist, cloudiness, blur, film; veil, cover(ing)

غَشِيَ : تَرَدَّدَ إلى، زارَ to frequent, go to; to come to, visit

غُشِيَ عَلَيْه to faint, swoon, pass out, lose consciousness

غَصَّ (بالطَّعام) to choke, be choked

غَصَّ بِـ : إزْدَحَمَ to be overcrowded with, jammed with, full of

غَصَبَ على : أَجْبَرَ to force to, compel to, coerce to, oblige to

غَصْباً، بِالغَصْب by force, forcibly

غَصْباً عَنْهُ in spite of him, against his will; forcedly, unwillingly

غُصْن (الشَّجَرَة) branch, bough, twig

غَضَّ طَرْفَهُ أو مِنْ طَرْفِهِ : خَفَضَهُ to lower (one's eyes, one's glance)

غَضَّ النَّظَرَ أو الطَّرْفَ عن : تَجاهَلَ to overlook, disregard, wink at

غَضّ : طَرِيّ tender, fresh, juicy

غَضِبَ (مِنْهُ أو عَلَيْه) to be (become, get) angry with, cross with, furious at, mad at, enraged by

غَضَب anger, rage, fury, wrath, ire, indignation, irritation

غَضِب، غَضْبان ـ راجع غاضِب

غَضَّنَ : جَعَّدَ to wrinkle, shrivel, pucker, crease, corrugate, crinkle

غَضَن، غَضْن wrinkle, pucker, crease

في غُضُون during; within, in

في غُضُونِ ذَلِك meanwhile

غَضَنْفَر : أَسَد lion

غَطَّ : غَمَسَ to immerse, plunge, dip

غَطَّ النّائِمُ : خَرَّ to snore

غَطّى (النَّفَقاتِ، الأَخْبارَ إلخ) to cover

غِطاء cover, covering, wrap, wrapper, wrapping, envelope; veil; lid; top; case; jacket

غِطاءُ السَّرير bedcover, bedspread, coverlet, sheet

غِطاءُ المائِدَة tablecloth

غَطّاس : غَوّاص diver, plunger

غَطّاس : طائِرٌ مائِيّ grebe

غِطاس، عِيدُ الغِطاس Epiphany

غَطْرَسَة haughtiness, arrogance, insolence, conceit(edness)

غَطَسَ : غاصَ to dive, dip, plunge, sink, submerge

غطَّسَ : غمَّسَ to dip, plunge, immerse, submerge, sink
غفا to slumber, sleep, fall asleep
غفر : صَفحَ عن to forgive, pardon, excuse, condone, remit, absolve
غفور forgiving, condoning; tolerant, indulgent, lenient, merciful
غفي - راجع غفا
غلَّ : قيَّدَ to (hand)cuff, manacle, fetter, shackle, (en)chain
غلَّ : أغلَّ to yield, produce
غُلّ : قيْد handcuff(s), manacle(s), fetter(s), shackle(s), chain(s)
غِلّ : حِقْد rancor, grudge, malice
غلا : ضِدّ رَخُصَ to be expensive
غلى : فارَ to boil, bubble (up)
غلى : جعَلَهُ يَغْلي to boil
غلاء high cost, high prices
غلاءُ المَعيشَة high cost of living
غِلاف : غِطاء envelope, cover(ing), wrap(per), wrapping, coat(ing)
غِلافُ الكِتاب cover, binding; jacket
غلام : فتًى boy, lad, youth
غُلام : خادِم servant, valet, page
غُلام : عَبْد slave
غلّاية boiler, kettle, pot; caldron
غلَبَ to defeat, beat, triumph over, get the better of, overcome
غلَبَ على to prevail, (pre)dominate, preponderate
غلَبَة victory, triumph; (pre)dominance, supremacy, upper hand
غلَّة : مَحْصول yield, produce, crop, harvest, proceeds, revenue
غلِطَ : أخطأَ to make or commit a mistake or an error, err, be mistaken, be at fault, be wrong
غلَط ، غلْطَة : خطأ mistake, error, fault
غلَط : غيرُ صَحِيح wrong, incorrect
غلْطان : مُخْطِىء mistaken, at fault, in error, wrong
غلُظَ to thicken, coarsen, be or become thick or coarse
غلَّظَ to thicken, make thick; to coarsen, make coarse
غلَّفَ to envelop, cover, wrap (up); to coat; to (en)case; to package
غلَّفَ الكِتابَ to bind (a book)
غلَقَ - راجع أغْلَقَ
غُلُوّ excess(iveness), extravagance, immoderation; exaggeration
غلْي ، غلَيان boiling, ebullition
غَلِيظ : سَمِيك thick; heavy, dense
غَلِيظ : خَشِن coarse, rough, harsh
غَلِيظ : فظّ ، مُمِلّ rude, rough, boorish; antipathetic; boring, dull
غلْيُون (التَّدْخِين) (tobacco) pipe
غمَّ : أحْزَنَ to grieve, sadden
غَمّ : حُزْن ، كآبَة grief, sorrow, sadness, melancholy, gloom(iness)

غَمَّازَة : نُقْرَةٌ في الخَدّ dimple
غَمام، غَمامَة : سَحاب، سَحابَة cloud(s)
غِمْد : غِلافُ السَّيْف sheath, scabbard
غَمَرَ to flood, inundate; to engulf, overwhelm; to cover, fill up; to immerse, submerge
غَمَزَ (فُلاناً بِعَيْنِه) to wink (at)
غَمْزَة : إشارَةٌ بالعَيْن wink, eyewink
غَمَسَ، غَمَّسَ : غَطَّسَ to dip, plunge, immerse, submerge, steep
غَمَّضَ عَيْنَيْه to close or shut one's eyes
غُمُوض : إبْهام obscurity, vagueness, ambiguity, uncertainty
غُمَّيْضَة (لعبة) blindman's buff
غَنَّى : أَنْشَدَ to sing, chant, vocalize
غِنًى : ثَراء wealth, riches, affluence, opulence, prosperity, abundance
هُوَ في غِنًى عَنْهُ he can do without it, he does not need it
لا غِنَى عَنْهُ indispensable, essential
غِناء : تَغْرِيد singing, song, chant(ing)
غِنائِيّ singing-, song-, vocal; lyric(al)
غَنَّام : راعِي الغَنَم shepherd
غَنَّجَ to pamper, spoil, coddle
غَنِمَ : أَخَذَهُ كَغَنِيمَة to take as booty; to capture; to gain, win
غَنَم : ضَأْن (وماعِز) sheep (and goats)
غُنْم ـ راجع غَنِيمَة
غَنِيَ : ثَرِيَ to be(come) rich, wealthy

غَنِيّ : ثَرِيّ rich, wealthy, well-to-do, well-off, affluent, opulent
غَنِيٌّ بـ : حافِل rich in, full of, filled with, loaded with
غَنِيمَة spoils, booty; gain, profit
غَوَّاص : غَطَّاس diver, plunger
غَوَّاص (على اللُّؤْلُؤ) pearl diver
غَوَّاص : طائِرٌ مائِيّ loon, diver; grebe
غَوَّاصَة : سَفِينَةٌ تَغُوص submarine
غَوافَة، غُوافَة (نبات) guava
غَوْث : إعانَة succor, relief, aid, help
غَوْر depression, sinkage, pan; hollow; bottom; depth
غُورِيلّا (حيوان) gorilla
غَوْغاء mob, rabble, riffraff, ragtag
غُول : حَيَوانٌ وَهْمِيّ ghoul, goblin, ogre, bogey, hobgoblin, bugbear
غُولْف (لعبة) golf
غِياب : عَدَمُ الحُضُور absence
غِياب : غُرُوب setting, sinking
غَيَّبَ : أَخْفَى to take away, cause to disappear; to hide, conceal
غَيْب، الغَيْب : ما غابَ عَنِ الإِنْسان the invisible; the supernatural
غَيْباً by heart
غَيْبُوبَة trance, stupor; swoon, faint, unconsciousness; coma
غَيْبِيّ metaphysical, supernatural, transcendental; invisible
غِيتار : آلَةٌ مُوسِيقِيَّة guitar

غَيْث : مَطَر — rain

غَيَّر : بَدَّلَ — to change, alter, modify, vary, convert, turn, transfer, transform; to shift, switch

غَيَّرَ رَأْيَهُ — to change one's mind

غَيْر — other than, unlike, not, un-, in-, im-, non-, dis-; another

غَيْرَ أَنَّ — yet, however, but, nevertheless, still, on the other hand

لا غَيْر، لَيْسَ غَيْر — only, just, merely

مِنْ غَيْر — without; excluding

غَيْران ـ راجع غَيُور

غَيْرَة، غِيْرَة — jealousy; zeal

غَيْط — field; garden

غَيْظ : غَضَب — rage, anger, fury, wrath

غَيَّمَ (ـتِ السَّمَاءُ) ـ راجع غامَ (ـتِ السَّمَاءُ)

غَيْم : سَحَاب — clouds; mist, fog

غَيْمَة : سَحَابَة — cloud

غَيُور — jealous; zealous, enthusiastic, ardent, keen, eager

ف

فـ then; so, thus, therefore

فاءَ to return, come back, go back

فُؤَاد : قَلْب heart

فائِدَة : نَفْع use, usefulness, avail, benefit, advantage, utility

فائِدَة (على المال) interest

فائِز winner; victor; victorious, triumphant; successful

فائِض : زائِد overabundant, superfluous, excess, surplus

فائِض : زِيادَة surplus, overflow, excess, superfluity

فائِق : بالِغ excessive, extreme, maximum; considerable; intensive

فاتَ : مَضى to pass, elapse, go by, expire, be past, be over

فاتَهُ (أنْ) to escape (someone); to miss, let slip, forget to do

فاتَ الأوانُ أو الوَقْتُ it is too late

فاتَتْهُ الفُرْصَةُ، فاتَهُ القِطارُ he missed the opportunity, the train

فِئَة group, troop; faction; class, category; kind, sort, type

فِئَةُ الدَّم blood group, blood type

فاتِح : زاهٍ، ضِدّ غامِق light, bright

فاتِح : أوَّل first

فاتِحُ البَخْت fortune-teller, diviner

فاتِحُ البِلاد conqueror, victor

فاتِحَة : مُقَدِّمَة introduction, preface, foreword, preamble

الفاتِحَة، فاتِحَةُ القُرْآنِ الكَرِيم the opening chapter of the Holy Koran, the name of the first sura

فاتِر : مُعْتَدِلُ السُّخُونَة lukewarm, tepid

فاتِن fascinating, captivating, charming, thrilling, breathtaking, beautiful, lovely; tempting, luring

فاتُورَة invoice, bill

فاجَأ to surprise, take by surprise, come suddenly upon

فاجِع painful, calamitous, disastrous, catastrophic, tragic

فاجِعَة : مُصِيبَة disaster, calamity, catastrophe; tragedy

فاحَ : اِنْتَشَرَتْ رائِحَتُهُ to diffuse a strong

odor; to be fragrant

فاحَتِ الرّائِحَةُ — to emanate, diffuse, spread

فاحِش : بَذِيء — obscene, filthy, vulgar

فاحِش : باهِظ — exorbitant, unreasonable; gross, flagrant, outrageous

فاحِص : مَنْ يفْحص — examiner, tester

فاخِتَة (طائر) — ringdove, wood pigeon

فاخَرَ بِـ - راجع إفْتَخَرَ بِـ

فاخِر : مُمْتاز — excellent, superior, fancy, first-class, super, deluxe

فاخُورِيّ : خَزّاف، صانِعُ الخَزَف — potter

فادَى بِـ : ضَحَّى بِـ — to sacrifice

فادِح — gross, flagrant, glaring; grave, serious; exorbitant, excessive

فارَ : غَلَى — to boil (over), bubble (up)

فارَ : أَرْغَى وأَزَّ — to effervesce, fizz

فَأْر، فار، فَأْرَة، فارَة (حيوان) — mouse; rat

فارّ : هارِب — fugitive, runaway; a fugitive, a runaway; escapee

فارِزَة : فاصِلَة (،) — comma

فارِس : خَيّال — horseman, rider; knight, cavalier; cavalryman

فارِس، بِلادُ فارِس — Persia

فارِسِيّ : عَجَمِيّ — Persian

الفارِسِيَّة، اللُّغَةُ الفارِسِيَّة — Persian

فارِع (الطُّول إلخ) — tall; lofty, high

فارِغ : خالٍ، شاغِر — empty, void; blank; vacant, unoccupied

فارِغ : لا مَعْنَى لَهُ، تافِه — meaningless, silly, stupid; vain, empty

بِفارِغِ الصَّبْر — impatiently

فارَقَ — to part with, leave, separate (oneself) from, break (up) with

فارَقَ الحَياةَ — to die, pass away

فارِق : فَرْق، إخْتِلاف - راجع فَرْق

فازَ (بِـ) — to win, gain, obtain, get; to succeed, be successful

فازَ على : غَلَبَ — to triumph over, defeat, beat, overcome

فَأْس — ax(e), hatchet; hoe, hack

فاسِد : عَفِن — decayed, rotten, decomposed, putrid, spoiled

فاسِد (الأَخْلاقِ) — corrupt(ed), depraved, pervert(ed), immoral

فاسِد : باطِل — invalid; unsound; false, wrong, incorrect

فاشِل — unsuccessful, failing, futile, unfruitful; failure

فاصِل : حاسِم، باتّ — decisive, conclusive, definitive, final

فاصِل : إسْتِراحَة — interval, break, intermission, pause; entr'acte

فاصِل : حاجِز — screen, partition, division, divider; bar, barrier

مُباراةٌ فاصِلَة — play-off, final(s)

فاصِلَة : شَوْلَة (،) — comma

فاصِلَةٌ مَنْقُوطَة (؛) — semicolon

فاصُولْيا (نبات) — bean(s), kidney bean(s), string(ed) bean(s)

فاضَ — to flow over, overflow, run over; to flood; to flow (out), pour

فاضِح : شائِن shameful, disgraceful, infamous, flagrant, gross
فاضَلَ بَيْنَهُما : قارَنَ to compare
فاضِل : ذُو فضِيلَةٍ virtuous, righteous, honest; good; praiseworthy
فاضِل : باقٍ، زائِد remaining, left (over); surplus, excess
فاضِل : بَقِيَّة، زِيادة ـ راجع فَضْلَة
فاطِر : خالِق creator, maker
فاطِر : مُفْطِر not fasting
فاعِل : فَعّال active, effective, efficient
فاعِل : مَنْ يَفْعَلُ شَيْئاً doer, author
فاعِل : عامِل worker, laborer
فاعِل [لغة] subject
فاعِلِيَّة ـ راجع فَعّالِيَّة
فَأْفَأَ : تأتأ to stammer, stutter, falter
فاقَ : بَزَّ to surpass, excel, outdo
فاقَ : تجاوَزَ to exceed, transcend
فاقَ : حَوْزَقَ to hiccup
فاقَة : فَقْر poverty, need(iness)
فاقِد : عَدِيم bereaved of, deprived of, void of; without
فاقِع : زاهٍ، قَوِيّ bright, brilliant, gay, vivid, intense
فاقَم to aggravate, make worse
فاكِهانِيّ fruiterer, fruit seller
فاكِهَة (ج فَواكِه) fruit(s)
فَأْل : ما يُتَفاءَلُ بِه good omen, auspice
فالِت loose, free, unrestrained
فالِح : ناجِح successful; prosperous
فانٍ (الفانِي) : زائِل evanescent, transient, passing, impermanent
فانٍ : مائِت، مَيِّت mortal
فانُوس : مِصْباح lantern
فاهَ بـِ : لَفَظَ to utter, pronounce, say
فاه : فَم mouth
فاوَضَ to negotiate (with)
فِبْرايِر : شُباط February
فَتَّ ـ راجع فَتَّتَ
فَتِىءَ، ما فَتِىءَ، ما فَتَأَ still, yet; to continue to do, keep doing
فَتًى : شابّ، غُلام youth, young man, youngster; boy, lad
فُتات crumbs, fragments, morsels, bits, crumblings, pickings
فَتاة young woman, (young) girl, lass
فَتّاحَة (العُلَب) can opener, opener
فَتّاك : قَتّال deadly, lethal, fatal; destructive, ruinous, devastating
فَتّان ـ راجع فاتِن
فَتَّتَ : كَسَّرَ to crumble, fritter, fragmentize, fragment(ate), break up
فَتَحَ to open, unlock, unfasten
فَتَحَ البَخْتَ to tell fortunes
فَتَحَ البِلادَ to conquer, occupy
فَتَحَ الجِهازَ أو الآلَةَ to turn on
فَتْح : ضِدّ إغلاق opening
فَتْح (البِلادِ) conquest; occupation

فَتح : نَصْر victory, triumph
فُتْحَة : ثُغْرَة opening, aperture, gap, hole; orifice; slit; slot
فَتَرَ (الماءُ) to become tepid, become lukewarm, tepefy, cool off
فَتَرَ : سَكَنَ، هَدَأ to abate, subside; to calm down, cool down
فَتَرَ : ضَعُفَ to languish, droop
فَتْرَة : مُدَّة period, time, while; epoch, era; stage, phase
فَتَّشَ (عن) to search, inspect, examine; to look for, search for, seek, quest, hunt for, fish for
فَتَقَ، فَتَّقَ to unsew, unstitch, rip (open), tear, rend, slit open
فَتَكَ بِـ to kill, destroy, wipe out
فَتَلَ، فَتَّلَ : جَدَلَ to twist, twine, curl
فَتَنَ to fascinate, charm, enchant, thrill; to seduce, tempt, lure
فِتْنَة : سِحْر، إغْراء charm, glamor, magic; seduction; appeal
فِتْنَة : شَغَب، إضْطِراب sedition, riot, disturbance, trouble, unrest, disorder, tumult, turmoil
فِتْنَة (نبات) sweet acacia, cassie
فَتْوَى : فُتْيا (formal) legal opinion
فُتُوَّة : شَبَاب youth, youthfulness
فُتور : إعْتِدَالٌ في السُّخُونَة tepidity, tepidness, lukewarmness
فُتور : نُفُور coolness, unfriendliness, indifference; alienation
فَتِيّ : شابّ youthful, young
فَتِيل، فَتِيلَة (الشَّمْعَةِ أو المِصْباحِ) wick
فِجّ : غَيْرُ ناضِج unripe, immature, raw
فِجّ : فَظّ rude, crude, rough
فَجَأ، فَجِئ - راجع فاجَأ
فُجائِيّ - راجع مُفَاجِئ
فَجْأَةً suddenly, all of a sudden, unexpectedly, by surprise
فَجَّرَ (الماءَ) to cause to overflow or gush out, spout, spurt
فَجَّرَ (القُنْبُلَةَ، المَكانَ) to explode; to blow up, blast; to dynamite
فَجْر : ضَوْءُ الصَّباح dawn, daybreak
فَجْر : بَدْء dawn, rise, outset, inception, beginning, start
فَجَعَ، فَجَّعَ to distress, afflict, pain, torment, make suffer
فَجْعان gluttonous, greedy
فُجْل (نبات) radish
فَجْوَة : ثُغْرَة gap, opening, hole, breach, crevice, fissure
فَحَّ (تِ الحَيَّةُ) to hiss, sibilate
فَحَصَ (عن) to examine, test, check (up); to investigate; to search (for, into), inquire (into, about)
فَحْص test, examination; quiz; checkup, check(ing)
فَحْم coal; charcoal; carbon
فَحْوَى : مَعْنَى meaning, sense, signification, significance; essence
فَخّ : شَرَك، أُحْبُولَة trap, snare, gin

فَخّار : خَزَف pottery, earthenware
فَخّارِيّ : خَزَفِيّ earthen, fictile
فَخامَة : عَظَمَة stateliness, magnificence, grandeur, greatness
فَخامَة (الرَّئِيس) His Excellency
فَخَّخ to booby-trap
فَخْذ، فَخِذ : ما بَيْنَ الرُّكْبَة والوِرْك thigh
فَخَر بِـ - راجع اِفْتَخَر بِـ
فَخْر، فَخَر، فُخْرَة glory, pride; honor
فَخْرِيّ honorary
فَخَّم : عَظَّم to glorify, exalt, extol
فَخْم stately, imposing, splendid, grand, majestic, deluxe
فَخُور (بِـ) proud (of); boastful
فَدَى : خَلَّص to redeem, ransom
فَدَى كَذا for, for the sake of
فِدائِيّ fedayee, commando
فَدّان : مِقْياسٌ لِلْمِساحَة acre, feddan
فَدَخ، فَدَغ to break, smash, fracture
فِدْيَة : ما يُدْفَعُ لِتَخْلِيصِ شَخْص ransom
فَذّ : فَرِيد unique, matchless, unparalleled, incomparable
فَرَّ : هَرَب to escape, flee, run away, get away, break away
فِراء : فَرْو fur(s)
فُرادَى singly, individually, separately; one by one
فِرار : هَرَب flight, escape, fleeing, running away, getaway
فِراسَة physiognomy; insight, acumen
فِراش : سَرِير، حَشِيَّة bed; mattress
فَراشَة (حشرة) butterfly; moth
فَراغ vacuum, vacancy, (empty) space; blank; gap; emptiness
وَقْتُ الفَراغ leisure, free time
فِراق separation, parting, departure, leaving, farewell
فَرامِل : فَرْمَلَة brake(s)
فَرّان : خَبّاز baker
فَراوُلَة : فريز (نبات) strawberry
فَرَج : فَتَح، وَسَّع to open (up), open wide; to part, separate, diverge, draw apart, spread apart
فَرَج الهَمَّ to dispel, drive away (worries, grief, etc.)
فَرَج عَنْهُ to relieve, comfort
فَرَّج - راجع فَرَج
فَرَج relief, ease, comfort
فِرْجار : بِيكار compass(es), dividers
فُرْجَة : فَتْحَة opening, aperture, gap, hole, fissure, interstice
فُرْجَة : مَشْهَد show, spectacle, sight
فَرِح بِـ to be(come) glad at, happy at, pleased with, delighted at, cheerful about; to rejoice at
فَرَّح - راجع أَفْرَح
فَرَح، فَرْحَة : سُرُور joy, gladness, happiness, delight, cheer(fulness), glee, rejoicing, jubilation
فَرَح : عُرْس، زِفاف wedding (feast),

marriage (ceremony), bridal

فَرِح، فَرْحان glad, happy, delighted, cheerful, joyful, jolly, merry, gleeful, rejoicing, jubilant

فَرَّخَ النَّباتُ to germinate, sprout

فَرَّخَتِ البَيْضةُ to hatch, incubate

فَرْخ : صَغِيرُ الطّائِر young bird, young, nestling, fledgling

فَرْخُ النَّباتِ أو الشَّجَر shoot, sprout

فَرْخ : نَوْعٌ مِنَ السَّمَك bass; perch

فَرْخة : أُنْثى الفَرْخ young female bird

فَرْخة : فَرُوج، دَجاجة chicken; hen

فَرْد : واحِد one, single, sole, only

فَرْد : شَخْص individual, person

فَرْد(ة) : نِصْفُ الزَّوْج one of a pair

فَرْد : فَرْدِيّ، مُفْرَد odd, uneven

فِرْدَوْس : جَنّة paradise, heaven

الفِرْدَوْس : الجَنّة paradise, Heaven

فَرْدِيّ : مُنْفَرِد single, solitary; singular; solo; one-man; single-handed

فَرْدِيّ : شَخْصِيّ individual, personal

فَرْدِيّ : وَتْرِيّ، مُفْرَد odd, uneven

فَرَزَ : فَصَلَ، صَنَّفَ to separate, isolate, set apart; to sort (out), classify

فَرَزَ : أَفْرَزَ، أَخْرَجَ - راجع أَفْرَزَ

فَرَزَ (عَقاراً) to partition, divide

فَرَزَ الأَصْوات to count votes

فَرَس (حيوان) horse, mare

فَرَس (الشِّطْرَنج) knight

فَرَسُ البَحْر : سَمَكٌ بَحْرِيّ sea horse

فَرَسُ النَّبِيّ (حشرة) mantis

فَرَسُ النَّهْر : بِرْنِيق hippopotamus

فُرْس، الفُرْس : عَجَم Persians

فُرْسان : خَيّالة - راجع فارِس

فَرْسَخ : مِقْياسٌ لِلطُّول league; parasang

فَرَشَ : بَسَطَ، مَدَّ to spread, spread out

فَرَشَ : بَلَّطَ to pave, tile, flag

فَرَشَ : أَثَّثَ to furnish

فَرْش : أَثاث furniture, furnishings

فُرْشاة، فِرْشايَة، فُرْشَة brush

فُرْشاةُ الأَسْنان toothbrush

فُرْشاةُ الرَّسْمِ أو التَّصْوير paintbrush

فُرْشاةُ الشَّعْر hairbrush

فِرْصاد : تُوت (نبات) mulberry

فُرْصَة : وَقْتٌ مُناسِب opportunity, chance, occasion

فُرْصَة : عُطْلَة holiday(s), vacation

فَرَضَ (على) : أَوْجَبَ to impose (upon), make incumbent (upon); to dictate; to order, require

فَرَضَ : حَزَّ - راجع فَرَّضَ

فَرَضَ : اِفْتَرَضَ - راجع اِفْتَرَضَ

فَرَّضَ : حَزَّ to notch, incise, nick, snick, indent, dent, jag

فَرْض : إلْزام imposition, dictation

فَرْض : واجِب duty, obligation; task, assignment

فَرْض (مَدْرَسِيّ، يُعَدُّ في البَيْت) home-

work, (school) assignment

فَرْض : فَرِيضَة religious duty

فَرْضِيَّة hypothesis; supposition, assumption

فَرَّطَ (في) to neglect, omit; to miss, throw away; to waste, squander

فَرْط : زِيَادَة excess, surplus

فَرَّعَ : شَعَّبَ to branch, ramify, divide (up), subdivide, section

فَرْع : شُعْبَة، قِسْم branch; section, (sub)division; department

فَرْع (مِنْ نَبْتَةٍ) branch, twig

فَرْع : وَلَد descendant, offspring

فَرْعِيّ branch, subsidiary, secondary, sub-, by-, side; marginal

فَرَغَ (مِنْ) : خَلَا to be(come) empty, vacant, unoccupied

فَرَغَ، فَرِغَ مِنَ العَمَل : أَتَمَّهُ to finish, terminate, end, conclude

فَرَّغَ : أَخْلَى to empty, evacuate

فَرَّغَ السَّفِينَةَ to unload, discharge

فَرْفَحِين (نبات) portulaca, purslane

فَرِقَ : خَافَ to be(come) afraid (of)

فَرَقَ : فَصَلَ to separate, part, divide

فَرَّقَ : بَدَّدَ to scatter, disperse

فَرَّقَ : وَزَّعَ to distribute, deal out

فَرَّقَ بَيْنَ : مَيَّزَ to distinguish (differentiate, discriminate) between

فَرْق : اِخْتِلَاف difference, dissimilarity, discrepancy, contrast

فُرْقَة ـ راجع فِرَاق

فِرْقَة : جَمَاعَة group, band, troop, company, party, faction, squad; team; division, section, unit

فِرْقَة : طَائِفَة sect, denomination

فِرْقَة (عَسْكَرِيَّة) division; squad

فِرْقَة (مَسْرَحِيَّة) troupe

فِرْقَة (مُوسِيقِيَّة) band; orchestra

فَرْقَعَ to crack, pop, snap; to crackle; to explode, squib

فَرَكَ to rub, scrub; to brush

فَرَمَ : هَرَمَ to mince, chop (up), hash

فَرْمَلَة : مِكْبَح brake

فُرْن : طَبَّاخ (baking) oven, (cook)-stove, range, cooker

فُرْن : أَتُّون furnace, kiln, oven

فُرْن : مَخْبَز bakery, bakeshop

فَرَنْسِيّ French

الفَرَنْسِيَّة : اللُّغَةُ الفَرَنْسِيَّة French

فَرَنْك : عُمْلَة، وَحْدَةُ نَقْد franc

فَرْو، فَرْوَة، فِرَاء fur(s)

فَرْوَةُ الرَّأْس scalp

فَرُّوج chicken, pullet, broiler

فُرُوسِيَّة horsemanship, horseback riding; chivalry, knighthood

فِرِّيّ (طائر) quail

فَرِيد : فَذّ unique, unmatched, peerless, unequaled, incomparable

فَرِّيدِي (سمك) braize, sea bream

فريز : فَرَاوْلَة (نبات) strawberry
فَرِيسَة : ما يُفترَس، ضَحِيَّة prey; victim
فَرِيضَة ـ راجع فَرْض
فَرِيق : طَرَف party, side
فَرِيق : فِرْقَة team, group, band
فَرِيق (في الجَيْش) lieutenant general
فَرِيق (في القُوَّاتِ البَحْرِيَّة) vice admiral
فَزَّاعَة : خَيَالُ الصَّحراء scarecrow
فَزَرَ : شَقَّ to burst (open), break open, split (open), tear, rend
فَزِعَ (مِنْ) : خافَ to be(come) afraid (of), scared (of), frightened (by)
فَزَّعَ ـ راجع أَفْزَعَ
فَزَع : خَوْف fear, fright, dread, alarm, terror, panic, horror
فَزِع : خائِف frightened, terrified, scared, afraid, alarmed
فَسَاد : بِلًى decay, rottenness, decomposition, disintegration
فَسَادٌ خُلُقِيّ corruption, depravation
فُسْتان : ثَوْبُ المَرْأَة (woman's) dress, (lady's) gown
فُسْتُق (حَلَبِي) pistachio
فُسْتُق (العَبِيدِ) peanut
فَسَحَ ، فَسَّحَ : وَسَّعَ to widen, broaden, expand; to space (out)
فَسَحَ ، فَسَّحَ : أَفْسَحَ ـ راجع أَفْسَحَ
فُسْحَة (empty) space, open space; interval; enough time, ample time
فَسَخَ : نَقَضَ to revoke, repeal, annul, abrogate, invalidate, cancel
فَسَخَ (المَفْصِلَ) to dislocate
فَسَدَ ، فَسُدَ : بَلِيَ ، عَفِنَ to decay, rot, decompose, spoil, putrefy; to be(come) decayed, rotten
فَسَّرَ to explain, explicate, elucidate, make clear; to interpret
فُسْطاط ، فِسْطاط : خَيْمَة pavilion, large tent; canopy; marquee
فَسِيح : واسِع wide, spacious, roomy, vast, broad, large
فُسَيْفُساء mosaic
فُشَار ، فِشَار : ذُرَةٌ مُحَمَّصَة popcorn
فَشِلَ : أَخْفَقَ to fail, be unsuccessful
فَشَّلَ ـ راجع أَفْشَلَ
فَشَل failure, unsuccess, fiasco
فَصّ (الخاتَمِ) stone (of a ring)
فَصّ (الثُّومِ) clove (of garlic)
فِصْح : عِيدٌ مَسِيحِيّ Easter
فَصَدَ to bleed, phlebotomize
فِصْفِصَة (نبات) alfalfa, lucerne
فَصَلَ : فَرَّقَ to separate, part, divide, disunite, disentangle, detach
فَصَلَ : قَطَعَ to cut (off), sever
فَصَلَ : عَزَلَ to segregate, isolate, seclude, separate, set apart
فَصَلَ (مِنَ العَمَلِ) to discharge, dismiss, fire, expel
فَصَلَ (في) : بَتَّ to decide, determine, settle, resolve

فَصَّلَ : شَرَحَ بالتَّفْصِيل to detail, develop in detail, elaborate (upon)
فَصَّلَ : صَنَّفَ to divide, arrange, classify, group; to list
فَصَّلَ الثَّوْبَ أو البَدْلَةَ to cut out, make to measure
فَصْل (مِنْ كِتاب) chapter
فَصْل (مِنْ مَسْرَحِيَّة) act (of a play)
فَصْل (مِنْ فُصُولِ السَّنَةِ الأَرْبَعَة) season
فَصْل (دِراسِيّ) semester, term, trimester, quarter
فَصْل (مَدْرَسِيّ) : صَفّ class, grade
فَصْلِيّ quarterly
فَصِيح : بَليغ eloquent, fluent
فَصِيح : صافٍ pure, literary
فَصِيلَة (في تَصْنيفِ الأَحْياء) family
فَصِيلَة (عَسْكَرِيَّة) : مَفْرَزَة platoon, squad, detachment
فَصِيلَة : فِئَة ، فِرْقَة faction, group
فَصِيلَةُ الدَّم blood group, blood type
فَضَّ : فَتَحَ to open, break open
فَضَّ الاجْتِماعَ to adjourn, close
فَضَّ النِّزاعَ to settle, resolve
فَضاء (outer) space; open space
فَضائِيّ : خاصّ بالفَضاء spatial, space
فِضَّة (معدن) silver
فَضَحَ to expose, unmask, show up; to disclose, reveal, uncover
فَضَّضَ to silver, silver-plate
فَضْفاض wide, loose, baggy, flowing

فَضَلَ ، فَضِلَ : بَقِيَ ، زادَ to remain, be left over, be in excess
فَضَلَ : فاقَ to excel, surpass, outdo
فَضَّلَ : آثَرَ to prefer (to), favor; to choose to, opt for
فَضْل : مَعْرُوف favor, grace, kindness
فَضْل : مِيزَة merit, credit; advantage; excellence; superiority
فَضْلاً عَنْ (ذَلِك) besides, aside from, apart from, as well as
بِفَضْل thanks to, by virtue of
مِنْ فَضْلِك please! will you please
فَضْلَة : بَقِيَّة ، زِيادَة leftover, remainder, rest, remains, surplus, excess
فَضْلَة : نُفايَة waste, refuse, garbage, rubbish, trash, junk
فُضُول : تَدَخُّل ، تَطَفُّل curiosity
فُضُولِيّ curious, inquisitive, prying
فِضِّيّ silver, silvery, argentine
فَضِيحَة (ج فَضائِح) scandal
فَضِيل : ذُو فَضِيلَة ـ راجع فاضِل
فَضِيلَة : ضِدّ رَذِيلَة virtue, morality
فَضِيلَة : حَسَنَة ، مَزِيَّة merit, virtue, advantage, good quality
فَضِيلَةُ الشَّيْخ His Eminence
فِطام weaning, ablactation
فَطَرَ : خَلَقَ to create, make, originate
فَطَرَ (صَباحاً) to have (take, eat) breakfast, to breakfast
فَطَرَ الصَّائِمُ to break the fast

فُطِرَ على to have a natural disposition for; to be innate in someone
فُطْر (نبات) mushroom(s)
فِطْر : إفطار، كَسْرُ الصَّوْم fast breaking
عِيدُ الفِطْر Lesser Bairam
فِطْرَة nature, (natural) disposition, character; instinct
فِطْرِيّ natural, native, innate, inherent, inborn, congenital
فَطَمَ : فَصَلَ عَنِ الرَّضاع to wean
فَطَنَ، فَطُنَ، فَطِنَ (لِـ) to realize, see, understand, be(come) aware of
فَطِن، فَطُن، فَطْن discerning, sagacious, shrewd, intelligent, smart
فِطْنَة acumen, discernment, insight, shrewdness, intelligence
فَطُور : طَعَامُ الصَّبَاح breakfast
فَطِيرَة (ج فَطَائِر) pastry; pie; pancake
فَطِين - راجع فَطِن
فَظّ : جِلْف rude, rough, indelicate, blunt, impolite, discourteous
فَظّ : حَيَوانٌ ثَدْيِيٌّ بَحْرِيّ walrus
فَظِيع horrible, hideous, terrible, atrocious, outrageous, shocking
فَعَّال effective, efficacious, efficient; active; influential
فَعَّالِيَّة efficiency, effectiveness; influence, power, authority
فَعَلَ : عَمِلَ to do; to act; to perform
فَعَلَ في أو بِـ : أثَّرَ في to act upon, affect, influence
فَعَّلَ : نَشَّطَ to activate
فِعْل، فَعْلَة : عَمَل deed, act, action
فِعْل : أثَر effect, influence, impact
فِعْل [لغة] verb
فِعْلاً، بِالفِعْل actually, as a matter of fact, in fact, indeed, really
فِعْلِيّ : حَقِيقِيّ actual, factual, real
فَقَأَ (الدُّمَّل) to open, rip open
فَقَأَ (العَيْنَ) to gouge out, scoop out, tear out, knock out
فَقَارِيّ : حَيَوانٌ مِنَ الفَقَارِيَّات vertebrate
فُقَّاعَة (ج فَقَاقِيع) bubble; bleb
فَقَدَ to lose; to be bereaved of, bereft of, deprived of; to lack, want
فَقْد، فُقْدان، فِقْدان loss; lack, want, absence, nonexistence
فَقَرَ، فَقَّرَ : ثَقَبَ to pierce, bore
فَقُرَ - راجع إفْتَقَرَ
فَقْر، فُقْر : فاقَة poverty, destitution, indigence, penury, privation, lack, want
فِقْرَة، فَقْرَة : خَرَزَةُ الظَّهْر vertebra
فِقْرَة : مَقْطَع، جُزْء paragraph; clause, passage; part, section
فَقَسَ (الطَّائِرُ بَيْضَتَهُ) to hatch, incubate
فَقَشَ : كَسَرَ to break, crush, split
فَقَطْ only, just, solely, merely
فَقَعَ (أصَابِعَهُ) to snap, crack, pop
فُقْمَة (حيوان) seal
فَقِهَ to know (of); to understand

فَقَّه : عَلَّم to teach, instruct, educate
فقه jurisprudence; doctrine
فَقِيد : مَفْقُود ـ راجع مَفْقُود
الفَقِيدُ الرَّاحِل the departed, the late
فَقِير : مُعْوِز poor, needy, destitute, indigent; pauper, poor man
فَقِيه jurist, jurisprudent, legist, (legal) scholar, (legal) expert
فَكَّ : فَصَلَ to disassemble, take apart; to separate, disconnect, detach, disengage, disentangle
فَكَّ : حَلَّ to untie, unfasten, undo, unravel, unwind
فَكَّ الزِّرَّ to unbutton
فَك : حَنَك jaw, jawbone
فُكَاهَة humor; joking, jesting; joke, jest, wisecrack, anecdote
فُكَاهِيّ humorous, comical, funny
فَكَّرَ (في) to think (of); to think about or over, consider (carefully), reflect (on), meditate (on)
فِكْر thinking; thought; idea, concept(ion); opinion, view; mind
فِكْرَة idea, thought, notion; view, opinion; impression
على فِكْرَة by the way, incidentally
فِكْرِيّ intellectual, mental
فَكَش to sprain
فَكْفَكَ : فَكَّ ـ راجع فَكَّ
فَلَّ : ثَلَمَ to notch, blunt, (in)dent
فُلّ (نبات مزهر) Arabian jasmine

فَلَاة : صَحْراء desert, wilderness, wild
فَلَاح : نَجَاح، فَوْز success; prosperity
فَلَّاح peasant, farmer
فِلَاحَة cultivation, culture, tillage, tilling; agriculture, farming
فُلَان so-and-so
فَلَتَ ـ راجع أَفْلَتَ
فِلْتِر : مِصْفَاة filter; filter tip
فَلَحَ (الأرضَ) to till, cultivate; to plow
فِلِزّ، فِلَزّ : عُنْصُرٌ كيميَائِيٌّ ثَقِيل metal
فَلَّسَ : جَعَلَهُ يُفْلِس to bankrupt
فَلْس، فِلْس : نَقْدٌ عَرَبِيّ fils
فُلُوس : نُقُود، عُمْلَة money
فِلَسْطِين Palestine
فِلَسْطِينِيّ Palestinian
فَلْسَفَ to philosophize
فَلْسَفَة philosophy
فَلْسَفِيّ philosophic(al)
فُلْط : فُولْت [كهرباء] volt
فَلَعَ ، فَلَّعَ to split, cleave, crack, rend, rip; to burst, break open
فُلْفُل، فِلْفِل pepper
فَلَقَ ، فَلَّقَ to split, cleave, rift, rend, rip; to burst, break apart
فَلَق : فَجْر dawn, daybreak, aurora
فَلَق : ضَرْبُ رِجْلَيِ المُعَاقَب bastinado
فَلْقَة ، فِلْقَة one half; split
فَلَك : مَدَار orbit, circuit

عِلْمُ الفَلَك astronomy
فَلَكِيّ astronomic(al); astronomer
فِلْو، فَلُوّ، فُلُوّ : مُهْر colt, foal
فُلُوس - راجع فَلْس، فِلْس
فُلَيْفِلَة green pepper; red pepper, capsicum; paprika, pimento
فَلِّين، فِلِّين، فَلِّينَة، فِلِّينَة cork
فَم، فُم، فِم : فُو، فاه mouth
فَنّ art; technique
فِناء : ساحَة courtyard, yard, court
فَنّان، فَنّانَة artist
فِنجان cup
فِنجانُ الشّاي teacup
فَنَّدَ to disprove, refute, confute
فُنْدُق hotel, inn, hostel, hostelry
فَنَن : غُصْن branch, twig
فَنِيَ to perish, pass away; to be consumed, exhausted
فَنِّيّ artistic(al); art-; technical
فَنِّيّ، اِخْتِصَاصِيّ فَنِّيّ technician
فَهْد (حيوان) cheetah, hunting leopard
فِهْرِس، فِهْرِسْت (الكِتاب) (table of) contents, index
فِهْرِس : بَيان، قائِمَة catalog(ue); list
فَهْكَة (سمك) globefish, puffer
فَهِمَ to understand, grasp, comprehend, realize, see
فَهَّمَ : أَفْهَمَ to make understand

فَهْم understanding, comprehension
فَهِيم discerning, perceptive, sagacious, shrewd, intelligent
فُو : فَم mouth
فَوّار effervescent, fizzing; bubbling; boiling up; jetting forth
شَرابٌ فَوّار effervescent drink, fizz
فَوّارَة : نافُورَة fountain, jet; geyser
فُوَاق : حازُوقَة hiccup(s)
فُوتُوغرافِيّ photographic
فَوْج battalion; regiment; group
فَوْرَ : حالَ immediately after, right after, upon, on, as soon as
فَوْراً، على الفَوْر at once, immediately, right away, promptly, on the spot, without delay
فَوْرَة outburst, surge; boom
فَوْرِيّ : آنِيّ instant, instantaneous, immediate, prompt, direct
فَوْز victory, triumph; success; winning, gaining, getting
فَوَّضَ to authorize, empower, delegate, deputize, depute; to entrust (with); to entrust (to), commit (to)
فَوْضَى anarchy; chaos, disorder, confusion, mess, jumble
فُوطَة : مَرْيُول apron, coverall
فُوطَة : مِنْشَفَة، مِنْدِيل towel; napkin
فَوْق : ضِدّ تَحْت up; above, over; on, upon, on top of; upstairs

فَوْق : أَكْثَر مِنْ more than, over, above, beyond
فَوْقَ العادَة extraordinary, exceptional
فَوْقِيّ، فَوْقانِيّ upper, higher; upstairs
فُول (نبات) broad bean(s), fava bean(s); black-eyed bean(s)
فُولٌ سُودانِيّ peanut(s)
فُولُ الصُّويَا soybean, soya
فُولاذ steel; stainless steel
فُولْت [كهرباء] volt
فُولْكلُور folklore
فُوهَة، فُوَّهَة mouth, opening, aperture, orifice, hole, vent
فُوَّهَةُ البُرْكان crater
في in; at; on; during, within
فِيمَا : بَيْنَمَا while, as, during
فَيَّاض outflowing, torrential; profuse, abundant, copious
فِيتَامِين vitamin
فِيدْيُو video
فَيْرُوز، فَيْرُوزِيّ turquoise
فِيرُوس : جُمَة virus

فِيزَا : تَأْشِيرَة، سِمَة visa
فِيزِياء physics
فِيزِيائِيّ physical; physicist
فِيش، فِيشَة (الكَهْرَباءِ) (electric) plug
فَيْصَل : حَكَم arbitrator; umpire
فَيْصَل : مِعْيار (decisive) criterion
فَيْض، فَيَضَان flood, inundation, deluge
فَيْض : تَدَفُّق، غَزارَة flow, flux, outpour(ing); excess, surplus; abundance, copiousness
فِيل (حيوان) elephant
فِيل (الشِّطْرَنْج) bishop
فِيلا : دارَة villa
فَيْلَسُوف : حَكِيم philosopher
فَيْلَق corps, army corps; legion
فِيلْم film; motion picture, movie
فِيمَا ـ راجع في
فَيْنَة : حِين time, period, while
بَيْنَ الفَيْنَةِ والفَيْنَة from time to time, now and then, once in a while, at times, sometimes

ق

قاءَ : تَقَيَّأَ — to vomit, throw up

قائِد — leader; chief; commander

قائِدُ الطَّائِرَة — captain, pilot

قائِدُ فِرْقَةٍ رِياضِيَّة — captain

قائِدُ فِرْقَةٍ مُوسِيقِيَّة — conductor, maestro

قائِم : عَمُودِيّ — vertical, perpendicular

قائِم : إجْمالِيّ ، غَيْرُ صافٍ — gross, total, entire, overall

قائِمٌ بِالأَعْمال — chargé d'affaires

قائِمٌ بِذاتِهِ — self-existent, independent, individual, separate

زاوِيَةٌ قائِمَة — right angle

قائِمَة : رِجْل — leg, foot

قائِمَة : عَمُود — post, pillar, pole

قائِمَة : لائِحَة ، فِهْرِس — list, table, schedule; index; catalog(ue)

قائِمَةُ الأَسْعار — price list

قائِمَةُ الحِساب — invoice, bill

القائِمَةُ السَّوْداء — blacklist

قائِمَةُ الطَّعام — menu, bill of fare

قائْمَقام ، قائِمُ مَقام — district commissioner, deputy governor; deputy

قاب : مَسافَة (قَصِيرَة) — (short) distance

قابِس (كَهْرَبائِيّ) — plug; outlet

قابَلَ : واجَهَ — to be opposite (to), in front of, facing; to face, confront, encounter, meet (with); to come upon, come across, run across

قابَلَ : اِجْتَمَعَ إلى — to meet (with), get together with; to interview, see

قابَلَ : وازَى — to correspond to

قابَلَ (بِـ) : قارَنَ — to compare (with)

قابِلٌ لِـ : يَقْبَلُ كَذا ، عُرْضَةٌ لِـ — capable of; subject to, liable to

قابِلَة : دايَة — midwife, accoucheuse

قابِلِيَّة : اِسْتِعْداد — disposition, tendency, liability, susceptibility

قابِلِيَّة : قُدْرَة — faculty, power, capacity, capability, ability

قابِلِيَّة : شَهْوَة ، شَهِيَّة — appetite

قات (نَبات) — kat

قاتَلَ — to fight, combat

قاتِل : فاعِل قَتَل — killer, manslayer; murderer, assassin

قاتِل : مُمِيت ـ راجع قَتّال

قاتِم — dark, deep, dim, dusky, gloomy

قاحِل : مُجْدِب — dry, arid, barren, waste

قادَ — to lead; to guide, conduct, direct; to drive, steer, pilot

قادِر (على) — able (to), capable (of)

قادِم : مُقْبِل، آتٍ — coming, next; future; forthcoming, upcoming

قادِم : وافِد، آتٍ — coming, arriving; incoming; (new)comer, arriver

قاذُورات — garbage, rubbish, junk

قار — tar; pitch; asphalt; bitumen

قارِىء : فاعِل قَرَأَ — reader; reciter

قارِئُ البَخْت — fortune-teller, diviner

قارَبَ — to approach, approximate, be near or close to, be about to

قارِب : زَوْرَق — boat, dinghy, canoe

قارِبُ النَّجاة — lifeboat

قارَّة [جغرافيا] — continent

قارِس — severe, bitter, biting, nippy

قارِض، حَيَوانٌ قارِض — rodent

قارَعَ — to fight (with)

قارَنَ (بـ، بَيْنَ) — to compare (with)

قارُورَة : قِنِّينَة، زُجاجَة — flask; vial; bottle

قارُوس (سمك) — bass

قارِّيّ : مَنْسُوبٌ إلى قارَّة — continental

قارِيَة (شجر) — hickory

قارِب : بَرمائيّ — amphibian; amphibious

قاسَ — to measure, gauge

قاسَ (ثَوْباً) — to try on (a garment)

قاسٍ (القاسِي) — hard, solid, rigid, stiff; severe, strict, harsh, tough; cruel, merciless, unmerciful

قاسَى : عانَى — to suffer, endure, undergo, experience, go through

قاسَمَ : شاطَرَ — to share (equally with)

قاصَّ — to punish, chastise, discipline

قاصّ ـ راجع قَصّاص

قاصٍ (القاصِي) ـ راجع قَصِيّ

قاصِر : غَيْرُ راشِد — minor; underage

قاصِرٌ عن — unable to, incapable of

قاصِرٌ على ـ راجع مَقْصُورٌ على

قاضٍ (القاضِي) : حاكِم — judge, justice

قاضٍ : مُمِيت — deadly, lethal, fatal

قاضَى : ادَّعَى على — to sue

قاضِم ، حَيَوانٌ قاضِم — rodent

قاطِبَةً — all together, one and all

قاطِرَة : عَرَبَة — locomotive, engine; car

قاطَعَ (أَثْناءَ الحَدِيث) — to interrupt

قاطَعَ : رَفَضَ التَّعامُلَ مَع — to boycott

قاطَعَ : قَطَعَ الصِّلَةَ مَع — to break (up) with

قاطِع : حادّ — cutting, sharp, incisive

قاطِع : جازِم — decisive, conclusive, final, absolute, categorical

قاطِع : فاعِل قَطَعَ ، قَطّاع — cutter

قاطِع : فاصِل ، حاجِز — partition, screen, division, divider

قاطِع : قِطَاع — sector; section; strip
قاطِعُ طَرِيق — highwayman, bandit
طَعَامٌ قاطِع — Lenten food
قاطُور : تِمْساحُ أمِيركا — alligator
قاع : قَعْر — bottom; bed; floor; depth
قاعَة : صالَة — hall, room, chamber
قاعِدَة : مَبْدَأ — rule, precept, maxim
قاعِدَة : أَساس — base, basis, foundation
قاعِدَة (عَسْكَرِيَّة) — (military) base
قَواعِد (اللُّغَة) — grammar
قافِلَة : مَوْكِب — caravan; convoy; train
قافِيَة [عَرُوض] — rhyme
قاق (طائر) — raven, crow
قاقُ الماء (طائر مائي) — cormorant
قالَ — to say, tell; to utter; to state
قالَب، قالِب (السَّبْكِ إلخ) — mold, die, block, matrix, form
قالَبُ حَلْوَى — cake
قامَ : وَقَفَ — to rise, get up, stand up
قامَ : اِنْطَلَقَ — to set out, go ahead; to take off, start off, depart
قامَ بِـ : أدَّى — to perform, do, make, carry out, fulfill; to assume, undertake, shoulder
قامَ مَقامَهُ — to replace, take the place of, be a substitute for
قامَة — stature, figure, build, body
قامَرَ — to gamble; to bet (on)
قامُوس : مُعْجَم — dictionary, lexicon

قانِع — satisfied, content, contented
قانُون : شَرِيعَة، تَشْرِيع — law; statute, act, legislation, code
قانُون : آلَةٌ مُوسِيقِيَّة — zither, dulcimer
قانُونِيّ : تَشْرِيعِيّ، شَرْعِيّ — legal, statutory; lawful, legitimate, licit
قانُونِيّ : رَجُلُ قانُون — jurist, legist
قاوَمَ — to resist, oppose, counter; to fight, combat; to withstand
لا يُقَاوَم — irresistible
قاوَنْد (طائر) — halcyon; kingfisher
قاوُون (نبات) — melon; muskmelon
قايَضَ — to barter, exchange, swap
قُبَاع : قُنْفُذ (حيوان) — hedgehog
قُبَالَةَ : تُجاهَ — opposite (to), in front of
قَبَّان : مِيزان — steelyard; platform scale
قَبَّة (الثَّوْبِ) : ياقَة — collar
قُبَّة (البِناءِ) — dome, cupola
قَبج (طائر) — partridge
قَبَّحَ : بَشَّعَ — to uglify, make ugly
قَبَّحَ عَلَيْهِ فِعْلَهُ — to rebuke, reproach
قُبْح : بَشَاعَة — ugliness, unsightliness
قَبَرَ : دَفَنَ — to bury, inter, inhume, entomb, tomb, lay to rest
قَبْر : ضَرِيح — grave, tomb, sepulcher
قُبَّرَة (طائر) — lark, skylark
قَبَضَ (على) : أَمْسَكَ بِـ — to grasp, grip, hold, catch, grab
قَبَضَ على : اِعْتَقَلَ — to arrest, appre-

hend, detain, seize, hold

قَبَضَ (مالاً) to receive, get, collect

قَبْض : إمساك (البَطْنِ) constipation

قَبْضَة : مَسْكَة grip, hold, clasp, clutch

قَبْضَة : حَفْنَة handful, fistful

قَبْضَة : سَيْطَرَة hold, grip, grasp, control, authority, domination

قَبْضَةُ اليَد fist

قُبْطان (السَّفِينَة) captain, shipmaster

قُبْطان (الطَّائِرَة) captain, pilot

قَبَعَ (في مَكان) to stay at, remain at

قُبَّعَة : بُرْنَيْطَة ، لِبَاسٌ لِلرَّأْس hat

قَبْقاب : لِبَاسٌ لِلرِّجْل clog, patten; sabot

قَبِلَ (بِـ) to accept (to), agree (to), consent (to), assent (to), approve (of), OK; to settle for

قَبَّلَ : لَثَمَ ، باسَ to kiss

قَبْلُ ، مِنْ قَبْلُ ، قَبْلاً before, previously, formerly, earlier, in the past

قَبْلَ before, prior to, previous to

قَبْلَ الظُّهْر before noon, AM

قَبْلَ فَوَاتِ الأَوَان before it is too late

قَبْلَ المِيلاد BC, before Christ

قِبَل : طاقَة power, capacity

مِنْ قِبَل on the part of, from, by

قُبْلَة : لَثْمَة ، بَوْسَة kiss

قِبْلَة (المُصَلِّي المُسْلِم) kiblah

قِبْلَة : مَحَجَّة mecca

قَبَلِيّ : عَشَائِرِيّ tribal

قَبْو vault, cellar; tunnel

قُبُوط : جُنْدُب grasshopper

قَبُول acceptance; consent, assent, approval, OK, sanction, agreement, willingness

قَبِيح : بَشِع ugly, unsightly, hideous, repulsive, repugnant, disgusting

قَبِيل : كَفِيل guarantor, surety

مِنْ قَبِيلِ كَذَا by way of, as a matter of, as a form of

قُبَيْلَ shortly before, (just) prior to

قَبِيلَة : عَشِيرَة tribe

قَتَاد (نبات) tragacanth

قَتَّال : مُمِيت deadly, lethal, fatal, mortal, murderous, deathly

قِتَال fight(ing); combat, battle; hostilities, war(fare)

قَتَّرَ على to penny-pinch, stint, scant

قَتَلَ to kill, slay, murder

قَتْل killing, homicide, murder

قَتِيل killed, murdered; casualty

قِثَّاء (نبات) (Egyptian) cucumber

قَحْط rainlessness, lack of rain, drought, aridity, dryness

قَدّ : قامَة stature, figure, build

قَدْ : رُبَّمَا may, might; perhaps, maybe, possibly, probably

قُدّ (سمك) cod, codfish

قَدَّاحَة : وَلَّاعَة lighter

قُدَّاس [نصرانية] Mass

قُدّاسٌ لِراحَةِ نَفسِ المَيْتِ	requiem
قَدَاسَة	holiness, sacredness, sanctity
قُدَّامَ	in front of; before
قَدَحَ (في) : ذَمَّ	to slander, libel, defame, vilify, calumniate
قَدَحَ (في) : ثَقَبَ	to pierce, perforate
قَدَحَ النّارَ	to strike fire (with a flint)
قَدَح : كَأس	cup; (drinking) glass, tumbler; goblet
قَدَرَ (على ، أنْ) : إسْتَطاعَ ـ راجع قَدِرَ	
قَدَرَ (هُ حَقَّ قَدْرِه) ـ راجع قَدَّرَ	
قَدِرَ (على ، أنْ) : إسْتَطاعَ	can; to be able (to), be capable (of)
قَدَّرَ : خَمَّنَ	to estimate, assess, appraise, evaluate, valuate
قَدَّرَ (هُ حَقَّ قَدْرِه)	to appreciate, esteem, value highly, cherish
قَدَّرَ (الظُّروفَ إلخ)	to appreciate
قَدَّرَ : إفْتَرَضَ ، حَسِبَ	to suppose, assume; to think, guess
قَدَر : نَصِيب	fate, destiny, lot
قَدْر : مِقْدار ، حَدّ	amount, quantity, size, deal; extent, degree
قَدْر : قِيمَة	worth, value; prestige
قَدْرَ المُسْتَطاع	as mush as possible
بِقَدْرِ ما	inasmuch as, as far as, to the extent or degree that
قِدْر (للطَّبْخ)	(cooking) pot, kettle; jar
قُدْرَة	ability, capability, capacity, faculty; power, strength
قَدَّسَ : جَعَلَهُ مُقَدَّساً	to hallow, sanctify
قَدَّسَ : أقامَ القُدّاسَ	to say Mass
قُدْسِيّ	holy, sacred, sacrosanct
قُدْسِيَّة	sanctity, sacredness, holiness
قَدِمَ : جاءَ	to come, arrive, show up
قَدَّمَ : ضِدّ أخَّرَ	to advance, bring forward; to give precedence to
قَدَّمَ : عَرَضَ	to offer, present; to produce, exhibit, show
قَدَّمَ امْتِحاناً	to take an examination, sit for an examination
قَدَّمَ خِدْمَةً لِـ	to render a service to, do someone a favor
قَدَّمَ السّاعَةَ	to set forward
قَدَّمَتِ السّاعَةُ	to gain, be fast
قَدَّمَ شَخصاً إلى آخَر	to introduce or present someone to another
قَدَّمَ طَلَباً	to apply (for a job)
قَدَم : رِجْل أو مِقْياسٌ لِلطُّول	foot
قُدُماً	ahead, forward, onward, on
قِدَم : عِتْق	oldness, antiquity
قُدْوَة ، قِدْوَة	example, model; lead
قَدُّوم : أداةٌ لِلنَّحْتِ إلخ	adz, adze
قُدُوم : مَجِيء	arrival, advent, coming
قَدِير : قادِر ، قَوِيّ	able, capable, competent; powerful, potent, mighty
قِدِّيس	saint
قَدِيم : عَتِيق	old, ancient, antique
قَذارَة ، قَذَر	dirtiness, filthiness, un-

cleanness; dirt, filth, squalor

قَذِر : وَسِخ dirty, filthy, foul, unclean

قَذَفَ (بِـ) : رَمَى ، رَشَقَ to throw, cast, fling, hurl, toss; to pelt (with)

قَذَفَ : أَخْرَجَ ، أَطْلَقَ to eject, emit, discharge, expel, throw out

قَذَفَ : شَهَّرَ بِـ to defame, slander, libel, vilify, calumniate

قَذِيفَة missile; projectile; grenade; shell, bomb

قَرَّ : بَرَدَ to be cold, chilly, cool

قَرَّتْ عَيْنُهُ to be delighted, happy

قَرَّ رَأْيُهُ على - راجع قَرَّرَ

قُرّ : بَرْد cold(ness), chilliness

قَرَأَ : طالَعَ ، تلا to read; to recite

قِرَاءَة reading; recital, recitation

قِرَاءَةُ البَخْت fortune-telling

قِرَاءَةُ الكَفّ palmistry, chiromancy

قِرَاب : غِمْد sheath, scabbard

قَرَابَة : قُرْبَى (family) relationship

قُرَابَةَ - راجع تَقْرِيباً

قَرَاح : صافٍ pure, limpid, clear

قَرَار : حُكْم decision, resolution; ruling, judgment; decree

قَرَار : قاع ، قَعْر bottom; floor; bed

قُرَّاص (نبات) nettle

قَرَاصِيَا (نبات) sour cherry; cherry plum

القُرْآن ، القُرْآنُ الكَرِيم the Koran, the Holy Koran

قِرَان : زَوَاج marriage, wedding

قُرْآنِيّ : مَنْسُوبٌ إلى القُرْآن Koranic

قَرَانِيَا (شجر) cornel, dogwood

قَرُبَ (مِنْهُ أو إلَيْه) to approach, approximate, be or come near or close (to); to draw near, near

قَرَّبَ (إلى) to approximate (to), approach (to), bring near(er) or close(r); to advance (toward)

قُرْب nearness, closeness, proximity; approach, imminence

قُرْبَ ، بِقُرْبِ ، بالقُرْبِ مِن near, close to, in the neighborhood of, next door to, next to, beside

قُرْبَى - راجع قَرَابَة

قُرْبان : ذَبِيحَة sacrifice, offering

قُرْبان ، خُبْزُ القُرْبانِ المُقَدَّس Host

قِرْبَة : زِقّ ، مَطَرَة skin, bottle; canteen

قُرَّة (العَيْنِ) delight (of the eye)

قَرْحَة ، قُرْحَة ، قَرْح ulcer, sore, fester

قِرْد (حيوان) ape, monkey

قَرَّرَ to decide, determine, resolve

قِرْش : غِرْش piaster

قِرْش : سَمَكٌ مُفْتَرِس shark

قَرَصَ (لَحْمَهُ) to pinch, nip, tweak

قَرَصَ : لَدَغَ ، لَذَعَ to bite, sting

قُرْص disk, disc, plate

قُرْص [رياضة بدنية] discus

قُرْصٌ طِبِّيّ tablet, pastille, pill

قُرْصُ التِّلِفُونِ أو الرَّاديُو dial
قُرْصُ عَسَل honeycomb
قُرْصان (ج قَراصِنة) pirate, corsair
قِرْصَعْنَة (نبات) eryngo
قَرْصَنَة piracy, freebooting
قَرَضَ : قَضَمَ، نَخَرَ to gnaw, nibble at, bite, eat away, corrode
قَرْض : سُلْفَة loan, advance
قُرْط : حَلَق earring(s), eardrop(s)
قِرْطاس paper, sheet of paper
قِرْطاسِيَّة stationery
قِرْطِم : عُصْفُر (نبات) safflower
قَرَّظَ to praise, commend, laud
قَرَعَ البابَ to knock, rap, bang, beat (on or at a door)
قَرَعَ الجَرَسَ to ring, sound, toll (a bell)
قَرِعَ : صَلِعَ to be(come) bald
قَرَّعَ : وَبَّخَ to scold, tongue-lash, upbraid, reprove, rebuke
قَرَع : صَلَع baldness, alopecia
قَرْع (نبات) gourd, pumpkin; squash
قَرْعَة : دَقَّة knock; rap; tap, blow, beat, bang; toll, ring
قُرْعَة : سَهْم، نَصِيب lot
إِنْتَخَبَ بِالقُرْعَة to choose by lot
سَحَبَ (أو أَجْرَى) قُرْعَةً to draw lots
قَرَفَ : قَشَرَ to peel, pare, skin, scale
قَرِفَ (مِنْ) : اِشْمَأَزَّ to be disgusted (of), be sick (of), loathe, detest
قَرَّفَ : قَزَّزَ to disgust, nauseate
قَرَف disgust, nausea, revulsion
قَرْفان disgusted, nauseated, sick
قِرْفَة : قِشْرَة rind, peel, skin, bark
قِرْفَة : نَوْعٌ مِنَ البَهار cinnamon
قَرْفَصَ to squat
قُرْفُصاء squat(ting)
قَرْقَب، قُرْقُف (طائر) titmouse, tit
قِرِلَّى (طائر) kingfisher
قِرْمِزِيّ crimson, carmine; scarlet
قِرْمِيد(ة) tile(s), baked brick(s)
قَرَنَ to couple, pair, join, link
قَرْن (الحَيَوانِ إلخ) horn
قَرْن، قَرْنُ اسْتِشْعار antenna, feeler
قَرْنُ الفُولِ أو البازِلاَّ إلخ pod, capsule
قَرْن (لِتَسْهِيلِ لُبْسِ الأَحْذِيَة) shoehorn
قَرْن : مِئَةُ سَنَة century
قَرْن : عَصْر، جِيل age, generation
قِرْن : نَظِير equal, peer, match
قَرْنَبِيط (نبات) cauliflower
قُرْنَة : زاوِيَة corner, nook
قَرَنْفُل (نبات) carnation, pink
كَبْشُ قَرَنْفُل clove(s)
قَرَنْفُلِيّ pink
قَرْنِيَّة (العَيْنِ) cornea (of the eye)

قَرَوِيّ : خاصٌ بالقَرْيَة village, country, rural, rustic, provincial
قَرَوِيّ : أَحَدُ سُكَّانِ القَرْيَة villager, countryman, rustic, provincial
قَرِيب : دانٍ near, nearby, close, next (to), next-door, neighboring; imminent, forthcoming
قَرِيب : سَهْلُ الفَهْم easy, simple
قَرِيب : نَسِيب relative, kinsman, kin, kinsfolk; kin, of kin, related (to)
قَرِيباً، عَمّا قَرِيب soon, shortly, before long, in a short time
قَرْيَة village, small town, hamlet
قَرِيحَة genius, talent; nature
قُرَيْدِس : إِرْبِيان shrimp; prawn
قَرِيرُ العَيْن delighted, glad, satisfied
قَرِيشَة cottage cheese
قَرِين : زَوْج husband, spouse, mate
قَرِينَة : زَوْجَة wife, spouse, mate
قَرِينَة : دَلِيل presumption, inference
قَزّ : حرير silk
دُودَةُ القَزّ silkworm
قُزَح ، قَوْسُ قُزَح rainbow
قُزَحِيَّة (العَيْن) iris (of the eye)
قَزَّزَ : قَرَّفَ to disgust, nauseate
قَزَّمَ : حَجَّمَ to dwarf, stunt
قَزَم : قَصِيرُ القامَة dwarf, pygmy, midget
قَسّ : قِسِّيس priest, clergyman, minister, parson, pastor, vicar

قَسَا to be(come) hard, solid, rigid, stiff; to harden, solidify
قَسَا على to treat severely, harshly, roughly, cruelly
قَسَّى to harden, solidify, stiffen
قَساوَة ـ راجع قَسْوَة
قَسْر coercion, compulsion, force
قَسْرِيّ coercive, compulsory, forced
قَسَّطَ to pay in (or by) installments; to distribute
قِسْط : حِصَّة ، مِقْدار share, portion, part; quantity, amount, extent
قِسْط : جُزْءٌ مُقَسَّطٌ مِنْ دَيْن installment
قِسْط : عَدْل justice, fairness, equity
قِسْطُ تأمِين (insurance) premium
قِسْطٌ دِراسِيٌّ أو مَدْرَسِيّ ، قِسْطُ تَعْلِيم tuition, fee(s), tuition fee(s)
قُسْطاس ، قِسْطاس balance, scales
قَسْطَل : أُنْبُوبُ الماء water pipe; tube
قَسْطَل ، قَسْطَلَة : كَسْتَناء (نبات) chestnut
قَسَمَ ، قَسَّمَ : جَزَّأَ to divide, part, split, separate, break up, partition, section, subdivide
قَسَمَ ، قَسَّمَ : وَزَّعَ to distribute
قَسَمَ (حِسابِيًّا) to divide (by)
قَسَم : يَمِين oath
قَسَماً بِـ I swear by
قِسْم : جُزْء part, portion, division, section, segment
قِسْم : إدارَة department, office

قِسْم : مِنْطَقَة — district, province
قَسَمات — lineaments, features
قِسْمَة : تَقْسِيم - راجع تَقْسِيم
قِسْمَة [رياضيات] — division
قِسْمَة : نَصِيب — fate, destiny, lot
قَسْوَة — severity, strictness, sternness, hardness, harshness; cruelty
قِسِّيس - راجع قَسّ
قَسِيمَة : بِطاقَة — coupon
قَشّ — straw, hay, haulm; chaff
قَشّارَة : أداةُ التَّقْشِير — peeler, parer
قِشاط : حِزام — belt; strap, thong
قَشِبَ (الجِلْدُ) — to chap, crack open
قَشَب (في الجِلْدِ) — chap(s), crack(s)
قَشَّة : واحِدَةُ القَشّ — a straw
قَشَدَ : أزالَ القِشْدَةَ عن — to skim, cream
قِشْدَة (الحَلِيبِ إلخ) — cream
قَشَرَ، قَشَّرَ — to peel, pare, skin, scale, shell, husk, shuck, hull
قِشْر، قِشْرَة (الثَّمَرَةِ إلخ) — peel, rind, skin; shell; hull, husk, shuck
قِشْرَةُ الجُرْح — scab
قِشْرَةُ الخَشَبِ إلخ — layer, veneer
قِشْرَةُ الرَّأْس — dandruff, scurf
قَشَّشَ (كُرْسِيًّا إلخ) — to cane
قَشَطَ — to take off, remove; to scrape off, rub off, abrade, raze
قِشْطَة (نبات) — sweetsop, custard apple

قُشَعْرِيرَة — shudder, shiver(ing), tremor, shake, quiver; gooseflesh
قَشِيب — new; attractive, pretty, nice
قَصَّ : قَطَعَ — to cut, cut off, clip, trim; to mow, cut down (grass)
قَصَّ : رَوَى — to narrate, relate, tell
قَصّاب : جَزّار — butcher, meatman
قُصارَى : أقْصَى — utmost, limit
قَصّاص : مُؤَلِّفُ الرِّوايات — novelist, fictionist, storywriter, storyteller
قِصاص : عِقاب — punishment, penalty, sanction, retribution
قُصاصَة — cutting, clip(ping), chip
قَصَّبَ : طَرَّزَ — to brocade, embroider
قَصَب، قَصَبَة : خَيْزُران — cane(s), reed(s)
قَصَبُ السُّكَّر، قَصَبُ المَصّ — sugarcane
قَصَبَة : مِقْياسٌ لِلطُّول — perch; rod
قَصَبَة : بَلْدَة — borough, town
قَصَبَة : مِزْمار — pipe, reed, flute
قَصَبَة : كَبِد — liver
قَصَبَةُ صَيْد — (fishing) rod
قَصَّة (شَعْر) — haircut, hair cut
قِصَّة : رِوايَة، حِكايَة — story, tale, narrative, fiction; novel; account
قِصَّةُ حُبّ — love story, romance
قِصَّةٌ رَمْزِيَّة — allegory
قَصَدَ (إلى) : تَوَجَّهَ — to go to, head for, take to, be bound for
قَصَدَ : نَوَى — to intend, mean
قَصْد : نِيَّة، غايَة — intent(ion), purpose,

aim, end, goal, object(ive)
قَصْداً، عَنْ قَصْد intentionally, on purpose, deliberately, willfully
بِقَصْدِ كَذَا for, for the purpose of, so as, so that, in order to
قَصْدَرَ : طَلَى بِالقَصْدِير to tin, tin-plate
قَصْدِير : صَفِيح tin
قَصَرَ على to limit to, restrict to
قَصُرَ to shorten, be(come) short
قَصَّرَ : جَعَلَهُ قَصِيراً to shorten, make short(er), curtail, reduce
قَصَّرَ (في) : أَهْمَلَ to neglect, omit; to be negligent, remiss, derelict
قَصَّرَ في امْتِحانٍ أو دَرْس to fail, flunk
قَصْر : بَيْتٌ كَبِير palace, mansion, castle
قِصَر : ضِدّ طُول shortness; smallness
قِصَرُ البَصَرِ أو النَّظَر myopia, nearsightedness, shortsightedness
قَصْعَة : جَفْنَة bowl
قَصْعِين (نبات) sage, clary
قَصَفَ (بالقَنَابِل) to shell, bombard, bomb, cannonade, cannon
قَصَفَ : كَسَرَ to snap, break, shatter
قَصَفَ الرَّعْدُ to roll, peal, rumble
قَصَّفَ : كَسَّرَ to break (into pieces), crack (up), smash, shatter
قَصِف : هَشّ brittle, crisp, fragile
قَصَمَ : كَسَرَ to snap, break, shatter
قَصِيّ far(away), distant, remote
قَصِيدَة poem
قَصِير : ضِدّ طَوِيل short
قَصِيرُ الأَجَلِ أو الأَمَد short-term
قَصِيرُ البَصَرِ أو النَّظَر myopic, nearsighted, shortsighted; myope
قَضَى : أَنْجَزَ to carry out, accomplish, achieve, finish; to do, perform, fulfill, discharge
قَضَى (وَقْتاً) to spend, pass
قَضَى : فَرَضَ to impose; to ordain, decree; to order, require
قَضَى : حَكَمَ to judge, rule, decide
قَضَى على to annihilate, exterminate, eradicate, kill, destroy; to crush, suppress, repress, quell
قَضَى (أَجَلَهُ أو نَحْبَهُ)، قُضِيَ عَلَيْه to die
قَضَاء : السُّلُطَاتُ القَضَائِيَّة the judiciary
قَضَاء : تَقْسِيمٌ إدَارِيّ constituency, district, province
قَضَائِيّ : عَدْلِيّ judicial, juridical
قُضَاعَة : ثَعْلَبُ الماء otter
قَضَبَ، قَضَّبَ to lop, prune, trim, clip
قَضَمَ، قَضِمَ to gnaw, nibble at, bite
قَضِيب : عَصاً stick, rod, staff; bar
قَضِيَّة : دَعْوَى suit, lawsuit, case
قَضِيَّة : مَسْأَلَة cause; affair, matter, case; issue, question, problem
قَطُّ : أَبَداً never, at no time, not at all
قِطّ : هِرّ، سِنَّوْر cat; tomcat, male cat
قِطٌّ بَرِّيّ wildcat
قَطَاة (طائر) sand grouse

قِطار (السِّكَّةِ الحَدِيدِيَّة) train
قَطّارَة (eye)dropper, pipet(te)
قَطّاس (حيوان) yak
قِطاع : قِسْم sector; section; strip
قِطاعٌ خاصّ private sector
قِطاعٌ عامّ public sector
قُطّاعَة ـ راجع مِقْطَع
قَطّاعِيّ، بالقَطّاعِيّ retail, by retail
قَطانِيّ : حُبُوبٌ تُطْبَخ pulse; legumes
قَطَبَ : لَفَقَ، دَرَزَ to seam, sew, stitch
قُطْب [فلك، جغرافيا، كهرباء] pole
قُطْب : مِحْوَر، مَدار axis; pivot
قُطْب : زَعِيم magnate, leader
القُطْبُ الجَنُوبِيّ the South Pole
القُطْبُ الشَّمالِيّ the North Pole
قُطْبٌ سالِب cathode, negative pole
قُطْبٌ مُوجِب anode, positive pole
قُطْبٌ كَهْرَبائِيّ electrode
قُطْبَة : دَرْزَة، غُرْزَة stitch; seam
قُطْبِيّ : مَنْسُوبٌ إلى القُطْب polar
قِطَّة : هِرَّة female cat, she-cat, cat
قَطَرَ : سالَ to drip, drop, dribble, trickle, fall in drops
قَطَرَ : جَرَّ to tow, tug, haul, trail
قَطَّرَ to drip, drop, dribble; to filter, filtrate, percolate; to distill
قَطَر : بَلَدٌ عَرَبِيّ Qatar

قُطْر : بَلَد country, land; territory
قُطْرُ الدّائِرَة diameter
قَطْران، قِطْران : سائِلٌ لَزِجٌ أَسْوَد tar
قَطْرَة : نُقْطَة drop
قَطْرَة (لِلْعَيْن) collyrium, eyewash, drops
قَطْرَةُ مَطَر raindrop
قَطْرَس : طائِرٌ بَحْرِيّ albatross
قُطْرِيّ : إقْلِيمِيّ regional; territorial
قَطَعَ : قَصَّ to cut (off), sever; to chop off, cut down; to amputate; to break; to disconnect, tear (apart)
قَطَعَ : أَوْقَفَ to stop, suspend, discontinue, halt, cut, end
قَطَعَ : اجْتازَ، عَبَرَ to cross, traverse, go across, pass through (across, over); to cover (a distance)
قَطَعَ : جَزَمَ، أَكَّدَ to assert, affirm
قَطَّعَ to cut up, cut into pieces; to divide, partition; to tear (apart)
قَطْع (الكِتاب) format, size (of a book)
قَطْع : كَمْبيُو (money) exchange
قَطْع : عُمْلَة، نَقْد currency, money
قَطْعاً : بَتاتاً definitely, positively, of course; absolutely not, not at all
قِطْعَة : جُزْء piece, fragment, chunk; part, portion, segment, slice
قِطْعَة (مِنَ الجَيْشِ أو العُمْلَةِ إلخ) unit
قِطَعٌ إضافِيَّة accessories
قِطَعُ الغِيارِ أو التَّبْدِيل spare parts

قَطعِيّ: جازِم ـ راجع قاطِع
قَطعِيًا ـ راجع قَطعاً
قَطَفَ، قَطَّفَ: جَنى — to pick, gather, reap, harvest, pluck out
قَطقاط (طائر) — plover
قَطَنَ في أو بـ: سَكَنَ — to live in, dwell in, reside in; to inhabit, populate
قُطن، قُطُن — cotton
قُطنِيّ — cotton; cottony
قَطِيع: سِرْب — flock, herd, drove, group
قَطِيفَة (نبات) — amaranth; marigold
قَطِيفَة: مُخْمَل — velvet; plush
قَعَدَ — to sit down, sit, take a seat
قَعَّرَ — to concave; to hollow out
قَعْر: قاع — bottom; floor; bed; depth
قَعْقَعَ — to clatter, rattle, clank
قَفَّى الكَلامَ أو الشِّعْرَ — to rhyme
قَفاً: ظَهْر، خَلْف — back; reverse; verso
قُفّاز — glove; (a pair of) gloves
قُفَّة: سَلَّة — basket, scuttle, frail
قَفْر، قَفْرَة — desert, wasteland, wild(s)
قَفْر: مُقْفِر — desolate, waste, deserted
قَفَزَ: وَثَبَ — to jump, leap, spring, bound, skip, hop
قَفْز: وَثْب — jump(ing), leap(ing)
قَفْزٌ طَوِيلٌ أو عَرِيض — long or broad jump
قَفْزٌ عالٍ — high jump
قَفْزَة — jump, leap, skip, hop

قَفَص (الطَّيْرِ والحَيَوانِ) — cage
قَفَص (الدَّجاجِ) — coop, pen
قَفَص: سَلَّة — basket
قُفْطان: ثَوْبٌ طَوِيل — caftan
قَفَلَ: رَجَعَ — to return, come back
قُفْل: غال — lock, latch, bolt; padlock
قَفِير: خَلِيَّةُ نَحْل — beehive, hive
قَلَّ — to be(come) little, small, few; to lessen, decrease, diminish, drop (off), become less, grow less
قَلا، قَلَى (الطَّعَامَ) — to fry
قُلاح (الأَسْنانِ): قَلَح — tartar
قِلادَة: عِقْد — necklace; collar; pendant
قَلاوُوز، قَلاوُوظ — screw; bolt
قَلَبَ: حَوَّلَ — to turn; to turn around; to turn over, overturn, upset, capsize; to turn upside down
قَلَبَ: عَكَسَ — to reverse, invert
قَلَبَ: أَطاحَ بِـ — to overthrow, topple
قَلَّبَ الصَّفَحاتِ — to turn (over), flip, leaf
قَلْب: فُؤاد — heart
قَلْب: لُبّ، وَسَط — heart, core, gist; center, middle
قَلْبَق: لِبَاسٌ لِلرَّأْس — calpac; busby
قَلْبِيّ — heart, cardiac; hearty
قُلَّة: جَرَّة — jar, olla
قِلَّة: ضِدّ كَثْرَة — fewness; scantiness; scarcity, insufficiency, shortage

قِلَّةُ الصَّبْر impatience
قَلَح (الأسْنانِ) : قُلاح tartar
قَلَّدَ : حاكَى to imitate, copy, mimic
قَلَّدَهُ السَّيْفَ to gird with a sword
قَلَّدَهُ وِساماً أو مَدالِيَةً to decorate, award a decoration or medal to
قَلَّصَ to contract, constrict, constringe; to shrink; to reduce, cut
قَلَعَ ، قَلَّعَ - راجع اِقْتَلَعَ
قَلْعَة : حِصْن fortress, fort, stronghold, citadel, castle, tower
قَلْعَة (الشَّطْرَنْج) : رُخّ rook, castle
قَلِقَ to worry; to be(come) worried, concerned, uneasy
قَلَق worry, concern, anxiety
قَلِق worried, concerned, anxious, uneasy, unquiet, upset
قُلْقاس (نبات) taro, elephant's ear
قَلْقَلَ to shake, convulse, unsettle, upset, agitate, stir, disturb
قَلَّلَ to lessen, decrease, diminish, reduce, minimize, make less
قَلَّمَ : شَذَّبَ to clip, trim, cut, cut back, pare, prune, lop
قَلَّمَ : خَطَّطَ to stripe, streak
قَلَم : أداةٌ لِلْكِتابَة pen
قَلَمُ حِبْر pen, fountain pen
قَلَمُ حِبْرٍ جافّ ball-point pen
قَلَمُ رَصاص pencil, lead pencil
قَلَم : خَطّ ، شَريط stripe, streak, bar
قَلَم : مَكْتَب ، قِسْم office, bureau
قَلَّما seldom, rarely, infrequently
قَلَنْسُوَة : لِباسٌ لِلرَّأس cap; bonnet; hood
قِلْو ، قِلْي [كيمياء] alkali, base
قِلْوِيّ [كيمياء] alkaline, basic
قَليل little, small, few; negligible; scanty, slight; scarce, rare
قَليلاً a little, somewhat, slightly; a bit; some
قَليلُ الأدَب impolite, ill-mannered
قِمار : مَيْسِر gambling; gamble
قُماش : نَسيج fabric, cloth
أقْمِشَة textiles, soft goods
قُمامَة sweepings, rubbish, garbage
قِمَّة top, summit, peak, acme, climax, zenith, crown, crest
قَمْح : حِنْطَة wheat
قَمَّرَ (الخُبْزَ إلخ) : حَمَّصَ to toast
قَمَر moon
قَمَرٌ اصْطِناعِيّ satellite; telstar
قَمْرَة : غُرْفَةٌ في سَفينَة cabin
قَمَرِيّ : خاصٌّ بِالقَمَر lunar, moony
قُمْرِيّ ، قُمْرِيَّة (طائر) turtledove
قَمَعَ to curb, check, repress, suppress; to crush, quell, quash
قِمْع ، قِمَع (لِصَبِّ السَّوائِل) funnel
قَمْل (مفردها قَمْلَة) lice
قَمْلَة (حشرة) louse

قَميص — shirt
قَمِيصٌ تَحْتانِيّ — undershirt
قَمِيصُ النَّوم — nightgown, nightshirt
قَمِين (بِـ) : جَدِير — worthy (of), meriting
قِنّ : عَبْد — serf
قَناة : تُرْعَة ، مَجْرًى — canal, waterway, channel; passage, path
قَناة : بالُوعَة — ditch; gutter
قَناة [تلفزيون وراديو] — channel
قَناة ، قَناً : رُمْح — spear, lance
قَناة : عُودُ الرُّمْح — shaft
قَنّاص : صَيّاد — hunter, huntsman
قَنّاص : مُتَصَيِّدُ الأَعْداءِ أو المارَّة — sniper
قِناع (الوجهِ إلخ) — mask, disguise, veil
قَناعَة : رِضاً — satisfaction, contentment, content(edness)
قَناعَة : يَقِين — conviction, persuasion
قِنَب ، قُنَّب (نبات) — hemp, cannabis
قُنْبَرة ، قُنْبُرَة (طائر) — lark, skylark
قُنْبُرَة : قُنْزُعَة — tuft; crest
قُنْبُز : بِزْرُ القِنَّب — hempseed
قُنْبُلَة — bomb, shell; grenade
قُنْبُلَة ذَرِّيَّة — atom(ic) bomb, A-bomb, fission bomb
قُنْبُلَةٌ مُسِيلَةٌ لِلدُّمُوع — tear bomb
قُنْبُلَة يَدَوِيَّة — hand grenade, grenade
قُنَّبِيط (نبات) — cauliflower
قُنَّة : قِمَّة — top, summit, peak

قُنْدُس ، قُنْدُز (حيوان) — beaver
قَنْدَلَفْت — acolyte, sexton, sacristan
قِنْدِيل : مِصْباح — lamp
قِنْدِيلُ البَحْر — jellyfish, medusa
قُنْزُعَة — tuft (of hair); comb, crest
قَنَصَ : صادَ ، اِصْطادَ — to hunt, shoot
قَنَصَ : تَصَيَّدَ الأَعْداءَ أو المارَّةَ — to snipe
قَنَص : ما اصْطِيدَ — game, bag, quarry
قُنْصُل — consul
قُنْصُلِيَّة — consulate
قَنِطَ ، قَنَطَ ، قَنُطَ — to despair, despond, lose hope, give up hope
قِنْطار — hundredweight, quintal
قَنْطَرَة — arch, vault; archway, arcade
قَنِعَ بِـ : رَضِيَ — to be content with, satisfied with; to settle for
قَنِعَ بِـ : تَأَكَّدَ مِن — to be convinced of, persuaded of
قَنَّعَ (بِقِناع) — to mask, disguise, veil
قَنَّعَ : أَقْنَعَ ـ راجع أَقْنَعَ
قَنْغَر (حيوان) — kangaroo
قُنْفُذ (حيوان) — hedgehog
قُنْفُذُ البَحْر — sea urchin, echinoid
قُنْفُذُ النَّمْل — echidna, spiny anteater
قَنَّنَ (القَوانِين) : دَوَّنَ — to codify (laws)
قَنَّنَ : وَزَّعَ بِاعْتِدالٍ أو عَدْلٍ — to ration
قُنُوط : يَأْس — despair, desperateness
قُنُوع — satisfied, content, contented

قِنِّينَة bottle; flask, vial; flacon
قَهَرَ: أَخْضَعَ to subdue, subjugate, overcome, defeat, beat
قَهَرَ: أَجْبَرَ، أَرْغَمَ to compel, coerce, constrain, force, oblige
قَهْقَهَ to guffaw, roar, laugh loudly
قَهْوَة: شَرَابُ البُنّ coffee
قَهْوَة: مَقْهًى ـ راجع مَقْهًى
قَوَّى to strengthen, fortify, consolidate, reinforce, enrich; to boost, promote, further; to harden
قَوَارِض، قَوَاضِم rodents
قَوَاعِد (مفردها قاعِدَة) ـ راجع قاعِدَة
قَوَام: قامَة، قَدّ ـ راجع قامَة
قِوَام: أَسَاس support; basis, foundation; staple, chief element
قِوَامُهُ كَذَا consisting of, made up of
قُوبِيُون (سمك) goby
قُوبِيُونٌ نَهْرِيّ (سمك) gudgeon
قُوَّة strength, force, power, might; vigor; potency; authority; ability, capability; energy
قُوَّات (مُسَلَّحَة) armed forces, troops, contingent(s); the military
قُوَّاتُ احْتِلال occupation forces
قُوَّةُ الإِرَادَة willpower
قُوَّة شِرَائِيَّة purchasing power
قُوَّة ضاغِطَة pressure group, lobby
قُوَّة قاهِرَة force majeure
بِالقُوَّة: قَهْراً، عَنْوَة by force, forcibly, coercively, compulsorily
بِالقُوَّة [فلسفة] potentially, virtually; potential, virtual
قُوت: غِذَاء food, foodstuff, nutriment, nourishment, nutrient
قَوَّرَ: جَوَّفَ tho hollow out, scoop out; to excavate, cavern out
قَوَّسَ: حَنَى to bend, curve, bow, crook, arch, vault
قَوْس: أَدَاةٌ لِرَمْيِ السِّهَام bow
قَوْس: قَنْطَرَة arch, vault
قَوْس، قَوْسان (في الكِتَابَة) parenthesis, parentheses
قَوْسٌ مَعْقُوف (في الكِتَابَة) bracket
قَوْسُ قُزَح rainbow
قَوْسٌ ونُشَّاب crossbow
قَوَّضَ to demolish, tear down, raze, destroy, crush; to subvert
قُوطَة: بَنْدُورَة، طَمَاطِم tomatoe(s)
قَوْقَعَة: صَدَفَة، مَحَارَة shell
قَوْل: كَلام، ما يُقَال saying, speech, word; statement, declaration
قَوْل: رَأْي opinion, view; say
قَوْلٌ (أَقْوالُ) الشَّاهِد testimony, witness; statement; affidavit
قَوْلٌ مَأْثُور saying, adage, proverb
قَوْلَبَ: سَبَكَ، صاغَ to mold, cast, block, form, shape, fashion
قَوَّمَ: جَلَّسَ to straighten
قَوَّمَ: صَحَّحَ to rectify, correct, reform, adjust, fix

قَوَّمَ : قَيَّمَ ، قَدَّرَ — to evaluate, estimate, assess, appraise, value

قَوْم : شَعْب — people, nation

قَوْمِي — national; nationalist(ic)

قَوْمِيَّة — nationalism; nationality

قَوِيَ — to be(come) strong(er), (more) powerful, (more) forceful; to strengthen, intensify

قَوِيّ — strong, powerful, forceful, mighty, vigorous, potent; sturdy, stout, robust, tough; intense, violent, intensive, keen

قَوِيُّ الإِرَادَة — strong-willed

قَوِيم — straight; right, correct, sound, proper; true; orthodox

قَيْء، قُيَاء : ما يَخْرُجُ بالتَّقَيُّؤ — vomit

قِيَادَة — leadership; lead; leading; conduct(ing), control(ling); command; driving, steering, piloting

قِيَاس : حَجْم — measure, measurement, dimension(s); size; format

قِيَاس : مِقْيَاس ـ راجع مِقْيَاس

قِيَاس : مُقَارَنَة — comparison; analogy

قِيَاسِيّ — standard, typical, regular

رَقْمٌ قِيَاسِيّ — record

قِيَامَة : بَعْث، نُشُور — resurrection

عِيدُ القِيَامَة — Easter

يَوْمُ القِيَامَة — Day of Resurrection, Judgment Day, doomsday

قِيثَار ، قِيثَارَة — guitar; harp; lyre

قَيْح : صَدِيد — pus, matter

قَيَّدَ : كَبَّلَ — to bind, tie (up), fetter, shackle, (en)chain

قَيَّدَ : حَصَرَ — to limit, restrict, confine; to restrain, check, curb

قَيَّدَ : سَجَّلَ — to register, record, write (down), enter, list

قَيْد : وِثَاق — tie, bond, fetter(s), shackle(s), chain(s)

قَيْد : كُلُّ ما يَحْصُر — restriction, limitation, limit, restraint, check

قَيْد : شَرْط — condition, reservation

قَيْد : تَدْوِين — entry, register, record

بِلا قَيْدٍ أو شَرْط — unconditionally

قَيْدَ : تَحْتَ — under, on, in, at, being

قِيرَاط — carat, karat

قَيْصَر (الرُّومان) — Caesar

قَيْصَر (الرُّوس) — czar, tsar, tzar

قَيْصَر (الأَلْمان) — kaiser

قَيْظ : حَرّ — swelter, oppressive heat

قِيق (طائر) — jay

قَيْقَب (نبات) — maple

قَيْلُولَة : نَوْمَة — siesta; nap

قَيَّمَ : قَوَّمَ، قَدَّرَ ـ راجع قَوَّمَ

قَيِّم : نَفِيس — valuable, precious

قَيِّم : وَصِيّ — guardian, supervisor

قِيمَة : قَدْر — value, worth; account, importance; price, rate

ك

كَـ : مِثْلَ — as, like, similar to

كَـ : بِوَصْفِهِ كَذَا — as, in his capacity as

كائِن : مَوْجُود — being; existing, existent

كائِن (في مَكانٍ ما) — situated, located

كائِن : كُلُّ ذِي كِيانٍ أو حَياة — being, entity

كائِنٌ حَيّ — living being; creature

الكائِنات — creatures, creation, (created) being(s), world, universe

كَآبَة — grief, sorrow, depression, gloom(iness), melancholy

كابِح ، كابِحَة — brake(s); control

كابَدَ : عانَى — to suffer, bear, endure, undergo, experience

كابَرَ : عانَدَ ، ماحَكَ — to stickle

كابُوس — nightmare, incubus

كاتَبَ : راسَلَ — to write to, correspond with, exchange letters with

كاتِب : مَنْ يَكْتُب — writer; author

كاتِب (في مَحَلّ إلخ) — clerk

كاتِب : نَسّاخ — scribe, copyist

الكاتِبُ العَدْل — notary public, notary

كاتِدْرائِيَّة : كَنِيسَةٌ ضَخْمَة — cathedral

الكاثُولِيك — the Catholics; the Roman Catholics

كاثُولِيكِيّ — (a) Catholic; (a) Roman Catholic

كاجُو (نبات) — cashew

كاحِل [تشريح] — ankle, tarsus

كادَ (يَكادُ) : أَوْشَكَ — to be (just) about to, on the point of; (he) almost..

كادَ لِـ : تآمَرَ على — to plot against, conspire against, intrigue against

كاد ، بِالْكاد — with great difficulty, hardly, barely, (only) just

كاد (نبات) — catechu

كادِح — toiling, hardworking, proletarian; drudge, hard worker

كادْر : مِلاك — cadre

كاذِب : كَذّاب — lying, dishonest, untruthful, mendacious; liar

كاذِب : زائف — false, untrue, deceptive, phony, pseudo, unreal

كاراتيه — karate

كاراج — garage; parking lot, park

كارِثَة — catastrophe, disaster, calamity

كارْدينال cardinal
كارِيكاتُور caricature, cartoon
كاز : كِيرُوسِين kerosene, coal oil
كازُوز refreshment, soft drink; soda water, soda pop, soda
كازِينُو casino
كأْس : قَدَح glass, drinking glass, tumbler; cup; goblet
كأْس (البُطُولَةِ) cup; trophy
كاسِب : رابِح winner, gainer
كاسِح : ساحِق sweeping, overwhelming, crushing, smashing, great
كاسِحَة : جَرّافَة dredge; drag, harrow
كاسِحَةُ ألْغام minesweeper
كاسِد unsalable, unmarketable
كاسِر، طَيْرٌ كاسِر bird of prey, predatory bird, raptor
كاسِرُ الجَوْز (طائر) nuthatch
كاسِيت cassette
كاشَفَ بِـ to disclose to, reveal to, show to; to declare to
كاشِف، نُورٌ (أو ضَوْءٌ) كاشِف searchlight; spotlight
كاشِفَةُ الكَذِب lie detector
كاشُو (نبات) cashew
كافٍ (الكافِي) enough, sufficient
كافَأَ، كافَى : جازَى to reward, requite, repay, recompense
كافَّة، كافةً all, all of, the whole of
الكافَّة the people, the masses

كافِتيريَا cafeteria
كافَحَ to struggle (against), fight, combat; to strive
كافِر : زِنْدِيق unbeliever, disbeliever, infidel, miscreant, atheist
كافِرٌ بِالنِّعْمَةِ إلخ ungrateful
كافُور : مُرَكَّبٌ صَمْغِيٌّ أرِج camphor
شَجَرَةُ الكافُور camphor tree
كافْيار : نَوْعٌ مِنَ البَطارِخ caviar, caviare
كاكاو (شَجَرَة، شَراب إلخ) cocoa, cacao
كاكِي (قُماش، ثَوْب، لَوْن) khaki
كالَ : قاسَ، وَزَنَ to measure; to weigh
كالِح : مُتَجَهِّم gloomy, glum, morose, grim, sullen; austere, grave
كالْسِيُوم : كَلْسِيُوم calcium
كالَمَ ـ راجع كَلَّمَ
كالُورِي : سُعْر، وَحْدَةٌ حَرارِيَّة calorie
كامِخ : مُخَلَّل، كَبِيس pickles
كامِل : تامّ perfect; complete, full, whole, total, entire, full-scale
بِكامِلِهِ completely, entirely, wholly, totally, fully, in full
كامِن latent, hidden, concealed; potential; inherent, implicit
كامِيرا : آلَةُ تَصْوِير camera
كامِيلْيا، كامِيلِيَة (نبات) camellia
كانَ to be; to exist; to happen
كانَ مَسْرُوراً he was happy
كانَ يَلْعَبُ he was playing

كَأَنَّ	as if, as though; like
كانُون : مِجْمَرَة، مَوْقِد	brazier; stove
كانُون الأوَّل : دِيسمبر	December
كانُون الثّاني : يَنايِر	January
كاهِن	priest, clergyman, parson
كاوتشوك : مَطّاط	rubber, caoutchouc
كَئِيب : مُغِمّ	gloomy, depressing, dismal, dreary, sad, melancholic
كَئِيب : مُكْتَئِب	sad, grieved, gloomy, depressed, dispirited, dejected
كَبا : زَلَّ	to stumble, trip, slip
كَبا : أَخْفَقَ، أَخْطَأَ	to fail, miss
كُبّى (في وَرَقِ اللَّعِب)	hearts
كَباب	kabob, kebab, shish kebab
كُبابَةُ الشَّوْك : قُنْفُذ (حيوان)	hedgehog
كُبّاد (نبات)	citron
كَبارِيه : نادٍ لَيْلِيّ	cabaret
كَبّاس، كَبّاسَة (الأوْراقِ)	stapler
كَبَّبَ : كَتَّلَ	to ball, conglobate, conglomerate, agglomerate
كَبَتَ	to suppress, repress, restrain, inhibit, hold (back), contain
كُبَّة (في وَرَقِ اللَّعِب)	hearts
كَبَحَ	to rein in, bridle; to check, curb, contain; to brake
كَبَّدَ (خَسارَةً إلخ)	to cause (losses to), inflict (damage upon)
كَبِد [تشريح]	liver
كَبِد : جَوْف	heart, interior
كَبَرَ فُلاناً : كانَ أَكْبَرَ مِنْهُ	to be older than
كَبُرَ : ضِدّ صَغُرَ	to be(come) great(er), big(ger), large(r); to grow, increase, augment
كَبِرَ (في السِّنّ)	to grow old; to grow up
كَبَّرَ : ضَخَّمَ	to enlarge, magnify, blow up; to exaggerate
كِبَر، كُبْر : ضَخامَة	greatness, bigness, largeness; magnitude, size
كِبَر (السِّنّ)	old age, oldness
كِبْرِياء	pride, arrogance, haughtiness
كِبْرِيت	sulfur, brimstone
عُودُ الكِبْرِيت	match, matchstick
كَبَسَ (على) : شَدَّ، ضَغَطَ	to press, compress, squeeze
كَبَسَ : خَلَّلَ	to pickle
كَبَّسَ : دَلَكَ	to massage
كَبْسُولَة : بِرْشامَةٌ طِبِّيَّة	capsule, cachet
كَبْسُولَة : إِبْزِيم	snap fastener
كَبْش، كَبْشُ ضَأْن	ram, male sheep
كَبْشُ الجِبالِ الصَّخْرِيَّة	bighorn
كَبْشُ الجَبَل	mountain sheep
كَبْش قَرَنْفُل	clove(s)
كَبْشُ الفِداءِ أو المَحْرَقَة	scapegoat
كَبَلَ، كَبَّلَ : قَيَّدَ	to shackle, fetter, (en)chain, (hand)cuff
كَبْوَة	stumble, trip, slip, misstep
كَبِير	great, big, large, sizable, enormous, tremendous, king-size,

huge; senior (official, etc.)

كَبِير (السِّنّ) old, aged, advanced in years; grown-up, adult

كَبِيرَة : إِثْمٌ كَبِير great sin

كَبِيس : مُخَلَّل، كامِخ pickles

سَنَةٌ كَبِيسَة leap year, bissextile

كِتاب : سِفْر، مُؤَلَّف book

الكِتاب، كِتابُ اللهِ العَزِيز the (Holy) Koran

كِتاب : رِسالَة letter, note, message

كِتابٌ سَنَوِيّ yearbook

كِتابٌ مُقَرَّر textbook

الكِتابُ المُقَدَّس the (Holy) Bible

كِتابَة writing; script, inscription; handwriting

كِتابِيّ written, in writing, on paper

كَتّان flax, linen

بِزْرُ الكَتّان linseed, flaxseed

كَتَبَ : حَرَّرَ، أَلَّفَ to write, pen, write down; to compose, draw up, draft

كَتَبَ اللهُ (عَلَيْهِ) to predestine (to)

كَتَّبَ : جَعَلَهُ يَكْتُب to make write

كُتُبِيّ : بائِعُ كُتُب bookseller, bookman

كَتَفَ، كَتَّفَ to tie the hands (behind the back); to bind, tie (up)

كَتِف، كَتْف، كِتْف : عاتِق shoulder

كَتْكُوت : صُوص chick, young chicken

كَتَّلَ to agglomerate, conglomerate, ball, lump, mass

كُتْلَة lump, chunk; mass, bulk; block; agglomerate, conglomeration

كُتْلَة (سِياسِيَّة) : جَبْهَة bloc, front

كُتْلَةٌ ضاغِطَة pressure group, lobby

كَتَمَ : أَخْفَى، أَضْمَرَ to hide, conceal, keep secret, harbor

كَتَمَ السِّرَّ : حَفِظَهُ to keep a secret

كَتَمَ الصَّوْتَ to muffle

كَتُوم : مُتَكَتِّم reticent, reserved, secretive, close, taciturn, discreet

كُتَيِّب : كُرّاس booklet, pamphlet; handbook, manual

كَتِيبَة (عَسْكَرِيَّة) battalion; detachment; phalanx

كَثّ : كَثِيف bushy, thick, dense

كَثافَة density, thickness, heaviness; intensity; consistency

كَثَب : قُرْب nearness, closeness

عَنْ (مِنْ) كَثَب from (or at) a short distance, closely

كَثُرَ to increase, grow, multiply; to abound; to be(come) numerous, abundant, plentiful, ample

كَثَّرَ to increase, augment, multiply, proliferate

كَثْرَة large number or quantity, multitude, host, abundance, plenty

كَثَّفَ to condense, concentrate, thicken, inspissate; to intensify

كَثِيب : تَلٌّ مِنَ الرَّمْل dune, sandhill

كَثِير much, many, numerous, abundant, plentiful, copious, ample,

plenty; a lot, a great deal
كثيراً much, very (much), so, extremely, quite; a lot
كثيراً ما often, frequently
بكثير by far, far
كثيراء، كثيراء (نبات) tragacanth
كثيف dense, thick, heavy; concentrated; intense; intensive
كحل kohl; eyeliner
كحلي (لون) navy blue, dark blue
كحول: سبيرتو alcohol, spirits
كحولي alcoholic; spirituous
كدّ: اجتهد، تعب to work (too) hard, exert oneself, toil, labor
كدّ toil, labor, hard work, effort, diligence, industry, perseverance
كدح: كدّ to drudge, toil, work hard
كدّر: جعله كدراً to roil, muddy, muddle; to disturb, trouble, unsettle
كدر، كدر turbid, roily, muddy, cloudy; troubled, disturbed
كدس، كدّس to accumulate, amass, heap up, pile up, stack (up)
كدم: رضّ to bruise, contuse
كدمة: رضّة bruise, contusion
كذّاب - راجع كاذب
كذب: ضدّ صدق to lie, tell a lie
كذب على to lie to, tell someone a lie
كذّب: اتّهم بالكذب to accuse of lying, give the lie to, call a liar
كذّب: أنكر، نفى to deny, disown, disavow, disclaim, gainsay; to disprove, refute, confute
كذب، كذب: مصدر كذب lying
كذب: باطل، زور lie, untruth, falsehood, falsity, falseness
كذبة lie
كذبة نيسان April Fools' joke, April fool
يوم كذبة نيسان April Fools' Day, All Fools' Day
كذلك - راجع ذا
كذوب - راجع كاذب
كرّ على: هاجم to attack, assail
كرّ: تعاقب to pass, elapse; to succeed one another, alternate
كرى: نوم sleep, slumber
كراء: أجرة rent, rental, hire
كرّاث (نبات) leek
كراج: كاراج garage; parking lot, park
كرّاس: كتيّب booklet, pamphlet; brochure; manual, handbook
كرّاس: دفتر notebook, copybook
كرافات: ربطة عنق necktie, tie, cravat
كرامة: شرف dignity; honor; respect
كراميل، كراميلا caramel
كراهة، كراهية - راجع كره، كره
كرب، كربة anguish, agony, suffering, grief, sorrow, distress
كرباج: سوط whip, lash, scourge

كَرْبُون : فَحم — carbon; coal; charcoal
كَرَّة : مَرَّة — time, turn
كَرَّةً : مَرَّةً — once
كُرَة — ball; sphere; globe
الكُرَةُ الأَرْضِيَّة — (terrestrial) globe, earth, world
كُرَةُ ثَلْج — snowball, snow cone
كُرَةُ السَّلَّة — basketball
الكُرَةُ الطَّائِرَة — volleyball
كُرَةُ الطَّاوِلَة — table tennis, ping-pong
كُرَةُ القَدَم — football, soccer
كُرَةُ المَضْرِبِ أو المِضْرَب — tennis
كُرَةُ اليَد — handball
رَمْيُ الكُرَةِ الحَدِيدِيَّة — shot put, putting the shot
كَرْتُون : وَرَقٌ مُقَوًّى — cardboard, pasteboard, paperboard, board
كَرْتُونَة : عُلْبَةُ كَرْتُون — carton
كَرَّرَ : أَعَادَ — to repeat, reiterate, iterate
كَرَّرَ : نَقَّى، صَفَّى — to refine, purify, clarify, filter
كَرَز (نبات) — cherry
كَرَّسَ : خَصَّصَ — to dedicate, consecrate, devote
كَرَّسَ : ثَبَّتَ، رَسَّخَ — to establish, set up; to settle, fix, consolidate
كِرْسَنَّة (نبات) — ervil, lentil vetch
كُرْسِيّ : مَقْعَد — chair; seat
كُرْسِيٌّ بِلَا ظَهْرٍ أو ذِرَاعَيْن — stool
كُرْسِيٌّ ذُو ذِرَاعَيْن — armchair
كُرْسِيٌّ هَزَّاز — rocking chair
كِرْش، كَرْش : بَطْن — potbelly, paunch
كَرَفْس (نبات) — celery
كَرْكَدَنّ، كَرْكَدْن (حيوان) — rhinoceros
كَرْكَدَنُّ البَحْر — narwhal
كَرْكَر : طَائِرٌ بَحْرِيّ — jaeger, skua
كُرْكُم : عُقْدَةٌ صَفْرَاء — turmeric
كَرْكَند : سَرَطَانُ البَحْر — lobster
كُرْكِيّ (طائر) — crane
كَرَّمَ — to honor; to ennoble, exalt, dignify; to entertain, welcome
كَرَم : جُود — generosity, liberality
كَرْم : شَجَرَةُ الكَرْم — vine, grapevine
كَرْم (العِنَب) — vineyard; vinery
كَرْم : بُسْتَان — garden, orchard
كَرْمَى لَك، كَرْمَاناً لَك — for your sake, (specially) for you
كَرْمَة : كَرْم — grapevine, vine; vineplant, vine-stock
كَرَنْب، كُرُنْب : مَلْفُوف (نبات) — cabbage
كَرَنْتِينَا : مَحْجَرٌ صِحِّيّ — quarantine
كَرْنَفَال : مِهْرَجَان — carnival; kermis, fair; festival, fete, gala
كَرِهَ : بَغَضَ — to hate, detest, loathe, abhor, abominate
كَره ـ راجع كَرِيه
كُرْه، كَرْه : بُغْض — hatred, hate, aversion, dislike, distaste, disgust

كُرْهاً unwillingly, reluctantly; forcibly, by force, coercively
كَرَوان (طائر) curlew, stone curlew
كُروم (عنصر) chromium, chrome
كُرَوِيّ (الشَّكْل) globular, globate, global, round, spherical
كَرَوْيا، كَرَوْيَاء (نبات) caraway
كِرِيب فرُوت، كرِيفُون (نبات) grapefruit
كرِيَكِيت (لعبة) cricket
كَرِيم : سَخِيّ generous, liberal, openhanded, freehanded, munificent, bountiful; hospitable
كَرِيم : طَيِّبُ الخُلُق kind, kindly, obliging, good-natured, gracious
كَرِيم : شَرِيف، نَبِيل noble
كَرِيم : مُحْتَرَم respectable, honorable, decent
كَرِيمُ المَحْتِدِ أو الأَصْل wellborn, highborn, highbred; pureblood
حَجَرٌ كَرِيم precious stone, gem, jewel
القُرْآنُ الكَرِيم the Holy Koran
كَرِيمَة : اِبْنَة daughter
كَرِيه : بَغِيض unpleasant, disagreeable, offensive, repulsive, abhorrent, hateful, detestable
كُزاز [طب] tetanus; lockjaw
كُزْبَرَة، كُزْبُرَة (نبات) coriander
كَسَا : أَلْبَسَ to clothe, dress, garb, robe; to cover; to overlay, coat
كِساء : لِبَاس garment, dress, robe

كَسَاد depression, recession, slump, stagnation; unsalability
كَسَّارَة (الجَوْز إلخ) (nut)cracker
كَسَبَ : رَبِحَ ، نالَ to gain, win, profit, earn, get, obtain, acquire
كَسَّبَ ـ راجع أَكْسَبَ
كَسْب : رِبْح gain, profit, winning(s)
كَسْتَك (السَّاعَةِ) watchband, watch strap, watch bracelet
كَسْتَلاتَه، كَسْتَلِيتَه cutlet, chop
كَسْتَنَاء (نبات) chestnut; marron
كَسَدَ to be unsalable, remain unsold; to be stagnant, dull, inactive
كَسُدَ ـ راجع كَسَدَ
كَسَرَ، كَسَّرَ to break, fracture, shatter, smash, crash, crush, break into pieces, break up
كَسَرَ : هَزَمَ to defeat, vanquish, rout
كَسْر (ج كُسُور) fracture; break; crack
كَسْر [رياضيات] fraction
كِسْرَة fragment, fraction, scrap, bit, crumb, morsel
كَسَفَ : حَجَبَ to eclipse
كَسَفَتِ الشَّمْسُ to be eclipsed
كَسِلَ to be lazy, idle, sluggish, slothful; to idle, loaf, slacken
كَسَل laziness, sluggishness, idleness, inactivity, indolence
كَسِل، كَسْلان ـ راجع كَسُول
كَسْلان (حيوان) sloth

كُسْوَة، كِسْوَة : لِبَاس clothing, clothes, apparel, attire
كُسُوف [فلك] eclipse, solar eclipse
كَسُول lazy, sluggish, slothful, indolent, idle, inactive, dull, languid
كَسِيح crippled; lame; paralyzed, palsied; rickety, rachitic; cripple
كَشَّاف (ج كَشَّافَة) (boy) scout
كَشَّاف : فِهْرِس index
(ضَوْء) كَشَّاف searchlight; spotlight
كُشْتُبَان thimble
كَشَرَ، كَشَّرَ to grin; to grimace; to bare or show one's teeth
كَشَطَ to scrape off, scratch off, rub off, abrade, graze
كَشَفَ to uncover, unearth, disclose, reveal, unveil, make known or public; to discover, find out
كَشَفَ البَخْتَ to tell fortunes
كَشَفَ عَلَيْهِ طِبِّيًّا to examine medically or physically
كَشْف : بَيَان، قَائِمَة list, roll, roster, register; table; statement
كُشُوف : اِكْتِشَافَات discoveries
كَشْفُ حِسَاب statement (of account)
كَشْف طِبِّيّ medical examination, checkup
كَشْفِيّ : خاصّ بالكَشَّافَة scout-, scouting
كُشْك، كِشْك (لِبَيْعِ السِّلَع) kiosk; booth, stand, stall; box
كِشْمِش (نبات) currant(s), sultana(s)

كَظَمَ : كَبَتَ to suppress, repress, inhibit, keep (back), contain
كَعَّبَ (الشَّكْلَ أو العَدَدَ) to cube
كَعْب : عَقِب (القَدَم) heel
كَعْب : أَسْفَل foot, bottom, tail, end, lower part
الكَعْبَة : البَيْتُ الحَرَام the Kaaba
كَعْك، كَعْكَة cake(s)
كَفَّ عن : أَحْجَمَ to refrain from, abstain from, desist from, stop, quit, discontinue, give up
كُفَّ بَصَرُهُ : عَمِيَ to be(come) blind, lose one's sight
كَفّ : راحَةُ اليَد palm of the hand
كَفّ : يَد hand
كَفَى : كانَ كافِياً to suffice; to be enough, sufficient; to last
كَفَاهُ الشَّيْءُ ـ راجع اِكْتَفَى بِـ
كَفَى : وَفَّرَ على to save, spare
كُفُؤ، كُفْء (well) qualified, capable; fit, adequate
كَفَاءَة qualification, capability, ability, capacity; competence; fitness, adequacy; worth(iness), merit
كِفَاح struggle, contention, strife; struggling; fight(ing)
كَفَّارَة penance, atonement
كَفَالَة bail; guaranty, guarantee, warrant(y), security; bond
سَنَدُ كَفَالَة bail bond, bond, bill
كِفَايَة : ما يَكْفِي sufficiency; adequacy

كِفَايَة : كَفَاءَة ـ راجع كَفَاءَة
ما فِيهِ الكِفَايَة sufficiently, enough
كِفَّة، كَفَّة (المِيزانِ) scale, pan
كَفَرَ (باللّٰهِ) to disbelieve (in God); to be an unbeliever or atheist
كَفَرَ بالنِّعْمَة to be ungrateful (for)
كَفَّرَ عن to expiate, atone for, do penance for, make amends for
كُفْر، كُفْران unbelief, disbelief, infidelity, atheism, irreligion
كَفْكَفَ الدَّمْعَ to wipe off the tears
كَفَلَ : ضَمِنَ to guarantee, warrant, ensure, secure, sponsor
كَفَلَ : أَعَالَ to support, maintain
كَفُلَ، كَفِلَ : ضَمِنَ ـ راجع كَفَلَ
كَفَل : عَجُز، رِدْف rump, buttocks
كَفَنَ، كَفَّنَ to shroud, enshroud
كَفَن shroud, winding-sheet; grave-clothes, cerements
كُفُو، كَفُوء، كُفُوء ـ راجع كُفْؤ
كَفُور ـ راجع كافِر
كَفِيف : أَعْمَى blind
كَفِيل bail(sman), surety, security, sponsor, warrantor, guarantor
كَلَّ to be(come) tired, fatigued, exhausted; to be(come) dull, feeble
كُلّ : جَمِيع all, all of, the whole of; each, every; whole, entire
كُلّ every, in each, once, (in) a
كُلُّهُم all of them
كُلُّ شَخْص everybody, everyone, every person, all
كُلُّ شَيْء everything, every thing
في كُلِّ مَكان everywhere
كَكُلّ as a whole, altogether, on the whole, in general
لِكُلّ per, for each, for every
كَلأ : عُشْب grass, herbage, pasture
كَلَّا no! never! not at all!
كِلا both (of), the two
كُلَّاب hook, grapnel, grapple, grab; dog; clamp, cramp
كلاسِيكِيّ classic(al); classicist
كَلَام talk, speech; talking, speaking; conversation
كَلَامٌ فارِغ nonsense, balderdash, rigmarole, prattle, idle talk
كَلَامِيّ verbal; oral; spoken
كَلَب (مرض) rabies, hydrophobia, madness
كَلِب : مُصابٌ بِداءِ الكَلَب rabid, hydrophic, mad
كَلْب (حيوان) dog, hound, canine
كَلْبُ البَحْر (سمك) shark; dogfish
كَلْبٌ بُولِيسِيّ police dog
كَلْبٌ سَلُوقِيّ saluki, greyhound
كَلْبُ صَيْد hound, hunting dog
كَلْبُ الماء : قُضَاعَة otter
كَلْبَة : أُنثَى الكَلْب bitch, female dog
كُلَّة : بِلْيَة، كُرَةٌ صَغِيرَة marble; taw

كِلَّة : نامُوسِيَّة mosquito net
كِلْتا both (of), the two
كِلْس : جِير lime
كَلْسات socks; stockings; hoses
كِلْسِيّ calcic, calcareous, limy, lime
كَلْسِيوم : عُنْصُرٌ فِلِزِّيّ calcium
كَلَّفَ بـِ : طَلَبَ إلى to ask (to do something), charge (with), instruct
كَلَّفَ (كذا) : كانَتْ نَفَقَتُهُ كَذا to cost
كَلَّفَ نَفْسَهُ (عَنَاءَ كَذا) to bother to, trouble to, take the trouble of
مَهْما كَلَّفَ الأمْرُ at any cost, at any price; by all means
كَلَف : نَمَش freckles
كُلْفَة : نَفَقَة cost, charge, expense
كُلْفَةُ المَعِيشَة cost of living
سِعْرُ الكُلْفَة cost price
كَلَّلَ : تَوَّجَ to crown
كَلَّلَ بِالغار to laurel, (en)wreathe
كَلَّلَ العَرُوسَيْن to marry, wed
كَلَّمَ : حَدَّثَ to speak to (or with), talk to (or with), converse with
كُلَّما whenever
كُلَّما . . . the more.., the more..
كَلِمَة : لَفْظَة word; term
كَلِمَة : خِطاب speech, address
كَلِمَة : رَأْي say; opinion, view
كَلِمَةُ السِّرّ password, watchword
كَلِماتٌ مُتَقاطِعَة crossword puzzle
بِكَلِمَة in a word, in a few words, in short, to sum up, briefly, in brief
بِكَلِمَةٍ أُخْرَى in other words
كَلَمَنْتِينا (نبات) calamondin
كُلْوَة : كُلْيَة [تشريح] kidney
كُلُور : عُنْصُرٌ غازِيّ chlorine
كُلُوروفِيل : يَخْضُور chlorophyll
كُلِّيّ total, entire, complete, full, whole, overall, general; comprehensive, thorough
كُلِّيَّة : مَدْرَسَة جامِعِيَّة school, faculty; college; academy
كُلْيَة : كُلْوَة [تشريح] kidney
كَلِيل : مُتْعَب tired, fatigued, exhausted; weak, feeble; dim, dull
كَمَّ : كَمَّمَ فَمَهُ to muzzle
كَمّ : مِقْدار، كَمِّيَّة quantity, amount
كَمّاً ونَوْعاً quantitatively and qualitatively
كَمْ؟ how many? how much?
بِكَمْ؟ (for) how much? how much (is it?, does it cost?, etc.)
كُمّ : رُدْن sleeve
كَما : مِثْل as, just as, like; the way..
كَما لَوْ as if, as though; like
كَما يَلي as follows; like this
كَمْء، كَمْأة (نبات) truffle(s)
كِمَادَة [طب] compress, pack, poultice

كَمّاشَة [ميكانيكا] pincers, nippers
كَمال : تَمام perfection; completeness, wholeness, fullness
كَمالِيّ luxury, luxurious
كَمالِيّات luxuries, articles of luxury; nonessentials
كِمامَة، كِمام (لِفَم الحَيوانِ) muzzle
كِمامَة (التَّنَفُّسِ) mask; respirator
كَمان : كَمَنْجَة violin, fiddle
كِمْبِيالَة bill (of exchange), draft, promissory note
كُمْبيوتر : عَقلٌ إلِكتُرونِيّ computer
كُمَّثْرَى (نبات) pear(s)
كَمَد : غَمّ sadness, gloom(iness)
كَمَر : حِزام، زُنّار belt
كَمُلَ، كَمِلَ : تَمَّ to be(come) complete, full, whole, entire, total, perfect; to be completed
كَمَّلَ ـ راجع أَكْمَلَ
كَمَّمَ : كَمَّ فَمَهُ to muzzle
كَمَنَ (في) to hide, be hidden; to lie in, be in, exist in
كَمَنَ لِـ to ambush, ambuscade, waylay, lurk, lie in wait for
كَمِنَ ـ راجع كَمَنَ
كَمَنْجَة : كَمان violin, fiddle
كَمّون (نبات) cumin
كَمِّيّ : مَنْسوبٌ إلى الكَمّ quantitative
كَمِّيَّة : مِقْدار quantity, amount, size, volume, deal, number
كَمِين : مَكْمَن، فَخّ ambush, ambuscade, trap, snare
كَمْيُون : شاحِنَة truck, camion, lorry
كَنَّى (بِـ) : لَقَّبَ to surname; to nickname; to call, denominate
كَنارِيّ (طائر) canary
كَنّاس : زَبّال (street) sweeper, street cleaner, garbage collector
كُناسَة ـ راجع مِكْنَسَة
كِنانَة : جَعْبَة quiver (for arrows)
كِنايَة [لغة] metonymy
كِنايَة عن is, equivalent to
كُنْباث (نبات) horsetail
كَنَبَة، كَنَبايَة : مَقْعَد settee, sofa, couch
كَنَّة : زَوْجَةُ الابْن daughter-in-law
كِنْتال : قِنطار quintal, hundredweight
كَنْجَرُو (حيوان) kangaroo
كَنَزَ : كَدَّسَ to hoard, amass, accumulate, pile up, collect, gather
كَنْز (ج كُنُوز) treasure
كَنْزَة (صُوفِيَّة) sweater, jumper, pullover
كَنَسَ، كَنَّسَ to sweep, broom, scavenge; to vacuum, vacuum-clean
كَنَسِيّ ecclesiastic(al); church(ly)
كَنْغَر، كَنْغَرُو (حيوان) kangaroo
كَنَف : جانِب، جَناح side; wing
كُنْه : جَوْهَر essence, substance, true nature; core, pith, gist

كُنْيَة ، كِنْيَة : لَقَب surname, agnomen, cognomen, epithet, nickname

كَنِيس : مَعْبَدُ اليَهُود synagogue

كَنِيسَة : مَعْبَدُ النَّصَارَى church; chapel

كَهْرَبَ (شيئاً أو شخصاً) to electrify

كَهْرَباء electricity, power

كَهْرَبائِيّ electric, electrical, electr(o)

(اختِصاصيّ) كَهْرَبائِيّ electrician

كَهْرَمان amber

كَهْرَمانٌ أَسْوَد jet

كَهْف : مَغَارَة cave, grotto, cavern

كَهْل middle-aged; elderly, old

كَهَنُوت priesthood

رِجَالُ الكَهَنُوت the clergy

كَوَى (المَلابِسَ) to iron, press

كَوَى : داوَى بِالكَيّ to cauterize, burn

كَوَّاء ironer; laundryman; launderer

كُوَّارَة ، كُوارَة : قَفِير beehive, hive

كوارْتز : مَرْو quartz

كَوَالِيس coulisse, side scene, backstage area; corridor, lobby

وَرَاءَ (أو خَلْفَ) الكَوَالِيس behind the scenes, backstage

كُوب : قَدَح (drinking) glass, cup

كُوبُ الشاي teacup

كُوبَة ، كُوبَّة (في وَرَقِ اللَّعِب) hearts

كُوبْرِي : جِسْر bridge

كُوبُون : قَسِيمَة coupon

كُوَّة opening; skylight

كُوتْشِينَة playing cards, deck, pack

كُوخ hut, cottage, shanty, shack

كَوَّرَ to roll, ball, conglobate

كُورَس ، كُورْس chorus; choir

كُورْنِيش : طَرِيق (ساحِلِيّ) corniche, (coast) road, highway

كُورْنِيش : إفْرِيز cornice, ledge

كُوز : إناءٌ كالإبْرِيق tankard; jug; ewer

كُوزُ الذُّرَة corncob, cob, ear

كُوزُ الصَّنَوْبَر إلخ pinecone, cone

كُوسا ، كُوسَى (نبات) zucchini, vegetable marrow

كُوع : مِرْفَق elbow

كُوفِيَّة : مِنْدِيلٌ يُلَفُّ بِهِ الرَّأْسُ kaffieh

كَوْكَب : نَجْم star

كَوْكَبٌ سَيَّار planet

كَوْكَبَة (نُجوم) constellation

كَوْكَبَة : جَمَاعَة group, troop, party

كَوْكَبَة (عَسْكَرِيَّة) section, squadron

كُوكْتِيل cocktail

كُولُونِيَا (eau de) cologne

كُولُونِيل : عَقِيد ، زَعِيم colonel

كُولِيرا (مرض) cholera

كَوَّمَ : كَدَّسَ to heap (up), pile up, stack (up), amass, accumulate

كُومْبِيُوتِر : عَقْلٌ إلِكْتْرُونِيّ computer

كَوْمَة ، كُومَة heap, pile, stack; pack

كُومِيدِيّ : مُضْحِك comic(al), comedic
(مُمَثِّل) كُومِيدِيّ comedian, comic
كُومِيدِيَا : مَلْهاة comedy
كَوَّنَ to form, create, make, build, produce; to establish, set up; to constitute, make up
كَوْن : مَصْدَر كانَ being; existence
كَوْن : عالَم cosmos, universe; world
لِكَوْنِهِ (كَذَا) because (of), for, due to, owing to, since, as
كُونْت (لقب) count
كُونْسِرفاتْوار conservatory
كُونْسِرْوَة conserves, preserves
كَوْنِيّ cosmic, universal
الكُوَيْت Kuwait
كُوَيْتِيّ Kuwaiti
كَيْ، لِكَيْ، كَيْمَا، لِكَيْمَا sa that, in order to, to, so (as), for
كَيْ لا، كَيْلا، لِكَيْ لا، لِكَيْلا lest, in order not to, so as not to
كِيَاسَة courtesy, politeness; decorum; wit, wittiness, charm
كِيَان entity; being; structure; essence; nature; existence
كَيْد cunning, craftiness, slyness, double-dealing, deception
كَيِّس courteous, civil, polite, tactful; nice, witty, charming
كِيس : جِرَاب bag; sack; pouch
كَيَّفَ to adapt, adjust, accommodate, condition, fit
كَيَّفَ الهَوَاءَ to air-condition
كَيْف ـ راجع كَيْفِيَّة
كَيْفَ؟ how? in what way?
كَيْفَمَا hoewever, no matter how
كَيْفَمَا اتَّفَق haphazard(ly), at random, random(ly), hit or miss
كَيْفِيّ : تَعَسُّفِيّ arbitrary, dictatorial
كَيْفِيَّة manner, mode, fashion; way, method; quality; condition
كَيَّلَ : كالَ to measure; to weigh
كَيْل : صاع measure; dry measure
كَيْلا ـ راجع كَيْ لا
كِيلُو، كِيلُوغْرام kilogram, kilo
كِيلُومِتْر kilometer, kilo
كِيمِيَاء، عِلْمُ الكِيمِيَاء chemistry
كِيمِيَائِيّ chemical, chem-, chemo
كِيمِيَائِيّ : عالِمٌ بالكِيمِيَاء chemist
كِينَا (نبات) cinchona
كَيْنُونَة being; existence; isism
كِيوِي (نبات) kiwifruit, kiwi

لِـ : كَيْ to, so that, in order that, in order to, so as, for

لَهُم : مِلْكُهُم ، خاصَّتُهُم theirs

لي : مِلْكِي ، خاصَّتي mine

لا no!; not; don't; non-, un-

لا أَحَد nobody, no one, none

لا إِلهَ إِلاَّ اللهُ there is no god but God

لا سِيَّما especially, particularly, in particular, specially

لا شَيْء nothing; none; naught, nil

ولا nor.., .. either; not even

لا هَذا ولا ذاك neither this nor that

لائِحَة : قائِمَة list, rostèr, register, table, schedule; index

لائِحَةُ أَسْعار price list

لائِحَةٌ سَوْداء blacklist

لائِحَةُ الطَّعام menu, bill of fare

لاأَخلاقِيّ immoral, unethical, wrong

لاإِرادِيّ involuntary; reflex

لائِق fit, suitable, appropriate, fitting, seemly, proper, decent

لاءَمَ : ناسَبَ to suit, fit, agree with; to be suitable for, fit for, convenient for; to be in harmony with, in conformity with

لاءَمَ (بَيْنَهُما) to harmonize, reconcile, tune, match, suit

لا بُدَّ ـ راجع بُدّ

لابِس : مُرْتَدٍ wearing, dressed

لاتيني Latin

لاجِئ refugee

لأَجْلِ ـ راجع أَجْل

لاحَ : بَدا to loom, appear; to seem

لاحَظَ to observe, notice, note, realize, recognize; to see

لاحَقَ to follow (up); to pursue, chase, run after, track, trace

لاحِق : تالٍ subsequent, following, next, coming; later, future

لاحِم carnivorous; carnivore

لاذَ بِـ : اِلْتَجَأَ إلى to resort to

لاذَ بِـ : اِلْتَزَمَ ، لَزِمَ to maintain

لاذِع burning; hot; pungent, acrid,

لاذِع biting, sharp, bitter, cutting
لازر : لِيزِر [فيزياء] laser
لازَمَ to accompany, attend; to stay with; to remain at, stay at
لازِم : ضَرُورِيّ necessary, (pre)requisite, indispensable, essential, required, obligatory, mandatory
لَوازِم necessaries, needs, necessities, (pre)requisites, requirements
لازَوَرْد lapis lazuli; azurite
لازَوَرْدِيّ azure, sky-blue
لاسِع stinging, prickly; sharp, biting, pungent; waspish, snappish
لاسِلْكِيّ wireless, radio
جِهازٌ لاسِلْكِيّ wireless set, radio (set), walkie-talkie
لا سِيَّمَا ـ راجع لا
لاشَى : بَدَّدَ to scatter, disperse, dispel
لاشَرْعِيّ illegitimate, illegal, unlawful, illicit, outlawed
لاشُعُورِيّ unconscious; unintentional, inadvertent
لاصَقَ : تاخَمَ to adjoin, border on, touch, neighbor, be adjacent to
لاصِق : مُلْصِق adhesive, cohesive
لاطَفَ to treat with kindness, be nice to(ward); to flatter
لاعَبَ to play with; to jest with
لاعِب player; athlete, sportsman
لاغٍ (اللاَّغِي) null, void, invalid, inoperative; canceled, annulled
لافِت (لِلنَّظَر) eye-catching, striking, remarkable, noticeable
لافِتَة sign; signboard; billboard
لافَقارِيّ invertebrate, spineless
لاقَ بِـ to befit, be proper for; to fit, suit, be suitable to, be fit for
لاقَى : واجَهَ to meet (with), encounter; to come across, run across; to find; to experience, pass through
لاقَى : إِسْتَقْبَلَ to receive; to meet
لاكَمَ to box (with), fight (with)
لِئَلاَّ : لِكَيْ لا lest, in order not to, so as not to
لُؤْلُؤ، لُؤْلُؤَة pearl(s)
لُؤْلُوِيَّة، لُؤْلُئِيَّة (نبات) marguerite
لأَمَ : ضَمَّدَ to dress, bandage, bind up
لأَمَ : أَصْلَحَ to repair, mend
لامَ to blame, reproach, twit
لاما (حيوان) lama
لامُبالٍ (اللاَّمُبالِي) indifferent, nonchalant, uninterested, careless
لامُبالاة indifference, unconcern, disinterest, carelessness
لامُتَناهٍ (اللاَّمُتَناهِي) infinite, unlimited
لامَسَ : تاخَمَ to be in touch with, be in contact with, touch
لامِع shining, glittering, glistening, flashing, sparkling, bright, radiant, brilliant; glossy, shiny
لانَ to be(come) soft, tender, flexi-

ble; to soften, relent, yield

لَئِنْ indeed if

لِأَنَّ because, for; since, as, inasmuch as; due to, owing to

لانْش : زَوْرَق launch, motorboat

لانِهَايَة، اللانِهَايَة infinity

لاهُوت theology, divinity

لاهُوتِيّ theological

لاوَاعٍ (اللاواعِي) unconscious

العَقْلُ اللاواعِي the unconscious

لَئِيم mean, ignoble, base, low(ly), vile, sordid, evil, wicked

لُبّ : جَوْهَر marrow, core, pith, gist, heart; essence

لُبّ : عَقْل mind, intellect, reason

لُبّ : قَلْب heart

لُبّ (الثَّمَرَة) kernel(s), core; pulp, pith, flesh

لَبَّى to comply with, grant, fulfill, consent to, assent to, accept

لُبَاب ـ راجع لُبّ

لَبُؤَة : أُنْثَى الأَسَد lioness

لَبَّاد، لِبَاد : لِبْد felt

لِبَادَة : حَشِيَّة pad

لِبَاس : ثَوْب dress, robe, garment, gown, attire, clothing, clothes; suit, costume; wear

أَلْبِسَة clothes, clothing, apparel, attire, garments; wear

أَلْبِسَةٌ داخِلِيَّة underwear

لِبَاسٌ رَسْمِيّ full dress; uniform

لَبَاقَة tact(fulness), diplomacy

لُبَان : بَخُور frankincense, olibanum

لِبَان : عِلْكَة chewing gum, gum

لَبِثَ بِـ : مَكَثَ to stay in, remain in

ما لَبِثَ أَنْ soon he.., before long he.., in no time he..

لَبَّدَ الصُّوفَ أو الشَّعْرَ to felt; to mat

لِبْد : لَبَّاد felt

لُبْدَة، لِبْدَة (الأَسَد) mane (of a lion)

لَبِسَ : اِرْتَدَى to wear; to dress, put on one's clothes, get dressed

لَبَّسَ : كَسَا to dress, clothe, garb; to cover; to coat, plate

لَبْس، لُبْس: اِلْتِبَاس ـ راجع اِلْتِبَاس

لِبْس ـ راجع لِبَاس

لَبَطَ (بِرِجْلِهِ) : رَفَسَ to kick

لَبِق tactful, diplomatic, suave

لَبْلاب (نبات) ivy; lablab; bine

لَبَن : حَلِيبٌ رائِب yogurt, yoghurt; leben

لَبَن : حَلِيب milk

أَلْبَان dairy products, milk products

لَبِن، لِبْن : طُوب adobe(s), brick(s)

لُبْنَان Lebanon

لُبْنَانِيّ Lebanese

لَبِنَة : طُوبَة adobe, brick

لَبُوَة : أُنْثَى الأَسَد lioness

لَبُوس : تَحْمِيلَة suppository

لَبُون، لَبُونَة : حَلُوب milk, milch, giving milk; milker
حَيَوانٌ لَبُون mammal
لَبِيب intelligent, rational, reasonable, prudent, wise, judicious
لِتر : لِيتر liter
لِثام : حِجَاب، خِمَار، نِقَاب veil
لِثَة [تشريح] gum(s), gingiva
لَثِغَ (في نُطْقِهِ) to lisp
لَثَمَ : قَبَّلَ to kiss
لَثَّمَ (الوَجْهَ) to veil (the face)
لَجَّ على : أَلَحَّ to insist on; to press
لَجَأَ إلى to resort to, turn to, take refuge or shelter in or with
لِجَام (الفَرَسِ إلخ) bridle, rein(s)
لَجَمَ : كَبَحَ to bridle, rein in, restrain, check, hold (back)
لَجْنَة (ج لِجَان) committee, commission, board, panel
لَجْنَةٌ فَرْعِيَّة subcommittee
لَجُوج : مِلْحاح importunate, insistent, insisting
لِحَاء (الشَّجَرِ) bark, bast, cortex
لِحَاف quilt, comforter; cover
لَحَّام : جَزَّار butcher, meatman
لَحْد : قَبْر grave, tomb, sepulcher
لَحِسَ : لَعِقَ to lick; to lick up, lap (up)
لَحَظَ to regard, see; to observe, notice, note, perceive; to take into account or consideration

لَحْظَة : بُرْهَة moment, instant, minute, second, little while
لَحِقَ (بِـ) : أَدْرَكَ to catch up with, overtake, catch, get
لَحِقَ (بِـ) : تَبِعَ to follow, succeed
لَحَمَ، لَحَّمَ (المَعْدِنَ إلخ) to weld, solder; to fuse; to mend
لَحْم (الجَسَدِ أو الأَكْلِ) flesh; meat
لَحْمُ البَقَرِ، لَحْمٌ بَقَرِيّ beef
لَحْمُ الخِنْزِير pork; ham; bacon
لَحْمُ الضَّأْنِ أو الغَنَم mutton
لَحْمُ العِجْل veal
لَحْمَة : قِطْعَةُ لَحْم piece of meat
لُحْمَة (النَّسِيجِ) weft, woof
لُحْمَة : رابِطَة bond, tie, link
لَحْمِيّ : ذُو عَلَاقَةٍ بِاللَّحْم fleshy, meaty
لَحْمِيَّة : زائِدَةٌ أَنْفِيَّة adenoids
لَحَنَ : أَخْطَأَ في الإِعْرَاب to commit grammatical mistakes
لَحَّنَ (مُوسِيقِيًّا) to compose; to melodize, set to melody, set to music
لَحْن (مُوسِيقِيّ) tune, air, melody
لَحْن : خَطَأٌ في الإِعْرَاب solecism, grammatical mistake
لِحْيَة : شَعْرُ الخَدَّيْنِ والذَّقَن beard
لَخَّصَ : إِخْتَصَرَ to summarize, sum up, abstract, brief, digest, abridge, condense, outline
لَدَى : عِنْدَ at, near; on, upon; with

لَدَيَّ : عِنْدِي ، لِي	I have
لَدائِن : بْلاسْتِيك	plastic(s)
لَدَغ : لَسَع	to sting, bite
لَدْن : لَيِّن ، مَرِن	soft, pliant, pliable, ductile, flexible, elastic
لَدُود ، عَدُوٌّ لَدُود	mortal enemy, bitter enemy, archenemy
لَذَّ : كانَ لَذِيذاً	to be delicious
لِذا ـ راجع ذا	
لَذَّة : مُتْعَة	pleasure, delight
لَذَع	to burn; to bite, sting
لِذلِكَ ـ راجع ذا	
لَذِيذ	delicious, tasty, tasteful, savory, good; pleasant, nice; sweet
لَزِج	sticky, gluey, glutinous
لَزِمَ : لَمْ يُفارِقْهُ	to keep to, stay at, remain at; to stick to, adhere to
لَزِمَ : كانَ ضَرُورِيًّا	to be necessary
لَزِمَهُ كَذا : اِحْتاجَ إلى	to require, need, be in need of, call for
لَزِمَ الصَّمْتَ	to keep silent, maintain silence
إذا لَزِمَ الأَمْرُ	if need be, in case of need, if necessary
لُزُوم : حاجَة	need, necessity
عِنْدَ اللُّزُوم ـ راجع إذا لَزِمَ الأَمْرُ	
لِسان (الفَم) (وكُلُّ ما يُشْبِهُهُ)	tongue
لِسان : لُغَة	language, tongue
لِسانُ الثَّوْر (نبات)	borage, bugloss, oxtongue, alkanet, anchusa
لِسانُ الحَمَل (نبات)	plantain
لَسَعَ : لَدَغَ	to sting, bite
لَسْعَة	sting, bite
لِصّ : سارِق	thief, robber, burglar
لَصِقَ بِـ ـ راجع اِلْتَصَقَ بِـ	
لَصْقَة : لَزْقَة	plaster
لُصُوصِيَّة : سَرِقَة	robbery, thievery, theft, larceny; burglary
لَطافَة ـ راجع لُطْف	
لَطَّخَ ، لَطَخَ	to stain, blot, spot, blotch, soil, (be)smear, tarnish
لَطْخَة : بُقْعَة	stain, blot, spot, blotch, smear, tarnish
لَطُفَ بِـ	to be kind to, gracious to
لَطَّفَ	to soften, lighten, mitigate, mollify, alleviate, ease, soothe, allay, assuage, moderate
لُطْف	kindness, friendliness, amiability, geniality; gentleness, tenderness; fineness, delicateness
لُطْف (مِنَ الله)	God's mercy
لُطْفاً	kindly! please!
لَطَمَ	to slap, cuff, buffet; to hit
لَطْمَة	slap, cuff, buffet, blow
لَطِيف	kind, nice, friendly, amiable, affable, genial; gentle, tender, light, mild; pleasant, charming, sweet; fine, delicate
لَطِيم : يَتِيمُ الأَبَوَيْن	parentless, orphan
لُعاب : رُضاب ، رِيق	saliva, spittle

لَعِبَ : لَهَا — to play, toy, trifle, dally

لَعِبَ (على آلَةٍ مُوسِيقِيَّة) — to play, play on (a musical instrument)

لَعِبَ دَوْراً — to play a role or part

لَعَّبَ — to make play, cause to play

لَعِبَ، لِعْب — play; playing; game; sport, fun, amusement

الألْعابُ الأولِمْبِيَّة — Olympic Games, Olympics, Olympiad

ألْعابٌ رِياضِيَّة — athletics, sports

ألْعابُ القُوَى — track and field

ألْعابٌ نارِيَّة — fireworks

لُعْبَة : مُبَارَاة — game

لُعْبَة : ما يُلْعَبُ به — toy, plaything

لُعْبَة : دُمْيَةٌ لِلأوْلاد — doll; dummy

لَعِقَ : لَحِسَ — to lick; to lick up, lap (up)

لَعَلَّ : عَلَّ — perhaps, maybe

لَعْلَعَ : دَوَّى — to resound, reverberate; to boom, peal, ring out

لَعَنَ — to curse, damn, execrate

لَعْنَة — curse, imprecation, execration, malediction, anathema

لَعُوب — playful, dallying, gamesome, frolicsome; coquettish

لَعِين — cursed, damned, evil, wicked

لُغَة : لِسَان — language, tongue

لُغْز : أُحْجِيَّة — riddle, puzzle, enigma, conundrum, mystery

لَغَّمَ — to mine; to booby-trap

لُغْم (ج ألْغام) — mine; torpedo

لَغْو — nonsense; chatter, chat

لُغَوِيّ : مُتَعَلِّقٌ باللُّغَة — linguistic, lingual

(عالِمٌ) لُغَوِيّ — linguist, lexicologist

لَفَّ : غَلَّفَ، طَوَى — to wrap (up), envelop, cover, enfold; to roll up; to wind, coil, reel, curl

لَفَّ : دارَ — to whirl, reel, go around, rotate, revolve, turn

لِفَاع — muffler, scarf, babushka

لِفَافَة : رِبَاط — band(age), ligature

لِفَافَة (تَبْغ) — cigarette

لَفَتَ (نَظَرَهُ) إلى — to call or draw someone's attention to, point out to

لِفْت (نبات) — turnip, rape

لَفْتَة — turn; gesture

لَفَحَ : سَفَعَ — to scorch, sear, burn

لَفَظَ : أَخْرَجَ — to eject, emit, expel, throw out; to reject

لَفَظَ (كَلِمَةً) : نَطَقَ — to pronounce, utter, say; to speak, talk

لَفْظ : نُطْق — pronunciation

لَفْظ، لَفْظَة — expression, term, word

لَفْظِيّ — pronunciational; verbal

لَفَقَ : قَطَّبَ، دَرَزَ — to seam, sew, stitch; to whip, whipstitch

لَفَّقَ : إخْتَلَقَ — to fabricate, invent, make up, fake, concoct

لَفْلَفَ (القَضِيَّة) — to cover up, conceal

لَفِيف : جَماعَة، حَشْد — group; crowd, gathering, assembly

لِقاء meeting; encounter; get-together; reunion; interview

لِقاءَ : مُقابِلَ، بَدَلَ in exchange for, in return for, against, for

لَقاح : طُعْم vaccine, inoculum

لَقَّاطَة، لَقَّاطَةُ الكُناسَة dustpan

لَقَّبَ بِـ : كَنَّى to surname; to nickname; to call, designate, dub

لَقَب : كُنْيَة surname, agnomen, cognomen, epithet; nickname

لَقَبٌ عِلْمِيّ، لَقَبُ شَرَف title

لَقَّحَ : أَخْصَبَ to pollinate; to fertilize

لَقَّحَ : طَعَّمَ to inoculate, vaccinate; to inject, give an injection to

لَقَطَ : اِلْتَقَطَ to pick up, take up, gather, collect; to catch

لَقْطَة : صُورَة shot; snap(shot); photograph, photo, picture

لَقْلاق، لَقْلَق (طائر) stork

لَقَّمَ to feed; to spoon-feed

لُقْمَة bite, morsel, bit, mouthful

لَقَّنَ to teach, instruct; to dictate

لَقِيَ ـ راجع لاقَى

لَقِيَ حَتْفَهُ، لَقِيَ مَصْرَعَهُ to die

لَقِيط، طِفْلٌ لَقِيط foundling

لَكَزَ to thrust, jab, poke; to nudge

لَكَمَ to punch, box

لَكْمَة punch, box, a blow with the fist

لَكِنَّ، لَكِنْ but, however, yet, still

لُكْنَة : لَهْجَة accent

لِكَيْ ـ راجع كَيْ

لَمَّ : جَمَعَ to collect, gather

لَمْ : حَرْفُ جَزْم not

لَمْ يَأْكُلْ he did not eat; he has not eaten

لِمَ ـ راجع لِماذا

لَمَّا : عِنْدَما when, as

لَمَّا : حَيْثُ أَنَّ whereas, inasmuch as, since, as, because

لَمَّا : لَمْ، بَعْدُ not, not yet

لِماذا، لِما why? what for?

لَمَّاع : بَرَّاق glossy, lustrous, shiny; shining, sparkling, bright

لِماماً occasionally, rarely, seldom

لَمْبَة : مِصْباحٌ كَهْرَبائِيّ lamp, bulb

لَمَحَ : أَبْصَرَ to glance at; to see, catch sight of, notice

لَمَّحَ إلى : أَشارَ إلى to insinuate, hint at, refer to, suggest, imply

لَمْحَة glance, quick look; general view; brief survey

لَمَسَ : مَسَّ to touch, feel, handle

لَمَسَ : أَحَسَّ to feel, sense, perceive, notice, realize

لَمْس، حاسَّةُ اللَّمْس touch, sense of touch, feeling

لَمْسَة : مَسَّة touch

لَمَعَ to shine, glitter, gleam, beam, flash, sparkle, glow, dazzle

لَمَّعَ to polish, burnish, shine, gloss, luster, buff, brighten (up)

لمعان luster, gloss, sheen, shine; shining, glitter, brightness

لِمَنْ to whom, whose

لن not; never

لَنْ يَصْرُخَ he will not cry, he won't cry, he is not going to cry

لنش : زَوْرَق launch, motorboat

لها : لَعِبَ to play, toy, amuse oneself

لهى : أَلْهى to divert, distract

لهاة [تشريح] uvula; epiglottis

لهب : لَهِيب flame, blaze

لهث، لَهِثَ : اِنْقَطَعَ نَفَسُهُ to pant, gasp, be out of breath

لهجة dialect; language; accent; tone; manner of speaking

لهذا - راجع ذا

لهف، لَهْفَة regret; grief, sorrow; yearning, longing, pining

لهو amusement, entertainment, diversion, fun; play

لهيب : لَهَب flame, blaze

لَو، لَوْ أنَّ if

لَوْلا except for, but for; were it not for, had it not been for

وَلَوْ، وَلَوْ أنَّ، حَتّى لَوْ although, (even) though, even if

لَوى : ثَنى to twist, wrench, wring; to bend, incline, turn

لِواء : عَلَم banner, flag, standard

لِواء : وَحْدَةٌ كَبِيرَةٌ مِنَ الجُنود brigade

لِواء : جِنِرال (major) general

لِواء (في القُوّاتِ البَحْرِيَّة) rear admiral

لِواء : مُقاطَعَة، مُحافَظَة district, county, province

لَوازِم - راجع لازِم

لُوبِيا، لُوبِياء (نبات) cowpea(s); snap bean(s), green bean(s), haricot(s)

لُوتُس (نبات) lotus

لَوَّثَ to pollute, contaminate; to defile, smear, dirty, stain

لَوَّحَ (إلى أو لِـ) : أشارَ to wave, beckon, make a sign or signal

لَوَّحَ (بِسَيْفِهِ، بِسِلاحِهِ إلخ) to brandish, flourish, swing, wave

لَوَّحَ : سَفَعَ to tan; to scorch, sear

لَوْح board; tablet, table; slab; plate, sheet; pane; panel

لَوْحٌ أَسْوَد blackboard

لَوْحُ شُوكُولا أو صابُون bar

لَوْحَة : لَوْح - راجع لَوْح

لَوْحَة : صُورَة painting, tableau, picture, drawing, portrait

لَوْحَة : لافِتَة bulletin board, notice board; signboard; billboard

لَوْحَةٌ زَيْتِيَّة oil painting, oil

لُورْد (لقب) lord

لَوْز، لَوْزَة (نبات) almond

اللَّوْزَتان، لَوْزَتا الحَلْق tonsils

لَوَّعَ : عَذَّبَ to torment, torture

لَوْعَة agony, anguish, pain, torture,

torment, grief, sorrow

لُوغارِتم، لُوغارِتْم — logarithm

لُوف (نبات) — luffa, dishcloth gourd

لَوْلا ـ راجع لَو

لَوْلَب : بِرغِيّ، زُنْبَرك — screw; spiral

لَوْلَبِيّ — spiral, helical, winding

لَوْم، لَوْمَة — blame, reproach, twit, reproof, rebuke, censure

لَوَّنَ — to color, tint, tinge

لَوْن — color; tint, tinge, hue

لَوْن : نَوع، صِنف — kind, sort, type, variety; category, class

لَوِي ـ راجع اِلْتَوَى

لِيَاقَة : كِيَاسَة — decorum, decency, etiquette; courtesy; tact(fulness)

لِيَاقَة : أَهْلِيَّة — competence, capability; worthiness, merit

لِيَاقَة : رَشَاقَة، سَلاَمَة — fitness

لِيبِرالِيّ — liberal

لِيبِيّ — Libyan

لِيبِيَا — Libya

لَيْتَ، يا لَيْتَ — would that! would God! I wish! if only!

لِيتْر : لِتر — liter

لَيْث : أَسَد — lion

لَيْثُ عِفْرِين (حشرة) — ant lion

لِيرَة : عُمْلَة، وَحْدَةٌ نَقْدِيَّة — pound, lira

لِيزر : لازِر [فيزياء] — laser

لَيْسَ — not

لَيْسَ إلاّ، لَيْسَ سِوَى — only, nothing but, just, simply, no more than

لَيْسَ . . فَقَطْ . . بَلْ — not only.. but also

أَلَيْسَ كَذلِك؟ — isn't it so? right?

لِيسانْس — licentiate, license

لِيف، لِيفَة — fiber(s)

لِيفَة (الاستِحْمام) — (bath) sponge

لَيْل : ضِدّ نَهار — night, nighttime

لَيْلاً — at night, by night, nightly

لَيْلَة — night; evening; soiree

اللَّيْلَة، هٰذِهِ اللَّيْلَة — tonight

لَيْلَةَ أَمْس، اللَّيْلَةَ البارِحَة — last night; yesterday evening

لَيْلَةُ المِيلاد — Christmas Eve

لَيْلَج، لَيْلَك (نبات) — lilac, syringa

لَيْلِيّ — nocturnal, nightly, night

لِيمَان : إِصْلاحِيَّة، سِجْن — penitentiary

لَيْمُون (نبات) — lemon; citrus

لَيْمُونٌ حامِض — lemon; lime

لَيْمُونٌ أَفَنْدِيّ — tangerine, manderin

لَيْمُونٌ بُرْتُقال — orange

لَيْمُونَاضَة : شَرَابُ اللَّيْمُون — lemonade

لَيَّنَ : جَعَلَهُ لَيِّناً — to soften, make soft; to make flexible; to moderate, temper, mitigate; to relax

لَيِّن — soft, tender, mellow; loose, lax; flexible, supple, pliable

لِين، لُيُونة — softness, tenderness; laxity, looseness; flexibility; leniency, lenity, mildness, clemency

م

م، ما، ماذا — what?

ما آسْمُك؟ — what is your name?

ما : الَّذِي — what, that, that which

ما (لِلتَعَجُّب) — how..!

ما أَجْمَلَ كَذَا! — how beautiful it is!

ما : مُعَيَّن — some, a certain

شَيْءٌ ما — something

ما : لَمْ — not

ما لَمْ — unless, if not, except if

ماءَ الهِرُّ — to mew, meow, miaow

ماء (ج مِيَاه وأَمْوَاه) — water

ماءُ الزَّهْر — orange-flower water

ماءُ الكُولُونِيَا — (eau de) cologne

مِيَاهٌ مَعْدِنِيَّة — mineral water

ماءُ الوَرْد — rose water

ماءُ الوَجْه — honor; face, dignity

حَفِظَ مَاءَ وَجْهِهِ — to save face

مائة ـ راجع مِئَة

مائِت : مُحْتَضَر — dying, moribund

مائِت : مَيِّت ـ راجع مَيِّت

مُؤَاتٍ (المُؤَاتِي) — favorable, opportune, suitable, appropriate

مائِج — surging, heaving, swelling, rolling, wavy, tumultuous

مائِدَة : طاوِلَة — table; dining table

مائِع — liquid, fluid; deliquescent

مائِل — inclined, slant(ing), oblique, bent; sloping, downhill

مُؤَامَرَة — plot, conspiracy, collusion, intrigue, scheme, cabal

مائِيّ — aquatic; water, watery, aqueous; hydrous; hydraulic

مَآب — retreat, resort, recourse

مُؤَبَّد — eternal, everlasting; endless; lifelong, life, for life

سَجْنٌ مُؤَبَّد — life imprisonment

مات — to die, expire, pass away

مِئَة (١٠٠) — (one) hundred

مِئَةٌ وأَرْبَعَة — one hundred and four

ثَلاثُمِئَة — three hundred

بالمِئَة، في المِئَة — percent, %

عَشَرَةٌ بالمِئَة — ten percent, 10 %

مَأْتَم obsequies, funeral ceremony; memorial gathering

مُؤْتَمَر : اِجْتِماع conference, convention, congress, parley

مُؤْتَمَرٌ صُحُفِيّ press conference, news conference

مُؤْتَمَرُ قِمَّة summit (conference)

ماتِه : شَرابٌ كَالشّاي maté, mate

مُؤَثِّر : فَعّال effective, efficacious, effectual; influential

مُؤَثِّر : مُحَرِّك (لِلْمَشاعِر) moving, touching, pathetic, sentimental, emotional, stirring, exciting

مَأْثُرَة exploit, feat, achievement

ماثَل : شابَهَ to resemble, look like, be like, be similar to

ماجَ to surge, heave, swell (up)

مُؤَجِّر lessor, hirer; landlord

ماجِسْتِير master's degree

ماحَكَ to wrangle with, bicker with

ماحِل barren, sterile, infertile

مَأْخَذ : عَيْب defect, fault, flaw

مَأْخَذ : اِعْتِراضٌ على عَيْب objection, complaint, criticism

مَأْخَذ : قابِسٌ كَهْرَبائِيّ outlet; plug

مُؤَخَّر، مُؤَخَّرَة : قِسْمٌ خَلْفِيّ back, rear (part), hind (part), end

مُؤَخَّراً : أَخِيراً recently, lately

مادَ to swing; to sway

مُؤَدَّى : مَغْزَى sense, meaning

مُؤَدَّب : مُهَذَّب polite, mannerly, well-mannered, civil, courteous

مَأْدُبَة : وَلِيمَة banquet

مادَّة matter; stuff; substance; material; ingredient, constituent

مادَّة (دِراسِيَّة) course, subject

مادَّة : بَنْد، نَصّ article; clause, item

مادَّة : سِلْعَة article, commodity

مادِّيّ material; concrete, tangible; physical; materialistic; materialist

مُؤْذٍ (المُؤْذِي) harmful, injurious, detrimental; annoying, troublesome

ماذا ـ راجع ما

مُؤَذِّن : مَنْ يُؤَذِّن muezzin

مِئْذَنَة minaret (of a mosque)

مَأْذُون authorized; permitted

مَأْذُون (الزَّواج) marriage official

مَأْذُونِيَّة ـ راجع إِذْن

مار (تَسْبِقُ اسْمَ قِدِّيس) Saint

مارّ (ج مارَّة) : ماشٍ passer-by, pedestrian, walker

مَأْرَب purpose, aim, objective; wish, desire; need

مُؤَرَّخ : أُرِّخَ، ذُو تارِيخ dated

مُؤَرِّخ historian, chronicler, annalist

مارِد : عِمْلاق giant

مارَسَ to practice, exercise, pursue, engage in; to carry out

مارِس : آذار March

مارِشال marshal, field marshal

مارْك : عُمْلَةٌ أَلْمانِيَّة mark

ماركَة mark; trademark, brand
مارُونِيّ Maronite
مارِيَة (حيوان) oryx; addax
مازَحَ to joke with, jest with, make fun with, tease, kid
مِئْزَر apron, coverall(s), duster; wrapper; cover(ing)
مَأْزِق impasse, deadlock, stalemate, dilemma, predicament
مازُوت : زَيْتُ الوَقُود gas oil; fuel oil
ماس : أَلْماس diamond
ماسّ : لامِس touching
حاجَةٌ ماسَّة urgent need
مَأْساة : فاجِعَة tragedy, drama
مَأْساوِيّ tragic, catastrophic
ماسَة : أَلْماسَة diamond
ماسِحُ الأَحْذِيَة bootblack, shoeblack
مُؤَسِّس founder, establisher
مُؤَسَّسَة : مُنْشَأَة foundation, establishment, institution, institute, firm
مُؤْسِف sad, regrettable, lamentable, deplorable, unfortunate
ماسُورَة : أُنْبُوب pipe, tube
ماسِيّ : أَلْماسِيّ diamond
ماشٍ (الماشِي) walking, going on foot; pedestrian, walker
(الجُنُودُ) المُشاة infantry (soldiers)
ماشَى ـ راجع تَمَشَّى مَع
مُؤَشِّر indicator, needle, pointer; indication, sign; index
مُؤَشِّرُ أَسْعار price index
ماشِيَة (ج مَواشٍ) livestock, cattle
ماضٍ (الماضِي) : سابِق past; last, previous, prior, earlier
الماضِي : الغابِر the past
الماضِي [لغة] past, past tense
ماضٍ : حادّ، قاطِع sharp, keen, cutting, acute, incisive
الشَّهْرُ الماضِي last month
ماطِر : مُمْطِر rainy, wet
ماطَلَ to procrastinate, stall, temporize, put off, postpone
ماعَ to melt, liquefy, deliquesce
ماعِز (حيوان) goat
ماعِزَة (حيوان) she-goat
مُؤَقَّت temporary, transitory, transition(al), provisional, interim
مُؤَقَّتاً temporarily, provisionally, for the time being
مُؤَكَّد certain, sure, definite, positive; confirmed, affirmed
ماكِر : مَكّار sly, cunning, wily, crafty, artful, foxy, foxlike
مَأْكَل ـ راجع أَكْل
مَأْكُولات food(s), foodstuffs
ماكِياج makeup; cosmetics
ماكِينَة : آلَة machine
مالَ to incline, be inclined
مالَ إلى to incline to, tend to, have

an inclination for; to like

مَآل end, result, consequence

مال : نُقود money

مال : مِلْك property, possessions

مال : ثَرْوَة wealth, fortune

مالأَ to side with, take sides with; to help, aid, support

مالِح salty, salt, saline, briny

مُؤَلَّف مِنْ consisting of, made up of, composed of

مُؤَلَّف : كِتاب book, publication

مُؤَلِّف author, writer, penman; composer, compiler

مالِك owner, proprietor, proprietary, possessor, holder

مالِكُ العَقارِ (المُؤَجِّر) landlord

مالِكُ الحَزِين (طائر) heron

عائِلَةٌ مالِكَة royal family

مُؤْلِم painful, sore; causing pain; agonizing, tormenting

مَأْلوف familiar, customary, usual

مالِيّ financial, monetary; fiscal

مالِيَّة finances; finance

مُؤَمَّم : أُمِّمَ nationalized

مَأْمَن place of safety, safe place; haven, refuge, shelter, sanctuary

مُؤْمِن believer; faithful, believing

ماموث : فِيلٌ مُنْقَرِض mammoth

مَأْمور servant; official, officer

مَأْمورِيَّة mission, job, task, duty

مَأْمون : يُوثَقُ بِه trustworthy, reliable; honest, faithful

مَأْمون : غَيْرُ خَطِر safe, secure

مُؤْنَة ـ راجع مَؤُونَة

مُؤَنَّث [لغة] feminine

مانْجا، مانْجَه، مانْجُو (نبات) mango

مانَعَ to oppose, resist; to object to, make objections to

مانِع : رادِع deterrent, disincentive

مانِع : عائِق hindrance, obstacle

مانِع : اِعْتِراض objection

مانِيكان model, mannequin

ماهِر : حاذِق skilled, skillful, proficient, adroit, adept; clever, smart

مُؤَهَّل (لِـ) qualified for, fit for, suited for; (re)habilitated; eligible, competent, capable, able

مُؤَهِّلات qualifications, abilities, capabilities, merits

مَأْهول : مَسْكُون inhabited, populated

ماهِيَّة : جَوْهَر quiddity, essence, essential nature, substance

مَأْوَى shelter, refuge, resort; dwelling, abode, accommodations

مَأْوَى الأَيْتام orphanage

ماوَرائِيّ metaphysical

مَؤُونَة provisions, supplies, store(s)

مِئَوِيّ : مُتَعَلِّقٌ بِمِئَةِ عام centennial

ذِكْرَى مِئَوِيَّة، عِيدٌ مِئَوِيّ centennial, centenary, 100th anniversary

نِسْبَةٌ مِئَوِيَّة percentage

مايِس، مايُو : أيّار May
مايُوه swimsuit, swimming suit, bathing suit, maillot
مايُونيز mayonnaise
مُباح permissible, permitted, allowable, allowed, lawful, legal, authorized; free, open
مُباحَثة talk, discussion, dialogue; negotiation, deliberation
مُبادَرة initiative; move; action
مُبادَلة exchange; barter
مُباراة contest, match, tournament; game; examination, test
مُبارَزة duel(ing); fencing, swordplay; combat, fight
مُبارَك : مَيْمون blessed; lucky
مُبارَك : عِبارَةٌ لِلتَّهْنِئة congratulations!
مُباشِر direct, immediate
غَيْرُ مُباشِر indirect, circuitous
مُباشَرةً directly, straight(way)
مُباغِت sudden, unexpected
مُبالاة attention, care, heed, notice, concern, interest
مُبالَغة exaggeration, overstatement
مُبْتَدِىء beginner; inexperienced
مُبْتَكَر original, new, novel
مُبْتَكَر (ج مُبْتَكَرات) creation(s), invention(s), innovation(s)
مُبْتَهِج rejoicing, jubilant; happy, glad, delighted
مَبْحُوح ـ راجع أَبَحّ

مَبْحَث : مَوْضوع theme, subject, topic
رَجُل مَباحِث investigator; inspector; detective, secret agent
مَبْدَأ : قاعِدَة principle; rule; precept, maxim, norm, standard
مَبْدَئِي tentative; basic
مَبْدَئِيًّا in principle; tentatively
مُبَذِّر squanderer, spendthrift, wastrel; wasteful, profligate
مِبْراة (أقْلام) pencil sharpener
مَبَرَّة charitable institution
مُبَرِّح : شَديد violent, intense, severe, acute, sharp
مِبْرَد : أداة يُبْرَدُ بِها file, rasp
مُبَرِّر : مُسَوِّغ justification, excuse, warrant, good reason
مُبْرَم irrevocable; final, conclusive
مُبَرْمِج : مَنْ يُبَرْمِج programmer
مَبْرُوك : عِبارَةٌ لِلتَّهْنِئة congratulations!
مُبَسَّط simplified; simple; easy
مَبْسُوط : مَسْرُور happy, pleased; enjoying oneself, having fun
مُبَشِّر (بِدِينٍ إلخ) preacher; missionary, evangelist, evangel
مِبْشَرَة : أداةُ البَشْر grater, scraper; rasp
مُبَصِّر : عَرّاف fortune-teller, soothsayer, diviner, augur
مُبْصِر ـ راجع بَصِير
مِبْضَع knife, scalpel, lancet
مُبَطَّن : لَهُ بِطانَة lined; padded

مَبْعوث : مُوفَد envoy, delegate
مُبْكٍ (المُبْكي)، مُبكٍ (المُبكّي) causing tears, tearful, lamentable, sad
مُبَكِّر، مُبْكِر early, premature
مَبلغ : كَمِّيَّة amount, sum
مَبلغ : درجة extent; degree
مُبَلَّل، مَبْلُول wet, moist, damp; moistened, wetted, bedewed
مَبْنًى : بِنايَة building, structure
مَبْنى : بنية - راجع بِنْيَة
مَبْنى : شكْل form; style, diction
مَبْهج، مَبْهَجَة joy, delight, pleasure
مُبْهج : سارّ - راجع بَهيج
مُبَهْرَج ornate, gaudy, tawdry, flashy
مُبْهَم obscure, vague, ambiguous, equivocal, unclear, mysterious
مَبيت : مَأْوى night-shelter, lodging
مُبِيدُ الجَرَاثِيم bactericide, germicide, microbicide; disinfectant
مُبِيدُ الحشرات insecticide
مُبَيِّض : مادَةٌ مُبَيِّضة whitener, bleach; bleaching powder
مُبْيَض (اللَّوْن) whitish; white
مُبَيَّضَة : ضِدّ مُسَوَّدَة fair copy
مُبَيْطِر : بَيْطار، مَنْ يُنعِلُ الخَيْلَ farrier
مَبِيع : بَيْع sale, selling, vendition
مَبيع، مَبيعات sale(s)
مُدير مَبيعات sales manager
مُبِين - راجع بَيِّن

مَتَّ إِلَيْهِ بِصِلَةٍ to be related to, have to do with, belong to
مَتَى؟ when? at what time?
مَتى : عِنْدَمَا when, whenever
مُتابَعَة continuation; following; follow-up; pursuit; chase
مُتَأَثِّر affected; influenced; impressed, moved, touched
مُتاح available, obtainable, at hand
مُتَأَخِّر late; tardy; behind
مُتَأَخِّر : غير مُتطوِّر backward, underdeveloped; old-fashioned
مُتاخِم adjacent, contiguous
مُتَأَسِّف - راجع أَسِف، آسِف
مُتَأَصِّل deep-rooted, innate
مَتاع (ج أَمْتِعَة) effects, goods, property, belongings, possession(s)
أَمْتِعَةُ سَفَر luggage, baggage, bags
مَتاعِب troubles, difficulties, hardships, discomforts, problems
مُتَأَكِّد sure, certain, positive
مُتَأَلِّق shining, bright, brilliant
مُتَأَلِّم feeling pain, in pain, suffering (pain), aching; agonized
مُتَآمِر conspirator, plotter, conniver
مُتَأَنٍّ (المُتَأَنّي) slow, deliberate, unhurried; patient; careful
مَتانَة solidity, strength; durability
مُتَأَهِّب ready, prepared, all set; on the alert, alert(ed), on the mark
مَتاهَة maze, labyrinth

مُتَأَهِّل : مُتَزَوِّج married
مُتَبَادَل mutual, reciprocal
مُتَبَادِل alternate
مُتَبَارٍ (المُتَبَارِي) contestant, competitor, contender, participant
مُتَبَاعِد separate; diverging, branching; far, faraway, remote
مُتَبَايِن different, dissimilar, contrastive, conflicting, inconsistent
مُتَبَجِّح brag(gart), boaster, swaggerer, windbag; boastful, bragging
مُتَبَرِّع contributor, donor, grantor, giver; volunteer
مُتَبَصِّر discerning, perceptive
مُتَبَطِّل unemployed, jobless; idle
مُتَّبَع observed, followed; adopted; prevailing, common, customary
مُتَبَقٍّ (المُتَبَقِّي) - راجع باقٍ
مُتَتَابِع ، مُتَتَالٍ (المُتَتَالِي) successive; continuous, continual, uninterrupted, unbroken, unceasing
مُتَجَانِس homogeneous, identical
مُتَجَبِّر haughty, arrogant; despotic
مُتَجَدِّد renewed; regenerated; new, fresh; modern, up-to-date
مَتْجَر store, shop; boutique; department store; supermarket
مُتَجَرِّد : غَيْرُ مُتَحَيِّز impartial, fair, just, objective, unbiased
مُتَجَلِّد ، مُتَجَمِّد frozen, frosted, icy; hard, solid, rigid
مُتَجَهِّم (الوجه) sullen, glum, surly; frowning, glowering
مُتَجَوِّل wandering, roaming, traveling, ambulatory, itinerant
مُتَحَدٍّ (المُتَحَدِّي) challenger, defier; defiant, challenging
مُتَّحِد united, combined, joined
الأُمَمُ المُتَّحِدَة the United Nations
الوِلَايَاتُ المُتَّحِدَةُ الأَمِيرْكِيَّة the United States of America
مُتَحَدِّث spokesman; speaker, talker, relator, narrator
مُتَحَرِّر liberal, broad-minded; freed, liberated; free
مُتَحَرِّك moving, movable, mobile, locomotive; dynamic
رُسُومٌ مُتَحَرِّكَة (animated) cartoon
مُتَحَضِّر civilized, civil, cultured; urban, urbanized, citified
مُتْحَف ، مَتْحَف (ج مَتَاحِف) museum
مُتَحَفِّظ reserved, self-restrained, discreet; cautious, careful
مُتَحَمِّس enthusiastic, zealous, eager, keen; enthusiast, zealot
مُتَحَوِّل changeable, variable, changing, changeful, unsteady
مُتَحَيِّز partial, one-sided, biased, prejudiced, unfair
مُتَخَرِّج : خِرِّيج graduate, alumnus
مُتَخَصِّص (بـ) specialized (in); specialist; expert; technician
مُتَخَلِّف : غَيْرُ مُتَطَوِّر underdeveloped, backward, retarded

مُتَخَلِّفٌ عَقْلِيًّا أو جَسَدِيًّا retarded, defective; retardate

مُتَدَاعٍ (المُتَدَاعِي) : مُتَقَلْقِل tottering, faltering, shaky, precarious

مُتَدَاعٍ : مُتَقَاضٍ litigant, party

مُتَدَاوَل current, in circulation, widespread, common, general

مُتَدَرِّج : مُدَرَّج progressive; graded

مُتَدَرِّج : مُتَمَرِّن trainee, apprentice

مُتَدَنٍّ (المُتَدَنِّي) low; fallen, dropped; low-level, inferior, poor

مُتَدَهْوِر deteriorated, deteriorating

مُتَدَيِّن religious, pious, godly

مِتْر : مِقْياسٌ لِلطُّول meter

مُتَرَابِط (cor)related, interrelated; connected, linked, associated

مُتَرَادِف synonymous; synonym

مِتْراس (لِلدِّفاع) barricade, bulwark, rampart; mound; parapet

مِتْراسُ البابِ bolt, latch, lock, bar

مُتَرْجِم translator; interpreter

مُتَرَدِّد hesitant, hesitating, irresolute, indecisive, wavering

مُتْرَف luxurious

مُتَرَهِّل flabby, flaccid, loppy, soft

مِتْرو : قِطارٌ تَحْتَ الأَرْض subway, metro, underground

مِتْرِيّ metric(al)

مُتَزَامِن synchronous, synchronic(al), simultaneous, concurrent

مُتَزَايِد increasing, growing, rising, mounting

مُتَزَلِّج skier; skater; bobsledder

مُتَزَمِّت strict, rigorous, stringent, rigid; puritan(ical)

مُتَّزِن sober, sedate, solemn; judicious, wise, prudent

مُتَزَوِّج : مُتَأَهِّل married

مُتَسَابِق racer, runner; contestant, competitor, rival, participant

مُتَسَامِح ، مُتَسَاهِل indulgent, tolerant, lenient, permissive

مُتَسَاوٍ (المُتَسَاوِي) equal, similar, (a)like, even, balanced, on a par

مُتَسَرِّع hasty, rash, quick, hurried

مُتَّسَعٌ مِنَ الوَقْت enough time, ample time, plenty of time

مُتَسَلْسِل serial, seriate(d); successive; continuous; hierarchical

رَقْمٌ مُتَسَلْسِل serial number

مُتَسَلِّط masterful, domineering, authoritative, bossy; dominant

مُتَّسِمٌ بِـ : مُتَّصِفٌ بِـ marked by, characterized by, distinguished by

مُتَسَوِّل : مُسْتَعْطٍ beggar, mendicant

مُتَشَائِم pessimistic; pessimist

مُتَشَابِه similar, alike, akin, analogous, corresponding; identical

مُتَشَدِّد strict, severe, stern, stringent, tough, inflexible

مُتَشَرِّد vagabond, vagrant, tramp, rogue, bum, hobo

مُتَصَرِّف : والٍ ruler, governor

مُتَّصِفٌ بِـ : مُتَّسِمٌ بِـ characterized by, marked by, distinguished by

مُتَّصِل : مُتَرابِط connected, linked, joined, joint, united, attached

مُتَّصِل : مُسْتَمِرّ - راجع مُتَواصِل

مُتَّصِلٌ بِـ : مُتَعَلِّقٌ بِـ related to, relating to, concerning, regarding

مُتَصَلِّب : عَنيد inflexible, adamant, intransigent, unyielding, stubborn

مُتَصَوِّف : صُوفِيّ Sufi, mystic

مُتَضارِب conflicting, clashing, inconsistent, contradictory

مُتَضايِق annoyed, vexed, irritated, disturbed, upset, uncomfortable

مُتَضَرِّر injured, aggrieved, wronged, damaged, prejudiced; victim

مُتَضَلِّع (في عِلْم) - راجع ضَليع (في عِلْم)

مُتَطَرِّف extreme, excessive, immoderate; extremist, radical

مُتَطَفِّل parasitic(al); intrusive; parasite, sponge(r); intruder

مُتَطَلِّب : كَثيرُ المَطالِب demanding, exacting, exigent

مُتَطَلَّبات requirements, requisites, demands, needs, necessities

مُتَطَوِّر developed, advanced, sophisticated; progressing

مُتَطَوِّع : مُتَبَرِّع volunteer

مُتَظاهِر (في مُظاهَرة) demonstrator

مُتَظَلِّم : مُتَشَكٍّ، مُدَّعٍ complainant, grievant, claimant, plaintiff

مَتَّعَ : جَعَلَهُ يَتَمَتَّع to make enjoy

مُتَعادِل equal, even, on a par; (equally) balanced, in equilibrium

مُتَعارِض conflicting, disagreeing, inconsistent, contradictory

مُتَعارَفٌ عَلَيْه customary, conventional, common, familiar, established

مُتَعاقِد contracting party, contractor

مُتَعاوِن cooperating, collaborating; cooperator, collaborator

مُتْعَب : تَعِب tired, exhausted

مُتْعِب tiring, wearisome, exhausting; toilsome, arduous

مُتْعَة enjoyment, pleasure, delight

مُتَعَجْرِف haughty, arrogant, supercilious, (over)proud, conceited

مُتَعَدِّد numerous, many, multiple, plural, various, diverse, sundry

مُتَعَذِّر impossible, hopeless

مُتَعَرِّج zigzag; winding, meandrous

مُتَعَسِّف arbitrary, oppressive

مُتَعَصِّب fanatic, bigoted; bigot

مُتَعَلِّقٌ بِـ related to, relating to, concerning, regarding, pertaining to

مُتَعَلِّم : مُثَقَّف educated, literate

مُتَعَمَّد : مَقْصُود deliberate, intentional, premeditated, willful, intended, meant, done on purpose

مُتَعَهِّد contractor, entrepreneur

مُتَعَوِّدٌ على used to, accustomed to,

habituated to, given to

مُتَغَطْرِس haughty, arrogant

مُتَغَيِّر variable, changeable, changing, unsteady, unstable, fickle

مُتَفائِل optimistic; optimist

مُتَفاوِت different, mixed, varying

مُتَفاوِض negotiator

مُتَفجِّر ـ راجع مُنفجِر

مادّةٌ مُتَفجِّرَة explosive

مُتَفجِّرَة bomb; squib

مُتَفرِّج viewer, spectator, onlooker, watcher; bystander

مُتَفرِّغ (لِـ) devoted to, dedicated to; full-time; full timer

غَيْرُ مُتَفرِّغ part-time; part timer

مُتَفرِّق separate(d), divided; sporadic, intermittent, occasional

مُتَفرِّقات sundries, miscellany

مُتَّفَق عَلَيْه agreed (upon, on); generally accepted; conventional

مُتَّفِق agreed, agreeing, unanimous, of one accord

مُتَفهِّم understanding, considerate

مُتَفوِّق superior; top, excellent, outstanding, distinguished

مُتقابِل opposite (to each other), facing each other

مُتَقاتِل fighting, battling, warring, at war, belligerent

مُتَقاضٍ (المُتَقاضِي) litigant, party

مُتَقاطِع crisscross, intersecting

كَلِماتٌ مُتَقاطِعَة crossword puzzle

مُتَقاعِد retired; retiree; pensioner, pensionary; emeritus

مُتَقاعِس laggard; slack; negligent

مُتَقدِّم: مُتطوِّر advanced, developed

مُتَقدِّم: سابِق preceding, previous, prior, former, earlier

مُتَقدِّم في السِّنّ advanced in years, old, aged

مُتَقطِّع intermittent, sporadic, irregular; discontinuous, broken

مُتَقلِّب fickle, changeable, inconstant, unstable, variable

مُتْقَن perfect; masterly, excellent, superior, well-done

مُتَكافِئ equivalent, equal, similar, (a)like, even, balanced

مُتَكامِل integral; complementary; complete, whole

مُتَكبِّر proud, haughty, arrogant, overweening, conceited

مُتَكتِّم ـ راجع كَتوم

مُتَكسِّر ـ راجع مُكسَّر

مُتَكلِّم speaker, talker; spokesman

مُتَلاحِق successive, consecutive, uninterrupted, continuous

مُتَلأْلِئ shining, glittering, sparkling, twinkling, radiant

مُتَماثِل similar, alike; identical

مُتَمايِز distinct; special, peculiar

مُتَمدِّن civilized, civil, cultured; urban, urbanized, citified

مُتَمَرِّد mutinous, rebellious, insurgent; mutineer, rebel
مُتَمَرِّن trained, drilled, practiced; trainee; apprentice
مُتَمَكِّن (مِنْ) versed (in), skilled (in)
مُتَمَلْمِل fidgety, restless, uneasy
مُتَمِّم complementary, integral
مُتَمَوِّل rich; financier, capitalist
مُتَمَيِّز distinct, separate; special, peculiar; distinguished
مَتَّنَ to strengthen, consolidate
مَتْن : ظَهْر back
مَتْن (الكِتابِ إلخ) text, body
على مَتْن aboard, on board, on; by
مُتَناثِر scattered, dispersed
مُتَناسِب proportionate; proportional, symmetrical, harmonious
مُتَناسِق harmonious, congruous; symmetrical, consistent
مُتَناغِم harmonious, in accord
مُتَنافِر discordant, disharmonious
مُتَنافِس competing; competitor, rival
مُتَناقِض contradictory, opposite, inconsistent, incompatible
مُتَناوِب alternating, alternate, rotating, successive
مُتَناوَل، في المُتَناوَل within reach, available, obtainable
مُتَنَفَّس breather, vent, outlet, escape
مُتَنَقِّل mobile, movable, moving; itinerant, ambulant, roving

مُتَنَكِّر disguised, in disguise, masked, masqueraded; incognito
مُتَنَوِّع various, varied, varying, diverse, diversified
مَتَّه : شَرابٌ كالشّاي maté, mate
مُتَّهَم : اِتُّهِمَ accused, charged
مُتَّهَم (اسم) (the) accused; suspect
مُتَّهِم : مَنْ يَتَّهِم accuser, indictor
مُتَهَوِّر rash, impetuous, reckless, careless, foolhardy
مُتَهَيِّج ـ راجع هائِج
مُتَواجِد ـ راجع مَوْجود
مُتَوازٍ (المُتَوازي) parallel; corresponding, equivalent, equal
مُتَوازِي الأَضْلاع parallelogram
مُتَوازِن balanced, in equilibrium, even; stable
مُتَواصِل : مُسْتَمِرّ continuous, continual, constant, uninterrupted
مُتَواضِع : غَيْرُ مُتَكَبِّر humble, modest, unassuming, simple
مُتَواضِع : زَهيد modest, small, little, insignificant, trivial
مُتَواطِىء : مَنْ يَتَواطَأ conniver
مُتَوافِر : مَوْجود available, obtainable
مُتَوافِر : وافِر ـ راجع وافِر
مُتَوافِق in agreement, agreeing, consistent, corresponding, in line
مُتَوالٍ (المُتَوالي) : مُتَتابِع successive, consecutive; continuous
مُتَوالٍ (ج مَتاوِلَة) : شِيعِيّ Shiite

مُتَوالِيَة progression; sequence; series

مُتَوتِّر strained; tense, taut, uptight

مُتَوَحِّش ـ راجع وَحْشِيّ

مُتَورِّط involved, entangled

مُتَوَرِّم : وارِم swollen, swelling, tumid

مُتَوسِّط : وَسْطانِيّ middle, central, intermediate; midway, halfway

مُتَوسِّط : مُعْتَدِل، عادِيّ moderate; medium, average, middling, mediocre, ordinary

مُتَوسِّط : مُعَدَّل، وَسَط average; mean

الطَّبَقَةُ المُتَوَسِّطَة the middle class

مَدْرَسَةٌ مُتَوَسِّطَة junior high school, intermediate school

مَوْجَة مُتَوسِّطَة medium wave

مُتَوَعِّك indisposed, unwell, not feeling well, ill, sickly

مُتَوفَّى dead, deceased, defunct, late

مُتَوفِّر : مَوْجود available, obtainable

مُتَوفِّر : وافِر ـ راجع وافِر

مُتَوقَّع expected, anticipated; foreseen; prospective, likely

مُتَوَقِّفٌ على dependent on, conditional on, contingent on, subjeet to

مُتَوقِّف : واقِف ـ راجع واقِف

مُتَوقَّف : مَوْقوف ـ راجع مَوْقوف

مُتَوَهِّج ـ راجع وَهّاج

مُتَيَسِّر available, obtainable, accessible; possible, feasible; easy

مُتَيَقِّظ ـ راجع يَقِظ

مُتَيَقِّن ـ راجع على يَقِين (يَقِين)

مُتَيَّم بِـ enthralled by, enamored of, mad about, madly in love with

مَتِين : صُلْب، قَوِيّ solid, strong, firm, sound, tough; durable, lasting, enduring; heavy-duty

مَثَابَة ، بِمَثَابَة like, as, similar to; tantamount to, equivalent to

مُثابِر persevering, diligent, hard-working, industrious; hard worker

مِثال : نَموذَج type, model, pattern

مِثال : عُنْوان، رَمْز image, epitome, symbol, typical example

مِثال : مَثَل example, illustration

مِثال : مَثِيل ـ راجع مَثِيل

مِثالٌ أَعْلَى ideal

على سَبِيلِ المِثال ـ راجع مَثَلاً

مِثالِيّ ideal; perfect; idealistic; utopian; typical, model

مِثالِيَّة idealism; ideality; utopia

مِثْقاب ـ راجع مِثْقَب

مِثْقال weight

مِثْقالُ ذَرَّة whit, jot, iota, particle, speck, (smallest) bit

مُثَقَّب ـ راجع مَثْقوب

مِثْقَب drill, gimlet, borer, perforator, punch, awl

مُثَقَّف educated, cultured, cultivated; enlightened; learned, erudite, well-informed; intellectual

مُثقوب pierced, punctured, perforated, punched, bored
مَثَلَ، مَثُلَ (بَيْنَ يَدَيْه) to appear (before), stand (before)
مَثَّلَ شخصاً او جهةً او شيئاً to represent
مَثَّلَ : رَمَزَ إلى to represent, stand for, be a symbol for, symbolize
مَثَّلَ (دَوراً) to act, play, represent, perform (a part, a role)
مَثَّلَ الطَّعامَ (بَعْدَ هَضْمِهِ) to assimilate
مَثَّلَ بِـ : نَكَّلَ بِـ to make an example of, punish severely, torture
مَثَّلَ بالقَتيل to maim, mutilate
مَثَل : شاهِد example, instance, illustration, case
مَثَل (سائِر) proverb; saying, adage, aphorism, saw, gnome
مَثَل : عِبْرَة example, lesson
مَثَلاً for example, for instance, e.g., say; as, such as
مَثَلٌ أعْلَى، مَثَلٌ أَسْمَى ideal
مِثْل : شَبِيه similar, like, equal
مِثْلُ، كَمِثْلِ like, similar to, (just) as; the same as; such as
مَثْلَبَة defect, fault, blemish, flaw
مُثَلَّث : شَكْلٌ هَنْدَسِيّ triangle
مُثَلَّج : مُجَلَّد، مُجَمَّد iced, icy, ice-cold; frozen, frosted
مُثْلِج : ثَلْجِيّ snowy
مِثْلَمَا : كَمَا as, just as; like; the way..
مُثْمِر fruitful, productive, profitable, lucrative, remunerative
مُثَمَّن (الزَّوَايا والأَضْلاع) octagon
مَثْنَى two at a time; by twos
مُثَنَّى : مُزْدَوِج double, twofold, dual
مَثْوَى abode, dwelling, home
مُثِير exciting; (a)rousing; stimulating; thrilling, sensational; stimulus, stimulant, excitant
مَثِيل : شَبِيه، مُماثِل like, similar, analogous; identical
مَثِيل : نَظِير equal, match; like, parallel, counterpart, twin
لا مَثِيلَ لَهُ incomparable, matchless, peerless, unrivaled, unique
مَجَّ to spit out, throw out
مُجابَهة confrontation, facing, meeting, encounter(ing); dealing with
مَجاز : مَمَرّ passage, way, path, lane, corridor, aisle
مَجاز [لغة] metaphor, figuration
مُجاز : حامِل لِيسانس licentiate
مُجازِف adventurer; venturesome, adventurous
مُجازَفَة risk, hazard, (ad)venture
مَجازِيّ figurative, metaphoric(al)
مَجاعَة famine, dearth, starvation
مَجال : حَقْل field, domain, sphere, scope, extent, range
مَجال : مُتَّسَع space, (elbow)room
مَجال : فُرْصَة opportunity, chance
مُجامَلَة courtesy; compliment

مَجّاناً، بِالمَجّان free, free of charge, without charge, gratis
مَجّانِي free, free of charge, gratuitous, gratis, complimentary
مُجاوِر neighboring, adjacent, near, nearby, close (to), next-door
مُجْتَر، حَيوانٌ مُجْتَر ruminant
مُجْتَمَع society, community
مُجْتَهِد diligent, industrious, hard-working, assiduous, laborious
مُجْحِف unjust, unfair, inequitable; prejudicial, harmful
مَجَّدَ : عَظَّمَ to glorify, exalt, extol
مَجْد glory; honor; distinction
مُجْدٍ (المُجْدِي) useful, helpful, beneficial; effective; workable
مِجْداف : مِجْذاف oar
مُجْدِب barren, sterile, infertile, waste; unproductive
مُجَدَّداً again, once again, once more, a second time
مِجْذاف : مِجْداف oar
مَجْرَى (مائيّ) watercourse, waterway, stream
مَجْرَى : مَمَرّ canal, channel, path; conduit, duct, line
مَجْرَى الأحداث course, run, trend, progress, development
مَجْرَى النَّهر riverbed
مَجْرَى هَواء draft, current of air, air stream
مَجَرَّة، المَجَرَّة galaxy; Milky Way
مُجَرَّد : مَحْض mere, sheer, pure; merely, only, simply, just
مُجَرَّد : مُطْلَق abstract; absolute
مُجَرَّد : عارٍ bare, naked, nude
مُجَرَّدٌ مِن divested of, deprived of, stripped of; free from
بِمُجَرَّد كَذا as soon as, the moment (that), once
مِجْرَف، مِجْرَفَة shovel, scoop, spade
مُجْرِم criminal, culprit, delinquent, evildoer, perpetrator; guilty
مُجْرِمُ حَرْب war criminal
مَجْرُوح wounded, injured, hurt
مَجْرُور : مَصْرِف، بالُوعَة sewer; drain, culvert; cesspool; sink
مُجْزٍ (المُجْزِي) : مُثْمِر remunerative, profitable, productive
مِجَزّ : مِقَصّ shears, clippers
مَجْزَرَة : مَذْبَحَة massacre, carnage, butchery, slaughter, blood bath
مِجَسّ : مِسْبَر probe: sound
مُجَسَّم three-dimensional; in relief, embossed; magnified
مُجَسَّم [هندسة] solid
مُجَعَّد curly, curled, frizzly, frizzled, wavy (hair); wrinkled, furrowed, (skin); creased, puckered (cloth)
مُجَفِّف dryer, drier; dehydrator
مُجَفِّفُ شَعْر hair dryer, hair blower
مُجَلٍّ (المُجَلِّي) superior, excellent, outstanding, distinguished

مَجْلًى : حَوْضٌ لِغَسْلِ الأَطْباقِ إلخ sink
مَجَلَّة magazine, journal, review, periodical
مَجَلَّة أُسْبُوعِيَّة weekly
مَجَلَّة شَهْرِيَّة monthly
مُجَلْجِل ringing, resonant, pealing
مِجْلَخة : مِسَنّ grinder; sharpener; whetstone, grindstone, hone
مُجَلَّد (بالبُرُودَة) frozen, iced, icy, ice-covered, frosted
مُجَلَّد (مِنْ مَجْمُوعَة كُتُب) volume
مُجَلِّد (الكُتُب) bookbinder, binder
مِجْلَد : سَوْط whip, lash, scourge
مَجْلِس : هَيْئَة ، مَجْمَع council; assembly; board, body
مَجْلِس : مَوْضِعُ الجُلُوس seat
مَجْلِس : اجْتِماع ، جَلْسَة meeting, gathering, assembly, session
مَجْلِسُ إدارَة board of directors
مَجْلِسُ الأَمْن Security Council
مَجْلِسُ أُمَناء board of trustees
مَجْلِسُ حَرْبِيّ war council
مَجْلِسُ الشَّعْبِ أو الأُمَّة people's council or assembly, parliament
مَجْلِسُ شُيُوخ senate
مَجْلِس عَسْكَرِيّ court-martial
مَجْلِس العُمُوم House of Commons
مَجْلِس قِيادَة الثَّوْرَة Revolutionary (or Revolution's) Command Council

مَجْلِسُ اللُّورْدات House of Lords
مَجْلِسُ النُّوّاب ، مَجْلِسٌ نِيابِيّ parliament, house of representatives
مَجْلِسُ الوُزَراء council of ministers, cabinet
مُجَمَّد frozen, frosted, congealed
مَجْمَع : جَمْعِيَّة ، مُؤْتَمَر convention, assembly, meeting, congregation
مَجْمَعٌ عِلْمِيّ (أَدَبِيّ إلخ) (scientific) academy, institute
مَجْمَع : عُلْبَة box, case; can, tin
مُجَمَّع : مَجْمُوعَة complex, compound; assemblage; group
مُجْمَل : خُلاصَة summary, abstract, outline, résumé, précis
مُجْمَل : مَجْمُوع sum, total, whole
مَجْمُوع : حاصِل ، جُمْلَة total, sum; totality; whole; score
مَجْمُوعَة group; collection; series, set, suit; team; bloc
مُجَنَّد recruited, enlisted, drafted; recruit, enlistee, conscript
مَجْنُون (صفة) insane, mad, lunatic, crazy; foolish
مَجْنُون (اسم) madman, maniac, lunatic; fool
مَجْنِيّ عَلَيْه victim, aggrieved party
مِجْهَر : مِيكْرُوسْكُوب microscope
مُجَهَّز بِـ equipped with, outfitted with, furnished with
مَجْهُود ـ راجع جُهْد
مَجْهُول : غَيْرُ مَعْرُوف unknown
مُجَوَّف hollow, concave

مُجَوْهَرات jewelry; jewels, gems
مَجِيء : قُدوم coming, arrival, advent
مَجيد : ذُو المَجْد glorious; glorified
مُحّ : صُفارُ البَيْض (egg) yolk, yellow
مَحا الشَّيْءَ to erase, wipe off, rub out; to efface, obliterate
مُحاباة favoritism, partiality, bias
مُحادَثة conversation, dialogue, talk
مُحاذٍ (المُحاذِي) : مُقابِل in front of; along; adjacent, near, next (to)
مَحار، مَحارَة oyster(s), conch(s), shell(s); mussel(s)
مُحارِب warrior, combatant, fighter
مُحاسِب accountant, bookkeeper; comptroller; auditor
مُحاسَبة accounting; bookkeeping; accountancy
مَحاسِن ـ راجع مَحْسَنة
مُحاضِر lecturer, lector, speaker
مُحاضَرة lecture
مُحافِظ : حاكِمُ مُحافَظة governor
مُحافِظ : مُقاوِمٌ لِلتَّجْدِيد conservative; old-fashioned, old-line
مُحافَظةٌ على : حِفْظ keeping, preservation, protection, (safe)guarding; maintenance; conservation
مُحافَظةٌ على : مُراعاة observance of, abidance by, following
مُحافَظة : تَقْسِيمٌ إدارِيّ governorate; province
مُحاكَمة trial, litigation, prosecution

مُحال : مُسْتَحِيل ـ راجع مُسْتَحِيل
مَحالَة، لا مَحالَة certainly, definitely, sure(ly); inevitably
مُحامٍ (المُحامِي) lawyer, attorney
مُحاماة legal profession, legal practice, the bar
مُحاوَلَة attempt, trial, try, bid, essay, effort, endeavor
مُحايِد : على الحِياد neutral
مُحِبّ (لِـ) loving; fond (of); lover; fancier, fan, amateur
مُحَبَّب (إلى النَّفس) lovable; lovely, pleasant, charming
مَحَبَّة ـ راجع حُبّ
مَحْبَرَة، مِحْبَرَة inkwell, inkstand
مَحْبَس : خاتَمُ الزَّواج wedding ring
مَحْبُوب sweetheart, lover, darling; beloved, dear; favorite; popular, well-liked
مُحْتاجٌ لِـ : يَتَطَلَّبُ كَذا in need of, needing, requiring, calling for
مُحْتاج : فَقِير needy, necessitous, poor, destitute, indigent
مُحْتار ـ راجع حائِر
مُحْتاط cautious, careful, wary
مُحْتال swindler, impostor, crook; deceitful, fraudulent, sly
مَحْتِد origin, descent, ancestry
مُحْتَرِف professional, pro, careerist
مُحْتَرِق burning, afire, on fire
مُحْتَرَم : مُوَقَّر respected, honored, re-

vered; venerable, honorable; respectable, decent

مُحْتَرَم : كَبِير respectable, considerable, great, big

مُحْتَشِم modest, decent, decorous

مُحْتَضَر dying, at the point of death

مُحْتَكِر monopolist, monopolizer

مُحْتَلّ : مُسْتَوْلَى عَلَيْهِ occupied, seized

مُحْتَلّ : مُسْتَوْلٍ occupier, seizer

مُحَتَّم ـ راجع مَحْتُوم

مُحْتَمَل : يُطَاق bearable, endurable

مُحْتَمَل : مُمْكِن possible, potential, probable, likely

مِنَ المُحْتَمَل perhaps, maybe, possibly, probably, likely; may, might

مُحْتَوَى : مَضْمُون content; purport, meaning, import

مُحْتَوَيَات contents

مَحْتُوم inevitable, unavoidable, inescapable; (pre)destined, fateful; certain, sure

مُحَجَّب veiled; covered, hidden

مَحَجَّة mecca; goal; destination

مَحْجَر (صِحِّيّ) quarantine

مَحْجَر : مَقْلَع حِجَارَة (stone) quarry

مُحَدَّب convex, arched, cambered, crooked, curved, bent

مُحْدَث : حَدِيث، جَدِيد ـ راجع حَدِيث

مُحْدَثُ النِّعْمَةِ أو الثَّرَاء nouveau riche, upstart, parvenu, arriviste

مُحَدَّد : مُعَيَّن specific, particular, definite, clear-cut, determined

مُحَدَّد : مُعَرَّف defined

مُحَدَّد : مُقَيَّد، مَحْصُور limited, restricted, confined

مِحْدَلَة road roller, (steam)roller

مَحْدُود limited; finite, fixed; restricted, confined; bounded

مُحْدَوْدِب convex, hunched, humped, arched, crooked

مَحْذُور : خَطَر danger, peril

مَحْذُور : مَكْرُوه misfortune, trouble

مِحْرَاب mihrab; (prayer) niche

مِحْرَاث، مِحْرَث plow, plough, lister

مُحْرَج embarrassed; uneasy

مُحْرِج embarrassing, perplexing; uncomfortable, uneasy

مُحَرَّر : صُيِّرَ حُرًّا liberated, free(d)

مُحَرَّر : مَكْتُوب edited; written

مُحَرِّر : مُعْتِق liberator, freer

مُحَرِّر : كَاتِب editor; writer; clerk

مُحَرِّض instigator, inciter, abettor; provoker; motivator

مُحْرِق : حارِق ـ راجع حارِق

مُحَرِّك : مُوتُور engine, motor

مُحَرِّك : دافِع motive, incentive, drive, impulse, stimulus

مُحَرَّم : مَمْنُوع prohibited, forbidden, banned, illegal, unauthorized

مَحْرَمَة : مِنْدِيل handkerchief

مَحْرَمَة وَرَقِيَّة tissue, napkin

burned, burnt; scorched مَخْرُوق
fuel مَحْرُوقات : وَقُود
deprived of; denied; pre-cluded from, excluded from مَحْرُومٌ مِنْ
underprivileged, poor, needy, low-income مَحْرُوم : مُعْوِز
sad, grievous, saddening, de-pressing, gloomy, melancholic, tragic, heartrending مُحْزِن
مَحْزُون ـ راجع حَزِين
charitable, beneficent, be-nevolent, philanthropic; benefac-tor, philanthropist, almsgiver مُحْسِن
advantage, merit, amenity مَحْسَنَة
charms; advantages, mer-its, good points مَحَاسِن
perceptible, palpa-ble, tangible, concrete, material مَحْسُوس : مَلْمُوس
hashish den مَحْشَش، مَحْشَشَة
to test, examine closely مَحَّصَ : إخْتَبَرَ
مَحْصَلَة، مُحَصِّلَة : نَتِيجَة ـ راجع حَصِيلَة
limited, restricted, con-fined; hemmed in, held in check; restrained, constrained مَحْصُور
yield, produce, crop, harvest, product, vintage مَحْصُول : غَلَّة
pure, clear, unmixed, absolute, plain, straight مَحْض : صِرْف
minutes, procès-ver-bal, record, report, proceedings مَحْضَر : تَقْرِير
roost, perch مَحَطّ (الطَّائِرِ) : مَجْثَم
object of hope مَحَطُّ الآمَال

station, stop مَحَطَّة : مَوْقِف
(broadcasting) sta-tion, radio (station) مَحَطَّة (الإذاعَة)
service (or gas) station مَحَطَّة بَنْزِين
lucky, fortunate مَحْظُوظ : حَسَنُ الحَظِّ
litter, stretcher; sedan مِحَفَّة
wallet, billfold مِحْفَظَة جَيْب أو نقود
(hand)bag, purse مِحْفَظَةُ يَد
مِحْفَظَة ـ راجع مَحْفَظَة
body, board; assem-bly; circle(s), quarter(s) مَحْفِل : مَجْلِس
archives, records مَحْفُوظات : سِجِلَّات
to eradicate, exterminate, annihilate, destroy, wipe out مَحَقَ : أَبَادَ
right, rightful, in the right, correct; just, fair مُحِقّ : مُصِيب
certain, sure, positive, definite; unquestionable مُحَقَّق : أَكِيد
examiner, investigator; researcher مُحَقِّق : باحِث
criterion, standard, yardstick, measure, test مِحَكّ : مِعْيار
arbitrator, arbiter; umpire, referee مُحَكِّم : حَكَم
compact, well-knit, coherent, cohesive; firm, solid مُحْكَم : مَتِين
exact, precise, accu-rate, perfect; skillful مُحْكَم : دَقِيق
court, tribunal مَحْكَمَة (ج مَحَاكِم)
convicted, condemned, found guilty; convict مَحْكُومٌ عَلَيْه

مَخْكِيّ : عامّيّ colloquial, spoken, slang, vernacular

مَحَلّ : مَكان place, spot, site, location, position; space, room

مَحَلّ (تِجارِيّ) store, shop; boutique; firm, business

مَحَلُّ إقامَة domicile, residence

مَحَلّ كَذا : بَدَلاً مِنْ in place of, instead of, in lieu of

مُحَلّ (المُحَلّي) : ما يُحَلّي sweetening, sweetener

مِحْلاج، مِحْلَج (قُطْن) cotton gin, gin

مَحَلَّة : حَيّ، مِنْطَقَة district, quarter, section, part

مُحَلَّف juror, juryman

المُحَلَّفون، هَيْئَةُ المُحَلَّفين jury

مُحَلَّل : مُباح ـ راجع حَلال

مُحَلِّل : مَنْ يُحَلِّل analyzer, analyst

مَحْلول : سائِل solution

مَحَلِّيّ local; native, indigenous; domestic, home, inland, regional, topical; internal

مُحَمَّد : النَّبِيّ (صَلّى اللهُ عَلَيْهِ وسَلَّم) Mohammed, the Prophet (God's blessing and peace be upon him)

مُحَمَّدِيّ Mohammedan

مُحْمَرّ reddish, red, glowing

مُحَمَّص roasted, roast; toasted

خُبْزٌ مُحَمَّص toast

مَحْمَص، مَحْمَصَة roastery

مِحْمَصَة roaster; toaster

مَحْمَل، مَحْمِل ـ راجع حَمّالَة، حامِل

مَحْمود praised; praiseworthy, commendable, laudable

مَحْمول : مُحْتَمَل، يُطاق ـ راجع مُحْتَمَل

مَحْموم : مُصابٌ بالحُمّى feverish, fevered, hot, having a fever

مَحْموم : مَسْعور، مُضْطَرِب frantic, frenzied, hectic, hysterical

مَحْمِيَّة : بَلَدٌ خاضِعٌ لآخر protectorate

مِحْنَة ordeal, tribulation; misfortune, disaster, catastrophe

مُحْنَق : غاضِب angry, furious, wrathful, mad, enraged

مُحَنَّك experienced, worldly-wise, sophisticated, long-practiced

مَحْنِيّ ـ راجع مُنْحَنٍ

مِحْوَر axis; pivot, center, hub, heart

مِحْوَرِيّ axial, pivotal, central

مُحَوِّل converter; transformer

مَحْيا : حَياة ـ راجع حَياة

مُحَيّا : سِيماء، طَلْعَة countenance, visage, face, look(s), mien

مُحَيَّر ـ راجع حائِر

مُحَيِّر : مُرْبِك confusing, puzzling, perplexing, bewildering, baffling

مُحِيط (الدّائِرَة أو نَحْوِها) circumference, perimeter, periphery

مُحِيط : بِيئَة، وَسَط environment, surroundings, milieu

مُحِيط : أوقْيانوس ocean

مُخّ : دِماغ cerebrum, brain

مُخّ (العَظْم) (bone) marrow

مُخابَرة (telephone) call; contact, communication

إدارةُ مُخابَرات، وكالةُ مُخابَرات intelligence agency, intelligence; secret service; investigation bureau

مُخادِع - راجع خَدّاع

مُخاصَمة - راجع خُصُومة

مَخاض: طَلْق parturition, childbirth, labor, travail, pains

مُخاط (الأنْف) (nasal) mucus, snot

مُخاطَب: مَنْ يُوجَّهُ إلَيْهِ الكَلامُ addressee; addressed, spoken to

مُخاطَبة addressing, speaking to, talking to; conversation, talk

مَخاطِر: أخْطار dangers, perils; risks, hazards

مُخاطِر: مُجازِف adventurer; venturesome, adventurous, daring

مُخاطَرة: مُجازَفة risk, hazard, venture, adventure

مُخاطِيّ mucous

مَخافَة - راجع خَوْف

مَخافَةَ أنْ lest, for fear that, so that... not

مُخالِف (لِـ) contrary to, inconsistent with, incompatible with; violative of, in violation of; violator; dissenter, dissident

مُخالَفَة: خَرْق breach, violation, infringement, contravention

مُخالَفَة: مُعارَضة dissent, disagreement, difference in opinion

مُخالَفَةٌ لِقَواعِدِ لُعْبَةٍ ما foul

مَخاوِف fears, apprehensions, anxieties; dangers, perils

مَخْبأ hiding place; hideaway, hideout; shelter, refuge

مَخْبَر: مُخْتَبَر laboratory

مُخْبِر: مُبَلِّغ، واشٍ reporter; informer, informant; denouncer

مُخْبِر: تَحَرٍّ detective, intelligencer, secret agent, sleuth

مَخْبَز: فُرْن bakery, bakeshop

مُخَبَّل، مَخْبُول insane, crazy, mad; madman, idiot

مُخْتار: مُنْتَقًى chosen, selected

مُخْتار (ج مَخاتِير) mayor, chief

مُخْتَبِئ hiding, concealing oneself; hidden, concealed

مُخْتَبَر: مَخْبَر laboratory

مُخْتَرَع (ج مُخْتَرَعات) invention(s), creation(s), innovation(s)

مُخْتَرِع inventor, creator, originator, innovator, maker

مُخْتَصّ: ذُو صَلاحِيَة competent

مُخْتَصّ: مُتَخَصِّص - راجع مُتَخَصِّص

مُخْتَصَر: اِخْتُصِرَ، أُوجِزَ abbreviated, abridged; summarized, digested

مُخْتَصَر: مُقْتَضَب brief, short, concise, succinct, terse

مُخْتَصَر: مُلَخَّص summary, abstract, brief, résumé

مُخْتَطِف - راجع خاطِف

مُخْتَل — disturbed, disordered, upset; unbalanced

مُخْتَلُّ العَقْل — mentally deranged, abnormal, insane, lunatic

مُخْتَلِس : سارِق — embezzler, stealer

مُخْتَلَط (نِظام، تَعْلِيم، مَدْرَسَة) — mixed, coeducational, co-ed

تَعْلِيمٌ مُخْتَلَط — coeducation

مُخْتَلِف : مُتَبايِن — different, divergent, varying, inconsistent

مُخْتَلِف (الأَنْواع) : مُتَنَوِّع — various, diverse, different, miscellaneous

مُخْتَلِف : غَيْرُ مُتَّفِق — disagreeing, differing in opinion

مِخْتَمَة — stamp pad, (ink)pad

مُخْجِل — shameful; embarrassing; disgraceful, dishonorable, infamous

مَخْجُول ـ راجع خَجِل، خَجْلان، خَجُول

مِخَدَّة : وِسادَة — pillow, cushion

مُخَدِّر : مادَّةٌ مُخَدِّرَة — anesthetic; narcotic, dope, drug, opiate

مَخْدَع — room; bedroom

مَخْدُوم : رَبُّ عَمَل — employer, master

مُخَرِّب — ruiner, destroyer; saboteur; ruinous, destructive; subversive

مَخْرَج : مَنْفَذ — exit, way out, escape; outlet, vent

مُخْرِج (سِينَمائِيّ إلخ) — director, producer, metteur en scène

مِخْرَز : مِثْقَب — awl, drill, gimlet, borer, auger, perforator

مِخْرَط، مِخْرَطَة : آلَةُ خَرْط — lathe

مَخْرُوط [هندسة] — cone

مَخْرُوطِيّ — conic, conical, coned

مُخْزٍ (المُخْزِي) — disgraceful, dishonorable, shameful, humiliating

مَخْزَن : مُسْتَوْدَع — warehouse, store(house), depot, depository

مَخْزَن : مَتْجَر — store, shop; department store

مَخْزُون : ذَخِيرَة — stock, store(s), supply

مُخَصَّصات — allowances; benefits; fees, allocations

مَخْصُوص : خاصّ ـ راجع خاصّ

مَخَضَ اللَّبَنَ : اِسْتَخْرَجَ زُبْدَتَهُ — to churn

مُخْضَرّ — greenish, virescent

مَخَطَ — to blow one's nose

مُخْطِىء — mistaken, at fault, in error, wrong, in the wrong

مُخْطِر : خَطِر ـ راجع خَطِر

مُخَطَّط : مُقَلَّم — striped, streaked, barred, stripy, streaky

مُخَطَّط : مُنَظَّم — planned, controlled

مُخَطَّط (ج مُخَطَّطات) — plan, design, scheme, sketch, outline

مُخَطِّط — planner; designer, draftsman

مَخْطُوبَة : خَطِيبَة — fiancée; engaged

مَخْطُوطَة، مَخْطُوط — manuscript

مَخْفَر (شُرْطَة) — police station; post

مُخَفَّض — reduced, lowered, decreased, cut; cut-rate, cheap, low

مُخْفِق : فاشِل — failing, unsuccessful, futile, unfruitful

مِخْفَقَة (البَيْضِ) ـ راجع خَفّاقة

مُخِلٌّ بـ violative of, in violation of, contrary to, inconsistent with

مُخِلٌّ بالآداب immoral, indecent, improper, obscene

مُخْل : رافِعَة lever, crowbar, pry

مِخْلَب : بُرْثُن claw, talon

مُخَلِّص : مُنْقِذ، مُحَرِّر rescuer, saver, savior; liberator, freer

مُخْلِص sincere, honest, candid, true; faithful, loyal, devoted; earnest, heartfelt

مُخَلَّل (ج مُخَلَّلات) : كَبِيس pickles

مَخْلُوطَة : نُقُولات mixed nuts

مَخْلُوق : مَجْبُول created, made

مَخْلُوقات : خَلْق ـ راجع خَلْق

مُخَمَّس (الزَّوايا والأَضْلاع) pentagon

مُخْمَل : قَطِيفَة velvet; plush

مُخْمَلِيَّة (نبات) marigold; amaranth

مَخْمُور drunk(en), intoxicated

مُخَنَّث effeminate, unmanly, womanish, womanly, womanlike

مُخَيِّب (لِلأَمَل) disappointing

مُخَيَّر free (to choose or undertake)

مِخْيَط : إِبْرَة needle

مُخِيف frightening, frightful, terrifying, fearful, dreadful, alarming, awful, terrible, horrible

مُخَيِّلَة imagination; fancy, fantasy

مُخَيَّم : مُعَسْكَر camp, encampment

مَدَّ : بَسَطَ to extend, stretch (out), spread (out); to expand

مَدَّ : أَطَالَ to extend, lengthen, elongate, prolong, protract

مَدَّ بـ : زَوَّدَ بـ to supply with, provide with, furnish with

مَدَّ الأَنابِيبَ to lay (pipelines)

مَدّ : تَوَسُّع، إِنْدِفاع expansion, surge; rising, uprising

مَدّ (البَحْرِ) (flood) tide, flux

مَدٌّ وجَزْر tide, ebb and flow

مَدًى : نِطاق extent, range, scope, space, ambit, reach, expanse, stretch; distance, interval

مَدًى : دَرَجَة extent, degree, measure, size, magnitude; limit

(على) مَدَى during, all during, throughout, all through

مِداد : حِبْر ink

مَدار [فلك] orbit, cycle, circle; tropic

مَدار (اسْتِوائِيّ) [جغرافيا] tropic

مَدار : مِحْوَر، قُطْب axis; pivot

مَدارُ البَحْث topic, subject, theme

على مَدارِ السَّنَة round the year, all year round, throughout the year, all through the year

مَداس : حِذاء shoe(s), sandal(s)

مُدافِع defender, protector, guardian; supporter, advocator

مَدالِيَة medal; medallion

مُداوِر : غَيْرُ مُباشِر indirect, circuitous, roundabout, devious

مُداوَرَةً indirectly, circuitously
مُداوَلَة deliberation, consultation, counsel, talk
مُدَبِّر : مُعِدّ arranger, preparer, author, designer, planner
مُدَبِّر : مُقْتَصِد economical, frugal, thrifty, provident, saving
مَدْبَغَة : دَبّاغَة tannery
مُدَّة (مِنَ الزَّمَن) period (of time), time; while; duration; term
مُدَجَّج بِالسِّلاح heavily armed
مَدَحَ to praise, commend, laud, extol, eulogize
مَدْح praise, commendation, extolment; panegyric, tribute
مِدْحاة، مِدْحَلَة : مِحْدَلَة (road) roller
مُدَّخِر : مَنْ يَدَّخِر saver
مُدَّخَرات savings; reserve(s)
مَدْخَل : مَوْضِعُ الدُّخول entrance, entry, way in, opening
مَدْخَل : مُقَدِّمَة introduction
مُدَخِّن : مَنْ يُدَخِّن smoker
مَدْخَنَة : ما يَخْرُجُ مِنْهُ الدُّخانُ chimney, smokestack, funnel
مَدْخُول : إيراد، رَيْع ـ راجع دَخْل
مَدَّدَ ـ راجع مَدَّ
مَدَد (ج أَمْداد) aid, help, support; reinforcement; supply
مُدَرِّب : مُمَرِّن trainer, instructor
مُدَرِّب رِياضِيّ coach, trainer
مَدْرَج (الطّائِرات) runway, tarmac

مُدَرَّج (ج مُدَرَّجات) amphitheater; stadium; grandstand
مُدَرِّس : مُعَلِّم teacher, instructor, school-teacher; tutor
مَدْرَسَة : مَكانُ التَّعْليم school; college
مَدْرَسَة : مَذْهَب school, doctrine
مَدْرَسَةٌ ابْتِدائِيَّة elementary school
مَدْرَسَةٌ ثانَوِيَّة secondary school, high school, college
مَدْرَسَةٌ رَسْمِيَّة public school
مَدْرَسَةٌ مُتَوَسِّطَة junior high school, intermediate school
مَدْرَسَةٌ مِهْنِيَّة training school, trade school
مَدْرَسِيّ scholastic, school
مُدَرَّع armored, cuirassed, mailed, armor-clad, ironclad
مُدَرَّع (حيوان) armadillo
سَيّارَةٌ مُدَرَّعَة armored car
قُوّاتٌ مُدَرَّعَة armored forces or troops, tank corps
مُدْرِك : مُمَيِّز perceptive, discerning; aware (of), conscious (of)
مَدْروس studied, deliberate, forethought, well planned
مُدَّعٍ (المُدَّعِي) [قانون] plaintiff
مُدَّعٍ : مُتَغَطْرِس pretentious, presuming, arrogant, conceited
المُدَّعِي العامّ attorney general; prosecutor, district attorney
مُدَّعى عَلَيْه [قانون] defendant

مَذْعاة : سَبَب، ضَرُورَة ـ راجع داع
مَدْعُوّ (إلى) invitee, guest; invited
مَدْعُوّ : مُسَمّى called, named, designated, so-called
مِدْفَأة (آلة) (heating) stove, heater
مِدْفَأة : مَوْقِد hearth, fireplace
مِدْفَع : آلةٌ حَرْبِيَّة gun, cannon
مِدْفَعٌ رَشّاش machine gun
مِدْفَعٌ مُضادٌّ للطائرات antiaircraft gun
مِدْفَعٌ هاوُن mortar
مِدْفَعِيَّة artillery; battery; cannonry
مَدْفِن : مَقْبَرَة cemetery. graveyard
مَدْفُوعات payments
مِدَقّ، مِدَقَّة pestle; pounder; beetle; mallet; hammer
مُدَقَّق : دَقِيق ـ راجع دَقِيق
مُدَقِّق : باحِث، مُحَقِّق examiner, investigator; researcher
مُدَقِّقُ حِسابات auditor; comptroller
مُدَلِّك masseur, massager, massagist
مُدَلَّل pampered, spoiled, coddled, babied; caressed, pet, fondling
مَدْلُول : مَعْنى meaning, sense, significance, import; purport
مِدْماك (في بِناء) bond, course
مُدْمَج، مُدَمَّج compact; built-in
مُدَمِّر destroyer, ruiner; saboteur; destructive; subversive
مُدْمِن addicted; addict
مُدْمِنٌ على الكُحُول alcoholic
مُدْمِنٌ على المُخَدِّرات drug addict
مَدَّنَ : حَضَّر to civilize; to urbanize
مَدَنِيّ : حَضَرِيّ urban, urbanized; townsman, city dweller
مَدَنِيّ : غَيْرُ عَسْكَرِيّ civilian; citizen
مَدَنِيّ [قانون] civil
تَرْبِيَةٌ مَدَنِيَّة civics
زَواجٌ مَدَنِيّ civil marriage
طَيَرانٌ مَدَنِيّ civil aviation
هَنْدَسَةٌ مَدَنِيَّة civil engineering
مَدَنِيَّة civilization
مُدْهِش astonishing, amazing, surprising, wonderful
مُدْهِن fatty, fat, greasy; oily
مَدْهُوش astonished, amazed, surprised, astounded, stunned
مُدَوٍّ (المُدَوِّي) reverberating, resonant, resounding, thunderous
مُدَوَّر round, circular, rounded
مُدَوَّنَة : مَجْمُوعَةُ قَوانِين code; corpus
مَدْيَة، مُدْيَة، مِدْيَة : سِكِّين، مِطْواة knife; pocketknife, penknife
مَدِيح ـ راجع مَدْح
مَدِيد : طَوِيل long
مُدِير director, manager, executive, administrator
مُدِيرٌ عامّ director general; general manager
مُدِيرُ مَبِيعات sales manager

مُدِيرَة directress, manageress
مُدِيرِيَّة : مَنْصِبُ المُدِير directorate
مُدِيرِيَّة : دائِرَة، إدارَة department, division, bureau
مُدِيرِيَّة : مُقاطَعَة province, county
مَدِين : مَدْيُون debtor; indebted, in debt, in the red; owing
مَدِينَة (ج مُدُن ومَدائِن ومُدْن) city, town
مَدِينِيّ : مُتَعَلِّقٌ بِمَدِينَة civic, city
مَدِينِيّ : حَضَرِيّ ـ راجع مَدَنِيّ
مَدْيُون ـ راجع مَدِين
مُذْ ـ راجع مُنْذُ
مَذاق : طَعْم taste, flavor, savor
مُذاكَرَة deliberation, consultation, counsel, discussion, talk
مَذْبَح : مَكانُ الذَّبْح slaughterhouse, abattoir, butchery, shambles
مَذْبَح (الكَنِيسَة) altar
مَذْبَحَة : مَجْزَرَة massacre, carnage, butchery, slaughter, blood bath
مِذْعان، مُذْعِن submissive, obedient
مَذْعُور terrified, horrified, frightened, scared, alarmed
مَذَق to adulterate; to dilute
مُذَكَّر [لغة] masculine
مُذَكِّرَة memorandum, note, reminder; notebook; warrant
مُذَكِّرات memoirs, autobiography
مَذْكُور mentioned, referred to
مَذْكُورٌ آنِفاً ـ راجع آنِف

مُذِلّ : مُخْزٍ degrading, debasing, humiliating, dishonorable
مَذَلَّة ـ راجع ذُلّ
مَذَمَّة ـ راجع ذَمّ
مُذَنَّب : لَهُ ذَنَب caudate(d), tailed
مُذَنَّب، نَجْمٌ مُذَنَّب comet
مُذْنِب guilty, culpable; sinful, sinning; sinner, wrongdoer
مَذْهَب (ج مَذاهِب) faith, belief, creed; doctrine; ideology; school
مُذَهَّب : مُمَوَّهٌ بِالذَّهَب gilded, gilt
مَذْهَبِيّ denominational, sectarian, confessional; doctrinal
مُذْهِل astounding, astonishing, amazing, stunning, startling
مَذْهُول astounded, astonished, amazed, stunned, startled
مِذْوَد manger, (feeding) trough, crib
مِذْياع : مِيكْرُوفُون microphone
مِذْياع : رادْيُو radio, radio set
مُذِيع spreader; announcer, herald
مُذِيع (الرّادْيُو أو التِّلِفِزْيُون) announcer
مُذِيعُ الأَخْبار reporter, news broadcaster, newscaster
مَرَّ (بِـ، على) to pass, pass by, go by, go past; to pass through, go through, cross, traverse
مَرَّ : مَضَى to pass, elapse, go by, run out, be over
مَرّ، على مَرِّ الزَّمان in the course of time; throughout the ages

مُرّ : ضِدّ حُلْو bitter
مُرّ، شَجَرُ المُرّ myrrh-tree
المَرْء : إنسان man; person; one
مَرْأى : مَنْظَر view, sight
على مَرْأى مِنِّي before my very eyes
مُراءٍ (المُرائي) hypocrite, dissembler
مَرْأب، مِرْأب (لإصْلاح السَّيّارات) repair shop, garage
مَرْأب، مِرْأب (لإيواءِ السَّيّارات) garage, parking lot, park
مُرابٍ (المُرابي) usurer, loan shark
المَرْأة ـ راجع اِمْرَأة
مِرْآة (ج مَرايا) mirror, (looking) glass
مُراجَعَة : إعادَةُ نَظَر review, revision, (re)examination, reconsideration, going over, check(ing)
مُراجَعَة : لُجُوءٌ إلى consulting, referring to, resorting to
مُراجَعَة : اِسْتِدْعاء application, petition; transaction, business
مُراد : قَصْد purpose, intent(ion), aim, goal, object(ive)
مُرادِف synonym; synonymous
مَرارَة : ضِدّ حَلاوَة bitterness
مَرارَة [تشريح] gallbladder
مُراسِل : مُكاتِب correspondent
مُراسِل صُحُفِيّ correspondent, reporter, newsman
مُراسَلَة : مُكاتَبَة correspondence
مُراسَلَة : رِسالَة ـ راجع رِسالَة

مَراسِم ceremonies, ceremonial, ritual; protocol, etiquette
مُراعاة observance of, compliance with, keeping; consideration, deference, respect, regard
مُرافِق : حارِس، رَفِيق escort; bodyguard; attendant; companion
مُرافِق : مُصاحِب accompanying
مُراقِب : مُشْرِف، ناظِر supervisor, superintendent, inspector
مُراقِب : راصِد observer, watcher
مُراقِب (المَطْبُوعاتِ والأفْلام) censorship
مُراقِبُ حِسابات auditor; comptroller
مُراقِب العُمّال foreman, ganger
مُراقَبَة control, supervision, surveillance, inspection; observation, watch(ing), monitoring
مُراقَبَة (المَطْبُوعاتِ والأفْلام) censorhip
مَرام wish, desire; intent(ion), purpose, object(ive), aim, goal
مُرامِرِيّ (حيوان) kudu, koodoo
مُرّان (شَجَر وخَشَبُه) beech
مِران practice, exercise, training
مُراهِق adolescent; teenager
مُراهَقَة adolescence, puberty
مُراهِن : مَنْ يُراهِن bettor, wagerer
مَرْؤُوس subordinate, inferior
مُراوِغ dodgy, evasive, elusive, sly
مَرْئِيّ seen, viewed; visible, visual
إذاعَةٌ مَرْئِيَّة television, TV

مُرَبٍّ (المُرَبِّي) : مُثَقِّف educator, pedagogue, teacher
مُرَبِّي الحَيَوَاناتِ والطُّيُورِ إلخ breeder, raiser, grower
مَرْبًى (مائيّ) aquarium
مُرَبًّى (الفاكِهَةِ إلخ) jam; marmalade
مُرْبِح : مُكْسِب profitable, lucrative, remunerative, gainful
مَرْبِض : حَظِيرَة pen, fold
مَرْبَع : مَلْهًى night club; cabaret
مُرَبَّع [رياضيات] square
مُرَبَّع : خانَة square, checker
مُرَبَّع : ذُو مُرَبَّعاتٍ checkered, checked
مِتْرٌ مُرَبَّع square meter
مُرَبِّيَة governess; nursemaid, (dry) nurse, nanny; baby sitter
مَرَّة time; once, one time
مَرَّةً once
مَرَّتَيْن twice
مَرَّةً أُخْرَى، مَرَّةً جَدِيدَة once more, (once) again, another time
مَرَّةً وإلى الأَبَد once (and) for all
مِرَاراً، عِدَّةَ مَرَّاتٍ several times, many times, quite often
مُرْتاح : مُسْتَرِيح comfortable, at ease; relaxed; resting, at rest
مُرْتاح : راضٍ، مَسْرُور satisfied, content(ed), pleased
مُرَتَّب : مُنَظَّم (well-)arranged, (well-)ordered, orderly, regular, tidy, neat, organized
مُرَتَّب : أَجْر - راجع راتِب
مَرْتَبَة - راجع رُتْبَة
مُرْتَبِط : مُتَّصِل - راجع مُتَرَابِط
مُرْتَبِط : مُلْتَزِم bound, committed, engaged, tied
مُرْتَبِك confused, confounded, disconcerted, perplexed, puzzled, bewildered, at one's wit's end
مُرْتَجًى : أَمَل hope; wish
مُرْتَجَل improvised, extemporized, extemporaneous, offhand(ed)
مُرْتَدّ (عن دِينٍ) apostate, renegade, turncoat, deserter
مُرْتَزِق mercenary, hireling; hired
مُرْتَزِقَة mercenaries
مَرْتَع (rich) pasture, pastureland; hotbed, fertile ground
مُرْتَفَع : تَلّ height, hill, mound
مُرْتَفِع : عالٍ high, elevated, towering, lofty; loud (sound, voice)
مُرْتَقَب expected, anticipated; likely
مُرْتَكِب perpetrator, wrongdoer
مُرْتَكَز pivot; center; rest; prop
مَرْثَاة، مَرْثِيَّة elegy, lament, dirge
مَرْج pasture, pasturage, grassland; prairie; meadow, lawn, turf
مَرْجان : حَيَوانٌ بَحْرِيّ coral(s)
مَرْجان (سمك) braize, sea bream
مُرَجَّح likely, probable; preponderant, predominant

مَرْجَرِين : زُبْدَةٌ صُنْعِيَّة — margarine
مَرْجِع : كِتاب — reference, source
مَرْجِع : سُلْطَةٌ مُخْتَصَّة — authority, competent authority
مَرْجِع (ثِقَة) : خَبِير — authority, authoritative source, expert
قائِمَةُ المَراجِع — bibliography
مَرْجُوحَة — swing; seesaw; cradle
مَرِح — to frolic, have fun, rejoice; to be merry, gay, joyful
مَرَح — glee, mirth, hilarity, gaiety, merriment, fun, frolic
مَرِح — merry, gay, jovial, joyful, jolly, lively, mirthful, gleeful
مَرْحَى : أَحْسَنْتَ — well done! bravo!
مِرْحاض — toilet, flush toilet, lavatory, water closet
مَرْحَباً (بِك) — welcome! hello!
مَرْحَلَة — stage, phase, period
مَرْحَلِيّ : مُؤَقَّت — temporary, transitory, provisional, interim
المَرْحُوم — the late, the departed
مَرَخَ ، مَرَّخَ — to anoint, rub
مُرَخَّص (السِّعْرِ) — reduced, lowered, cut; low-priced
مُرَخَّص (بِهِ) : مُباح — authorized, licensed, permissible, allowed
مَرَدُّهُ إلى — due to, attributable to, ascribable to, caused by
مَرْدَقُوش (نبات) — marjoram

مَرْدُود : غَلَّة — yield, produce, returns, proceeds, revenue
مِرَذَّة — spray, sprayer; atomizer
مَرَّرَ : جَعَلَهُ يَمُرّ — to pass; to let pass
مِرْزاب : مِيزاب — drain; (roof) gutter; spout, waterspout
مَرَّسَ — to inure, accustom, season; to sophisticate, make experienced
مَرْسًى : مَكانُ رُسُوِّ السُّفُن — anchorage, moorage, mooring, berth
مِرْساة (السَّفِينَة) — anchor; bower
مِرْسال ـ راجع رَسُول
مَرَسَة : حَبْلٌ غَلِيظ — cable, hawser
مُرْسَل : غَيْرُ مُقَفًّى (شِعْر) — blank, unrhymed, free (verse)
مُرْسَل (دِينِيّ) : مُبَشِّر — missionary
مُرْسَلٌ إلَيْهِ — consignee; recipient, receiver, addressee
مُرْسِل : مَنْ يُرْسِل — sender; dispatcher, consignor, forwarder
مَرْسُوم : أَمْر — decree, ordinance, edict, regulation, act
مَرْسُومٌ اشْتِراعِيٌّ أو تَشْرِيعِيّ — decree-law, legislative decree
مَرْسِين (نبات) — myrtle
مِرَشَّة — sprinkler; watering pot
مِرَشَّة : دُوش — shower, douche
مِرَشَّةُ المِلْح — saltshaker
مُرَشَّح (لِمَنْصِب) — candidate, nominee
مُرَشِّح ، مِرْشَح ، مِرْشَحَة : مِصْفاة — filter

مُرْشِد : مَنْ يُرْشِد guide, leader, pilot, usher; adviser; instructor
مِرْصاد lookout, observation post
مَرْصَد (فَلَكِيّ) observatory
مُرَصَّع (بِـ) inlaid (with), set (with), enchased (with), studded (with)
مَرِضَ to be(come) sick or ill
مَرَّضَ المَرِيضَ : اِعْتَنَى بِه to nurse, tend
مَرَّضَ : أَمْرَضَ - راجع أَمْرَضَ
مَرَض disease, malady, ailment; illness, sickness
مُرْضٍ (المُرْضِي) satisfactory; satisfying; pleasant; well
مُرْضِع : أُمٌّ لَها وَلَدٌ تُرْضِعُه suckling mother, breast-feeding mother
مُرْضِعَة : مَنْ تُرْضِعُ وَلَدَ غَيْرِها wet nurse
مَرَضِيّ morbid, pathologic(al); sick
إجازَة مَرَضِيَّة sick leave
مَرَط : صَلَع alopecia, baldness
مُرَطِّب (لِلْبَشَرَة) moisturizer
مُرَطِّبات refreshments, soft drinks
مَرِع : خَصِيب fertile, productive, fat
مَرْعًى : مَرْج pasture, pasturage, grazing land; prairie
مُرْعِب : مُخِيف frightful, frightening, terrifying, dreadful, alarming, terrible, horrible, awful
مَرْعُوب frightened, scared, terrified
مَرَّغَ (في التُّرابِ) to roll (in the dust)
مَرْغَرِيتا (نبات) marguerite
مَرْغَرِين : زُبْدَة صُنْعِيَّة margarine
مُرْغَم compelled, coerced, forced, constrained, obliged
مَرْغُوبٌ فِيه desirable; desired
غَيْرُ مَرْغُوبٍ فِيه undesirable
مَرْفَأ port, harbor, haven, seaport
مَرْفَع، أَيّامُ المَرافِع Shrovetide
عِيدُ المَرْفَع carnival
أَحَدُ المَرافِع Shrove Sunday
ثُلاثاءُ المَرافِع، ثُلاثاءُ المَرْفَع Shrove Tuesday, Mardi Gras
مَرْفِق، مَرْفَق - راجع مِرْفَق
مُرْفَق (بِه) enclosed, attached
مُرْفَقات enclosures
مِرْفَق [تشريح] elbow
مِرْفَق : مَصْلَحَة utility, service, facility, convenience
مِرْفَق عامّ public utility
مَرْفُوض inadmissible; refused, rejected, turned down
مَرَق، مَرَقَة broth, stock; bouillon; gravy; sauce; dressing
مِرْقاق : شَوْبَك rolling pin
مَرْقَب : مِرْصاد lookout, observation post
مَرْقَب : بُرْجُ المُراقَبَة watchtower
مِرْقَب : تِلِسْكُوب telescope
مَرْقَد : مَضْجَع bed; couch
مَرْقَص ballroom, dance hall, dancing room, dancing place

مُرَقَّط : أَرْقَط speckled, spotted
مُرَقَّع : رُقَع، ذُو رُقَع patched, patchy
مَرْكَب boat, ship, vessel, ferryboat
مُرَكَّب : ضِدّ بَسِيط complex; compound, composite
مُرَكَّب (كِيميائيّ) compound
مُرَكَّب : عُقْدَة complex
مَرْكَبَة : عَرَبَة vehicle, conveyance, car; carriage, coach; wagon
مَرْكَبَةٌ فَضائِيَّة، مَرْكَبَةُ الفَضاء spacecraft, spaceship
مَرْكَز : مِحْوَر، مَقَرّ center; focus
مَرْكَز : مَوْقِع position, post; location, site, seat, locality
مَرْكَز : مَنْصِب post, office, position
مَرْكَزٌ رَئِيسِيّ headquarters; main office, head office
مَرْكَزِيّ central, centric; centralized
بَنْكٌ (مَصْرِفٌ) مَرْكَزِيّ central bank
تَدْفِئَةٌ مَرْكَزِيَّة central heating
مَرْمًى : هَدَف [رياضة بدنية] goal
مَرْمًى : هَدَف، غايَة goal, target, aim, object(ive), purpose
مَرْمَر : رُخام alabaster; marble
مَرْمُوط (حيوان) marmot
مَرْمُوق notable, eminent, distinguished, noted; important; high, top; advanced
مَرَّنَ على : دَرَّبَ to train, drill, practice, exercise, coach, school, tutor, discipline, rehearse
مَرِن : لَيِّن flexible, pliant, pliable, ductile, resilient, supple
مُرْهَف thin, slim, slender; fine, delicate, flimsy; sensitive
مُرْهَق : تَعِب exhausted, fatigued, tired (out), worn out, overtired
مُرْهِق : مُتْعِب exhausting, fatiguing, tiring; onerous, laborious
مَرْهَم : دَلُوك ointment, liniment, unguent, unction; pomade; cream
مَرْهُونٌ بِـ : مُتَوَقِّفٌ على - راجع رَهَنَ بِـ
مَرْو : كوارتز quartz
مُرُوءَة chivalry, magnanimity, generosity; sense of honor
مِرْوَحَة (يَدَوِيَّة، كَهْرَبائِيَّة إلخ) fan
مِرْوَحَة (لِسَحْبِ الهَواء) ventilator
مِرْوَحِيَّة : طائِرَةٌ مِرْوَحِيَّة helicopter
مُرُور passing, passage, passing by; passing through
مُرُور، حَرَكَةُ المُرُور traffic
مُرَوِّض : مَنْ يُرَوِّض tamer; trainer
مُرَوِّع : رَهِيب frightening, frightful, terrifying, dreadful, alarming, terrible, horrible, awful
مُرُونَة flexibility, pliancy, ductility
مَرِيء [تشريح] esophagus, gullet
مُرِيب : مَشْكُوكٌ فِيه suspicious, doubtful, dubious, dubitable, fishy
مُرِيح comfortable, cozy; convenient
المِرِّيخ [فلك] Mars

مَرِير: دالٌّ على الأسَى أو الألَم bitter
مَرِيض sick, ill, ailing; sickly, invalid, unwell; patient
مُرِيع: رَهيب ـ راجع مُرَوِّع
مَرْيَلَة ـ راجع مَرْيُول
مَرْيَمُ العَذْراء the Virgin Mary
مَرْيَمِيَّة (نبات) sage, clary
مَرْيُول: مَرْيَلَة apron, coverall, pinafore, duster; bib
مُزّ، مُزُّ الطَّعْم acidulous, tart
مِزاج temper(ament), disposition, mood, humor, frame of mind
مِزاجِيّ: مُتَعَلِّقٌ بالمِزاج temperamental
مِزاجِيّ: مُتَقَلِّب (المِزاج) moody, temperamental, unpredictable, mercurial, whimsical
مَزّاح joker, jester, humorist; joking, jocose, humorous
مُزاح joking, jesting, kidding, fun(making); joke, jest, banter
مُزاحِم: مُنافِس competitor, rival
مُزاحَمَة: مُنافَسَة competition, rivalry
مَزاد (عَلَنِيّ) auction, public sale
مَزار: مَقام، مَقْدِس shrine, sanctuary
مُزارِع farmer, peasant; planter
مَزاعِم allegations, claims, contentions
مُزاوِل practitioner; practicing
مُزاوَلَة practice, practicing, pursuit, engagement (in)
مَزْبَلَة dunghill; cesspit

مَزَجَ to mix, mingle, blend, admix, commingle, combine
مَزَحَ to joke, jest, make fun, banter, fool, kid (around)
مَزْح ـ راجع مُزاح
مَزْحَة joke, jest, banter, pleasantry; prank, waggery, frolic
مُزَخْرَف ornamented, adorned, embellished, garnished, decorated, ornate, ornamental
مُزْدان ـ راجع مُزَيَّن
مُزْدَحِم (over)crowded, swarming; packed, jammed, crammed, congested, chockablock
مُزْدَهِر flourishing, thriving, booming, blooming, prosperous
مُزْدَوِج double, dual, twofold, two-; twin, paired, in pairs
مِزْراب: مِيزاب drain; (roof) gutter; spout, waterspout
مَزْرَعَة farm; plantation; grange; ranch; country estate
مُزْرَق bluish, blue
مُزَرْكَش brocaded, embroidered; ornamented, embellished, adorned
مُزْعِج disturbing, disquieting, upsetting, annoying, vexing
مَزْعُوج ـ راجع مُنْزَعِج
مَزْعُوم alleged, claimed, pretended; supposed; so-called
مَزَقَ، مَزَّقَ to tear, rend, rip (apart), rive, lacerate; to tear to pieces, tear up, shred

مَزْق : شَق، خَرْق — tear, rent, rip, rift
مَزْكوم — having a cold
مِزْلاج : قُفْل — bolt, bar, latch, catch
مَزْلَج، مِزْلَج، مِزْلَجَة — ski; sleigh; sled, sledge, skate; roller skate
مِزْمار : آلَةٌ موسيقِيَّة — pipe, reed (pipe), flute, clarinet, oboe, fife
مِزْمارُ الرَّاعِي (نبات) — water plantain
مُزْمِن — chronic; inveterate; deep-seated, deep-rooted, old
مَزْمُور (ج مَزامِير) — psalm
مِزْهَر : مِسْكَبَة — bed
مِزْهَر : عُود (آلَةٌ موسيقِيَّة) — lute
مِزْهَرِيَّة : زَهْرِيَّة — (flower) vase
مَزْهُوّ — vain(glorious), (self-)conceited, overweening, arrogant
مَزُوح ـ راجع مَزّاح
مُزَوَّر : مُزَيَّف — forged, counterfeit, false; phony, fake, pirated
مُزَوِّر — forger, counterfeiter; pirate
مِزْوَلَة : ساعَةٌ شَمْسِيَّة — sundial
مَزِيَّة : مِيزَة — merit, virtue, advantage, good quality or feature; trait, characteristic, property
مِزْيَتَة — oilcan, oiler; lubricator
مَزِيج — mixture, blend, mélange, mix, medley, hodgepodge
مَزِيد : إضافِيّ — increased; more, further, additional, extra; great(er)
مَزِيد : زِيادَة ـ راجع زِيادَة
مُزَيَّف ـ راجع زائِف

مُزَيِّف — counterfeiter, forger, falsifier
مُزِيل — remover, eliminator
مُزِيلُ الرَّائِحَة — deodorant, deodorizer
مُزِيلُ الشَّعْر — depilatory
مُزَيَّن — adorned, ornamented, embellished, garnished, decorated, bedecked, ornate, ornamental
مُزَيِّن (شَعْرٍ) : حَلّاق — hairdresser, barber, coiffeur, hairstylist
مَسّ : لَمَس — to touch, feel, handle
مَسَّ : أَصابَ، حَلَّ بِـ — to befall, afflict, hit, strike, happen to
مَسَّهُ بِأَذًى أو بِسُوء — to harm, damage, hurt, do harm to
مَسّ (مِنَ الجُنُون) — mania; (slight) insanity, (slight) madness
مَسَّى (فُلانًا) — to wish (someone) a good evening
مَسَاء — evening, eve
مَسَاءً — in the evening
مَساءُ الخَيْر، عِمْ مَساءً — good evening!
مَسائِيّ — evening; vespertine
مُسابَقَة — contest; competition; race; examination, test, quiz
مَسّاحُ الأَحْذِيَة — bootblack, shoeblack
مَسَّاحَة (لِزُجاجِ السَّيّارَةِ إلخ) — wiper
مِساحَة (أَرْضٍ، سَطْحٍ إلخ) — area
مِسَاحَة : مَسْحُ الأَراضِي — surveying, (land) survey
مَسَار — path, channel, track, route;

course, line; current, run, trend, tendency, movement, progress
مُسَاعِد : مُعَاوِن assistant, aid(e), helper), supporter
مُسَاعِد : مُفِيد، مُؤَاتٍ helpful, useful, advantageous, favorable
مُسَاعَدَة help, aid, assistance, support, relief, succor; contribution, subsidy, grant
مَسَافَة distance, space, spacing, range, interval, stretch
مُسَافِر passenger; traveler, voyager
مَسْأَلَة question, issue, problem; matter, affair, case; theorem
مُسَالِم peaceable, peaceful, pacific, peace-loving
مَسَامّ : ثُقُوبُ الجِلْد pores
مُسَامِح forgiving, excusing; indulgent, tolerant, lenient
مُسَانَدَة support, backing (up), assistance, aid, help
مُسَاهِم : مُشْتَرِك contributor, participant; contributing, participating
مُسَاهِم : حامِلُ السَّهْمِ المالِيّ shareholder, stockholder
مُسَاوٍ (المُسَاوِي) (لِـ) equal (to), equivalent (to); amounting to; worth
مَسَاوِىء ـ راجع سَيِّئَة
مُسَاوَاة : تَسَاوٍ equality
على قَدَمِ المُسَاوَاة equally; on an equal footing, on the same level
مَسْؤُول (عن، أمامَ) responsibie
مَسْؤُول : مُدِير in charge (of); supervisor; manager, director; head, chief, president
مَسْؤُول : مُوَظَّف official, officer
مَسْؤُولِيَّة responsibility; liability
مُسَاوَمَة bargaining, haggling, haggle
مُسَبِّب : سَبَب cause, reason, motive
مَسَبَّة : شَتِيمَة swearword; abuse, vituperation, revilement, insult
مَسْبَح beach; seaside resort; swimming pool, pool
مِسْبَحَة : سُبْحَة rosary, beads
مِسْبَر : مِجَسّ probe; sound
مُسْبَق advance; premature
مُسْبَقاً beforehand, in advance
مَسْبَك : مَكانُ السَّبْك foundry
مُسْتَأْجِر tenant, lessee, leaseholder
مُسْتَبِدّ despotic, autocratic, dictatorial, tyrannical, arbitrary; despot, autocrat, tyrant, dictator
مُسْتَتِبّ stable, settled, constant, steady, normal, orderly
مُسْتَتِر hiding; hidden, concealed, covered; latent, esoteric
مُسْتَثْمِر (المال إلخ) investor
مُسْتَجَدَّات latest (recent, new, fresh) developments
مُسْتَجْدٍ (المُسْتَجْدِي) beggar
مُسْتَحَاثَ : أُحْفُور fossil
مُسْتَحَبّ desirable, (re)commendable; pleasant, nice; desired

مُسْتَحْدَث new, novel, original; invented, originated, created
مُسْتَحْسَن advisable, (re)commendable; suitable, appropriate
مُسْتَحْضَر (ج مُسْتَحْضَرات) preparation, confection, compound
مُسْتَحْضَرات تَجْميل cosmetics, makeup, maquillage
مُسْتَحِقّ deserving, meriting, worthy of; qualified for, eligible for
مُسْتَحِقّ (الدَّفع) due, payable
مُسْتَحْكِم intense, severe, serious; deep-seated, inveterate
مُسْتَحْلَب : مادَّةٌ مُسْتَحْلَبَة emulsion
مُسْتَحِيل impossible, out of the question; unfeasible, hopeless
مُسْتَخْدَم : أجير employee; servant
مُسْتَخْدَم : مُسْتَعْمَل employed, used
مُسْتَخْدِم : رَبُّ عَمَل employer, master
مُسْتَخْدِم : مُسْتَعْمِل user, utilizer
مُسْتَدْعٍ (المُسْتَدْعِي) applicant
مُسْتَدِقّ : دَقِيق thin, fine, slender
مُسْتَدِقُّ الطَّرَف أو الرَّأس tapering, pointed, pointy, sharp
مُسْتَدِير round, circular, rotund
مُسْتَدِيرة (طُرُق) (traffic) circle, rotary
مُسْتَدِين : مُقْتَرِض borrower; debtor
مُسْتَراح toilet, WC, bathroom
مُسْتَرْجِلَة mannish, masculine
مُسْتَرْسِل (شَعْر) flowing, loose, lank
مُسْتَرِق : سارِق ـ راجع سارِق
مُسْتَرِقُ السَّمْع eavesdropper
مُسْتَرِقُ النَّظَر voyeur, peeper, peeping Tom, snoop, snooper
مُسْتَرِيح ـ راجع مُرْتاح
مُسْتَساغ ـ راجع سائِغ
مُسْتَشار : ناصِح ، مُرْشِد adviser, counselor, counsel, consultant
مُسْتَشار (أَلْمانيا) chancellor
مُسْتَشار : قاضٍ justice, judge
مُسْتَشْرِق (ج مُسْتَشْرِقُون) orientalist
مُسْتَشْفًى : مَشْفًى hospital; infirmary
مُسْتَشْفَى الأَمْراضِ العَقْلِيَّة mental hospital, insane asylum
مُسْتَطاع possible, feasible
مُسْتَطِيل rectangle; rectangular
مُسْتَعار : مُقْتَرَض borrowed
مُسْتَعار : زائِف false, fake, pseudo, artificial, fictitious
مُسْتَعْجَل ـ راجع مُعَجَّل ، عاجِل
مُسْتَعْجِل hurried, in a hurry, hurrying, rushing, running, speedy, quick, fast
مُسْتَعِدّ prepared, ready, willing
مُسْتَعْصٍ (المُسْتَعْصِي) incurable, irremediable; difficult, hard
مُسْتَعْطٍ (المُسْتَعْطِي) beggar
مُسْتَعْمِر colonist, settler; colonizer; colonialist, imperialist

مُسْتَعْمَرة colony, settlement

مُسْتَعْمَل : مُسْتَخْدَم used, employed, utilized, applied

مُسْتَعْمَل : غَيْرُ جَدِيد used, second-hand

مُسْتَعْمِل : مُسْتَخْدِم user, utilizer

مُسْتَعِير : مُقْتَرِض borrower

مُسْتَغْرَب ـ راجع غَرِيب

مُسْتَغْرِقٌ في engrossed in, absorbed in, wholly engaged in, lost in, preoccupied with, taken up with

مُسْتَفِيد beneficiary, usufructuary

مُسْتَفِيض elaborate, detailed

مُسْتَقْبَل، مُسْتَقْبِل (مِنَ الزَّمَن) future

مُسْتَقْبَلِيّ futuristic, future, prospective

مُسْتَقْتِل desperate, death-defying

مُسْتَقَرّ ـ راجع مَقَرّ

مُسْتَقِرّ : مُسْتَتِبّ stable, stabilized, settled, steady, constant, normal, orderly, in good order

مُسْتَقِلّ independent; autonomous; free; unattached; separate

مُسْتَقِيل resigned; resigning

مُسْتَقِيم straight, direct; straightforward, upright, honest, righteous

مُسْتَكْتَب، مُسْتَكْتِب : كاتِب clerk

مُسْتَلْزَمات : لَوازِم requirements, requisites, prerequisites, exigencies, needs, necessaries, necessities

مُسْتَلِم recipient; receiver

مُسْتَمِرّ continual, continuous, continued, constant, lasting, uninterrupted, incessant

مُسْتَمِع listener, hearer, audient, auditor; listening, hearing

مُسْتَنَد : وَثِيقَة document, paper, (legal) instrument, record

مُسْتَنْطِق examiner, interrogator, investigating officer, investigator

مُسْتَنْقَع swamp, quagmire, bog, marsh, moor, morass, fen

مُسْتَهْتِر reckless, careless, irresponsible; wanton, uninhibited

مُسْتَهْدَف exposed to, open to, subject to, liable to

مُسْتَهَلّ : بَدْء beginning, start, outset

مُسْتَهْلِك consumer

مُسْتَوٍ (المُسْتَوِي) : مُنْبَسِط even, level, flat, plane, smooth

مُسْتَوٍ : مُسْتَقِيم straight, upright

مُسْتَوٍ : ناضِج ripe, mature

مُسْتَوٍ : مَطْبُوخٌ جَيِّداً well done

مُسْتَوَى level, standard, plane

مُسْتَوَى المَعِيشَة standard of living

على مُسْتَوًى عالٍ on a high level

مُسْتَوْدَع : مَخْزَن warehouse, storehouse, depot, store(room)

مُسْتَوْرَد : اِسْتُورِدَ imported

مُسْتَوْرَدات : ضِدّ صادِرات

مُسْتَوْرِد : مَن يَسْتَورِد

مُسْتَوْصَف (طِبِّيٌّ أو صِحِّيّ) dispensary; infirmary; clinic

مُسْتَوْطِن settler; resident, inhabitant, dweller; domiciled; settled

مُسْتَوْطَنَة : مُسْتَعْمَرَة settlement; colony

مُسْتَوْعِب، مُسْتَوْعَب : حاوِيَة container

مُسْتَوْقَد : مُصْطَلًى hearth, fireplace

مُسْتَيْقِظ awake, wakeful, up

مَسْجِد : جامِع mosque

مُسَجَّل registered; recorded, tape(d), tape-recorded

مُسَجِّل : مَأْمُورُ تَسْجِيل registrar, register, recorder

مُسَجِّل، مُسَجِّلَة : آلَةُ تَسْجِيل tape recorder, recorder

مَسْجُون ـ راجع سَجِين

مَسَحَ، مَسَّحَ to wipe; to mop (up); to rub; to clean, wash

مَسَحَ الأَراضِي إلخ to survey

مِسْحاة : رَفْش shovel, spade

مِسْحاج plane, jointer, block plane

مَسْحَة : أَثَر، صِبْغَة trace, touch, bit, streak, smack, tint, shade

مَسْحُور bewitched, witched

مَسْحُوق : ذَرُور powder

مَساحِيقُ التَّجْمِيل cosmetics, make-up, maquillage

مَسْحُوقُ التَّنْظِيفِ أو الغَسِيل detergent, cleaner

مَسَخَ to metamorphose; to disfigure, deform; to distort, falsify, corrupt, twist

مِسْخ، مَسْخ monster; freak

مَسْخَرَة : مُضْحِك ridiculous

مَسْخَرَة : أُضْحُوكَة laughingstock

مُسَخِّن : سَخّان heater; geyser; boiler

مَسَّدَ to massage; to rub, caress

مُسَدَّس : سِلاحٌ نارِيٌّ خَفِيف pistol, revolver, gun, handgun

مُسَدَّسُ الزَّوايا والأَضْلاع hexagon

مَسْدُود plugged (up), closed (up); shut (off); blocked, obstructed

طَرِيقٌ مَسْدُود blind alley, dead-end street, impasse

مُسِرّ ـ راجع سارّ

مَسْرَب intake; drain, sewer; duct, conduit; course

مَسَرَّة ـ راجع سُرُور

مَسْرَح theater, playhouse; stage; scene, arena

مَسْرَحِيّ dramatic, theatrical, stage

كاتِبٌ مَسْرَحِيّ playwright

مَسْرَحِيَّة play, drama; performance

مَسْرَد : فِهْرِس index; glossary; list

مُسْرِع hurried, in a hurry, hurrying, hasty, rushing, running, speedy, quick, fast

مُسْرِف : مُبَذِّر waster, wastrel, spendthrift, scattergood; wasteful, profligate, extravagant

مَسْرُور happy, glad, delighted,

مَسْرُور pleased, cheerful, joyful, joyous, jolly, merry
مَسْرُوق : مَسْلُوب stolen; robbed
مَسْرُوقات : أشياءُ مَسْرُوقَة stolen goods (objects, things, etc.)
مَسْطَبَة، مِسْطَبَة - راجع مَصْطَبَة، مِصْطَبَة
مُسَطَّح level, flat, even, plane; spread (out), stretched (out)
قَدَمٌ مُسَطَّحَة flat foot
مُسَطَّر : مُخَطَّط ruled, lined; striped
مِسْطَرَة، مِسْطَرَة : أداةٌ لِلتَّسْطِير ruler
مِسْطَرَة : عَيِّنَة sample, specimen
مَسْعًى effort, endeavor, attempt
مُسْعِف reliever, succorer; rescuer, saver; first-aid man
مَسْعُور mad; crazy; rabid, hydrophobic; frantic, frenzied, wild
مَسْقَط [هندسة] projection
مَسْقَطُ الرَّأس birthplace, hometown
مَسْقَطُ ماء waterfall, falls, chute
مَسْقِط - راجع مَسْقَط
مَسْقُوف : مُزَوَّدٌ بِسَقْف roofed, ceiled
مَسَكَ بِـ - راجع أَمْسَكَ، تَمَسَّكَ
مَسَكَ (الحِسَاباتِ، الدَّفَاتِرَ) to keep (accounts, books)
مَسْكُ الحِسَابات accountancy, keeping of accounts, accounting
مَسْكُ الدَّفَاتِر bookkeeping
مِسْك : نَوْعٌ مِنَ الطِّيب musk
مَسْكَبَة : مَزْهَر bed

مَسْكَة : مَقْبِض handle, (hand)grip, knob, grasp, haft
مَسْكَة : قَبْضَة grip, hold, clasp
مَسْكَةُ الباب doorknob
مُسْكِر intoxicating, intoxicant
مُسْكِر : مَشْرُوبٌ رُوحِيّ alcoholic beverage, (alcoholic) drink, (spirituous) liquor, alcohol
مَسْكَن، مَسْكِن residence, domicile, house, home, apartment, flat; accommodations, lodgings
مُسَكِّن analgesic, painkiller, reliever; sedative, tranquilizer
مَسْكُوكَة : نَقْدٌ مَعْدِنِيّ coin, specie
مَسْكُون : مَأْهُول inhabited, populated; occupied, lived in
مَسْكُونٌ بالجِنّ haunted (place); possessed (person)
مِسْكِين : فَقِير poor, needy, indigent; pauper, poor man
مِسْكِين : بائِس miserable, poor
مُسَلٍّ (المُسَلِّي) amusing, entertaining, diverting
مِسَلَّة : إِبْرَةٌ كَبِيرَة large needle
مِسَلَّة : نُصُبٌ عَمُودِيّ obelisk
مُسَلَّح : مُزَوَّدٌ بالسِّلاح armed
(رَجُلٌ) مُسَلَّح gunman, armed man
مَسْلَخ : مَذْبَح slaughterhouse, abattoir, butchery, shambles
مُسَلْسَل : مُتَسَلْسِل serial(ized), seriate(d); successive, consecutive;

مُسَلْسَل، مُسَلْسَلَة continuous; chain-; graded series; chain; serial story, serial

مَسْلَك : طَرِيق way, road; path, track; course, route, line

مَسْلَك : مَجْرًى، قَنَاة passage, channel, canal; conduit, duct

مَسْلَك : سُلُوك ـ راجع سُلُوك

مَسْلَكِيّ behavioral; vocational

مُسْلِم Moslem, Muslim

مُسَلَّمَة : بَدِيهِيَّة postulate, axiom

مَسْلُوق boiled

مُسَمًّى : مَدْعُوّ named, called, designated, dubbed, so-called

مُسَمًّى : إسْم – راجع إسْم

مِسْمَار : وَتَد nail; pin; tack

مِسْمَارٌ بِرْشَام rivet

مِسْمَارٌ مُصَوْمَلٌ او مُلَوْلَب bolt

مُسْمَرّ brownish, tannish

مَسْمَع : مَدَى السَّمْع earshot, hearing

مَسْمَكَة fish store, seafood store

مُسَمَّم، مَسْمُوم poisoned, envenomed

مَسْمُوح (بِهِ) permissible, permitted, allowable, allowed, admissible, authorized, lawful, legal

مُسِنّ : مُتَقَدِّمٌ فِي السِّنّ old, aged, advanced in years

مِسَنّ : مِجْلَخَة whetstone, grindstone, hone; sharpener, grinder; strop, razor strop

مَسْنَد، مِسْنَد rest, back; cushion, pillow, support, prop, stay

مُسَنَّن toothed, indented, notched, jagged, cogged, saw-toothed

مُسْهَب detailed, lengthy, long-winded, elaborate, wordy

مُسْهِل، مُسَهِّل laxative, purgative

مُسْهِم ـ راجع مُسَاهِم

مِسْوَاك tooth cleanser, stick

مُسْوَدّ blackish, nigrescent

مُسَوَّدَة draft, rough copy; (rough) sketch; outline

مُسَوِّغ : مُبَرِّر justification, warrant

مُسِيء injurious, harmful, detrimental; offensive, insulting

المَسِيح Christ, Jesus, Jesus Christ

مَسِيحِيّ : نَصْرَانِيّ Christian

المَسِيحِيَّة : الدِّينُ المَسِيحِيّ Christianity

مُسَيَّر : ضِدّ مُخَيَّر unfree, forced

مَسِيرَة : مَسَافَة distance, walk

مَسِيرَة : رِحْلَة journey, travel, trip

مَسِيرَة : مَسَار ـ راجع مَسَار

مَسِيرَة : مُظَاهَرَة march, demonstration, procession

مَسِيل ravine, gulch, flume; gully

مُسِيل liquefacient, (dis)solvent

مُسِيل لِلدُّمُوع tearful, causing tears

قُنْبُلَة مُسِيلَة لِلدُّمُوع tear bomb

مِشّ : مَصْلُ اللَّبَن whey

مَشى : سارَ to walk, go on foot
مَشّى : جعَلَهُ يَمْشي to walk, make walk
مُشابه ـ راجع شَبيه، مُتَشابه
مُشاجَرة ـ راجع شِجار
مُشاحَنة wrangle, hassle, brawl, quarrel; enmity, feud
مُشارِك ـ راجع مُشْتَرِك
مُشارَكة ـ راجع إشْتِراك
مَشاعِر ـ راجع شُعُور
مُشاغِب rioter, troublemaker, agitator; riotous, disorderly
مُشاهِد : مُتَفَرِّج spectator, onlooker, viewer, watcher, observer
مَشْؤُوم ill-omened, inauspicious, ill-boding, ominous, unfortunate
مَشّايَة : بابُوج slipper, pantofle, scuff
مِشْبَك : إبْزيم clasp, buckle, clip, pin, fastener, fastening, brace
مَشْبُوه suspicious, suspected, dubious, doubtful, fishy; suspect
مَشْتًى winter resort or residence
مُشْتاق longing, yearning, craving, desiring, desirous, eager
مُشْتَبَه (فيهِ أو بهِ أو في أمْرِهِ) ـ راجع مَشْبُوه
مُشَتَّت dispersed, scattered, dispelled, broken up, separated
مُشْترٍ (المُشْتَري) : مَنْ يَشْتَري buyer, purchaser, vendee
المُشْتَري [فلك] Jupiter
مُشْتَرًى : إشْتَري bought, purchased
مُشْتَرًى : شِراء ـ راجع شِراء
مُشْتَرِع ـ راجع مُشَرِّع
مُشْتَرَك common, joint, concerted, collective, shared, mutual
مُشْتَرِك participant, sharer; subscriber; participating, sharing
مُشْتَرَيات purchases
مُشْتَعِل burning, afire, on fire, ablaze, aflame, flaming
مُشْتَغِل : عامِل working; functioning; running, operating, in operation
مُشْتَغِل : شَغيل ـ راجع شَغيل
مُشْتَق derived; derivative
مُشْتَقّات derivatives
مَشْتَل nursery; arboretum
مِشْجَب (الثِّياب) clothes rail, rack, hook, stand, peg
مِشَدّ (نِسائيّ) corset, stays; girdle
مَشْرَب : شَراب drink, beverage
مَشْرَب : مَوْضِعُ الشُّرْب drinking place, drinking fountain
مَشْرَب : مَيْل، إتِّجاه taste, inclination, trend, bent, drift
مَشْرَبِيَّة : نافِذَةٌ ناتِئَة oriel
مَشْرَحَة morgue; autopsy room
مُشَرَّد : مُهَجَّر homeless, displaced, dislodged; fugitive, refugee
مِشْرَط، مِشْرَطَة lancet, scalpel
مُشَرِّع legislator, lawmaker
مَشْرَف : مَطَلّ outlook, lookout, hill

مُشَرَّف honorable, honorific
مُشْرِف : مُراقِب، مُدِير supervisor, superintendent, overseer; director
مُشْرِفٌ على : مُطِلّ على overlooking, commanding, dominating
مُشْرِفٌ على : قَرِيبٌ مِنْ near to, on the verge (or brink) of, about to
مَشْرِق ـ راجع شَرْق
مُشْرِق : مُضِيء shining, shiny, radiant, bright, brilliant; clear
مُشْرِك (بِاللهِ عَزَّ وجَلّ) polytheist
مَشْرُوب : شَرَاب drink, beverage
مَشْرُوط : مُتَوَقِّفٌ على شَرْط conditional, provisional, qualified, contingent
مَشْرُوع : شَرْعِيّ ـ راجع شَرْعِيّ
مَشْرُوع (ج مَشْرُوعات ومَشارِيع) project, plan; enterprise, venture
مَشْرُوعُ قانون bill, draft law
مَشْرُوعُ قَرار draft resolution
مَشَطَ، مَشَّطَ (الشَّعْرَ) to comb, do (up), dress, style, coif(fure)
مَشَّطَ الصُّوف to card, tease, comb
مَشَّطَ : فَتَّش، بَحَثَ عن to comb
مُشْط : أداةٌ لِتَسْرِيحِ الشَّعْر comb
مُشْطُ حَشْوٍ أو ذَخِيرَة charger
مُشْطُ طَلَقات cartridge clip
مُشِعّ radiant, radiating, beaming, shining, bright; radioactive
مِشْعاع : شَبَكَةُ أَنابِيب radiator
مَشْعَل، مِشْعَل torch, cresset

مُشَعْوِذ juggler; magician; charlatan, quack, swindler
مَشْغَل : وَرْشَة، مَعْمَل workshop, atelier; plant, factory, mill
مَشْغُول : مُنْهَمِك busy, occupied, engaged; working; preoccupied
مَشْفًى : مُسْتَشْفًى infirmary; hospital
مَشَقَّة : صُعُوبَة hardship, difficulty, trouble, inconvenience
مَشْقُوق، مُشَقَّق split, cleft, fissured, broken; torn, ripped, cut
مُشَكَّل : مُكَوَّن formed; created, made; established, set up, constituted
مُشَكَّل : مُتَنَوِّع diverse, various, miscellaneous, varied, diversified
مُشَكَّل : مُحَرَّكُ الحُرُوف vowelized, vocalized, pointed
مُشْكِلَة، مُشْكِل : مُعْضِلَة problem
مَشْكُوكٌ فِيهِ أو في أَمْرِهِ doubtful, dubious, dubitable, questionable; suspicious, suspected; suspect
مَشْلُول paralyzed, paralytic
مُشْمَئِزّ disgusted, nauseated, sick
مُشْمِس sunny; sunlit
مِشْمِش (نبات) apricot(s)
مُشَمَّع : قُماشٌ لِلْمَوائِدِ والرُّفُوف oilcloth
مُشَمَّع : مِعْطَف raincoat, waterproof, oilskin, slicker, trench coat
مَشْمَلَة، مِشْمِلَة (نبات) medlar
مَشْنَقَة، مِشْنَقَة gallows, gibbet
حَبْلُ المِشْنَقَة hangman's rope, cord

عُودُ المشْنَقَة gibbet

مُشَهٍّ (المُشَهِّي) appetizer, relish, hors d'oeuvre; appetizing, mouthwatering, savory, tasty, delicious

مشْهَد : مَنْظَر scene; view, sight, spectacle, scenery, prospect

مَشْهُود : مَرْئِي witnessed, seen

مَشْهُود : لا يُنْسَى memorable

مَشْهُور famous, well-known, renowned, celebrated; celebrity

مِشْواة gridiron, grill, rotisserie

مَشُورَة ، مَشْوَرَة consultation, deliberation; counsel, advice

مُشَوِّق arousing desire or interest; motivating, stimulating, exciting, thrilling, breathtaking; interesting

مَشْوِيّ grilled, broiled, roast(ed)

مَشْي : سَيْر walking, walk

مَشِيئَة : إرادَة ، رَغْبَة will; wish, desire

مِشْيَة gait, walk, bearing, carriage

مُشِير : مارِشال (field) marshal

مَشِيمَة : خَلاص placenta, afterbirth

مُشِين ـ راجع شائِن

مَصَّ to suck, suck up, soak up, absorb; to sip

مُصاب بِـ stricken by, hit by, afflicted with; suffering from

(شَخْص) مُصاب casualty, wounded person; killed person; victim; wounded, injured; sick, ill

مُصاب : مُصِيبَة ـ راجع مُصِيبَة

مُصاحِب accompanying, attendant

مُصادَرَة confiscation, seizure, requisition(ing), expropriation

مُصادَفَة : صُدْفَة chance, accident, fortuity, haphazard, coincidence

مُصادَفَةً by chance, by accident, accidentally, haphazard(ly), by coincidence

مُصادَق (عَلَيْهِ) ـ راجع مُصَدَّق (عَلَيْهِ)

مُصادَقَة : مُصاحَبَة making friends with; association, companionship

مُصارِع wrestler; gladiator

مُصارِعُ الثِّيران bullfighter, matador

مُصارَعَة wrestling; fight(ing)

مُصارَعَةُ الثِّيران bullfight(ing)

مُصارَعَةٌ حُرَّة freestyle wrestling

مَصاعِب difficulties, hardships, troubles, discomforts, problems

مَصاغ : مُجَوْهَرات jewelry, jewels

مُصافَحَة handshake, shaking hands

مُصالَحَة ـ راجع صُلْح

مَصَبّ (النَّهْر) mouth (of a river), debouchment, estuary, firth

مِصْباح lamp; light

مَصْبَغَة (لِغَسْلِ الثِّيابِ وكَيِّها) laundry

مَصَحّ ، مَصَحَّة sanatorium

مُصْحَف ، المُصْحَفُ الشَّرِيف copy of the (Holy) Koran; the (Holy) Koran

مِصْداقِيَّة credibility
مَصْدَر : مَنْشَأ، أَصْل origin, source
مَصْدَر : مَرْجِع reference, source
مُصَدِّر : مَنْ يُصَدِّرُ (السِّلَع) exporter
مُصَدَّق (عَلَيْه) certified; ratified
مِصْر : بَلَد country; territory, region
مِصْر، دَوْلَةُ مِصْر Egypt
مِصْر، مِصْرُ القاهِرَة Cairo
مِصْراع (البابِ) shutter; leaf
مِصْراع : شَطْرٌ مِنَ الشِّعْر hemistich
(مَفْتوح) على مِصْراعَيْه wide open
مُصْران : أَمْعاء intestines, bowels
مَصْرَع : مَوْت death, demise
لَقِيَ مَصْرَعَهُ to die
مَصْرَف : مَنْفَذ drain, ditch; outlet
مَصْرِف : بَنْك bank
مَصْرِفِيّ : بَنْكِيّ banking, bank
مَصْرِفِيّ، رَجُلٌ مَصْرِفِيّ banker
مَصْرُوف : نَفَقَة expenditure, outlay, money spent; expense(s), cost(s)
مَصْرُوفُ الجَيْب pocket money
مِصْرِيّ Egyptian
مُصْطاف summer visitor or vacationist
مَصْطَبَة، مِصْطَبَة mastaba; terrace
مَصْطَكى، مَصْطَكاء mastic
مُصْطَلًى : مَوْقِد fireplace, hearth
مُصْطَلَح (ج مُصْطَلَحات) term, expression; idiom
مُصْطَنَع affected, artificial, forced, feigned, false, phony
مِصْعَد، مِصْعَدَة elevator, lift
مِصْفاة refinery; strainer, colander; filter; sieve, screen
مُصَفَّح : مَطْلِيّ plated, coated
مُصَفَّح : مُدَرَّع armored, armor-clad, ironclad
مُصَفَّحَة armored vehicle or car
مُصْفَرّ yellowish; pale, pallid, wan
مَصْقُول polished, burnished, glazed, (re)furbished, lustered; glossy, shiny, lustrous, smooth
مَصْل (الدَّم) serum; plasma
مُصَلٍّ (المُصَلِّي) prayer, one who prays
مُصَلًّى place of prayer, oratory
مُصْلِح reformer, reformist; peacemaker, conciliator; repairer
مَصْلَحَة : نَفْع interest, benefit, advantage, good, welfare, well-being
مَصْلَحَة : إدارَة service, authority, department, administration
مُصَمِّم (على) : عازِم determined to or on, resolved to or on
مُصَمِّم : واضِعُ التَّصْميم designer, stylist, draftsman; planner
مَصْنَع : مَعْمَل factory, plant, mill
مُصَنَّف : كِتاب complication, book
مَصْنُوع made, done; manufactured,

fabricated, produced; process(ed)

مَصْنوعات (industrial) products, produce, manufactured goods

مُصَوِّر : رَسّام painter, artist; draftsman, drawer

مُصَوِّرٌ فوتوغرافِيّ photographer

مُصَوِّرٌ سينمائِيّ cinematographer, motion-picture cameraman

مُصَوِّرٌ تِلِفِزْيونِيّ cameraman

مَصُوغات : مَصاغ jewelry, jewels

مُصيبَة misfortune, calamity, disaster, catastrophe; affliction, trial, tribulation, ordeal, woe

مِصْيَدَة : شَرَك trap, snare, gin, net

مِصْيَدَةُ فِئْران mousetrap, rattrap

مَصير : نِهايَة، قَدَر fate, destiny, lot

مَصيرِيّ fateful, decisive, crucial

مَصيص : خَيْطٌ مَتين twine, packthread

مَصيف summer resort or residence

مَضى : ذَهَبَ to go (away), leave, depart

مَضى : إنْقَضى to pass, elapse, go by, expire, be over

مَضى في : إسْتَمَرَّ to continue (to do), go on doing

مَضى (قُدُماً) to advance, proceed, go ahead, go on; to progress

مَضّى (وَقْتاً) : قَضى to spend, pass

مُضادّ contrary, opposite, opposed; anti-, counter-, contra-, against

مُضادٌّ حَيَوِيّ antibiotic

مُضادٌّ لِلدَّبّابات antitank

مُضادٌّ لِلطّائِرات antiaircraft

مُضارَبَة (تِجارِيَّة، مالِيَّة) speculation

مُضارِع [لغة] present (tense)

مُضاعَف double, twofold; multiple

مُضاعَفات complications; repercussions

مُضايَقَة annoyance, disturbance, harassment; inconvenience

مَضْبوط : دَقيق exact, accurate, precise; correct, right; checked, verified, adjusted, regulated

مَضْجَع : مَرْقَد bed; couch

مُضْحِك comic, comical, funny, laughable, ludicrous, humorous

مَضْحَكَة ـ راجع أُضْحوكَة

مِضَخَّة (الماءِ إلخ) pump

مُضِرّ ـ راجع ضارّ

مِضْراب، مَضْرِب ـ راجع مِضْرَب

مُضْرِب (عَنِ العَمَل) striking, on strike; striker

مِضْرَب (الكُرَة) bat, mallet; racket

مِضْرَب : خَيْمَةٌ كَبيرَة large tent, pavilion, marquee

كُرَةُ المِضْرَب tennis

مَضَض، على مَضَض unwillingly, reluctantly, grudgingly

مُضْطَرّ : مُجْبَر compelled, forced, obliged, coerced, impelled

مُضْطَرِب disturbed, confused, dis-

orderly, disorganized, disarranged; uneasy, unquiet, upset

مَضْعَف (نبات) lily of the valley

مَضَغ : عَلَك to chew, masticate

مُضَلَّع : ذو أضلاع أو ما يُشْبِهُها ribbed

مُضَلَّع [هندسة] polygon; polygonal

مُضَلِّل misleading, misguiding; delusive, deceptive, false

مِضْمار : مَيْدانُ سِبَاق racetrack, racecourse, course, turf

مِضْمار : حَقْل، مَجَال arena, sphere, field, domain, area

مَضْمَض to rinse (out) the mouth

مَضْمُون : مَكْفُول guaranteed, ensured, secured, warranted

مَضْمُون : مُؤَمَّن (عَلَيْه) insured, assured, covered

مَضْمُون : أكِيد secure, assured, guaranteed, sure, certain

مَضْمُون : مُسَجَّل registered

مَضْمُون : مُحْتَوَى content, purport, meaning, import, substance

مُضْنٍ (المُضْنِي) : مُرْهِق exhausting; grueling, arduous, exacting

مُضِيء : مُشِعّ luminous, shining, radiant, shiny, bright, brilliant

مُضِيّ : ذَهَاب going, going away, departure, leaving

مُضِيّ : اِنْقِضَاء passing, passage, lapse, expiry, expiration

مِضْيَاف : كَرِيم hospitable

مَضْيَعَة loss; forfeiture; waste

مُضِيف host; entertainer; steward; inviting (country, etc.)

مُضِيفَة (air) hostess; stewardess

مَضِيق : مُخْتَنَق strait(s), narrow(s)

مَطَّ : مَدَّ، أطَالَ to stretch, draw out, drag, protract, prolong, lengthen, extend, expand

مُطَابِق identical; congruent, corresponding, conforming, consistent, compatible, coinciding

مَطَار airport, airfield, airdrome

مُطَارَدَة pursuit, chase, chasing, running after, hunt(ing), tracing

مَطَّاط : كاوتشوك rubber, caoutchouc

مَطَّاطِيّ rubbery, rubber, rubberlike

مَطَاف، خاتِمَةُ المَطَاف end, conclusion, finish, finale; outcome

مُطَالَبَة (بِـ) claim, demand, request, appeal, call (for)

مُطَالِع : قارِىء reader

مُطَالَعَة : قِرَاءَة reading, perusal

مُطَالَعَة : بَيَان findings; report

مَطَبّ (air) pocket, air hole

مَطْبَخ kitchen; cuisine

مِطْبَخ : فُرْن، آلَةُ الطَّبْخ (cooking) stove, cookstove, cooker, range, oven

مَطْبَعَة : مُؤَسَّسَة طِبَاعِيَّة press, printing establishment

مِطْبَعَة : آلَةُ طِبَاعَة press, printing press, printing machine; printer

مَطْبَعِيّ ـ راجع طِبَاعِيّ
مُطْبِق : تامّ absolute, utter, sheer, pure, total, entire
مَطْبُوخ : مَطْهُوّ، طَبِيخ cooked
مَطْبُوع (كِتاب إلخ) printed
مَطْبُوعٌ على naturally disposed for
مَطْبُوعَة print, printed publication, release, periodical
مَطْبُوعات printed matter, literature
مِطْحَنَة : طاحُونَة mill, grinder
مِطْحَنَةٌ يَدَوِيَّة quern, hand mill
مَطَر : ماءُ السَّحاب rain; shower
مَطِر : مُمْطِر، ماطِر rainy, wet
مِطْران، مَطْران [نصرانية] metropolitan, archbishop
مِطْرانِيَّة، مَطْرانِيَّة archbishopric, archdiocese, diocese
مُطْرِب : مُغَنٍّ singer, vocalist, chanter, melodist, songster
مُطْرِبَة songstress, woman singer, (female) vocalist, chanteuse
مَطَرَة : قِرْبَة canteen; skin, bottle
مُطَّرِد : مُنْتَظِم، مُتَواصِل steady, even, uniform, regular; persistent, constant, continuous
مُطَرَّز : طَرْز embroidered, brocaded
مُطَرَّزات : أشْياءُ مُطَرَّزَة embroideries
مِطْرَقَة، مِطْرَق hammer; gavel; mallet; beetle; maul
مِطْرَقَةُ الباب knocker, rapper

مَطْعَم restaurant, eatery
مَطْعُوم : طُعْم (النَّباتِ) graft, scion
مِطْفَأة (الحَرِيق) fire extinguisher
رِجالُ المَطافِىء firemen, fire fighters
مَطَلّ outlook, lookout, prospect
مُطِلّ (على) commanding, overlooking, dominating, towering over
مَطْلَب : طَلَب demand, request, claim, call (for), wish; requirement
مَطْلَع : بَدْء **beginning, start, com**mencement, outset, rise
مَطْلَع : مُقَدِّمَة introduction, preface
مُطَّلِعٌ على (well-)informed about, acquainted with, familiar with, aware of, versed in
مُطَلَّق، زَوْجٌ مُطَلِّق divorced; divorcé
مُطْلَق : تامّ absolute; unlimited; unrestrained, free; sheer, utter, downright, unqualified
مُطْلَق : عامّ general, common
مُطْلَقاً ـ راجع إطْلاقاً (إطْلاق)
مُطَلَّقَة : زَوْجَة مُطَلَّقَة divorced, repudiated; divorcée, divorcee
مَطْلُوب : مُراد desired, wished for, sought after; in demand; wanted; needed; required
مَطْلُوب (بِوَصْفِهِ دَيْناً) due, payable
مَطْلُوبٌ حَيًّا أو مَيْتاً wanted dead or alive
مَطْلُوب : مَطْلَب ـ راجع مَطْلَب

مَطْلُوبات : دُيُون liabilities, debts

مَطْلِيّ painted, daubed; coated; overlaid, plated

مُطَمْئِن : يَبْعَثُ على الطُمأْنينة (re)assuring; quieting, pacifying, appeasing

مُطْمَئِنّ : مُرْتاحُ البال (re)assured, tranquil, at ease; secure, safe

مَطْمَح : مُرام، رَغْبَة aspiration, aim, goal, ambition, desire

مُطْنِب lengthy, prolix, verbose

مَطْهَر [نصرانية] purgatory

مُطَهِّر antiseptic, disinfectant, sterilizer; detergent, cleaner

مَطْهُوّ : مَطْبُوخ cooked

مِطْوَى، مِطْواة : سِكِّينُ جَيْب pocketknife, penknife

مِطْواع : مُطِيع ـ راجع مُطِيع

مُطَوَّق (حَمام) ringdove, wood pigeon

مُطَوَّل : مُسْهَب lengthy, long-winded, prolix, detailed, elaborate

مَطِيَّة mount, riding animal

مَطِير : مَطِر، مُمْطِر rainy, wet

مُطِيع obedient, compliant, submissive, docile, tractable; dutiful

مُظَاهَرَة : تَظاهُرة، مَسِيرَة demonstration, manifestation

مَظْرُوف : ظَرْف، مُغَلَّف envelope

مُظَفَّر ـ راجع ظافِر

مِظَلَّة umbrella; parasol, sunshade

مِظَلَّةُ هُبُوط، مِظَلَّةٌ واقِيَة parachute

مُظْلِم dark, gloomy, dusky, murky, tenebrous, dim, overcast

مَظْلِمَة ـ راجع ظُلامَة

مَظْلُوم wronged, oppressed, aggrieved; victim of injustice

مِظَلِّيّ : جُنْدِيُّ المِظَلَّة paratrooper; parachutist, parachuter

مَظْهَر : شَكْل appearance, air, mien, look(s); form, shape, figure

مَظْهَر : وَجْه، دَلِيل manifestation, expression, indication

مَعَ with; together with, along with, accompanied by

مَعَ : زائِد plus, added to

مَعَ : مُؤَيِّدٌ لِـ pro-, supporting

مَعَ : بالرَّغْمِ مِن despite, in spite of

مَعَ أَنَّ although, (even) though, in spite of the fact that

مَعَ ذَلِكَ in spite of this, nevertheless, nonetheless, still

مَعاً together; jointly; with one another, with each other; simultaneously, at the same time

مِعًى، مِعاء [تشريح] intestine, gut

أَمْعاء intestines, bowls, guts, entrails, viscera

مُعَادٍ (المُعادِي) hostile, inimical, antagonistic; opposite (to)

مُعادِل (لِـ) equal (to), equivalent (to); amounting to; worth

مُعَادَلَة (رِياضِيَّة، سِياسِيَّة إلخ) equation

مُعار : مُقْرَض lent, loaned
مُعارِض (لِـ) opposed to; anti-, against; dissenting, disagreeing; opposer, objector, opponent; dissenter, dissident
مُعارَضَة opposition
مَعَّاز : راعِي المَعْز goatherd
مَعاش : راتِب salary, wages, pay
مَعاش : رِزْق livelihood; living
مَعاشُ التَّقاعُد pension, superannuation
مُعاصِر contemporary, contemporaneous, coeval, coetaneous
مُعافًى healthy, well, sound
مُعاق : ذُو عاهَة handicapped; disabled, crippled, incapacitated
مُعاكِس : مُضادّ adverse, counter, contrary, converse, opposite; counter-, contra-, anti-
مُعاكِس : غَيْرُ مُؤاتٍ adverse, unfavorable, contrary, inopportune
مَعالٍ ، مَعالِي فُلان His Excellency
مُعالَجَة treatment, treating
مَعالِم (مفردها مَعْلَم) ـ راجع مَعْلَم
مُعامِل [رياضيات إلخ] coefficient
مُعامَلَة : تَصَرُّف treatment, treating, dealing with; behavior
مُعامَلَة، مُعامَلات : أَخْذٌ وَعَطاء dealings, intercourse, transactions
مُعامَلَة : اِسْتِدْعاء transaction; application, petition, request

مُعامَلَةٌ بِالمِثْل reciprocity
مُعاناة sufferance, suffering, endurance, undergoing, experiencing
مُعاهَدَة treaty, pact, convention; accord, agreement, compact
مُعاوِن : مُساعِد assistant, aid(e), helper), supporter
مُعاوِن : ضابِطٌ مُساعِد adjutant
مُعاوَنَة ـ راجع إعانَة
مَعْبَد temple, place of worship
مُعَبَّد (كالطَّريق) : مُمَهَّد paved
مَعْبَر : مَكانُ العُبُور crossing, crossing point, passage(way), path
مَعْبُود : صَنَم idol, image
مَعْبُود : إلَه diety, god
مُعْتاد ـ راجع عادِيّ
مُعْتادٌ على ـ راجع مُتَعَوِّدٌ على
كالمُعْتاد as usual
مُعْتَدٌّ بِنَفْسِهِ self-important, proud, self-conceited
مُعْتَدٍ (المُعْتَدِي) aggressor, assaulter, attacker, trespasser, invader
مُعْتَدًى عَلَيْه victim, aggrieved party; assaulted, attacked, assailed; trespassed, invaded, infringed
مُعْتَدِل moderate, temperate; mild, clement, soft, gentle
مُعْتَزّ : فَخُور proud
مُعْتَقَد : عَقِيدَة ـ راجع عَقِيدَة
مُعْتَقَل : مَحْبُوس arrested, under arrest, detained, in custody, held;

prisoner; internee; detainee
مُعْتَقَل : مَكانُ الاعْتِقال prison, jail, lockup; concentration camp
مُعْتَلّ : مَرِيض sick, ill, ailing, sickly
مُعْتِم dark, dim, dusky, gloomy
مُعْتَمَد (كَدِبْلُوماسِيّ) accredited
مُعْتَمَد (تِجارِيّ) agent
مُعْتَمَدُ قَبْضٍ أو صَرْف paymaster
مَعْتُوه idiotic, imbecilic, demented, insane, mad, crazy; idiot, imbecile, lunatic, madman
مُعْجَب (بِـ) admirer; fan, buff, devotee; fond of, impressed by
مُعْجِزَة : أُعْجُوبَة miracle, marvel, prodigy, wonder
مُعَجَّل accelerated, hastened; urgent, pressing; quick, fast, speedy, hurried, hasty
مُعْجَم : قامُوس dictionary, lexicon
مِعْجَن kneading trough; kneading machine, kneader
مُعَجَّنات pastry, pastries, pies
مَعْجُون : عَجِين، عَجِينة paste; putty
مَعْجُون (تَجْمِيلِيّ) cream, paste
مَعْجُونُ أَسْنان toothpaste
مَعْجُونُ حِلاقَة shaving cream or foam
مَعْجُونَة ـ راجع مَعْجُون
مُعَدّ (لِـ) designed (for), intended (for), ready, prepared
مُعْدٍ (المُعْدِي) infectious, contagious, communicable, catching
مُعَدّات : أَجْهِزَة equipment(s), outfit, gear, apparatus, material(s), supplies, furnishings, appliances
مِعْداد : أَداةٌ لِتَعْلِيمِ الأَطْفالِ العَدّ abacus
مَعِدَة، مِعْدَة [تشريح] stomach
مُعَدَّل : مُتَوَسِّط، نِسْبَة average; rate
مُعْدِم : مُعْوِز، فقير destitute, penniless, poor, needy, indigent
مَعْدِن (ج مَعادِن) mineral; metal
مَعْدِنِيّ mineral; metallic
عُمْلَةٌ مَعْدِنِيَّة، نَقْدٌ مَعْدِنِيّ specie, coin(s), hard or metallic money
مِياهٌ مَعْدِنِيَّة، ماءٌ مَعْدِنِيّ mineral water
مَعْدُوم : غَيْرُ مَوْجُود nonexistent, absent, lacking, wanting, missing
مَعْدُوم : عَدِيم ـ راجع عَدِيم
مُعَدِّيَة : مَرْكَب ferryboat, ferry
مُعَذَّب tortured, tormented, agonized; suffering, in pain, hurt
مَعْذِرَة excuse, forgiveness, pardon
مَعْذِرَةً excuse me! forgive me! pardon me! I beg your pardon!
مُعَرَّب translated into Arabic
مُعَرِّب translator into Arabic
مَعْرِض (ج مَعارِض) exhibition, exposition, show, fair
في مَعْرِضِ كَذا on the occasion of; during, while
مُعَرَّض لِـ ـ راجع عُرْضَةٌ لِـ

مَعْرِفَة : عِلْم knowledge, learning, acquaintance, familiarity
مَعْرِفَة : أَحَدُ مَعارِفِك acquaintance
مُعَرَّق veined, grained, marbled; variegated, dappled, spotted
مَعْرَكَة battle, fight(ing), combat; campaign
مَعْرُوض : عَرِيضَة petition
مَعْرُوضات : أَصْنافٌ مَعْرُوضَة exhibits, exhibited articles
مَعْرُوف : مَعْلُوم known
مَعْرُوف : مَشْهُور well-known, famous, renowned, celebrated
مَعْرُوفٌ بِـ alias; commonly called or known as, so-called
مَعْرُوف : جَمِيل، فَضْل، إِحْسان favor, service, courtesy, good turn, kind act, kindness, grace
بِالمَعْرُوف amicably, in a friendly manner, with kindness
مَعز، مَعَز، مِعْزَى (حيوان) goat(s)
مِعْزاة (حيوان) she-goat
مَعْزِل : مَلاذ retreat
بِمَعْزِلٍ عن apart from, away from; separated from, detached from
مَعْزُوفَة [موسيقى] piece of music; recital; performance
مَعْزُول : بَعِيد، قَصِيّ outlying, remote, distant, far, faraway
مُعْسِر : عاجِزٌ عَنِ الدَّفْع، مُعْوِز insolvent
مُعَسْكَر : مُخَيَّم camp, encampment
مُعَسْكَر (سِياسِيّ إلخ) camp, bloc
مُعَسْكَرُ الاعْتِقال concentration camp
مَعْسَلَة : قَفِير، خَلِيَّةُ نَحْل beehive, hive
مَعْسُور : مُعْسِر insolvent
مَعْسُول honeyed, mellifluous; candied, sugary (in expression)
مُعْشِب، مُعْشَوْشِب grassy
مَعْشَر company, community, group; kin(sfolk), folks, people
مَعْشُوق، مَعْشُوقَة ـ راجع عَشِيق، عَشِيقَة
مَعْصَرَة : مُؤَسَّسَةٌ لِلْعَصْر mill, press
مِعْصَرَة : عَصَّارَة ـ راجع عَصَّارَة
مِعْصَم : رُسْغ wrist, carpus
مَعْصُوم (عَنِ الخَطَأ) infallible, inerrant, unerring; impeccable; sinless
مَعْصِيَة : إِثْم sin; offense; guilt
مَعْصِيَة : عِصْيان ـ راجع عِصْيان
مُعْضِلَة problem, dilemma, enigma, mystery, puzzle, riddle
مِعْطاء generous, liberal
مُعَطَّر : عَطِر perfumed, scented
مُعَطَّر : عَطِر ـ راجع عَطِر
مِعْطَف coat, overcoat
مُعَطَّل out of order, broken, dead, inoperative, not working
مُعْطَيات data, information, facts
مُعَظَّم : مُبَجَّل glorified, exalted, honored; venerable, honorable; great, magnificent, majestic
مُعْظَم : جُلّ most (of), the majority

(of), bulk, major part
مُعفًى مِنْ exempt from, free from
مُعفَّن ـ راجع عَفِن
مُعقَّد complicated, complex, intricate, knotty, knotted, snarled
مَعقِل : حِصْن stronghold, bastion, fortress, fort, castle, citadel
مُعقَّم : مُطهَّر sterilized, disinfected, steril, aseptic; pasteurized
مُعقِّم : مُطهِّر sterilizer, disinfectant, antiseptic; pasteurizer
مَعْقوف crooked, bent, curved
مَعْقول reasonable, sensible, rational, plausible, logical; possible, probable, likely, feasible
مُعكَّر ـ راجع عَكِر
مَعكَرُونَة macaroni; spaghetti; pasta
مَعْكوس : مَقْلوب reversed, inverted; reverse, inverse, converse
مَعْكوس (ضَوْء، صُورَة إلخ) reflected
مِعْلاق (الذَّبيحَة) pluck
مُعلَّبات canned or tinned food(s)
مَعْلَف، مِعْلَف : مِذْوَد manger, (feeding) trough, crib
مُعلَّق : مُدَلًّى suspended, pendent, hanging, hung, dangling
مُعلَّق : غَيْرُ مَفْصُولٍ فيه pending, undecided, unsettled, outstanding
مُعلَّقٌ على (شَرْطٍ) : مَشْروط dependent on, depending on, conditional on
مُعلِّق commentator; reviewer; annotator, glossarist

مَعْلَم : صُوَّة road sign, signpost, milestone; landmark, mark
مَعَالِم landmarks; features, characteristics; outlines, contours
مُعلِّم : مُدرِّس teacher, instructor, schoolmaster; tutor; lecturer
مُعلِّم (صَنْعَةٍ، بِمِهْنَةٍ إلخ) master
مُعْلِن : مَنْ يُعْلِن advertiser, sponsor; announcer, declarer, proclaimer
مَعْلُول : مَرِيض ـ راجع مُعْتَلّ
مَعْلُول : مُسَبَّب، نَتيجَة effect
العِلَّةُ والمَعْلُول cause and effect
مَعْلُوم : مَعْرُوف، مُحَدَّد known; fixed, determined; given
مَعْلُومات information, data, facts
مَعْلُوماتِيَّة informatics, information science; data processing
مَعْلُومَة : واحِدَةُ المَعْلُومات (piece of) information, datum, fact
مِعْمار، مُهَنْدِسُ مِعْمار architect
مَعْمَدانِيّ [نصرانية] Baptist
مُعَمَّر، مُعْمَّر long-lived, longevous
مَعْمَعَة tumult, turmoil, uproar, confusion, jumble, mess
مُعَمَّق in-depth, profound, deep, thorough, comprehensive
مَعْمَل : مَصْنَع، مَشْغَل factory, plant, mill, works; workshop, atelier
المَعْمُورَة : العالَم the world
مَعْنًى meaning, sense, signification, significance, import, purport

مَعْنَوِي moral; incorporeal; immaterial; abstract
مَعْنَوِيَّات : رُوحٌ مَعْنَوِيَّة morale, spirit(s)
مَعْنِيّ : مَقْصُود meant, intended
مَعْنِيّ : صاحِبُ الشَّأْن (person) concerned, involved, interested
مَعْهَد institute; institution; academy
مَعْهَدٌ مُوسِيقِيّ conservatory
مَعْهُود known; familiar, customary, usual, habitual
مُعْوَجّ : أَعْوَج crooked, bent, curved, twisted, inclined
مُعْوِز : فَقِير needy, poor, destitute; pauper, poor man
مُعَوِّق، مُعَوَّق ـ راجع مُعَاق
مِعْوَل pick, pickax, mattock; hoe
مَعُونَة ـ راجع إعَانَة
مَعِي ـ راجع مِعًى
مِعْيَار criterion, standard, yardstick, gauge, test; norm
مُعِيب : مُخْزٍ disgraceful, dishonorable, shameful, infamous
مَعِيَّة، بِمَعِيَّة in the company of, with
مُعِيد، طالِبٌ مُعِيد (لِصَفِّهِ) repeater
مَعِيشَة : حَيَاة life, living, existence; lifeway, life-style
مَعِيشَة : رِزْق livelihood; living
مَعِيشِيّ : حَيَاتِيّ living, subsistence
مُعِيل : مَنْ يُعِيلُ breadwinner, supporter, sustainer, family provider

مَعِين : يَنْبُوع spring, source, headspring, fountainhead, wellspring
مُعَيَّن : مُحَدَّد specific, particular, definite, determined, fixed, set, specified, appointed
مُعَيَّن : بَعْض certain; some
مُعَيَّن (في مَنْصِبٍ أو مَرْكَز) appointed, assigned, nominated, designated; appointee, nominee
مُعَيَّن : شَكْلٌ هَنْدَسِيّ rhombus; lozenge, diamond
مُعِين : مُسَاعِد help(er), aid(e), assistant; supporter, backer
مُغَادَرَة : رَحِيل departure, leaving
مَغَارَة، مَغَار cave, cavern, grotto
مُغَازَلَة ـ راجع غَزَل
مُغَالاة ـ راجع غُلُوّ
مُغَامِر adventurer; adventurous
مُغَامَرَة adventure, venture, risk
مُغَايِرٌ لِـ contrary to, inconsistent with
مَغَبَّة : عاقِبَة consequence, result, end, outcome, upshot
مُغَبَّر، مُغْبَرّ dusty, pulverulent
مُغْتَرِب : نازِح، مُهَاجِر emigrant, immigrant; emigré; expatriate
مُغْتَصِب : مُنْتَزِع، مُبْتَزّ extorter, extortioner, exactor, usurper
مُغْتَصِب (امْرَأةٍ) raper, rapist
مُغْثٍ nauseated, sick, queasy
مُغَذٍّ (المُغَذِّي) nourishing, nutritious, nutrient, nutritive

مُغرٍ (المُغري) seductive, seducing, tempting, enticing, alluring, luring; seducer, tempter
مَغْرِب : غُروب sunset, sundown
مَغْرِب، المَغْرِب ـ راجع غرب
(بلادُ) المَغْرِب Maghreb
(دَوْلَةُ) المَغْرِب Morocco
مَغْرِبِيّ Maghrebi; Moroccan
مُغْرِض : مُتَحَيِّز biased, prejudiced, unfair, partial, one-sided
مِغْرَفَة : أداةٌ يُغْرَفُ بِها ladle, scoop
مَغْرَم loss, damage; liability
مُغْرَمٌ بِـ in love with, enamored of, infatuated with, fond of
مَغْرُور conceited, vain(glorious), proud, haughty, arrogant
مَغْزًى : فَحْوَى sense, meaning, import; effect, substance
مَغْزى (القِصَّةِ) moral (of a story)
مِغْزَل spindle; spinning wheel
مَغْسَل، مَغْسِل : حَمَّام lavatory, washroom, bathroom, toilet
مَغْسَلَة : مَكانُ غَسْلِ الأيْدي washbasin, washbowl, lavatory, sink
مِغْسَلَة : غَسَّالَة ـ راجع غَسَّالَة
مُغَشًّى hazy, misty, cloudy, foggy, dim(med), obscure(d), blurred
مَغْشُوش adulterated, debased
مَغْص [طب] colic; gripes
مَغَط، مَغَّطَ : مَدَّ، مَطَّ to stretch, extend, expand, draw out
مُغَطًّى covered, wrapped, veiled
مِغْطَس : حَوْض bathtub, tub, bath
مُغَفَّل : غَبِيّ stupid, foolish, silly, dumb; simpleton, fool
مُغْفَل : مَجْهول anonymous
المَغْفُورُ لَهُ (فُلان) the late
مَغْلاة ـ راجع غَلاَّيَة
مُغَلَّف : ظَرْف envelope
مُغَلَّف : مُغَطًّى enveloped, covered, wrapped, enfolded
مُغَلَّف : مُجَلَّد bound
مُغْلَق : مُقْفَل، مَسْدُود closed, shut; locked, bolted; sealed
مُغِمّ : مُحْزِن grievous, depressing, gloomy, melancholic, dismal
مُغْمًى عَلَيْه، مَغْمِيٌّ عَلَيْه unconscious, swooning, in a swoon
مَغْمُور : غَيْرُ مَشْهُور obscure, unknown, undistinguished
مُغَنٍّ (المُغَنِّي) : مُطْرِب singer, chanter, vocalist, melodist, songster
مَغْنَاة : أوبِرا opera
مِغْناج coquettish; coquet(te)
مَغْنَطِيس magnet
مَغْنَطِيسِيّ magnetic
تَنْوِيمٌ مَغْنَطِيسِيّ hypnotism, hypnosis
مَغْنَم ـ راجع غَنِيمَة
مُغَنِّيَة songstress, woman singer, (female) vocalist, chanteuse

مَغْنِيسيُوم magnesium
مُغْوٍ (المُغْوِي) seducer, tempter; seductive, seducing, tempting
مِغْوار militant; bold, courageous
مَغَاوِير، فِرْقَةُ المَغَاوِير commando(s), shock troops, storm troops
مَغِيب: غُرُوب setting (of the sun, etc.); sunset, sundown
مُغَيِّم: غائِم cloudy, clouded, overcast
مُفَاجِىء sudden, unexpected, surprising, abrupt, unforseen
مُفَاجَأة (ج مُفَاجَآت) surprise
مُفَاد: مَعْنًى meaning; purport
مُفَادُهُ أنَّ . . to the effect that..
مُفَارَقَة: رَحِيل departure, leaving
مُفَارَقَة: تَنَاقُضٌ ظاهِر paradox
مَفَازَة: صَحْراء desert, wilderness
مُفَاعِل reactant; reactor
مُفَاوِض: مَنْ يُفَاوِض negotiator
مُفَاوَضَة: تَفَاوُض negotiation, parley
مُفْتٍ (المُفْتِي) mufti
مِفْتاح: أداةُ فَتْحِ الأَقْفال key
مِفْتاح: إصْبَعُ البِيانو إلخ key, digital
مِفْتاح (لِحَلِّ لُغْزٍ): دَلِيل clue, key
مُفْتَخِر - راجع فاخِر
مُفْتَرِس ravenous, rapacious, predatory, voracious, ferocious
حَيَوانٌ مُفْتَرِس beast of prey, predatory animal, predator
مُفْتَرَض: مَفْرُوض supposed, assumed, presumed, taken for granted
مُفْتَرَقُ طُرُق crossroads, crossways, intersection, crossing, junction
مُفَتِّش inspector; investigator
مُفْتَعَل: مُخْتَلَق fabricated; artificial
مُفْتَعَل: مُتَعَمَّد done on purpose, intentional, deliberate
مَفْتُوح open, opened
مُفْجِع - راجع فاجِع
مُفَخَّخ booby-trapped
مَفْخَرَة pride, object of pride; feat, exploit, glorious deed
مَفَرّ: مَهْرَب escape, flight, getaway, way out; alternative
لا مَفَرَّ مِنْهُ inevitable, unavoidable, inescapable, obligatory
مُفْرِح، مُفَرِّح gladdening, cheerful, cheering, delightful, pleasant, joyful, happy, glad, bright
مُفْرَد: واحِد single, solitary, one
مُفْرَد [لغة] singular
مُفْرَد: فَرْدِيّ odd, uneven
بِمُفْرَدِهِ alone, by oneself
مُفْرَدات words, terms, expressions; vocabulary; terminology
مُفْرَدَة word, term; item; entry
مَفْرَزَة، مُفْرَزَة: فَصِيلَة group, party, detachment, squad, platoon
مِفْرَش (الطَّاوِلَة) tablecloth

مِفْرَش (السَّرير) bedspread, bedcover, coverlet, sheet

مُفْرِط excess(ive), extreme

مُفْرَغ، حَلقَةٌ مُفْرَغَة vicious circle

مَفْرَق، مَفْرِق (الشَّعْر) parting, part (of the hair)

مَفْرَقُ (مَفْرِقُ) طُرُق - راجع مُفْتَرَق

مُفَرَّق separate(d), parted, divided, disunited; scattered

بِالمُفَرَّق by retail

مُفَرْقِعَة firecracker, firework; squib

مَفْرُوشات furniture, furnishings

مَفْرُوض: إلزامِيّ imposed, ordained, dictated, required, obligatory

مَفْرُوض (فِيهِ كَذا) supposed (to)

مَفْرُوض: مُفْتَرَض - راجع مُفْتَرَض

مَفْروغٌ مِنْهُ unquestionable, indisputable, indubitable, definite

مَفْرُوم minced, chopped, hashed

مُفْزِع: مُخِيف frightening, frightful, fearful, alarming, horrible

مَفْصِل (ج مَفاصِل) joint, articulation

مُفَصَّل: تَفْصِيلِيّ، مُسْهَب detailed, minute, elaborate, exhaustive

مُفَصَّل (كالثَّوب) cut out; tailored, tailor-made, custom-made

مُفَصَّلَة، مِفْصَلَة [ميكانيكا] hinge

مُفَضَّض silvered, silver-plated

مُفَضَّل favorite, best liked, preferable, preferred, favored

مُفْطِر: غَيْرُ صائِم not fasting

مَفْطُور created, made, originated

مَفْطُورٌ على naturally disposed for

مَفْعُول: أثَر، تَأْثِير effect, influence, impact; action

مَفْعُول: نَفاذ effect(iveness), validity

مَفْعُولٌ بِهِ [لغة] object

مَفْقُود lost, missing, absent, nonexistent, lacking, wanting

مِفَكّ (البَراغِي) screwdriver

مُفَكِّر thinker; intellectual

مُفَكِّرَة notebook; aide-mémoire; calendar; diary, journal

مُفْلِح successful; prosperous

مُفْلِس bankrupt, insolvent, broke

مُفَلْطَح flat, flattened, oblate, broad

مَفْهُوم: فُهِمَ understood

مَفْهُوم (ج مَفاهِيم): تَصَوُّر notion, concept, conception; meaning

مُفَوَّض: مُخَوَّل authorized, empowered, accredited, delegated

(شَخْصٌ) مُفَوَّض proxy, deputy, authorized agent, mandatory

مُفَوَّضُ شُرْطَة police commissioner

مُفِيد: نافِع useful, helpful, beneficial, advantageous, profitable; salutary, wholesome

مُقابِل (لِـ): مُواجِه facing, opposite (to)

مُقابِل: بَدَل consideration, equivalent; substitute; price

مُقابِلَ: تُجاهَ in front of, opposite

(to), facing, face to face with

مُقَابِلَ، في مُقَابِل : لِقَاءَ in return for, in exchange for, for

بِلا مُقَابِل gratis, free (of charge)

مُقَابَلَة : إجْتِماع interview; meeting

مُقَابَلَة : مُقَارَنَة comparison, collation

مُقَاتِل fighter, combatant, warrior

مُقَارَبَة approach

مُقَارَن comparative

مُقَارَنَة : مُقَابَلَة comparison

بِالمُقَارَنَةِ مَع in comparison with, compared with or to

مَقَاس : قِيَاس ـ راجع قِيَاس

مُقَاطَعَة : تَرْكُ التَّعَامُلِ مَع boycott

مُقَاطَعَة (أثْناءَ الحَدِيث) interruption

مُقَاطَعَة : إقْلِيم province, district, county, territory

مَقَال، مَقَالَة article; essay

مَقَام : مَنْزِلَة، إعْتِبار standing, rank, position, prestige, dignity

مَقَام : مَقَرّ، مَوْقِع site, seat, locality, location, place

مَقَام : مَزَار shrine, sanctuary

مَقَام : سِيَاق، مُنَاسَبَة context, connection; occasion

مَقَام [موسيقى] key

مَقَام (الكَسْر) [رياضيات] denominator

مُقَام : مَقَرّ abode, dwelling, residence, domicile

مُقَام : إقَامَة stay, residence

مُقَامِر : مَنْ يُقَامِر gambler, player

مُقَامَرَة : قِمَار gambling; gamble

مَقَانِق : نَقَانِق sausage(s)

مُقَاوِل contractor, entrepreneur

مُقَاوَلَة contract; agreement

مُقَاوَلات contracting

مُقَاوِم resister, resistant; fighter

مُقَاوَمَة resistance, opposition; fight

مُقَايَضَة : مُبَادَلَة barter, exchange, swap, truck, trade, trade-off

مَقْبَرَة، مَقْبَر cemetery, graveyard

مَقْبِس (كَهْرَبائِيّ) socket

مَقْبِض، مِقْبَض : مَسْكَة handle, haft, hilt, (hand)grip, knob, grasp

مِقْبَضُ الباب doorknob

مُقَبِّل : مُشَهٍّ appetizer, relish; hors d'oeuvre; appetizing, savory

مُقْبِل : آتٍ، قادِم next, following, coming; future; upcoming

مَقْبُول accepted, approved of; admitted; acceptable, agreeable; satisfactory, passable, fair

مَقَتَ : أبْغَض to detest, abhor, abominate, loathe, hate

مِقْثَى (نبات) (Egyptian) cucumber

مُقْتَدِر : مُوسِر solvent; wealthy, rich

مُقْتَدِر : قادِر، قَدِير ـ راجع قادِر، قَدِير

مُقْتَرَح : إقْتِراح ـ راجع إقْتِراح

مُقْتَرِض : مُسْتَعِير borrower; debtor

مُقْتَرِع : ناخِب voter, elector

مُقْتَصِد economical, frugal, thrifty, saving, sparing
مُقْتَضَى required, necessary; due
مُقْتَضَيات requirements, needs
بِمُقْتَضَى according to, in conformity with, pursuant to
مُقْتَضَب : مُخْتَصَر short, brief, concise, terse, succinct
مُقْتَطَفات selections, anthology
مَقْتُول ـ راجع قَتِيل
مِقْدار quantity, amount, size, volume; extent, degree, scope
بِمِقْدارِ ما inasmuch as
مِقْدام intrepid, bold, courageous, brave, daring, enterprising
مُقَدَّر : مَحْتُوم (pre)destined, predetermined, fated, fateful
مُقَدَّر : مُفْتَرَض supposed, assumed
مُقَدَّر : مُتَوَقَّع anticipated, expected
مُقَدَّرات : مَصائِر fates, destinies
مَقْدَرَة، مَقْدِرَة ـ راجع قُدْرَة
مُقَدَّس sacred, holy, sacrosanct; divine; hallowed, sanctified
مُقَدَّم : صَدْر، طَلِيعَة front, face, forepart; forefront, lead, head
مُقَدَّم : رُتْبَةٌ عَسْكَرِيَّة major; lieutenant colonel
مُقَدَّماً in advance, beforehand
مُقَدِّم : مَنْ يُقَدِّم offerer, presenter, giver, donor, grantor
مُقَدِّمُ الطَّلَب applicant

مُقَدَّمَة ـ راجع مُقَدِّمَة
مُقَدِّمَة : صَدْر، طَلِيعَة ـ راجع مُقَدَّم
مُقَدِّمَة (الجَيْش) vanguard, van, advance guard
مُقَدِّمَة (الكِتاب إلخ) introduction, preface, foreword, preamble
في المُقَدِّمَة at the head, ahead, in (the) front; on top (of)
مَقْدُور : مَحْتُوم ـ راجع مُقَدَّر
مَقْدُور : قَدَر fate, destiny, lot
مَقْدُور : قُدْرَة ـ راجع قُدْرَة
مَقَرّ : مَرْكَز، مَوْقِع seat, center; location; site, place
مَقَرّ : مَحَلُّ إقامَة abode, dwelling, residence, domicile, house
مَقَرّ (القِيادَةِ إلخ) headquarters
مُقْرِىء reciter (of the Holy Koran)
مِقْراب : تِلِسْكُوب telescope
مُقَرَّب close, intimate; favorite
مَقْرُبَة ـ راجع قُرْب
مُقَرَّر : ثابِت established, settled, fixed, decided, determined; confirmed, affirmed; proven
مُقَرَّر : مِنْهاج course; curriculum
مُقَرَّر : كِتاب manual, textbook
مُقَرَّرات : قَرارات decisions, resolutions; decrees
مُقَرِّر (اللَّجْنَة) reporter, rapporteur
مُقْرِف disgusting, nauseating
مَقْرُوء : واضِح legible, readable

غيرُ مقْرُوء illegible, unreadable

مُقَسَّم، مَقْسُوم divided, split, partitioned, sectioned, broken up

مُقَسِّم divider; distributor

مُقَسِّمُ الهاتِف switchboard

مِقَشَّة : مِكْنَسَة broom, besom

مِقْشَرَة peeler, parer, scaler, husker

مِقْشَطَة scraper; rasp; (block) plane

مِقَصّ : أداةٌ لِلْقَصّ (pair of) scissors

مُقَصَّب brocaded, embroidered

مَقْصِد، مَقْصَد : وُجْهَة destination

مَقْصِد، مَقْصَد : نِيَّة، غايَة ـ راجع قَصْد

مَقْصَف buffet; cafeteria, snack bar

مِقْصَلَة : آلَةٌ لِلإعْدام guillotine

مَقْصُود : مُراد intended, meant

مَقْصُود : مُتَعَمَّد intentional, deliberate, willful, intended, calculated

مَقْصُورٌ على : مُقْتَصِرٌ على limited to, restricted to; exclusive

مَقْصُورَة compartment; cabin(et)

مَقْصُورَة (قِيادَةِ) الطّائِرَة cockpit

مَقْطَع section, division, part, portion, piece; passage

مَقْطَع (لَفْظِيّ) syllable

مِقْطَع cutter; knife

مَقْطُورَة : عَرَبَةٌ مَقْطُورَة trailer

مَقْطُوع cut (off), severed; chopped off, lopped off; amputated; broken; divided, sectioned

مَبْلَغٌ مَقْطُوع lump sum; fixed sum

مَقْطُوعَة piece (of music), tune

مَقْطُوعِيَّة : إسْتِهْلاك consumption

مَقْعَد (ج مَقاعِد) seat; chair; bench; settee, sofa, couch

مُقْعَد : عاجِز crippled, lame, disabled, infirm, invalid; basket case

مُقَعَّر concave, dished, hollow

مُقَفًّى rhymed, rhyming, assonant

مُقْفَل closed, shut; locked, bolted

مِقْلًى، مِقْلاة frying pan

مَقْلَب : مَزْحَة، خُدْعَة prank, waggery, practical joke; April fool, April fool's joke or trick

مُقْلَة (العَيْن) eyeball

مُقَلَّد : زائِف imitation, imitated, counterfeit, forged, false, fake

مُقَلِّد imitator; counterfeiter

مَقْلَع (حِجارَة) (stone) quarry

مُقْلِق worrying, disquieting

مُقَلَّم : مُخَطَّط striped, streaked, barred, stripy, streaky, ruled

مِقْلَمَة : مِحْفَظَةُ أقْلام pen case

مَقْلُوّ : مَقْلِيّ، قَلِيّ fried

مَقْلُوب : مَعْكُوس turned; turned over; turned upside down; reverse(d)

بِالمَقْلُوب upside down; topsy-turvy; inside out, outside in; backward(s), reversely, conversely

مَقْلِيّ : مَقْلُوّ، قَلِيّ fried

مُقْمِر : قَمِر moonlit, moony
مُقَنَّع masked, masqueraded, disguised, in disguise; veiled
مُقْنِع convincing, persuasive, valid
مَقْهًى café, coffeehouse, coffee shop
مُقَوٍّ (المُقَوِّي) strengthening, fortifying, invigorating; tonic
مُقَوًّى strengthened, fortified, consolidated, reinforced; enriched
مِقْوَد : رَسَن halter, leash
مِقْوَد : عَجَلَةُ القِيَادَة steering wheel
مِقْوَدُ الدَّرَّاجَة handlebars
مُقَوَّر hollow; hollowed out
مُقَوَّس bent, curved, crooked, bow, bowed, arched, vaulted
مُقَوِّم : مُكَوِّن، عُنْصُر constituent, component, ingredient, element
مِقْيَاس : مِكْيَال، مِعْيَار measure, measurement; standard, criterion, yardstick; scale; norm
مِقْيَاس : قِيَاس ـ راجع قِيَاس
مَقِيت abominable, loathsome, disgusting; hateful, odious
مُقَيَّد : مُكَبَّل bound, tied, chained
مُقَيَّد : مُلْزَم bound, obligated
مُقَيَّد : مَحْصُور limited, restricted, confined; restrained
مُقَيَّد : مُسَجَّل registered, recorded
مُقَيِّد : مُحَدِّد restrictive, restricting, limitative, limiting
مُقِيم : ساكِن resident, inhabitant

مُقِيم : دائِم permanent, lasting
مُكَار ـ راجع ماكِر
مُكَارٍ (المُكَارِي) donkey driver
مُكَافِىء : مُسَاوٍ equivalent, equal
مُكَافَأَة reward, requital, remuneration; bonus, premium
مُكَافِح struggler, striver, fighter
مُكَافَحَة ـ راجع كِفَاح
مُكَالَمَة : مُخَاطَبَة talk, conversation, discourse, dialogue
مُكَالَمَة (تِلِفُونِيَّة) (telephone) call, (telephone) conversation
مَكَان : مَحَلّ place, spot, site, locality; location; space, room
مَكَانَ كَذا، في مَكَانِ كَذا in place of, instead of, in lieu of
مَكَانَة : مَنْزِلَة standing, rank, position, dignity, prestige, status
مِكَبّ : بَكَرَة spool, reel, bobbin
مِكَبّ : شِلَّة ball, hank (of yarn)
مِكْبَح : فَرْمَلَة brake
مُكَبَّر enlarged, magnified, blown (up)
مُكَبِّر [كهرباء] amplifier
مُكَبِّرُ الصَّوْت loudspeaker, speaker
نَظَّارَة مُكَبِّرَة magnifying glass
مِكْبَس press; compress(or); piston
مُكْتَئِب ـ راجع كَئِيب
مَكْتَب office, bureau; desk
مَكْتَبَة library; bookshop, bookstore

مَكْتَبِيّ office-; desk-; library-
مُكْتَشَف discovered, found out
مُكْتَشَفات discoveries; findings
مُكْتَشِف: فاعِل اكْتَشَفَ discoverer
مُكْتَظّ (over)crowded, packed, jammed, congested; overpopulated
مُكْتَمِل complete, full, whole, entire, total; completed
مُكْتَنِز firm, dense, thick, solid, compact, close, tight
مَكْتُوب: مُدَوَّن written; composed, compiled, drawn up, drafted
مَكْتُوبٌ بِاليَد: مَخْطُوط handwritten
مَكْتُوب (على): مُقَدَّر fated, (pre)destined, predetermined
مَكْتُوب: رِسالَة letter, note
مَكْتُوف tied (up), bound; having the arms folded or crossed
مَكَثَ بِـ: أَقامَ بِـ to stay in, remain in, reside in, dwell in, live in
مُكَثَّف condensed, concentrated, thick(ened); intensified; intensive
مَكَرَ (بِـ): خَدَعَ to deceive, delude, cheat, double-cross, dupe
مَكْر cunning, craftiness, slyness, double-dealing, deception
مُكَرَّر: مُعاد repeated, reiterated
مُكَرَّر: مُنَقًّى، مُصَفًّى refined, purified, clarified, filtered
مَكْرَمَة، مَكْرُمَة (ج مَكارِم) noble deed; noble quality or trait

مِكْرُوب ـ راجع مِيكْرُوب
مَكْرُوه: مُصِيبَة misfortune, adversity; mishap, accident
مَكْرُوه: كَرِيه ـ راجع كَرِيه
مَكْس (ج مُكُوس): ضَرِيبَة toll, duty, duties, impost, excise, tax
مَكْسَب (ج مَكاسِب) gain, profit, advantage, benefit
مُكْسِب: مُرْبِح profitable, lucrative
مُكَسَّر، مَكْسُور broken, shattered, smashed, crashed, crushed
مُكَسَّرات (mixed) nuts, crackers
مَكْشُوف bare(d), exposed, uncovered, open, unveiled, naked
حِسابٌ مَكْشُوف overdrawn account
مُكَعَّب cube; cubic
مِتْرٌ مُكَعَّب cubic meter
مُكْفَهِرّ dark; cloudy, overcast
مَكْفُوف: أَعْمَى، ضَرِير blind
مَكْفُول guaranteed, secured
مَكَلّا: مِيناء jetty; (sea)port
مُكَلَّف (بِـ) charged (with), entrusted (with); in charge (of)
رَئِيسٌ مُكَلَّف president designate, president-elect
مُكْلِف، مُكَلِّف: غالٍ expensive, costly
مُكَمِّل: مُتَمِّم integral, complementary, supplementary
مَكُنَ: قَوِيَ to be(come) strong, firm, solid, firmly established
مَكَّنَ: ثَبَّتَ to strengthen, consoli-

date, cement, firm up, secure

مَكَّنَ مِنْ : جَعَلَهُ قادِراً على to enable to; to empower

مَكَنَة ، مَكِنَة - راجع ماكِينَة

مِكْنَسَة broom, besom; sweeper

مِكْنَسَةٌ كَهْرَبائِيَّة vacuum cleaner

مَكْنَنَ to mechanize

مَكْنَنَة mechanization

مِكْواة (الثِّيابِ) iron, flatiron

مَكُّوك : وَشِيعَة shuttle

مَكُّوكٌ فَضائِيّ space shuttle

مُكَوَّن formed; created, built; established, set up, constituted

مُكَوَّنٌ مِنْ consisting of, made up of, composed of

مُكَوِّن : مُوْجِد creator, maker; former, shaper; formative

مُكَوِّن : مُقَوِّم ingredient, constituent, component, element

مِكْيال measure; dry measure

مَكِيدَة plot, conspiracy, intrigue; stratagem, artifice, trick

مُكَيَّفُ الهَواء air-conditioned

مُكَيِّفُ هَواء air conditioner

مَلَّ to be(come) weary (of), tired (of), bored (with), fed up (with)

مَلأَ : عَبَّأَ to fill, fill up; to fill out (a form), fill in (the blanks)

مَلأَ السّاعَةَ to wind, wind up

مَلأ : جُمْهور the public, people

مُلّا : فَقِيهٌ مُسْلِم mullah

مِلْءُ بَطْنِهِ one's fill

مِلْءُ الحُرِّيَّة full freedom

مِلْءُ مِلْعَقَة spoonful

مُلاءَة (نِسائِيَّة) warp; veil

مُلاءَة (السَّرير) sheet, bed sheet

مُلائِم suitable, fit, agreeable, convenient, favorable, appropriate, proper, adequate, opportune

مَلابِس - راجع مَلْبَس

مُلابَسات : ظُروف circumstances

مَلّاح : نُوتِيّ sailor, seaman, mariner

مَلّاحٌ جَوِّيّ : طَيّار pilot, aviator

مَلّاحٌ فَضائِيّ : رَجُلُ فَضاء astronaut, spaceman, cosmonaut

مَلّاحُو السَّفِينَةِ أو الطّائِرَة crew

مَلّاحَة salina; saltworks

مِلاحَة navigation

مِلاحَةٌ جَوِّيَّة aviation, air navigation

مُلاحَظَة : مَصْدَر لاحَظَ observation, noticing, perception, remarking

مُلاحَظَة : مَلْحُوظَة note, NB, PS; remark, observation, comment

مِلاحِيّ navigational, marine

مَلاذ refuge, retreat, shelter, sanctuary, asylum, resort

مَلارِيا (مرض) malaria

مُلازِم : مُرافِق accompanying; inherent, innate, inseparable

مُلازِم : رُتْبَةٌ عَسْكَرِيَّة lieutenant
مُلازِمٌ أَوَّل first lieutenant
مُلاصِق adjacent, contiguous, adjoining, bordering, touching
مِلاط : طِين mortar; lute; cement
مَلاعِقِيّ : طائِرٌ مائِيّ spoonbill
مَلاك : مَلَك angel
مَلَّاك (الأَراضِي) landowner, landlord
مِلاك : سِلْك cadre; personnel, staff
مُلاكِم boxer, pugilist, fighter
مُلاكَمَة boxing
مُلَّاكِيّ : خُصُوصِيّ private
مِلالَة troop carrier; half-track
مَلام، مَلامَة ـ راجع لَوْم
مَلامِح features; countenance
مَلْآن ـ راجع مُمْتَلِىء
مُلَبَّدٌ بِالغُيُوم overcast, (over)clouded, clouded (over), cloudy, dark
مَلْبَس : لِبَاس ـ راجع لِبَاس
مَلابِس clothes, clothing, apparel, attire, garments; wear
مَلابِسُ جاهِزَة ready-made clothes
مَلابِسُ داخِلِيَّة underwear
مُلَبَّس (مفردها مُلَبَّسَة) dragée(s)
مَلْبَن : راحَةُ الحُلْقُوم Turkish delight
مَلْبُوس، مَلْبُوسات ـ راجع لِبَاس
مِلَّة (دِينِيَّة) sect; creed, faith
مُلْتَبِس : غامِض ambiguous, equivocal, obscure, vague, unclear
مُلْتَحٍ (المُلْتَحِي) bearded
مُلْتَزّ compact, close, tight, firm
مُلْتَزِم (بِـ) bound by, committed by; complying with, abiding by
مُلْتَزِم : مُقاوِل contractor
مُلْتَقًى meeting place, rendezvous, place of assembly
مُلْتَقَى طُرُق junction, crossroads, crossways, crossing, intersection
مُلْتَقًى : لِقاء ـ راجع لِقاء
مُلْتَهِب : مُشْتَعِل flaming, burning
مُلْتَهِب [طب] inflamed
مُلْتَوٍ (المُلْتَوِي) circuitous, roundabout, indirect; winding, tortuous
مُلَثَّم veiled
مَلْجَأ refuge, retreat, shelter, sanctuary, asylum, resort
مَلَّحَ (الطَّعامَ) to salt
مُلِحّ : اِضْطِرارِيّ pressing, urgent
مُلِحّ، مِلْحاح insistent, insisting
مِلْح salt
مُلْحَة : طُرْفَة witticism, wisecrack, gag, j'eu d'esprit; anecdote
مُلْحِد : كافِر atheist, unbeliever
مُلْحَق : إِضافَة supplement; appendix, addendum, extension, annex
مُلْحَقٌ إِخْبارِيّ flash, news flash
مُلْحَق (في سِفارَة) attaché

مَلْحَمَة : مَكَانُ بَيْعِ اللَّحْم meathouse, butchery
مَلْحَمَة : مَجْزَرَة bloody fight, massacre, carnage, slaughter
مَلْحَمَة (شِعْرِيَّة) epic, heroic
مُلَحِّن (مُوسِيقِيّ) composer, melodist
مَلْحُوظَة ـ راجع مُلاحَظَة
مُلَخَّص : خُلاصَة summary, abstract, digest, résumé, outline
مَلَذَّة : لَذَّة pleasure, delight
مُلْزَم bound, committed
مُلْزِم binding, obligatory
مَلْزُوز ـ راجع مُلْتَزّ
مَلَّس to smooth(en), even, roll
مُلْصَق : لَصِيقَة poster; bill; sticker
مَلْعَب playground; court; stadium, athletic field
مِلْعَقَة spoon
مِلْعَقَةُ شاي teaspoon
مِلْعَقَةُ مائِدَة، مِلْعَقَةُ حِساء tablespoon
مَلْعُون ـ راجع لَعِين
مَلْغُوم mined; booby-trapped
مَلَفّ، مِلَفّ : إضْبارَة file, dossier; folder; portfolio
مُلْفِت (لِلنَّظَر) ـ راجع لافِت (لِلنَّظَر)
مَلْفُوف : كُرُنْب (نبات) cabbage
مَلْفُوف : مُلْتَفّ wound; wrapped up; rolled up, convolute(d); enveloped, covered

مِلْقَط : أداةٌ يُلْقَطُ بِها (pair of) tongs; (pair of) tweezers
مِلْقَطُ الغَسِيل clothespin, clothespeg
مَلَكَ : اِقْتَنى to possess, own, have
مَلَّكَ (ـهُ الشَّيْءَ) to make the owner of, possess of
مَلَك : مَلاك angel
مَلِك : عاهِل king, monarch
مُلْك : حُكْم، سُلْطَة reign, rule, power, authority, dominion
مُلْك، مِلْك : ما تَمْلِكُهُ property, possession(s); estate; domain
مَلَكَة : مَوْهِبَة faculty, talent, gift, knack, aptitude, bent
مَلِكَة : مُؤَنَّثُ مَلِك queen
مَلِكَة (الشِّطْرَنْج) : وَزِير queen
مَلِكَةُ جَمال beauty queen; Miss..
مَلَكِيّ : مُلُوكِيّ royal, kingly, regal; monarchic(al)
مِلْكِي : لِي، خاصَّتِي mine
مِلْكُهُم : لَهُم، خاصَّتُهُم theirs
مَلَكِيَّة monarchy, kingship, royalty
مِلْكِيَّة ownership, property
مَلَل : سَأَم weariness, boredom, ennui, tiredness, tedium
مُلِمٌّ بِـ : مُطَّلِعٌ على familiar with
مُلِمَّة : مُصِيبَة misfortune, disaster
مَلْمَس : لَمْس touch, feel; contact
مَلْمُوس : مَحْسُوس tangible, palpable, noticeable; concrete, material

مَلْهًى : مَكانُ اللَّهْو cabaret; nightclub; amusement center
مَلْهاة : مَسْرَحِيَّةٌ هَزْلِيَّة comedy
مُلَوَّث polluted, impure, dirty
مُلُوخِيَّة (نبات) Jew's mallow
مُلُوكِيّ ـ راجع مَلَكِيّ
مَلُّول (نبات) valonia oak, egilops
مَلْوَن (الرَّسّام) palette
مُلَوَّن colored; chromatic; colorful
مُلَوِّن (شيْءٌ أو مادّة) coloring; colorant
مَلِيء : مُوسِر، مُقْتَدِر solvent, able
مَلِيء (بِـ) : حافِل full of, filled (up) with, replete with, rife with, rich in, loaded with, charged with
مَلِيًّا for a long time; thoroughly, carefully
مِلْيار billion, milliard
مَلِيح : حَسَن beautiful, pretty; nice, pleasant, good, fine
مِلِّيغرام milligram
مِلِّيلِتر milliliter
مَلِّيم ، مِلِّيم (مِصْرِيّ وسُودانِيّ) millieme
مَلِّيم ، مِلِّيم (تُونُسِيّ) millime
مِلِّيمتر millimeter
مُلَيِّن : مُسْهِل laxative, purgative
مِلْيُون million
مِلْيُونير millionaire
مِمَّ ، مِمّا of what, of which, whereof
مَمات ـ راجع مَوْت

مُمات : عَتِيق obsolete, archaic
مُماثِل similar, like, comparable, parallel; identical
مُمارَسَة practice; exercise; practicing, pursuit, engagement (in)
مُماطَلَة procrastination, stalling
مُمانَعَة : مُعارَضَة opposition; objection
مُمْتاز excellent, superior, outstanding, first-class, fancy, fine, superb, super, deluxe
مُمْتَحِن : فاحِص examiner, tester
مُمْتَدّ extended; extending
مُمْتِع : لَذِيذ interesting, pleasant, enjoyable, delightful, good
مُمْتَلِىء full, filled (up), replete
مُمْتَلِىء (الجِسْم) plump, fleshy, rotund; corpulent, stout
مُمْتَلَكات property, possessions, belongings; estate
مُمْتَنّ : شاكِر much obliged, very grateful, very thankful
مُمَثِّل representative; deputy
مُمَثِّل (سِينَمائِيّ) actor, player, performer; (movie) star
مُمَثِّلَة : مُؤَنَّثُ مُمَثِّل actress
مِمْحاة : أَداةٌ يُمْحَى بِها eraser, rubber
مَمَرّ : طَرِيق passage, way, path, track, aisle, corridor, lane
مُمَرِّض، مُمَرِّضَة nurse
مُمَرِّن trainer, instructor; coach
مُمَزَّق torn, rent; ruptured, dis-

rupted; shredded; tattered

مَمْزُوج mixed, blended, combined

مِمْسَحَة mop; wiper; (floor) rag; (dust) cloth, duster

مِمْسَحَةُ الأَرْجُل doormat, mat

مَمْشًى : مَمَرّ passage; corridor; aisle; path(way), alley

مَمْشُوق slender, slim, svelte

مُمْطِر : ماطِر rainy, wet

مَمْقُوت ـ راجع مَقِيت

مُمْكِن possible

مِنَ المُمْكِن possibly, perhaps, maybe, probably; may, might

مُمِلّ boring, wearisome, weary, tedious, dull, monotonous

مِمْلَحَة saltcellar; saltshaker

مَمْلَكَة kingdom, regality

مَمْلُوء (بـ) ـ راجع مَلِيء (بـ)

مِمَّن of whom, whereof

مَمْنُوع forbidden, prohibited, interdicted, banned, proscribed, barred, unpermitted

مَمْنُون : مُمْتَنّ ـ راجع مُمْتَنّ

مُمَوَّج undulate(d), undulatory, waved, wavy, rippled, ripply

مُمَوِّل : مَنْ يُمَوِّل financer

مُمَوَّه camouflaged; disguised

مُمِيت : مُهْلِك deadly, lethal, fatal, mortal, deathly, pernicious

مُمَيَّز : مُفَضَّل، خاصّ distinguished; preferred, privileged, favored, preferential; special; distinct

مُمَيِّز : فارِق، خاصّ distinguishing, distinctive; characteristic, peculiar, particular, special

مُمَيِّزَة ـ راجع مِيزَة

مَنَّ عَلَيْهِ (بـ) to bestow upon, confer upon, grant, give; to favor, do someone a favor

مَنّ manna; honeydew

مَنْ who; whom; whoever; he who

مِنْ from; of

مِنْ : مُنْذُ since, for

مِنْ : عَبْرَ through, by, via

مَنَّى (بـ) to make (someone) desire or wish for; to make (someone) hope for; to promise

مَنْأًى : مَكانٌ ناءٍ distant place

في مَنْأًى عن away from, apart from; isolated from

مَنَاحَة lamentation, wailing

مُنَاخ، مَنَاخ climate

مُنَاخِيّ، مَنَاخِيّ climatic

مُنَادٍ (المُنَادِي) crier; herald; caller

مُنَادَاة calling, shouting; call

مَنَار : مَوْضِعُ النُّور light stand

مَنَار : مَعْلَم landmark; road sign

مَنَارَة (السُّفُن) lighthouse, beacon

مَنَارَة : مِئْذَنَة minaret

مُنَازَعَة ـ راجع نِزاع

مُناسِب suitable, fit(ting), appropriate, proper, convenient, feasible

مُناسَبة : فُرْصَة occasion, opportunity

بِمُناسَبة، لِمُناسَبة on the occasion of

بالمُناسَبة by the way, incidentally

مَناص، لا مَناصَ مِنْهُ (it is) unavoidable, inevitable; (it is) necessary

مُناصِر - راجع نَصِير

مُناصَفَةً in half, fifty-fifty

مُناضِل struggler, striver, (freedom) fighter; combatant; militant

مُناظَرة : مُناقَشَة debate, dispute, disputation, controversy, discussion

مَناعَة : حَصانَة immunity; invincibility, invulnerability

مُنافٍ (المُنافي) لِـ contradictory to, inconsistent with, contrary to

مُنافِس competitor, rival, emulator

مُنافَسة competition, rivalry

مُنافِق hypocrite, dissembler, double-dealer; hypocritical

مَناقِب virtues; deeds, feats, exploits; morals, ethics

مَناقِبِيّ : أخْلاقِيّ moral, ethical, ethic

مُناقَشة debate, dispute, controversy; discussion, talk

مُناقَصة bid, tender

مُناقِض لِـ contradictory to, contrary to, inconsistent with

مَنام : حُلْم dream

مَنام : نَوْم sleep, slumber

مُناوِىء (لِـ) hostile (to); opposed (to); opposer; opponent

مُناوَبة alternation, rotation; shift

مُناوَرة maneuver; maneuvering

مُناوَشة skirmish, scrimmage, brush

مُناوَلَة [نصرانية] Communion

مِنْبَر platform, tribune, rostrum, pulpit, stand; forum

مُنْبَسِط : مُسَطَّح level, flat, plane, even

مَنْبَع source; fountainhead, wellhead, spring(head), well

مُنَبِّه : مُثِير stimulating, excitative; stimulus, stimulant, excitant

مُنَبِّه، ساعَةٌ مُنَبِّهَة alarm clock

مُنْتَبِه attentive, watchful, alert

مُنْتَج، مُنْتَجات - راجع نِتاج

مُنْتِج producer; manufacturer, maker; productive, fruitful

مُنْتَجَع health resort; retreat, refuge

مُنْتَخَب elected; selected, chosen

مُنْتَخَب (رِياضِيّ) team; varsity

رَئِيسٌ مُنْتَخَب president-elect

مُنْتَخِب : ناخِب elector, voter

مُنْتَدًى forum; meeting place, place of assembly; club

مُنْتَزَه park; recreation ground

مُنْتَسِب associate, affiliate, member; associated, affiliated

مُنْتَشِر : شائِع widespread, current, rife, prevailing, popular

مُنْتَشِر : مُتَفَرِّق spread, scattered

مُنْتَصِب erect, upright, straight (up)

مُنْتَصِر : ظافِر، غالِب victorious, triumphant; victor, conqueror

مُنْتَصَف middle; mid-

مُنْتَصَفُ السَّنَة midyear

مُنْتَصَفُ اللَّيْل midnight

مُنْتَصَفُ النَّهار midday, noon

مُنْتَظَر : مُتَوَقَّع expected, likely

مُنْتَظِم regular, uniform, even, steady, constant; systematic

مُنْتَفِع : مُسْتَفِيد beneficiary

مُنْتَقِم avenger, revenger

مُنْتِن ـ راجع نَتِن

مُنْتَهى : أَقْصى utmost, extreme, limit, highest degree; maximum

مُنْتَهى : نِهايَة ـ راجع نِهايَة

في مُنْتَهى كَذا extremely, very

مَنْتُوج، مَنْتُوجات ـ راجع نِتاج

مَنْثُور : نَثْرِيّ، غَيْرُ مَنْظُوم prose, prosaic

مَنْثُور (نبات) wallflower, gillyflower

مَنْجا (نبات) mango

مَنْجًى : مَلاذ refuge, shelter, asylum

في مَنْجًى مِنْ safe from, secure from, far from

مُنْجَز (ج مُنْجَزات) achievement

مِنْجَل : مِحْصَد scythe, sickle

مَنْجَم (ج مَناجِم) mine, pit

مُنَجِّم : مُشْتَغِلٌ بِعِلْمِ التَّنْجِيم astrologer

مُنَجِّم : عَرّاف diviner, fortune-teller

مَنْجُو (نبات) mango

مَنَحَ to grant (to), give (to), donate (to), award (to), confer upon, bestow upon; to endow with

مَنْحًى course, direction, trend; orientation; method, way

مِنْحَة grant; donation; gift, present

مِنْحَةٌ دِراسِيَّة scholarship, fellowship

مُنْحَدَر (ج مُنْحَدَرات) slope, descent, declivity, decline, fall, downhill

مُنْحَرِف : مائِل oblique, inclined, slant, slanting, askew, tilted

مُنْحَرِف : فاسِد، ضالّ perverted, perverse, corrupt(ed), depraved

مُنْحَرِف [هندسة] trapezium

شِبْهُ مُنْحَرِف [هندسة] trapezoid

مُنْحَطّ low(ly), mean, base, ignoble; degraded, debased

مَنْحَل، مَنْحَلَة apiary

مُنْحَنٍ (المُنْحَنِي) bent, curved, bowed, inclined, crooked

مُنْحَنًى curve; bend, twist, turn

مَنْحُوتَة sculpture; statue

مَنْحُوس unlucky, unfortunate; inauspicious, ominous, ill-omened

مَنْخِر، مِنْخَر nostril, naris

مُنْخَفَض : غَوْر depression, sinkage

مُنْخَفِض : غَيْرُ مُرْتَفِع low; soft, faint

مُنْخُل : غِرْبال sieve, bolter, screen
مَنْدَرِين (نبات) mandarin(s)
مُنْدَهِش ـ راجع مَدْهُوش
مَنْدُوب : مُوْفَد delegate, envoy; representative; deputy; agent
مَنْدُوب (صُحُفِيّ) correspondent, reporter, newsman
مِنْدِيل : مَحْرَمَة handkerchief
مِنْدِيل (لِلرَّأس) kerchief, scarf
مِنْدِيلٌ ورَقِيّ tissue, napkin
مُنْذُ since, for; in; ago
مُنْذُ أيّام a few days ago
مُنْذُ البَدْء from the (very) beginning, from the outset
مُنْزَعِج disturbed, annoyed, troubled, upset, uncomfortable
مَنْزِل : بَيْت house, home, residence, domicile, apartment, place
مَنْزِلَة : رُتْبَة rank, degree, grade, class; position, place, status; standing
مَنْزِلَة [رياضيات] digit; place
مَنْزِلِيّ domestic, house, home
مُنَسَّق : مُنَظَّم coordinated; in good order, well-arranged, systematic; arranged, organized
مُنَسِّق : مَنْ يُنَسِّق coordinator
مَنْسُوب : مُسْتَوَى level
مَنْسُوجات textiles, soft or dry goods
مَنْشَأ origin; source; place of origin; birthplace, home

مُنْشَأَة : مُؤَسَّسَة establishment, foundation, institution, institute
مُنْشَآت installations; constructions
مِنْشار : أداةٌ لِنَشْرِ الخَشَبِ إلخ saw
مِنْشار، أبو مِنْشار (سمك) sawfish
مُنْشِد : مُغَنٍّ singer, chanter, vocalist
مُنْشِدَة : مُغَنِّيَة songstress, woman singer, (female) vocalist
مُنْشَرِح (الصَّدْرِ) cheerful, happy
مُنَشِّط activator, stimulant, stimulator, brace(r), tonic
مِنْشَفَة : مِنْدِيلٌ يُنَشَّفُ به towel
مُنْشَقّ : خارِج (على) secessionist, separatist; dissident, maverick
مَنْشُود sought (after), desired
مَنْشُور : نَشْرَة leaflet, pamphlet; circular; flier; publication
مَنْشُور [رياضيات] prism
مَنْصِب : مَرْكَز office, post, position, job; standing, rank
مِنَصَّة platform, dais, tribune, rostrum, stage, stand
مُنْصَرِم : ماضٍ past, bygone
مُنْصِف : عادِل just, fair, equitable
مِنْضَح : دُوش shower, douche
مِنْضَحَة watering pot; sprinkler
مِنْضَدَة : طاوِلَة table; desk; bureau
مِنْطاد balloon, aerostat
مَنْطِق : كَلام speech
مَنْطِق : نُطْق ـ راجع نُطْق

مَنْطِق، عِلْمُ المَنْطِق — logic

مِنْطَقَة : إقْلِيم — area, region, territory; district; zone

مَنْطِقِيّ : عَقْلانِيّ — logical; rational

مِنْظار — telescope; spyglass; binoculars

مَنْظَر : مَشْهَد — view, sight, spectacle, scenery, panorama; scene

مُنَظِّف — detergent, cleaner

مُنَظَّم — (well-)organized, (well-) arranged, orderly, systematic

مُنَظِّم — organizer, arranger; regulator, control(s); adjuster

مُنَظَّمَة (ج مُنَظَّمات) — organization

مَنْظُور : مَرْئِيّ — seen, viewed; visible

مَنْظُور (المَوْضوع) — perspective

مَنْظُوم : مَوْزُون — metrical, rhythmical, measured, poetical

مَنْظُومَة : قَصِيدَة — poem

مَنْظُومَة : مَجْمُوعَة — system, set, suit; community; group

مَنَعَ : حالَ دُونَ — to prevent, hinder, stop; to keep (from), restrain (from), inhibit (from)

مَنَعَ : حَرَّمَ، حَظَّرَ — to forbid, prohibit, interdict, ban, proscribe

مَنْع — prevention, preventing, hindering; prohibition, interdiction, forbidding, ban(ning)

مَنْعُ التَّجَوُّل — curfew

مَنْعُ الحَمْل — contraception

وَسِيلَةٌ لِمَنْعِ الحَمْل — contraceptive

مُنْعَزِل — isolated, solitary, secluded

مُنْعِش — refreshing; fresh, cool; refreshment; refresher; reviver, resuscitator; tonic

مُنْعَطَف — turn, turning, curve, twist; turning point

مُنْعَكِس — reflected; reflex; reversed

مَنْغَنِيز — manganese

مَنْفًى : مَكانُ النَّفْي — place of exile

مِنْفاخ، مِنْفَخ — bellows; air pump, tire pump

مُنْفَتِح — open, opened; open-minded, broad-minded, liberal

مُنْفَجِر — explosive, volcanic

مَنْفَذ : مَخْرَج — outlet, vent; escape, way out, exit; passage, way; opening

مُنَفِّذ : مَنْ يُنَفِّذ — executor, executant

مُنَفِّر، مُنْفِر — repulsive, repugnant, disgusting, offensive

مُنْفَرِج — wide-open; obtuse

مُنْفَرِد — solitary, alone, single; solo

مُنْفَصِل — separate(d), detached, disconnected

مِنْفَضَة : صَحْنُ سَجايِر — ashtray

مِنْفَضَةُ رِيش أو غُبار — (feather) duster

مَنْفَعَة : فائِدَة — use, utility, advantage, avail, benefit, profit

مُنْفَعِل — excited, agitated, upset; nervous, edgy

مَنْفُوخ — blown (up), puffed (up), inflated, swollen, swelling, baggy

مِنْقاد، مِنْقار	beak, bill, nib
مُنْقَبِض (الصَّدْرِ)	depressed, gloomy
مُنْقِذ	rescuer, saver, deliverer
مُنْقَرِض: بائِد	extinct
مُنْقَضٍ (المُنْقَضِي)	past, bygone
مُنَقَّط	spotted, dotted, speckled
مَنْقَل: كانُون (النَّارِ)	brazier
مِنْقَلَة: أَداةٌ لِقِياسِ الزَّوَايَا	protractor
مَنْقُوص - راجع ناقِص	
مَنْقُول: مَحْمُول	transported, carried; transferred, delivered
مَنْقُول، مَنْقُولات	movables
مَنْكِب: كَتِف، عاتِق	shoulder
مُنَكِّه: ما يُضْفِي نَكْهَةً	flavoring; flavor
مُنَمْنَم، مُنَمْنَمَة	miniature
مَنَّنَ	to remind of a favor
مِنْهاج - راجع مَنْهَج	
مَنْهَج: طَرِيقَة	method, procedure, way; manner
مَنْهَج: بَرْنامَج	program
مَنْهَجُ التَّعْلِيمِ أو الدِّرَاسَة	curriculum
مَنْهَجِيّ	methodical; systematic
مُنْهَك	exhausted, worn out
مَنْهَل: مَوْرِد	watering place; spring, well, fountain
مِنْوال: نَوْل (الحائِكِ)	loom
على هٰذا المِنْوال	in this manner, this way, like this
مَنْوَر: مَنْفَذُ نُور	skylight
مُنَوَّع - راجع مُتَنَوِّع	
مُنَوَّعات	miscellany, sundries; variety, selection, collection
حَفْلَةُ مُنَوَّعات	variety show
مِنْوَل: نَوْل (الحائِكِ)	loom
مُنَوِّم	soporific, somniferous, somnifacient, hypnotic
مُنِيَ بِـ: أُصِيبَ بِـ	to be afflicted with, hit by; to suffer, sustain, undergo
مَنِيَّة: مَوْت	death; decease, demise
مُنِير - راجع نَيِّر	
مَنِيع: حَصِين	immune; invincible, invulnerable
مُنِيف	high, lofty, towering
مَهاة (حيوان)	addax, oryx, antelope
مُهاجِر	emigrant, emigré, immigrant, expatriate
مُهاجَمَة - راجع هُجُوم	
مِهاد: مَهْد، فِراش	bed
مَهارَة: بَراعَة	skill, dexterity, proficiency; cleverness, smartness; workmanship, craftsmanship
مَهانَة - راجع هَوَان	
مَهْبِط	place of descent or fall
مَهْبِطُ طائِرات	airstrip, runway, tarmac, strip, airfield
مُهْتاج - راجع هائِج	
مُهْتَمّ: مُكْتَرِث	interested; concerned
مُهْجَة: قَلْب	heart; soul

مَهْجَر place or country of emigration; overseas

مُهَجَّر : مُشَرَّد displaced, dislodged, expelled, homeless

مَهْجَع bedroom; dormitory

مَهْجُور deserted, abandoned, forsaken; obsolete, archaic, old-fashioned, outdated

مَهَّدَ : سَوَّى to level (off), even, plane, flatten; to smooth(en)

مَهَّدَ : عَبَّدَ to pave

مَهَّدَ السَّبِيلَ to pave the way

مَهْد (ج مُهُود) bed; cradle

مُهَدِّىء : مُسَكِّن tranquilizer, sedative

مُهَذَّب : مُؤَدَّب well-mannered, well-bred, polite, mannerly, civil, courteous, urbane

مَهَرَ : خَتَمَ to seal, signet, stamp, impress, imprint

مَهْر : صَدَاق dower, dowry

مُهْر : وَلَدُ الفَرَس foal, colt

مَهْرَب : مَفَرّ escape, flight, getaway, way out; alternative

مُهَرِّب smuggler, contrabandist

مُهْرَة : أُنثى المُهْر filly

مُهَرِّج clown, buffoon, jester, harlequin, merry-andrew

مِهْرَجان festival, celebration, gala, carnival, kermis, fair

مَهْزَلَة farce, mockery; comedy

مَهْلًا، على مَهْل slowly, leisurely

على مَهْلِك slowly! take it easy!

مُهْلَة (ج مُهَل) time limit; term, limited time; respite, delay

مُهْلِك destructive, pernicious; mortal, deathly, deadly, fatal

مُهِمّ - راجع هامّ

مَهْمَا whatever, whatsoever, no matter what

مُهِمَّة، مَهَمَّة : واجِب function, task, duty, assignment, job

مُهْمِل negligent, neglectful, remiss, slack, careless, heedless

مِهْنَة profession, occupation, vocation, career, work

مُهَنْدِس engineer; architect

مُهَنْدِسُ دِيكُور interior designer, interior decorator

مُهَنْدِس طَيَران flight engineer

مُهَنْدِس مَدَنِيّ civil engineer

مُهَنْدِس مِعْمار(يّ) architect

مِهْنِيّ professional, vocational

مِهْواة ventilator; fan

مَهْوُوس maniac; infatuated, crazy, mad, obsessed

مُهَيَّأ (لِـ) prepared, ready; designed (for), intended (for)

مَهِيب : جَلِيل solemn, grave, dignified, majestic, imposing

مُهِيج - راجع هائج

مُهَيِّج exciting; agitating, (a)rousing; stimulant, stimulus, excitant

مُوائِم : مُلائِم suitable, fit, agreeable, convenient, appropriate

مُواجِه (لِـ) facing, opposite (to)

مُواجَهَة confrontation, facing, meeting, encounter

مُوارَبَة equivocation, tergiversation, prevarication, quibble

مُوازٍ (المُوازِي) (لِـ) parallel (to); corresponding (to), equivalent (to)

مُوازِن (لِـ) equal (to), equivalent (to)

مُوازَنَة : مِيزانِيَّة budget

مَواشٍ (المَواشِي) livestock, cattle

مُواصَفات specifications, specifics

مُواصَلات transportations; communications

مُواطِن citizen, national; native

مُواطَنَة، مُواطِنِيَّة citizenship, nationality

مُواظِب persevering, persistent, industrious, hardworking

مُوافِق : قابِل agreeing, assenting, consenting, approving

مُوافِق : مُلائِم suitable, fit, appropriate, agreeable, convenient

مُوافِق : مُطابِق corresponding, coinciding, compatible

مُوافَقَة : قَبُول approval, consent, assent, agreement, OK

مُواكَبَة : مُرافَقَة escort(ing), accompanying, accompaniment

مَوْئِل : مَلْجَأ refuge, resort

مُوالٍ (المُوالِي) supporter, advocate, proponent; partisan, follower

مُوبِيليا cabinetwork; furniture

مَوَّتَ ـ راجع أَماتَ

مَوْت : وَفاة death; decease, demise

مُوتُور : مُحَرِّك motor, engine

مُوتُوسِيكل motorcycle, motorbike

مُوتِيل motel, motor inn

مَوْثُوق (بِهِ) trustworthy, trusty, reliable, dependable

مَوَّجَ to ripple; to wave; to crimp, crisp, curl, frizz, frizzle

مَوْج waves, billows, surges, swells

مُوجَب : إيجابِيّ positive; affirmative

مُوجَب، مُوْجَب : اِلْتِزام، فَرْض obligation, duty

مُوجِب : داعٍ cause, reason, motive; need, necessity

بِمُوجِب according to, in conformity with, pursuant to; by virtue of

مَوْجَة wave, billow, surge, swell

مُوجَز : وَجِيز ـ راجع وَجِيز

مُوجَز : خُلاصَة abstract, summary, digest, résumé, outline, brief, roundup, précis

مُوجِع painful, aching, sore

مُوَجَّه : مُرْسَل sent, forwarded

مُوَجَّه : مُصَوَّب aimed, leveled, pointed, directed

مُوَجَّه (نَحوَ هَدَفٍ أو حَسَبَ خِطَّةٍ) guided, directed, planned, controlled; channeled; oriented

مُوَجَّه (مِنْ بُعْد) remote-controlled
مُوَجَّه (كَسُؤَالٍ أو رِسَالَةٍ) addressed
كَمِّيَّةٌ مُوَجَّهَة [رياضيات] vector
مُوَجِّه : مَنْ يُوَجِّه guide; pilot; instructor; controller
مَوْجُود : وُجِدَ found
مَوْجُود : حاضِر present; attending
مَوْجُود : كائِن existing; being
مَوْجُود : مُتَوفِّر available
مَوْجُودات assets; stock
مَوْجُوع feeling pain, suffering (pain), in pain, aching, painful, sore
مُوَحَّد unified, united; integrated, merged; uniform
مُوَحِّد : مُؤْمِنٌ بِوَحْدانيَّة الله monotheist
مُوَحِّد : دُرْزِيّ ، واحِدُ الدُّرُوز Druze
مُوحِش desolate, deserted, lonely; dreary, dismal, gloomy
مُوحِل : وَحِل muddy, miry
مَوَدَّة ـ راجع وُدّ
مُودِع : مَنْ يُودِع depositor
مُودِيل : طِراز model, type, make, style
مُوَرِّث : مَنْ يُوَرِّث testator, legator
مُوَرِّثَة : مُؤَنَّثُ مُوَرِّث testatrix
مُوَرِّثَة : جِينَة [أحياء] gene
مَوْرِد : مَنْهَل watering place; spring, well
مَوْرِد : مَصْدَر resource; source
مَوْرِد : دَخْل income, revenue

مُوَرِّد : مُسْتَوْرِد importer
مَوْرُوث inherited; hereditary; ancestral; transmitted, passed down, traditional
مَوْز ، مَوْزَة (نبات) banana(s)
مُوَزِّع : مَنْ يُوَزِّع distributor; dealer
مُوَزِّعُ البَرِيد postman, mailman
مَوْزُون (عَرُوضِيًّا) : مَنْظُوم metrical, rhythmical, measured
مَوْزُون : مُتَّزِن ـ راجع مُتَّزِن
مُوسَى : أَداةٌ لِلْحِلاقَة (straight) razor
مُوسَى ، النَّبِيُّ مُوسَى Moses
سَمَكُ مُوسَى sole
مُوَسَّخ ـ راجع وَسِخ
مُوسِر : غَنِيّ rich, wealthy, well-to-do, well-off, affluent
مَوْسِم : أَوان season; time
مَوْسِمِي seasonal
مُوَسْوِس scrupulous, meticulous, overconcerned; obsessed
مَوْسُوعَة : دائِرَةُ مَعارِف encyclopedia
مُوسِيقَى music
مُوسِيقار : مُوسِيقِيّ musician
مُوسِيقِيّ : مُتَعَلِّقٌ بالمُوسِيقَى musical
مُوسِيقِيّ : مُوسِيقار musician
مُوسِيقِيّ : عازِف player, musician, instrumentalist, recitalist
مَوْشُور : مَنْشُور [رياضيات] prism

مُوَصِّل، مُوصِل conductor; connecting, joining, coupling

مُوضَة fashion, style, mode

مَوْضِع place, spot, site, locality; position, location

مَوْضِع (كَذا) object (of)

مَوْضِعِيّ : مَحَلِّيّ local, topical

مَوْضُوع : مَدارُ البَحْثِ subject, topic, theme; object; question, issue

مَوْضُوع : مَقالَة، بَحْث article, essay; treatise, study

مَوْضُوعِيّ objective; substantive

مَوْضُوعِيَّة objectivity

مَوْطِئ (قَدَم) foothold, footing

مَوْطِن : مَنْشَأ، وَطَن home, hometown, birthplace; homeland, native country, (home) country

مَوْطِن : مَكان place, spot, locality

مُوَظَّف (ج مُوَظَّفون) employee; official, officer, civil servant

مُوَظَّفون personnel; staff

مَوْعِد appointment, date, rendezvous; time, date

المَوْعِدُ الأخير deadline

مَوْعِظَة sermon; preachment

مُوفَد : مَبْعُوث delegate, envoy

مُوَفَّق successful; apt, appropriate, proper, fit

مَوْفُور : وافِر ـ راجع وافِر

مُوق (العَيْنِ) (inner) canthus, inner corner of the eye

مَوْقِت time; date, rendezvous

مُوَقَّت ـ راجع مُؤَقَّت، مَوْقُوت

مَوْقِد hearth, fireplace; stove

مُوَقَّر venerable, honorable; revered, venerated, respected

مَوْقِع place, spot, site, locality; location, position; post

مُوَقِّع signer, signatory

مَوْقِعَة battle, combat, encounter

مَوْقِف : مَحَطَّة stop, station; stand

مَوْقِف (لِوُقُوفِ السَّيَّارات) parking lot, park, garage

مَوْقِف (مِنْ قَضِيَّةٍ) position, attitude, stand, stance

مَوْقُوت time, timed; scheduled; set, fixed, appointed

مَوْقُوف : قُطِعَ stopped, halted

مَوْقُوف : مُعْتَقَل detained, in custody, arrested, under arrest, held; prisoner, inmate; detainee

مَوْكِب procession; train, caravan; escort, convoy; parade

مُوَكِّل client; constituent, principal

مُوكِيت moquette; carpet(ing)

مَوَّلَ : زَوَّدَ بالمال to finance

مَوْلًى : سَيِّد master, lord, chief

المَوْلَى، عَزَّ وجَلَّ : الله God, the Lord

مَوْلًى : نَصِير ـ راجع وَلِيّ

مَوْلِد : وِلادَة birth, nativity, nascence

مَوْلِد : مِيلاد birthday

عِيدُ المَوْلِدِ النَّبَوِيِّ الشَّرِيف the Prophet's Birthday

مُوَلِّد، طَبِيبٌ مُوَلِّد obstetrician

مُوَلِّد (كَهْرَبائِيّ) generator, dynamo

مُوَلِّدَة : دايَة midwife, accoucheuse

مُولَع بِـ fond of, attracted to; in love with, crazy about, mad about

مَوْلُود : وُلِدَ born

مَوْلُود : وَلِيد، وَلَد (newborn) baby, infant, newborn

مُومِس، مُومِسَة prostitute, whore

مُومِياء : جُثَّة مُحَنَّطَة mummy

مَوَّنَ to provision, purvey, supply with provisions; to cater

مُونَة ـ راجع مَؤُونَة

مُونْتاج montage; layout

مَوَّهَ : أَخْفَى to camouflage, disguise

مَوَّهَ (بِـ) : طَلَى to coat, overlay, plate

مَوْهِبَة : مَلَكَة talent, gift, knack

مَوْهُوب : ذُو مَوْهِبَة talented, gifted

مَيّالٌ إلى inclined to, disposed to, tending to, given to

مَيْؤُوسٌ مِنْهُ hopeless, desperate

مَيِّت : فانٍ، عُرْضَةٌ لِلْمَوْت mortal

مَيْت، مَيِّت : فارَقَ الحَياة dead, deceased, defunct, lifeless

مِيتافِيزِيقِيّ : ماوَرائِيّ metaphysical

مَيْتَة (ج مَيْتات) dead animal or meat

مِيتَة : حالَةُ المَوْت (manner of) death

مَيْتَم : دارُ الأَيْتام orphanage

مِيثاق covenant, (com)pact, convention, treaty; charter

مِيثاقُ الأُمَمِ المُتَّحِدَة the Charter of the United Nations

مَيْدان : مَجال field, domain, sphere, arena, line

مَيْدان : ساحَة square, public square, plaza; courtyard

مَيْدانُ السِّباق : حَلْبَة racecourse, racetrack, course, turf

مِيدان ـ راجع مَيْدان

مَيْدانِي field

مِيراث ـ راجع إرْث

مَيَّزَ (بَيْنَ) : فَرَّقَ to distinguish (between), make a distinction (between), differentiate (between), discriminate (between)

مَيَّزَ (في المُعامَلَة) to discriminate (in favor of or against)

مَيَّزَ (فُلانًا) : فَضَّلَهُ to perfer (to); to distinguish, honor, favor

مَيَّزَ : كانَ مِيزَةً لِـ to distinguish, characterize, mark

مِيزاب : مِزْراب drain; (roof) gutter

مِيزان : آلَةٌ يُوزَنُ بِها balance, scales

المِيزانُ التِّجارِيّ balance of trade

مِيزانُ الحَرارَة thermometer

مِيزانُ الضَّغْطِ الجَوِّيّ barometer

بُرْجُ المِيزان Libra, Balance

مِيزانِيَّة : مُوازَنَة budget

مِيزَة characteristic, feature, mark, property; advantage, merit
مَيْسِر : قِمَار gambling; gamble
مُيَسَّر simplified; facilitated, easy; feasible, possible
مَيْسَرَة : جِهَةُ اليَسَار left, left side
مَيْسَرَة (الجَيْشِ) left wing
مَيْسُور : سَهْل easy; feasible, possible; available, obtainable
مَيْسُور : مُوْسِر ـ راجع مُوْسِر
مَيَّع to liquefy, melt, dissolve
مِيعاد ـ راجع مَوْعِد
مِيقات time; date; deadline
مِيكَانِيكَا، عِلْمُ المِيكَانِيكَا mechanics
مِيكَانِيكِيّ : آلِيّ mechanical
(خَبِيرٌ) مِيكَانِيكِيّ mechanic
مِيكْرُوب : جُرْثُومَة microbe, germ
مِيكْرُوسْكُوب : مِجْهَر microscope
مِيكْرُوفُون : مِذْياع microphone
مَيْل : اِتِّجاه، نَزْعَة tendency, trend, drift; inclination, propensity, disposition, liking, interest
مَيْل : اِنْحِراف inclination, slant, turn, deflection; deviation
مِيل : مِقْياسٌ لِلطُّول mile
مِيلٌ بَحْرِيّ nautical mile, knot
مِيل (الجَرَّاحِ) probe; catheter
مِيلاد : مَوْلِد ـ راجع مَوْلِد
عِيدُ المِيلاد Christmas, Xmas
عِيدُ مِيلادِ شَخْص birthday
قَبْلَ المِيلاد B.C., before Christ
بَعْدَ المِيلاد A.D., after Christ
مِيلادِيّ، مِيلادِيَّة A.D., after Christ
مِيلِيشْيَا militia
مَيْمَنَة : جِهَةُ اليَمِين right, right side
مَيْمَنَة (الجَيْشِ) right wing
مَيْمُون : ذُو اليُمْنِ والبَرَكَة auspicious, prosperous; lucky; blessed
مَيْمُون : قِرْد mandrill; baboon
مِينا ـ راجع مِيْناء
مِيْناء : مَرْفَأ port, harbor, anchorage, haven, seaport
مِيْناءٌ جَوِّيّ airport, airfield
مِيْناء : مادَّةٌ زُجاجِيَّةٌ يُطْلَى بِها enamel
مِيْناء (الأَسْنانِ) enamel

ن

ناءَ (بِالحِمْلِ) to sink (under), fall down (under), collapse (under)

نأى (عن) : بَعُدَ to be far (from), distant (from), remote (from)

ناءٍ (النائي) : بَعيد remote, distant, far, faraway, outlying

نائِب deputy, representative; member of parliament

نائِبُ رَئِيس vice-president

النائِبُ العام attorney general; prosecutor, district attorney

نائِبَة : مُصِيبَة misfortune, calamity, disaster, catastrophe

نائِم : راقِد asleep; sleeping; sleeper

نابَ عن، نابَ مَنابَ to represent, act for, substitute for, replace

نابَ (ـهُ أمْرٌ) ـ راجع إنْتاب

ناب canine tooth, canine, cuspid

نابٍ (النّابِي) repugnant, repulsive; improper, unbecoming

نابِض : زُنْبَرك spring; spiral spring

نابِغَة : عَبْقَرِيّ genius

ناتِىء protruding, projecting, prominent, jutting out; in relief, embossed, raised

ناتِج (عن) resulting (from), arising (from), stemming (from), caused (by), produced (by)

ناتِج : نِتاج ـ راجع نِتاج

ناثِر : كاتِبُ النَّثر prose writer, proser, prosaist, prosateur

ناجَى to confide a secret to; to whisper to

ناجِح successful; prosperous; passing, having passed (an examination); a success

ناجِع beneficial, useful; effective

ناجِم (عن) resulting (from), ensuing (from), caused (by)

ناحَ to wail, lament, cry, weep

ناحِيَة : جِهَة، جانِب side; direction

ناحِيَة : نُقْطَة aspect, phase; point; respect, regard

ناحِيَة : مِنْطَقَة district; region, area

ناحِيَةَ : صَوْبَ toward(s), to

مِنْ ناحِيَةٍ أُخْرَى on the other hand

ناخِب : مُنْتَخِب — elector, voter
نادٍ (النَّادِي) — club; society; association
نادٍ لَيْلِيّ — nightclub; cabaret
نادَى : صاحَ بِـ ، دَعَا — to call out to, shout to; to call upon, invite
نادَى : صاحَ — to cry, shout, exclaim
نادَى بِـ — to proclaim, announce; to profess; to advocate
نادِر — rare; scarce, infrequent
نادِراً ، في النَّادِر — rarely, seldom
نادِرَة : شَيْءٌ نادِر — rarity, rare thing
نادِرَة : طُرْفَة — anecdote, joke
نادِل : خادِمُ ضِيافَة — waiter, garçon
نادِم — repentant, regretful, sorry, remorseful, penitent
نار — fire
النَّار : جَهَنَّم — hell, hellfire, fire
نارَجِيلَة : جَوْزَةُ الهِنْد — coconut
نارَجِيلَة : أَرْكِيلَة — narghile, water pipe, hookah, hubble-bubble
نارْدِين (نبات) — valerian; (spike)nard
نارَنْج (نبات) — bitter orange
نارِيّ — fiery, igneous, fire-
نازِح (عَنْ بَيْتِهِ او وَطَنِهِ) — emigrant, emigré, immigrant, expatriate
نازَعَ : خاصَمَ — to dispute with, quarrel with, fight with
نازَعَ : اِحْتُضِرَ — to be dying, near one's end, at the point of death
نازَلَ : قاتَلَ — to clash with, fight

نازِل : ضِدّ صاعِد — descending, coming down, going down; falling (down), dropping
نازِل : ساكِن — resident, dweller
نازِلَة : مُصِيبَة — calamity, disaster
ناس : بَشَر — people, human beings, mankind, humankind
ناسٍ (النَّاسِي) — oblivious, forgetful, forgetting, unmindful
ناسَبَ : لاءَمَ — to suit, fit; to be suitable for, convenient for; to be appropriate to; to agree with, match
ناسَبَ : صاهَرَ — to be(come) related by marriage to
ناسِج : حائِك — weaver
ناسِخ : نَسَّاخ ـ راجع نَسَّاخ
ناسِف : عُبْوَةٌ ناسِفَة — bomb
ناسِك — hermit, recluse; ascetic
ناشِيءٌ مِنْ او عَنْ — arising from, originating from, stemming from
ناشِىء : نامٍ — growing (up), developing
ناشِىء : شابّ — youth, young man, youngster; young; junior
ناشِئَة : شَباب ، شُبّان ـ راجع نَشْء
ناشَدَ — to adjure, entreat, implore; to call upon, appeal to
ناشِر (الكُتُبِ إلخ) — publisher
ناشِط ـ راجع نَشِيط
ناشِف : جافّ — dry; arid; dried (up)
ناصَبَ (ـهُ العِداءَ) — to be hostile to; to

ناصَرَ — declare oneself the enemy of

ناصَرَ : أيَّدَ — to help, aid, assist, support, back (up), champion

ناصِر ـ راجع نَصِير

ناصِع — clear, pure; plain, evident

ناصِعُ البَياض — snow-white

ناصِيَة : شَعْرُ مُقَدَّمِ الرَّأس — forelock

ناضِج — ripe, mature; well-done

ناضِر : نَضِر — flourishing, blooming; fresh; tender; bright

ناضَل — to struggle, strive, fight

ناطِحَةُ سَحاب — skyscraper

ناطِق — articulate; speaking, talking

ناطِق (بِلِسانِ كَذا) — spokesman

ناطُور : بَوَّاب ، حارِس — concierge, doorkeeper, janitor; guard

ناظَرَ : ناقَشَ — to debate with

ناظَرَ : راقَبَ — to superintend, supervise, oversee, watch over

ناظِر : مُشاهِد — seer, beholder, looker, viewer, spectator, onlooker

ناظِر : مُراقِب — supervisor, superintendent, overseer, inspector

ناظِر : مُدِيرُ مَدْرَسة — headmaster, principal, director

ناظِر : عَيْن — eye

ناظِرَة : عَيْن — eye

ناظِرَةُ مَدْرَسَة — headmistress, principal, directress

ناظُور : مِنْظار — field glasses, binoculars

ناعِس ـ راجع نَعْسان

ناعِم — soft, smooth, tender, gentle; fine; powdery, powdered

ناعُورَة — noria, waterwheel

ناغَمَ — to harmonize, accord, tune

نافَ : ارْتَفَعَ — to be high, lofty

نافَ على : زادَ — to exceed

نافَى : ناقَضَ — to contradict, conflict with; to be contradictory to, incompatible with, inconsistent with

نافِد (كِكِتاب) — out of print, out of stock

نافِذ (المَفْعُول) — valid, effective, operative, in effect, in force

نافِذ : مُخْتَرِق — penetrating, piercing, permeative

نافذ (الكَلِمَة) — influential, powerful

نافِذَة : شُبَّاك — window; opening

نافِر — in relief, embossed, raised; protuberant, protruding, projecting

نافَسَ : زاحَمَ — to compete with, vie with, rival, emulate

نافِع : مُفِيد — useful, helpful, beneficial; wholesome, salutary

نافَقَ — to dissemble, dissimulate

نافُورَة (ماءٍ) — fountain, jet

ناقَة : أُنْثَى الجَمَل — she-camel

ناقِد (أدَبِي ، فَنِي إلخ) — critic; reviewer

ناقَشَ — to debate (with), argue (with); to discuss (with)

ناقِص : غَيْرُ كامِل — deficient, imperfect, incomplete, insufficient

ناقِص : غَيْرُ مَوْجُود lacking, wanting, missing, absent
ناقِص [رياضيات] minus
ناقَض : خالَفَ to contradict, conflict with; to be contradictory to, contrary to, inconsistent with, incompatible with
ناقِل : شاحِن carrier, transporter, forwarder, freighter, shipper
ناقِل : حامِل carrier, bearer
ناقِلَة : حامِلَة carrier
ناقِلَةُ بِتْرُول، ناقِلَةُ نَفْط tanker, oiler
ناقِم : ساخِط indignant, resentful
ناقِم : حاقِد spiteful, malicious
ناقُوس : جَرَس bell; gong; bell jar
ناقُوسُ الخطر tocsin, alarm bell; warning
نالَ : حَصَلَ على to obtain, get, acquire, win, gain, earn, receive; to attain, achieve
نامَ to sleep, be asleep, fall asleep; to go to bed, go to sleep
نامٍ (النّامِي) growing; developing
نامُوس : شَريعَة، قانُون law, code
نامُوس، نامُوسَة : بَعُوض mosquito(es)
نامُوسِيَّة : كِلَّة mosquito net
ناهَزَ : قارَبَ to approach, be near or close to; to attain, reach
ناهَضَ : قاوَمَ to resist, oppose
ناهِيكَ مِنْ not to mention, to say nothing of; aside from, apart from

ناوَأَ to resist, oppose, be hostile to
ناوَبَ : داوَلَ to alternate, rotate
ناوَرَ (عَسْكَرِيًا، سِياسِيًّا) to maneuver
ناوَلَ to hand (over) to, pass to, hand in to, submit to, deliver to
نَؤُوم sleeper; late riser, slugabed
ناوُوس : تابُوتٌ حَجَرِيّ sacrophagus
ناي flute, pipe, reed pipe, fife
نايْلُون nylon
نَبَّأَ (بِـ) - راجع أَنْبَأَ (بِـ)
نَبَأ : خَبَر news; information
نَبات plant(s), vegetable(s)
نَباتِيّ vegetable, vegetal, plant-
نَباتِيّ (في طَعامِه) vegetarian
نَباهَة : فِطْنَة acumen, insight; intelligence, brightness
نَبَتَ (الشَّيْءُ) to grow; to sprout, germinate; to rise, spring
نَبْتَة plant, sprout, shoot
نِبْتُون [فلك] Neptune
نَبَحَ الكَلْبُ (على) to bark (at), bay (at)
نَبَذَ : اِطَّرَحَ to discard, throw away, abandon, renounce, give up
نَبَذَ (مِنْ مُجْتَمَع) to ostracize
نُبْذَة : مُلَخَّص résumé, summary, abstract, brief, précis
نُبْذَةٌ عَنْ حَياةِ شَخْص biography, memoir; curriculum vitae
نِبْراس : مِصْباح lamp; light; cresset

نَبْرَة : شِدَّة accent, stress, emphasis
نَبْرَة (الصَّوْتِ) tone, strain
نِبْرِيج : أُنْبُوب hose; pipe; tube
نَبَسَ (بِـ) : لَفَظَ to utter, say, speak
نَبَشَ to disinter, exhume, unearth, excavate, dig up
نَبَضَ العِرْقُ أو القَلْبُ to pulsate, palpitate, beat, throb
نَبْض pulse, pulsation, palpitation, beat(ing), throb(bing)
نَبْضَة pulsation, pulse, beat, throb
نَبَعَ الماءُ to well, well up, well out, pour out, stream, flow
نَبَعَ النَّهْرُ to rise, spring, originate
نَبْع : يَنْبُوع ـ راجع يَنْبُوع
نَبَغَ to be a genius; to excel (in)
نُبْل : نَبَالَة nobility, nobleness; high-mindedness, magnanimity
نَبْلَة : سَهْم arrow; dart
نَبَّهَ على أو إلى to call or draw someone's attention to; to inform of, notify of, advise of; to remind of
نَبَّهَ : حَذَّرَ، أَنْذَرَ to warn, caution, alarm, alert
نَبَّهَ : حَرَّكَ، أَثَارَ to stimulate, excite, arouse, stir up
نَبَّهَ : أَيْقَظَ to wake (up), awaken
نُبُوءَة prophecy, forecast, prediction
نَبُّوت : عَصًا غَلِيظَة club, cudgel, bat, staff, stick, truncheon

نُبُوَّة prophecy, prophethood
نُبُوغ : عَبْقَرِيَّة genius
نَبَوِيّ prophetic; Mohammedan
نَبِيّ : رَسُول prophet
النَّبِيّ (مُحَمَّد) (ﷺ) the Prophet, Mohammed (God's blessing and peace be upon him)
نَبِيذ : خَمْر wine
نَبِيذِيّ (اللَّوْنِ) russet, vinaceous, wine-colored, winy
نَبِيل noble; highborn; high-minded, magnanimous; a noble, nobleman, peer
نَبِيه : فَطِن، ذَكِيّ discerning, sagacious, keen, bright, intelligent
نَتَأَ : بَرَزَ to protrude, project, bulge, jut out, stick out
نِتَاج product, production, produce, yield, harvest, crop, fruit(s), bearing, offspring, result
نَتَانَة stench, stink, fetor, malodor; rot(tenness), decay
نَتَجَ عَنْ أو مِنْ to result from, ensue from, arise from, spring from, originate from, stem from, be the result of, be caused by
نِتْرُوجِين nitrogen
نَتَفَ، نَتَّفَ to pluck out, pull out; to deplume
نَتَنَ، نَتُنَ، نَتِنَ : أَنْتَنَ to stink
نَتِن : مُنْتِن stinking, malodorous, fet-

id, rank, rancid; rotten, putrid, decayed, spoiled

نَتْن - راجع نَتَانَة

نُتوء : بُرُوز protrusion, projection, protuberance, bulge

نَتِيجَة : حَصِيلَة result, outcome, consequence, upshot, issue, effect, end, aftermath; score

نَتِيجَة : تَقْوِيم calendar, almanac

نَتِيجَةً كَذَا، نَتِيجَةً لِكَذَا as a result of, in consequence of, because of, due to, owing to

نَثَرَ : ذَرَّ، رَشَّ to scatter, disperse, disseminate, strew, sprinkle

نَثْر : كَلَامٌ مَنْثُورٌ غَيْرُ مَوْزُون prose

نَثْرِيّ : غَيْرُ مَنْظُوم prose, prosaic

مَصَارِيفُ نَثْرِيَّة petty expenses

نَثْرِيَّات sundries, miscellany, miscellaneous items or articles

نَجَا (مِنْ) to escape (danger, etc.), get away (from), save oneself (from); to be saved (from)

نَجَّى (مِنْ) : خَلَّصَ to save (from), rescue (from), deliver (from)

نَجَاة rescue, salvation, deliverance; safety; escape

نَجَاح success; prosperity, succeeding; passing (of an examination)

نَجَّار carpenter, joiner, woodworker, cabinetmaker

نُجَارَة (الخَشَب) wood shavings

نِجَارَة : حِرْفَةُ النَّجَّار carpentry

نَجَاسَة : دَنَس impurity, uncleanness, uncleanliness, dirtiness

نَجَحَ to succeed, be successful; to manage (to), make it; to pass (an examination); to work

نَجَّحَ - راجع أَنْجَحَ

نَجَّدَ الفَرْشَ أو الوَسَائِدَ إلخ to upholster

نَجْد : أَرْضٌ مُرْتَفِعَة highland, upland

نَجْدَة : إِسْعَاف relief, succor, aid, help, support; rescue, saving

النَّجْدَةَ! help! SOS!

نَجَرَ (الخَشَبَ) to hew (out), plane

نَجَّسَ : لَوَّثَ to soil, sully, dirty, tarnish, stain, defile, pollute

نَجِس : مُلَوَّث impure, dirty, soiled, tarnished, polluted

نَجْل : اِبْن son, scion, offspring

نَجَمَ عن to result from, ensue from, follow from, arise from

نَجْم star; planet; heavenly body, celestial body

نَجْمٌ ذُو ذَنَب، نَجْمٌ مُذَنَّب comet

نَجْمٌ سِينَمَائِيّ - راجع سِينَمَائِيّ

نَجْمَة : كَوْكَب star

نَجْوَى confidential talk

نَجِيب : كَرِيمُ المَحْتِد highborn

نَجِيب : مُتَفَوِّق excellent, superior, outstanding

نَجِيل : عُشْب grass, herbage

نَحَّى : أَزَاحَ to put aside, lay out of the

way; to displace, remove; to dismiss, brush aside

نَحّات sculptor, carver, graver

نُحاس : عُنْصُرٌ فِلِزِّي copper

نُحاسٌ أَصْفَر brass

نَحافَة : نُحُول thinness, slimness

نَحام : طائِرٌ مائِيّ flamingo

نَحَبَ to wail, lament, cry, weep

نَحْب : نَحِيب ـ راجع نَحِيب

قَضَى نَحْبَهُ to die, pass away

نَحَتَ to hew (out), carve, sculpture, chisel, grave

نَحَرَ : ذَبَحَ to slaughter, butcher, kill

نَحَسَ : أَتَى بِالنَّحْسِ على to jinx, hex

نَحْس bad luck, misfortune

نَحُفَ، نَحِفَ to be(come) thin, slim, slender; to lose weight

نَحُلَ، نَحِلَ to waste away, lose weight; to slim, become slender

نَحْل، نَحْلَة : حَشَرَةٌ تُنْتِجُ العَسَل bee(s)

نَحْنُ we

نَحْو : كَيْفِيَّة، طَرِيقَة manner, mode, fashion; way, method

نَحْو : جِهَة، جانِب direction; side

نَحْو، عِلْمُ النَّحْو grammar; syntax

نَحْوَ : صَوْبَ toward(s), to

نَحْوَ، نَحْواً مِنْ : حَوالَى about, approximately, around, nearly

نَحْوَ : مَثَلاً as, such as, for example, for instance

في كُلِّ أَنْحاءِ العالَم all over the world; worldwide

نُحُول : هُزال emaciation; leanness, skinniness, thinness

نَحْوِيّ : خاصٌّ بِالنَّحْو grammatical

نَحْوِيّ : عالِمٌ بِالنَّحْو grammarian

نَحِيب : نُواح wail(ing), lamentation

نَحِيف، نَحِيل thin, slim, slender, lean, skinny; emaciated

نُخاع : الحَبْلُ الشَّوْكِيّ spinal cord

نُخاع (العَظْمِ) (bone) marrow

نُخالَة (الحُبُوبِ إلخ) bran

نَخْب (يُشْرَبُ لِصِحَّةِ شَخْص) toast

نُخْبَة choice, pick, cream, top; elite, upper class

نَخَرَ : قَرَضَ to gnaw, bite, eat into, eat (away), wear away

نَخَزَ : وَخَزَ to prick, sting; to pierce

نَخَسَ : هَمَزَ to goad, prod, urge on

نَخَلَ : غَرْبَلَ to sift, bolt, sieve out

نَخْل، نَخْلَة palm(s), palm tree(s), date palm(s), date(s)

نَخْوَة chivalry, gallantry; zeal, enthusiasm, ardor

نَخِيل، نَخِيلَة ـ راجع نَخْل، نَخْلَة

نِدّ : نَظِير peer, equal, match

نَدَّى : بَلَّلَ to moisten, wet, bedew

نَدًى : طَلّ dew

نَدًى : كَرَم generosity, liberality

نِدَاء call; appeal; proclamation; announcement
نَدَامَة ـ راجع نَدَم
نَدَبَ (المَيْتَ) to mourn (for), lament, bewail, wail over, weep (for)
نَدَبَ (لِـ أو إلى) ـ راجع إنْتَدَبَ (لِـ)
نَدَبَة، نَدْبَة scar, cicatrix, mark
نَدَّدَ بِـ: شَجَبَ to criticize, censure, condemn, denounce
نَدَرَ: قَلَّ to be rare, scarce
نُدْرَة rarity, rareness, infrequency; scarcity, shortage
نَدَفَ (القُطْنَ) to tease, card, comb
نُدْفَةُ الثَّلْجِ snowflake
نُدْفَةُ الصُّوفِ أو القُطْنِ flock
نُدُل: خَدَمُ الضِّيَافَة waiters, garçons
نَدِمَ (على) to repent (of), rue, regret
نَدَم repentance, regret, remorse, penitence, contrition
نَدْمان ـ راجع نادِم
نَدْوَة: حَلْقَة (دِراسِيَّة إلخ) symposium; colloquium; seminar
نَدْوَة: نادٍ ـ راجع نادٍ
نَدِيَ: إبْتَلَّ to be(come) wet, dewy, moist, damp
نَدِيّ: مُبْتَلّ wet, dewy, moist, damp
نَدِيم (drinking) companion, comrade; friend, pal, chum
نَذَرَ to vow, make a vow
نَذَرَ لِلّٰهِ to vow to God, make a vow to God; to consecrate or dedicate (by a vow) to God
نَذْر: عَهْدٌ يُوجِبُهُ المَرْءُ على نَفْسِهِ vow
نَذْل: حَقِير low, base, mean; scoundrel, rascal, villain
نَذِير herald, harbinger; portent, presage, fortoken, omen
نَرْبِيج، نَرْبِيش hose; pipe; tube
نَرْجِس، نِرْجِس (نبات) narcissus
نَرْد، زَهْرُ النَّرْدِ: زَهْرُ الطَّاوِلَة dice
لُعْبَةُ النَّرْدِ backgammon, trictrac
نَزَّ: رَشَحَ، نَضَحَ to ooze, sweat, exude, seep, leak, percolate
نِزَاع: خُصُومَة dispute, controversy, conflict, clash
نِزَاع: إحْتِضَار death struggle
نَزَاهَة impartiality, fairness; uprightness, honesty, integrity
نَزَحَ: هاجَرَ to emigrate, expatriate; to immigrate (to); to migrate
نَزَعَ: قَلَعَ to pull out, extract, tear out; to remove, take off
نَزَعَ ثِيَابَهُ to take off one's clothes, undress, strip
نَزَعَ إلى: مالَ to incline to, tend to, be inclined to
نَزْع: إحْتِضَار death struggle
نَزْعَة: مَيْل tendency, trend; inclination, propensity, disposition
نَزَفَ دَماً، نَزَفَ دَمُهُ to bleed
نَزْف: نَزِيف hemorrhage; bleeding

نَزَلَ : هَبَطَ to descend, come down, go down; to fall (down), drop (off)
نَزَلَ : تَرَجَّلَ to disembark, get down, get off, get out (of)
نَزَلَتِ الطَّائِرَةُ to land, touch down
نَزَلَ (في، عِنْدَ) : أَقَامَ to stop at; to stay at, lodge at
نَزَلَ بِهِ الأَمْرُ : أَصَابَ to befall, afflict, hit, strike, happen to
نَزَّلَ : أَنْزَلَ - راجع أَنْزَلَ
نُزُل : فُنْدُق hotel, inn, motel
نَزْلَة : ضِدّ صَعْدَة descent
نَزْلَة [طب] catarrh; bronchitis
نَزَّهَ عَنْ to deem far above
نُزْهَة walk, promenade; drive, ride; excursion; picnic
نَزْوَة caprice, whim, fancy
نَزِيف : نَزْف hemorrhage; bleeding
نَزِيل (ج نُزَلاء) guest; lodger, boarder; resident, dweller, occupant
نَزِيه impartial, fair, just; honest, upright, righteous
نَسَّى : جَعَلَهُ يَنْسَى to make forget
نِسَاء : نِسْوَة women, womenkind
نِسَائِيّ female, womanly, women's, lady's, for women
نَسَّاج : حائِك weaver
نَسَّاخ copyist, transcriber, scribe
نَسَبَ إلى : عَزَا to ascribe to, attribute to, impute to, trace (back) to

نَسَب : سُلالَة lineage, descent, ancestry, line; origin
نَسَب : قَرَابَة relationship
نِسْبَة : مُعَدَّل proportion; ratio, rate
نِسْبَة مِئَوِيَّة percentage
بِالنِّسْبَةِ إلى : فِيمَا يَتَعَلَّقُ بِـ with respect to, concerning, regarding, with regard to, as to, as for
بِالنِّسْبَةِ إلى : بِالمُقَارَنَةِ مع in comparison with, compared with
نِسْبِيّ relative, comparative; proportional
نِسْبِيًّا relatively, comparatively; proportionally
نَسَجَ : حاكَ to weave; to knit
نَسَجَ على مِنْوالِهِ to imitate, copy
نَسَخَ : أَبْطَلَ to abrogate, invalidate, annul, abolish, cancel
نَسَخَ : نَقَلَ to copy, transcribe
نَسَخَ : صَوَّرَ to copy, duplicate, photocopy, xerox
نُسْخَة copy
نَسْر (طائر) eagle; vulture
نِسْرِين (نبات) jonquil; musk rose
نُسْغ (النَّبات) sap, juice
نَسَفَ : فَجَّرَ to blow up, blast, explode; to dynamite; to torpedo
نَسَفَ الحَبَّ to winnow, fan
نَسَقَ : نَظَمَ (في خَيْط) to string
نَسَّقَ to coordinate; to arrange, orga-

nize; to classify, assort
نَسَق order; system; method; pattern, type; symmetry
نُسُك، نُسْك : تَزَهُّد asceticism
نَسَلَ، نَسَّلَ (النَّسِيجَ) to ravel (out), unravel, unweave
نَسْل : ذُرِّيَّة progeny, offspring, descendants, posterity, children
نَسَمَة (هَوَاءٍ) breath of air, whiff, puff, waft, slight breeze
نَسَمَة : إنْسان person, human being
نَسْنَاس (حيوان) monkey, guenon
نِسْوان، نِسْوَة women, womenkind
نِسْوِيّ - راجع نِسائِيّ
نَسِيَ to forget
نِسْيان forgetfulness, forgetting
نَسِيب : قَرِيب relative, kin(sfolk)
نَسِيب : زَوْجُ الابْنَة son-in-law
نَسِيب : زَوْجُ الأُخْت brother-in-law
نَسِيج : قُمَاش textile, fabric
نَسِيج [أحياء] tissue
نَسِيم : رِيحٌ لَيِّنَة breeze, gentle wind
نَشَأَ : بَرَزَ إلى الوُجُود to arise, originate, emerge, start
نَشَأَ : شَبَّ، تَرَعْرَعَ to grow up
نَشَّأَ : رَبَّى to bring up, raise, rear
نَشَّى (الثَّوْبَ) : عالَجَهُ بالنَّشا to starch
نَشْء : شَباب، شُبَّان (the) youth, (the) young, young people
نَشاً، نَشاء starch, amylum

نُشَّابَة، نُشَّاب : سَهْم، سِهَام arrow(s)
قَوْسٌ ونُشَّاب crossbow
نَشْأَة early life, youth; growth, development; origin, rise, birth, beginning; genesis
نُشَادِر : مُرَكَّبٌ غازِيّ ammonia
نُشَارَة (الخَشَبِ) sawdust
نَشَاز : تَنافُر dissonance, discord
نَشَاط activity, energy, vitality, vigor, liveliness, vivacity, vim
نَشَّافَة : مِنْشَفَة towel
نَشَّافَة : آلَةٌ مُنَشِّفَة dryer, drier
نَشَّال : سَرَّاق pickpocket, cutpurse
نَشِبَ (ـتِ الحَرْبُ) to break out, flare up
نَشَجَ : بَكَى to sob, whimper
نَشَدَ : طَلَبَ to seek, look for
نَشَرَ : بَسَطَ، مَدَّ to spread (out), stretch out; to unfold, unwind
نَشَرَ : أذاعَ، رَوَّجَ to spread, propagate, disseminate; to diffuse; to circulate; to promulgate, publicize
نَشَرَ (كِتاباً إلخ) to publish, put out, issue, bring out
نَشَرَ (قُوَّاتٍ، جُنوداً إلخ) to deploy
نَشَرَ (غَسِيلاً على حَبْل) to hang
نَشَرَ : بَعَثَ مِنَ المَوْت to resurrect
نَشَرَ : قَطَعَ بالمِنْشار to saw
نَشْر (الكُتُبِ إلخ) publishing, publication; putting out, bringing out
نَشْر : بَعْث، قِيامَة resurrection

حَقُّ (حُقُوقُ) النَّشْرِ والطَّبْع copyright
نَشْرَة publication; bulletin; prospectus; brochure, leaflet, pamphlet; circular; flier
نَشْرَةُ أَخْبار newscast, news (bulletin)
نَشْرَةٌ جَوِّيَّة weather report
نَشِطَ : تَنَشَّطَ to be(come) active, energetic, lively, brisk
نَشَّطَ to activate, stimulate, energize, vitalize, animate
نَشِط ـ راجع نَشِيط
نَشِفَ : جَفَّ to dry, dry up, dry out, become dry, dehydrate
نَشَّفَ (بِمِنْشَفَةٍ) to wipe (dry), rub dry, towel, dry with a towel
نَشَّفَ : جَفَّفَ to dry, dry up, dry out, desiccate, dehydrate
نَشَلَ : اِنْتَزَعَ to snatch away
نَشَلَ : سَلَبَ to pick (pockets), rip off, pilfer, rob
نَشَلَ : أَنْقَذَ to extricate; to save, rescue; to pick up, raise
نُشُوء rise, birth, beginning, start, origin; genesis, growth
نَشْوَة : جَذَل ecstasy, rapture, elation, exultation
نُشُور : بَعْث، قِيَامَة resurrection
نَشَوِي starchy, amyloid
نَشَوِيّات starchy foods, starches
نَشِيد song, chant; hymn, anthem
نَشِيدٌ وَطَنِيٌّ أو قَوْمِيّ national anthem
نَشِيط active, energetic, dynamic, lively, brisk, spirited, animated
نَصَّ على : ذَكَرَ، اِشْتَرَطَ to provide for, stipulate, lay down
نَصَّ (على) : أَمْلَى to dictate (to)
نَصّ : مَتْن text; script; version
نَصَّاب : مُحْتال swindler, impostor, sharper, fraud, crook
نِصَاب (قانُونِيّ) quorum
نَصَبَ : أَقامَ، رَفَعَ to erect, raise, set up, put up; to install
نَصَبَ (على) : اِحْتالَ to swindle, gull, dupe, deceive, cheat
نَصَبَ (على) : اِخْتَلَسَ to embezzle
نَصَّبَ : عَيَّنَ to install (in an office), induct (into an office); to appoint (to an office)
نَصَب : تَعَب، كَدّ fatigue, exhaustion; toil, hard work
نُصُب، نُصْب : تِمْثال statue
نُصْبٌ تَذْكارِيّ monument, memorial
نَصْبَة : شَتْلَة (nursery) plant, sapling, seedling, cutting
نَصَحَ to advise, counsel, give advice to, recommend to
نُصْح ـ راجع نَصِيحَة
نَصَرَ : أَيَّدَ to help, aid, support
نَصَرَ : ظَفَّرَ to render victorious, grant victory (over)

نصَّرَ: جعَلَهُ نصْرانِيًّا to Christianize, make Christian
نصَّرَ: عمَّدَ to baptize, christen
نصْر: اِنْتِصار، غَلَبَة victory, triumph
نَصْرانِيّ: مَسِيحِيّ Christian
النَّصْرانِيَّة: المَسِيحِيَّة Christianity
نَصَّفَ to halve, bisect, divide
نِصْف: شَطْر، أَحَدُ قِسْمَي الشَّيْء half
نِصْف: مُنْتَصَف middle
نِصْفُ دائِرَة semicircle
نِصْفُ ساعَة half (an) hour
نِصْفُ اللَّيْل midnight
نِصْفُ نِهائِيّ (مُبارَاة) semifinal
نِصْفُ النَّهار midday, noon
نَصَلَ اللَّوْنُ to fade, bleach, faint
نَصْلُ السَّهْم arrowhead
نَصْلُ السِّكِّينِ أو السَّيْفِ blade
نَصُوح: صادِق، مُخْلِص sincere, honest, true, faithful, loyal
نَصِيب: حِصَّة share, portion, part
نَصِيب: حَظّ luck, fortune; chance
نَصِيب: قَدَر fate, lot, destiny
نَصِيحَة: نُصْح advice, counsel, recommendation
نَصِير: مُناصِر helper; supporter; advocate, proponent, champion, patron, sponsor, follower; enthusiast

نَضارَة bloom; freshness; beauty; vigor, health
نِضال: كِفاح struggle, strife, fight
نَضَبَ to run out; to be exhausted, depleted; to peter out; to dwindle; to dry up
نَضِجَ to ripen, mature; to be(come) ripe, mature
نَضِجَ الطَّعامُ to be well-done
نُضْج، نَضْج ripeness, maturity
نَضَحَ: رَشَّ to sprinkle, spray
نَضَحَ: رَشَحَ، تَحَلَّبَ to exude, ooze, transude, seep, leak
نَضَحَ: عَرِقَ to sweat, perspire
نَضَّدَ (طِباعِيًّا) to compose, set, typeset
نَضِر ـ راجع ناضِر
نُضُوج: نُضْج ripeness, maturity
نَطَّ: وَثَبَ to jump, leap, spring, bound, skip, hop
نِطاق: مَدًى، مَجال range, extent, scope, sphere, ambit, reach; field, domain; bound(s), limit
نِطاق: حِزام girth, girdle, belt; band, strip; cordon
نَطَحَ: ضَرَبَ بِقَرْنِهِ to butt
نَطَقَ: لَفَظَ to pronounce, utter, say; to speak, talk
نُطْق: لَفْظ pronunciation, utterance; speech; saying
نَظّارات ـ راجع نَظّارَة
نَظارَة: حَبْس lockup, jail, prison

نَظَّارَة : مُتَفَرِّجُون spectators, onlookers, viewers, audience
نَظَّارَة، نَظَّارات : عُوَيْنات eyeglasses, glasses, spectacles
نَظَّاراتٌ شَمْسِيَّة sunglasses
نَظَافَة cleanness, cleanliness, neatness, tidiness; purity
النَّظافةُ مِنَ الإيْمان cleanliness is next to godliness
نِظام system; order; discipline
نِظام (الحُكْم) regime, system
نِظامِي regular, orderly; constant; systematic; disciplinary
نَظَرَ (إلى) to look (at), eye; to see
نَظَرَ في to consider; to look into, examine, study
نَظَّرَ : أتى بِنَظَرِيَّة to theorize, speculate
نَظَر : بَصَر، رُؤْيَة sight, eyesight, vision, seeing, looking
نظراً (بالنَّظَرِ) إلى أو لِـ in view of, due to, because of
بِصَرْفِ (بغضِّ، بِقَطْع) النَّظَرِ عن regardless of; irrespective of; to say nothing of, not to mention, let alone; apart from, aside from
نَظْرَة look, glance; sight, view
نَظَرِي : ضِدّ عَمَلِي theoretical
نَظَرِيًّا theoretically, in theory
نَظَرِيَّة theory; notion; theorem
نَظُفَ : كانَ نَظِيفاً to be(come) clean, neat, tidy
نَظَّفَ to clean, cleanse; to deterge; to purge, purify
نَظَمَ اللُّؤْلُؤَ إلخ : نَسَقَ to string, thread
نَظَمَ الشِّعْرَ to poetize, versify, compose or write poetry
نَظَّمَ : رَتَّبَ to organize, arrange
نَظَّمَ : ضَبَطَ to adjust, regulate; to control
نَظَّمَ : أعَدَّ to prepare, ready
نَظَّمَ : خَطَّطَ to plan, map out
نَظِير : مَثِيل، نِدّ counterpart, parallel, equivalent, equal, match, like, peer, fellow
نَظِيف : غيرُ وَسِخ clean, neat, tidy
نَعَى to announce the death of
نَعَى (عَلَيْهِ أعْمالَهُ) to find fault with, criticize, censure
نُعَاس drowsiness, sleepiness, somnolence; lethargy
نَعَام، نَعَامَة (طائر) ostrich
نَعَتَ : وَصَفَ to describe, qualify
نَعْت : صِفَة quality, property
نَعْت [لغة] attribute, adjective
نَعْجَة ewe, female sheep
نَعَسَ to be (or feel) sleepy, drowsy
نَعْسان sleepy, drowsy, somnolent, slumberous
نَعْش (المَيْت) bier; coffin, casket
نَعَقَ الغُرابُ to caw, croak
نَعَقَ البُومُ to hoot, whoop

نَعَلَ، نَعَّلَ to shoe; to horseshoe

نَعْل (الحِذَاءِ) sole

نَعْلُ الفَرَس : حَذْوَة horseshoe

نَعُمَ : كانَ ناعِماً to be(come) soft, smooth, tender, fine

نَعِمَ، نَعَمَ (بِـ) : تَمَتَّعَ to enjoy

نَعَّمَ : جَعَلَهُ ناعِماً to soften, smooth; to tenderize; to pulverize

نَعَّمَ : رَفَّهَ to afford (someone) a luxurious life

نَعَمْ : بَلَى yes! indeed! certainly!

نِعْمَ الثَّوابُ how good the recompense!

نِعْمَ الرَّجُلُ زَيْدٌ what an excellent man Zaid is!

نِعْمَ ما فَعَلْتَ well done! bravo! very good! excellent!

نِعْمَة : بَرَكَة blessing, boon, benefaction, beneficence, grace

نَعْناع، نَعْنَع mint; spearmint; peppermint

نُعُومَة : لِين softness, smoothness, tenderness, delicacy

نَعْي obituary, death notice, death announcement

نَعِيم comfort; happiness, bliss

نُغَر (طائر) serin

نَغَّصَ : نَكَّدَ، كَدَّرَ to embitter; to disturb, ruffle, spoil

نَغْل hybrid, crossbred

نَغَّمَ to hum; to sing, intone

نَغَم، نَغْمَة، نَغَمَة tune, melody; tone, sound; note

نَفَى : أَنْكَرَ، كَذَّبَ to deny, disown, disavow, disclaim

نَفَى : أَبْعَدَ to banish, exile, expatriate, expel, deport

نَفَّاث (مُحَرِّك إلخ) jet (engine, etc.)

نَفَّاثَة jet (air)plane, jet, jetliner

نَفاذ : سَرَيان validity, coming into force, taking effect

نِفاق : رِياء hypocrisy, dissimulation, dissemblance

نُفايَة : زُبالَة garbage, rubbish, trash, junk, waste, refuse

نَفَثَ : بَصَقَ to expectorate, cough out, spit (out)

نَفَثَ : أَخْرَجَ to discharge, release, let out, emit, send out

نَفَثَ الدُّخانَ to puff out (smoke)

نَفْحَة : عَطِيَّة gift, present; grant

نَفْحَة (الطِّيبِ) fragrance, scent

نَفَخَ (بِفَمِهِ) to blow, puff

نَفَخَ : مَلأَ بالهَواء to inflate, blow up; to pump up, fill (a tire)

نَفَخَ الشَّمْعَةَ to blow out a candle

نَفَخَ فيه رُوحاً أو حَياةً to breathe life in(to), infuse life in(to)

نَفِدَ : نَضَبَ، إنْتَهَى to run out, be used up, come to an end

نَفِدَ الكِتابُ to be out of print, out of stock, sold out

نَفْدَة (حِسابِيَّة) item, entry

نَفَذَ : إخترق to penetrate, transpierce, pierce (through), pass through, get through; to permeate
نَفَّذَ : طبّق to carry out, execute, implement, put into effect, apply
نَفَرَ : شرد، جفل to bolt, start, startle, shrink, recoil, shy
نفر من : كره to hate, detest
نفر : نتأ to protrude, project
نَفَّرَ to alienate, repel; to startle, scare away, drive away
نَفَر : جماعة band, party, group
نفر : شخص person, individual
نفر : جُنديّ soldier, private
نفّس عن to give vent to, vent, release, let off; to abreact, relieve
نَفَس : هواء يُتنشق ثم يُزفر breath
نفس : جرعة draft, gulp, drink
نفس : أسلوب style
نفس (طويل) : صَبْر patience
نَفْس : رُوح soul; spirit; psyche
نفس : ذات، جَوْهَر self, person; being; essence, nature
نفس (كذا)، نفسُهُ، بنفسِهِ the same
نفسك، بنفسِك yourself
أنفسُهم، أنفسُهن themselves
نَفْسانيّ، نَفْسِيّ psychological, psychologic; psychic(al), psych(o)-
نَفْسِيَّة psychology; mentality; frame of mind, state of mind

نَفَضَ، نَفَّضَ to shake (off), dust off
نَفْط، نِفط : بترول petroleum, oil
نَفْطة : بثرة blister, vesicle, pimple
نَفَعَ : أفادَ to be useful, helpful, beneficial, profitable; to help, benefit, avail, serve
نَفْع : فائدة use, utility, avail, benefit, advantage; good, welfare
نَفِقَ الشيءُ : نفد to run out
نفقت البضاعة : راجت to sell well, be in (great) demand
نفق الحيوانُ : ماتَ to die, perish
نَفَق (ج أنفاق) tunnel
نَفَقة : كُلْفة expense, cost, charge
نفقةُ الزوجةِ المُطلَّقة alimony
على نفقتِهِ at someone's expense
نَفَل : بِرْسيم (نبات) clover, trefoil
نُفوذ : سُلْطة influence, authority, power, leverage, clout
ذو نفوذ influential, powerful
نُفور : جَفاء alienation, disaffection, aversion, antipathy
نَفْي : إنكار denial, disavowal
نفي : إبعاد banishment, exile, expatriation, deportation
نفي : ضِدّ إيجاب negation, negative
نَفِير : بُوق trumpet, bugle, horn
نفير : زمُور، أداة تنبيه horn
نَفِيس : قيِّم precious, valuable, costly, priceless, invaluable

نَفِيسَة (ج نَفائِس) gem, curiosity, masterpiece; valuable

نَقَّ الضِّفْدِعُ to croak

نَقَّى : كَرَّرَ to purify, refine, clarify

نَقَاء : صَفَاء purity, pureness, fineness, clarity, clearness

نِقَاب : حِجَاب، خِمَار veil

نِقَابَة union, association, syndicate

نِقَابَةُ عُمَّال labor union, (trade) union

نِقَابَةُ مُحامِين bar association, bar

نَقَّارُ الخَشَب (طائر) woodpecker; flicker

نَقَّاش : حَفَّار engraver, inscriber, carver, graver; sculptor

نِقَاش - راجع مُنَاقَشَة

نَقَّال : يُنْقَل portable; movable, mobile

نَقَّالَة : حَمَّالَة، مِحَفَّة stretcher, litter

نَقَانِق : لَقانِق، مَقانِق sausage(s)

نَقَاهَة : تَماثُلٌ لِلشِّفاء convalescence, recovery, recuperation

نَقَبَ : ثَقَبَ، حَفَرَ to bore, drill, pierce; to excavate, dig out

نَقَّبَ (عن، في) to drill for; to excavate; to look for, search for

نَقَّحَ to revise, emend; to edit; to refine; to retouch

نَقَدَ (أدبيًّا، فنيًّا) to critique, review

نَقَدَ(ه) الثَّمَنَ to pay in cash (to)

نَقَدَ الطَّائِرُ to peck

نَقْد (أدبِيّ، فَنِّيّ إلخ) criticism; critique; review

نَقْدٌ ذاتِيّ self-criticism

نَقْد، نُقُود cash; money, currency; specie, coin(s)

نَقْداً in cash; cash down

نَقْدِيّ : مالِيّ monetary, pecuniary

نَقْدِيّ : مَدْفُوعٌ نَقْداً cash

نَقْدِيّ : خاصٌّ بِالنَّقْدِ الأدَبِيّ critical

نَقَرَ : حَفَرَ to dig; to excavate, hollow out; to bore, drill

نَقَرَ الطَّائِرُ to peck

نَقَرَ : قَرَعَ، دَقَّ to knock, rap, strike, beat, bang, tap

نُقْرَة pit, hollow, cavity, hole

نِقْرِس (مرض) gout

نَقَشَ to engrave, incise, inscribe; to carve (out), sculpture

نَقْش (فَنِّيّ) : مُخَطَّط pattern, design

نَقَصَ : قَلَّ، إنْخَفَضَ to decrease, diminish, lessen, grow less, drop (off), decline, fall

نَقَصَ : أَنْقَصَ - راجع أَنْقَصَ

نَقَصَهُ كَذا : اِفْتَقَرَ إليه to need, lack, want; to be in need of, lacking, deficient in, short of or in

نَقَّصَ - راجع أَنْقَصَ

نَقْص : ضِدّ زِيَادَة decrease, loss

نَقْص : عَجْز shortage, insufficiency, deficiency, lack

نَقْص : عَيْب، خَلَل ـ راجع نَقِيصَة
عُقْدَةُ النَّقص inferiority complex
نُقصان ـ راجع نَقص
نَقَض : فَسَخ to revoke, repeal, annul, abrogate, cancel, abolish; to reverse, overrule
نَقَض : اِنْتَهَك to break, violate, infringe, contravene
نَقَض : دَحَض to invalidate, refute, confute, disprove
نَقَطَ، نَقَّطَ (حَرْفاً) to point, dot
نَقَّطَ : لَطَّخ بِنُقَط to spot, dot, speckle
نُقْطَة : عَلامَة على حَرْف point, dot
نُقْطَة (في الكِتابَة) period, full stop
نُقْطَة : رُقْطَة speckle, fleck, spot
نُقْطَة : قَطْرَة drop
نُقْطَة : مَسْأَلَة، مَوْضُوع point, matter, affair; issue; subject
نُقْطَة : مَوْقِع point, spot, locality, site, place, position; center
نُقْطَةُ التَّجَمُّد freezing point
نُقْطَةُ تَحَوُّل turning point
نُقْطَةُ الغَلَيان boiling point
نُقْطَتان (:) colon
نَقَعَ to soak; to steep, infuse; to saturate, drench
نَقَفَ to flip , flick, fillip, snap
نَقَلَ : حَمَلَ، حَوَّلَ to transport, carry, move; to transfer, shift; to transmit, deliver, convey
نَقَلَ : نَسَخَ to transcribe, copy
نَقَلَ : تَرْجَم to translate
نَقَلَ : رَوَى، حَكَى to report, relate, recount; to transmit, pass on; to quote (from), cite (from)
نَقَلَ الدَّم to transfuse (blood)
نَقَلَ الضَّوْء، الحَرارَة إلخ to conduct
نَقَلَ المَرَض أو العَدْوَى to communicate, transmit, pass along
نُقْل : نُقُولات (mixed) nuts; crackers
نَقْلَة : حَرَكَة، خُطْوَة move, step
نَقْلِيَّات transport(ation) services; transports
نَقَمَ على to harbor malice against, bear a grudge against
نَقْمَة، نِقْمَة indignation, resentment; grudge, spite, rancor, malice
نُقُود ـ راجع نَقْد
نُقُوع : مِشْمِش مُجَفَّف dried apricots
نُقُول، نُقُولات ـ راجع نُقْل
نَقِيَ to be pure, clear, clean
نَقِيّ : صافٍ، خالِص pure, clear, fine, crystal; fresh; clean
نَقِيب : رَئِيس head, president, chief
نَقِيب (في الجَيْش) captain
نَقِيب (في البَحْرِيَّة) lieutenant
نَقِيصَة : عَيْب، خَلَل defect, fault, blemish, flaw, deficiency, shortcoming, drawback, disadvantage
نَقِيض antithesis; opposite, contrast;

anti-; reverse, converse

على نَقيض .. contrary to, in contrast with, unlike

نَكَى : أغاظَ to spite, annoy, vex

نِكاح : زَواج marriage, matrimony

نُكاف (مرض) mumps, parotitis

نَكَبَ : أصابَ بِنَكْبَة to distress, afflict with disaster

نَكْبَة : مُصيبَة disaster, catastrophe; calamity, misfortune

نَكَّتَ : مَزَحَ to joke, crake jokes, jest, make fun, jape, banter

نُكْتَة : طُرْفَة ، نادِرَة joke, jest, wisecrack, witticism, gag, anecdote

رُوحُ النُّكْتَة sense of humor

نَكَثَ to break, violate; to renege

نَكَحَ : تَزَوَّجَ to marry, wed, get married with or to

نَكَّدَ : نَغَّصَ ، كَدَّرَ to embitter; to disturb, trouble; to vex, annoy

نَكَد trouble, vexation; unhappiness; embittered life; peevishness, petulance, ill humor, bad-humor

نَكِد peevish, petulant, pettish, fretful, morose, grumpy, surly, sulky

نَكِرَة : شَخْصٌ غَيْرُ مَعْرُوف nobody, unknown person

نَكَزَ : وَخَزَ to prick; to goad, prod

نَكَسَ : قَلَبَ to turn over, reverse

نَكَّسَ العَلَمَ to half-mast

نَكْسَة setback; relapse; deterioration

نَكَصَ : تَراجَعَ to recoil, retreat, withdraw; to recede, regress

نَكَلَ عن أو مِنْ : اِمْتَنَعَ to abstain from, refrain from; to refuse

نَكَّلَ بِـ to make an example of, punish severely, torture

نَكَّهَ : طَيَّبَ to flavor, aromatize

نَكْهَة flavor, relish, savor

نَمَّ عن أو على : دَلَّ على to indicate, show, suggest, be a sign of

نَمَّ : وَشَى بِـ to betray, denounce, inform against

نَما، نَمَى : كَبُرَ، اِزْدَهَرَ to grow; to develop; to increase; to thrive, prosper, flourish

نَمَى الخَبَرُ إليه to come to one's knowledge, hear of

نَمَّى : أَنْمَى to develop, promote, further; to cultivate; to build up, increase, augment

نَماء ـ راجع نُمُوّ

نَمّام : واش talebearer, telltale, tattler; slanderer, calumniator

نَمِر ، نِمْر (حيوان) tiger; leopard, panther

نِمْس (حيوان) mongoose, ichneumon

نَمَش : بُقَعٌ صِغارٌ على الجِلْد freckles

نَمِش : ذُو نَمَش freckled

نَمَط : طِراز mode, manner, fashion; pattern, type; form

نَمَّقَ : زَيَّنَ to embellish, adorn, ornament, decorate

نَمَل : خَدَر creep(iness), tingle, prickle; numbness
نَمْل، نَمْلَة (حشرة) ant
نَمْلَةٌ بَيْضاء termite, white ant
نَمْلِيَّة : خِزانَةُ حِفْظِ الطَّعام food safe
نُمُوّ : نَماء growth; development; buildup, increase
نَموذَج sample, specimen, sampling; type, model, pattern; example
نَموذَجِيّ typical, exemplary, model, standard, classic(al)
نَمير : طَيِّب، صافٍ good, delicious; pure, clear; healthy
نَميمَة : وِشايَة talebearing, tattling; calumny, slander, defamation
نَهى : مَنَع to forbid, prohibit, interdict; to restrain, prevent
نُهًى : عَقْل intelligence, reason
نِهائِيّ final, last; ultimate; conclusive, decisive, definitive, absolute
نِهائِيًّا finally, conclusively; absolutely, utterly, completely
نَهار : ضِدّ لَيْل day, daytime
نِهايَة end, termination, close, conclusion, ending, finish, last part, finale; limit, extreme, utmost
نِهايَةُ الأُسْبوع weekend
في النِّهايَة in the end, at last, finally, ultimately, eventually, in the long run; after all
نَهَبَ : سَلَبَ to plunder, loot, pillage, spoil, spoliate, rob
نَهَجَ : سَلَكَ to follow, pursue, take; to proceed, act
نَهَجَ، نَهِجَ : لَهَثَ to pant, gasp
نَهْج : طَريق road; way
نَهْج : طَريقَة method, procedure, way; course; manner
نَهْد : ثَدْي breast(s), bosom(s), bust
نَهَرَ : زَجَرَ to chide, scold, reprimand, rebuke, reproach
نَهْر : مَجْرَى الماءِ الكَبير river
نُهَس (طائر) butcherbird, shrike
نَهَشَ : عَضَّ to bite, snap (at)
نَهَضَ : قامَ to rise, get up
نَهَضَ (بِـ) : رَفَعَ to raise, lift, carry
نَهَضَ (بِـ) : رَقَّى to uplift, upgrade, raise, promote, advance
نَهَضَ بِـ : نَفَّذَ to perform, do, carry out, accomplish
نَهْضَة : اِنْبِعاث awakening, reawakening, revival, renaissance
نَهْضَة : اِزْدِهار، تَقَدُّم boom, upswing, rise, growth, progress
نَهَقَ، نَهِقَ (الحِمارُ) to bray, hee-haw
نَهِلَ : شَرِبَ to drink
نَهَم : شَرَه gluttony, gourmandism
نَهِم : شَرِه gluttonous, greedy, voracious; glutton, gourmand
نُهَيْر rivulet, stream, creek, brook
نَوّ : جَيَشانُ البَحْر surge, surging, heaving, upheaval

نَوَى : قَصَدَ to intend, plan, design, mean; to resolve, determine
نَوًى : بُعْد remoteness, farness
نَوَاة : بِزْرَة stone, kernel, pip, seed
نَوَاة [أحياء وفيزياء وكيمياء] nucleus
نُوَاح : عَوِيل lamentation, lament(ing), wail(ing), loud weeping
نَوَادِر (مفردها نادِرَة) ـ راجع نادِرَة
نَوَّار : أيَّار، مايُو، مايس May
نَوْبَة : دَوْر (one's) turn; shift (of work), tour (of duty); period
نَوْبَة (مَرَض) fit, attack, paroxysm; spell; spasm
نَوْبَة قَلْبِيَّة heart attack
نُوتَة (مُوسِيقِيَّة) (musical) note
نُوتِيّ : مَلَّاح sailor, seaman
نَوَّرَ : أزْهَرَ to blossom, bloom
نَوَّرَ : أنَارَ ـ راجع أنَارَ
نَوَّرَ (ثَقَافِيًّا) to enlighten, illuminate
نَوَر (الواحد نَوَرِيّ) gypsies
نَوْر : زَهْر blossoms, flowers
نُور : ضَوْء light; brightness, gleam, glow; illumination
نُورٌ كَشَّاف searchlight; spotlight
نَوْرَج : دَرَّاسَة threshing machine, thresher, thrasher
نَوْرَس (طائر) sea gull, gull, mew
نَوْط : مَدَالِيَة medal, decoration, order
نُوطَة (مُوسِيقِيَّة) (musical) note

نَوَّعَ : شَكَّلَ to diversify, vary
نَوْع kind, sort, type, variety; class, grade; nature; species
نَوْعاً (ما) somewhat, a little, rather, more or less, in a way
بِنَوْعٍ خاصّ in particular, particularly, (e)specially, specifically
نَوْعِيّ specific; qualitative; characteristic; essential, major
نَوْعِيَّة quality, character, kind; nature; specifity
نُوفَمْبِر : تِشْرِين الثّانِي November
نَوَّلَ ـ راجع أنَالَ
نَوَّمَ : أرْقَدَ to put to sleep, put to bed
نَوَّمَ مَغْنَطِيسِيًّا to hypnotize
نَوْم : رُقَاد sleep, slumber
نَوْمَة sleep, nap
نُونِيَّة potty, (chamber) pot, urinal
نَوَّهَ بِـ : مَدَحَ to praise, laud, extol
نَوَّهَ بِـ : ذَكَرَ to mention, speak of, refer to, specify
نَوَوِيّ nuclear
نِيْء : غَيْرُ مَطْبُوخ raw, uncooked
نِيَابَة : تَمْثِيل، وَكَالَة representation, deputyship; proxy; agency
النِّيَابَةُ العامَّة (public) prosecution
نِيَابَةُ الرِّئَاسَة vice-presidency
بِالنِّيَابَة acting (president, chairman, director, minister, etc.)
بِالنِّيَابَةِ عن، نِيَابَةً عن on behalf of, for,

in someone's name; in place of, instead of

نِيَابِيّ representative; representational; parliamentary

نِيَّة : قَصْد intent(ion), purpose, design; determination, resolve

نَيِّر : مُضِيء luminous, shining, shiny, radiant, bright, brilliant

نِير yoke

نَيْزَك : شِهَاب meteor, shooting star, falling star

نَيْسان : أَبْرِيل April

نَيْص (حيوان) porcupine, quill pig

نَيِّف، نَيْف more than, above, over

نَيِّق : دَقِيق fastidious, finicky, fussy, picky, choosy, dainty, particular

نِيكل : مَعْدِنٌ أَبْيَض nickel

نِيكُوتِين nicotine

نِيل، نِيلَة indigo; bluing, blue

نَيْلُوفر (نبات) water lily, pond lily

نَيْلُون nylon

نِيلِيّ (لَوْن) indigo

نِيمْبِرِشْت soft-boiled (eggs)

نِيُون neon

هـ

ها، هاكَ here! take! there you are!; following is (are)

ها هُوَ، ها هُوَذا، هاكَهُ there he is!

هٰذا، هٰكذا ـ راجع ذا

هائِج : ثائِر excited, agitated, roused, aroused, stirred (up); wild

هائِج : مُتَلاطِمُ الأمْواج rough, high, heaving, surging, rolling

هائِل : مُخِيف frightful, terrifying, horrible, terrible, awful

هائِل : ضَخم، جَبّار huge, big, large, great, enormous, tremendous, colossal; exceptional

هابَ to fear, dread; to be awed by; to revere, venerate, respect

هابِط descending, falling, dropping; fallen, dropped

هاتِ give me! let me have!

هاتِف : تِلِفون telephone, phone

هاتِفِيّ telephonic, telephone-

هاجَ : ثارَ to be (become, get) excited, agitated, (a)roused; to rise

هاجَ البَحْرُ to run high, be rough, surge, heave, swell (up)

هاجَرَ to emigrate, expatriate; to immigrate (to); to migrate

هاجِرَة : نِصْفُ النَّهار midday, noon

هاجِس obsession; misgiving

هاجَمَ to attack, assail, assault

هادٍ (الهادِي) : مُرْشِد guide, leader, conductor, pilot, usher

هادِىء calm, quiet, tranquil; cool, composed

المُحِيطُ الهادِىء the Pacific Ocean

هادِر thunderous, roaring, loud

هادَنَ to conclude a truce with; to make peace with

هاذٍ (الهاذِي) delirious, raving

هارِب : فارّ fugitive, runaway

هالَ (ـهُ الأمْرُ) to terrify, frighten, horrify; to find horrible

هال : حَبُّ الهال cardamom

هالَة halo; nimbus, glory

هامَ بـ : أحَبَّ to fall in love with, love, adore, be fond of

هامَ على وَجْهِهِ to wander aimlessly about, ramble, meander

هامّ : مُهِمّ important, significant, momentous, weighty, grave, crucial

هامَة : رَأس head; top, summit

هامَّة (ج هَوامّ) vermin; pest

هامِد still, quiet, calm

هامِش margin; footnote

هامِشيّ marginal, fringe

هانَ : سَهُلَ to be(come) easy

هانِيء : مَسْرور happy, glad, pleased

هاوٍ (الهاوِي) hobbyist; fancier; fan, amateur, nonprofessional; lover; loving, fond of

هاوَدَ to be lenient with

هاوُن mortar

هاوِيَة : هُوَّة abyss, chasm, pit

هاوِيَة : مُؤَنَّثُ هاوٍ ـ راجع هاوٍ

هَبَّ : تَحَرَّكَ to move suddenly; to proceed, spring; to run, rush; to start

هَبَّ : اِسْتَيْقَظَ، قامَ to wake up, awaken; to rise, get up

هَبَّتِ الرِّيحُ to blow, breeze up

هَبْ : إفْرِضْ suppose (that)

هَباء dust; motes, dust specks

هَبّار (حيوان) lemur

هِبَة : عَطِيَّة gift, present, donation, grant, endowment

هَبْر، لَحْمٌ هَبْر lean meat

هَبَطَ : نَزَلَ to descend, come down, go down; to fall (down), drop, sink (down); to decline

هَبَطَ : اِنْهارَ to fall in, collapse, fall down, sink down

هَبَطَتِ الطّائِرَةُ to land, touch down

هُتاف : صِياح shouting, crying, yelling; cheer, acclamation, acclaim

هَتَفَ : صاحَ to shout, cry, yell

هَتَفَ لَهُ to cheer, acclaim, hail

هَتَفَ : تَلْفَنَ to call, (tele)phone

هَجا : ضِدّ مَدَحَ to satirize; to lampoon; to lash

هَجّى : تَهَجّى to spell

هِجاء : ضِدّ مَدْح satire; lampoonery

هِجاء : تَهْجِيَة spelling

هِجائيّ : ضِدّ مَدْحِيّ satiric(al)

هِجائيّ : أَلِفْبائيّ alphabetical

هَجّانَة، فِرْقَةُ الهَجّانَة camel corps

هَجَرَ : تَرَكَ to desert, forsake, abandon; to break away with, leave, quit; to give up, relinquish

هَجَرَ وَطَنَهُ ـ راجع هاجَرَ

هَجَّرَ : شَرَّدَ to displace, drive away, make homeless, dislodge

هِجْرَة emigration, exodus; immigration (to); migration

الهِجْرَة (النَّبَوِيَّة) the Hegira

هِجْرِيّ of the Hegira

سَنَةَ ١٣٦٠ هِجْرِيَّة 1360 A.H.

هَجَعَ : نامَ، رَقَدَ to sleep, slumber

هَجَمَ على - راجع هاجَمَ
هَجْمَة - راجع هُجُوم
هَجَّنَ: مَزَجَ السُّلالاتِ to hybridize, interbreed, crossbreed, mix
هُجُوم attack, offensive, assault, onslaught, onset, onrush
هُجُومِيّ aggressive, offensive
هَجِين hybrid, crossbred; half-blooded, half-breed
هَدَّ: هَدَمَ to demolish, tear down, wreck, destroy, ruin
هَدَّ: كَسَرَ to break, crush
هَدَأَ: سَكَنَ، هَمَدَ to calm down, cool down, rest; to be calm, quiet; to subside, die down
هَدَى: أَرْشَدَ to guide, direct, lead, show the way (to); conduct
هَدَّأَ: سَكَّنَ، خَفَّفَ to calm, cool (off, down), quiet(en), tranquilize; to allay, appease, soothe, ease
هُدًى: رُشْد right guidance; right way, right path
هُدّاب (الثَّوْبِ) fringes, border, hem
هَدّاف: لاعِبُ كُرَةِ قَدَم football player, footballer
هَدّام destructive; subversive
هُدْب (العَيْنِ) eyelash(es), lash(es)
هَدَّدَ: تَوَعَّدَ to threaten, menace; to intimidate; to blackmail
هَدَرَ: زَمْجَرَ to roar; to snarl, growl
هَدَرَ: دَوَّى to rumble, peal, roll

هَدَرَ: بَذَّرَ، ضَيَّعَ to waste, squander; to spend uselessly; to lose
هَدَرَ الدَّمَ to shed or spill in vain or with impunity
هَدْر: خَسارَة، إضاعَة loss; waste; wasting, squandering
هَدْرُ الدَّمِ (useless) bloodshed; shedding of blood in vain
هَدْراً uselessly, in vain, to no avail, unavailingly, futilely
هَدَفَ إلى: قَصَدَ to aim at, drive at, purpose to, design to
هَدَف goal; target; aim, end, purpose, object(ive), design
بِهَدَفِ كَذَا with the aim of, in an effort to, in order to, in order that, so as, so that, for
هَدَلَ الحَمَامُ to coo
هَدَمَ، هَدَّمَ to tear down, wreck, demolish, destroy; to subvert
هُدْنَة: وَقْفُ القِتالِ armistice, truce
هُدْهُد (طائر) hoopoe
هُدُوء calm(ness), quiet(ness), tranquility, peace, silence
هَدْي: إرْشاد guidance, guiding, directing, leading
هَدْي: سِيرَة، طَرِيقَة line (of conduct), course; way, method
هَدْي: ذَبِيحَة offering, sacrifice
هَدِيَّة: تَقْدِمَة present, gift, donation
هَدِير roar(ing); snarl(ing), growl(ing); rumble, rumbling, roll

هَذَى to rave, be delirious; to maunder, drivel; to hallucinate
هَذَا، هَذِهِ this, this one
هَذَّبَ to refine, polish, discipline; to rectify, correct
هَذَرَ : ثَرْثَرَ to prattle, prate, babble
هَذِهِ this, this one
هَذَيَان، هَذْي delirium, raving, rave, irrational talk; hallucination
هِرّ : قِطّ cat; tomcat, male cat
هِرٌّ بَرِّيّ wildcat
هَرَأَ (بالطَّبْخ) to cook to shreds
هَرَأَ الثَّوْبَ to wear out, fray, frazzle
هُرَاء nonsense, balderdash, drivel
هِرَاوَة cudgel, club, bat, baton, truncheon, stick, staff
هَرَبَ : فَرَّ to flee, run away, escape, get away, turn tail
هَرَّبَ بِضَاعَةً to smuggle, run
هَرَّبَ شَخْصاً to help (to) escape, help (to) run away
هَرَب : فِرَار flight, fleeing, escape, running away, getaway
هِرَّة : قِطَّة female cat, she-cat, cat
هَرَّجَ to clown, jest, joke
هَرْج، هَرْجٌ ومَرْج commotion; confusion, disorder, jumble, turmoil; hubbub, hurly-burly
هَرَسَ : سَحَقَ to mash, squash, crush
هَرْطَقَة : بِدْعَة heresy, heterodoxy

هُرْطُمَان (نبات) oat(s)
هَرَعَ، هُرِعَ إلى : أَسْرَعَ to hurry to, hasten to, rush to, run to, speed to
هَرَمَ، هَرَّمَ : فَرَمَ to mince, chop (up)
هَرِمَ : شَاخَ to age, grow old
هَرَم : شَيْخُوخَة old age, senility
هَرَم (ج أَهْرَام) pyramid
هَرِم : شَيْخ old, aged, advanced in years, decrepit; old man
هُرْمُون hormone
هَرْمُونِيكَا : آلَةٌ مُوسِيقِيَّة harmonica
هَرَمِيّ pyramidal, pyramidical
هِرْمِيس : كَرْكَدَنّ (حيوان) rhinoceros
هُرُوب ـ راجع هَرَب
هَرْوَلَ : أَسْرَعَ في مَشْيِهِ to trot; to jog; to hurry, hasten
هُرْي : شُونَة granary, garner; barn
هَزَّ : حَرَّكَ to shake, move, agitate, convulse; to rock, swing
هَزَّ رَأْسَهُ to shake one's head, nod
هَزَأَ، هَزِئَ بِـ أو مِنْ to deride, mock (at), ridicule, make fun of, laugh at, scoff at, sneer at
هُزْء، هُزُؤ : سُخْرِيَة mockery, ridicule
هَزَار : عَنْدَلِيب (طائر) nightingale
هَزَّاز rocking, swinging; shaking
كُرْسِيّ هَزَّاز rocking chair
هُزَال : نُحُول emaciation; skinniness
هِزَبْر : أَسَد lion

هَزَّة convulsion, shock, jolt, jerk; tremor, shake, quake

هَزَلَ: صارَ نَحِيلاً to be(come) emaciated, lean, skinny; to lose weight

هَزَلَ: مَزَحَ، لَهَا to joke, jest, kid, make fun; to play, trifle

هَزِلَ، هُزِلَ: صارَ نَحِيلاً - راجع هَزَلَ

هَزْل joking, jesting; play

هَزْلِيّ: مُضْحِك comical, comedic, comic, funny, humorous

هَزَمَ: غَلَبَ to defeat, vanquish, rout, conquer, beat, get the better of, overcome, overpower

هَزِيل: نَحِيل lean, skinny, bony

هَزِيل: ضَئِيل meager, scanty, slight, poor, insignificant

هَزِيمَة: اِنْدِحَار defeat, rout, debacle

هِسْتِيرِيّ hysterical, hysteric

هِسْتِيرِيَا hysteria

هشّ لِـ أو بِـ to smile on, receive happily with a smile

هَشّ: قَصِف crisp, brittle, fragile, frangible, frail, delicate

هَشّ (الوَجْهِ) cheerful, bright-faced, blithe, smiling

هَشَّمَ: حَطَّمَ to smash, crash, shatter, break up, destroy, crush

هَشِيم dry stalks, straw, chaff

هَصَرَ to break, crack; to wrench

هَضْبَة: تَلَّة hill, mound, highland

هَضَمَ (الطَّعَامَ) to digest (food)

هَضَمَهُ حَقَّهُ to wrong, oppress, be unjust or unfair to

هَضْم (الطَّعَامِ) digestion

هَطَلَ to pour down, fall heavily

هَفْوَة: زَلَّة، عَثْرَة slip, lapse, stumble, trip, error, (slight) fault

هِكْتار hectare

هَكَذَا - راجع ذا

هَلَّ: ظَهَرَ to appear, come out

هَلَّ: بَدَأَ to begin, start, set in

هَلْ is (it good?); are (you happy?); do (they smoke?)

هَلَّا (مع الماضِي) why didn't you..?

هَلَّا (مع المُضارِع) will you not..?

هَلَاك (utter) destruction, ruin, wreck(age); doom; loss

هِلَال (مِنَ القَمَر) crescent, new moon, half-moon

هِلَال، هِلَالان (في الكِتَابَة) parenthesis, parentheses

هِلَالٌ مَعْقُوف (في الكِتَابَة) bracket

هُلَام jelly, gelatin(e); gel

هُلَامِيّ gelatinous, jellylike

هَلِعَ: فَزِعَ to be dismayed, horrified; to panic, dread, fear

هَلَع: فَزَع، ذُعْر dismay, fear, dread, panic, terror; phobia

هَلَكَ to perish, pass away; to be destroyed, ruined, wiped out

هَلَّلَ لِـ : هَتَفَ لِـ to acclaim, applaud, cheer, hail
هَلُمَّ : تَعَال come! come on!
هَلُمَّ بِنا let's go! come on!
وهَلُمَّ جَرًّا and so on, etc.
هَلْوَسَ to hallucinate
هَلْوَسَة hallucination
هِلِيكُوبْتِر : طائِرَةٌ مِرْوَحِيَّة helicopter
هِلْيَوْن، هَلْيُون (نبات) asparagus
هَمَّ : أَقْلَقَ to worry, trouble
هَمَّهُ الأَمْرُ : عَنَاهُ to interest, be of interest to, concern
هَمَّ : أَثَّرَ to matter, count
هَمَّ بِـ to intend to, plan to; to be about to, be going to
هَمّ : قَلَق worry, care, concern; interest; grief, sorrow, distress
هُمْ they
هِمَّة determination, resolution; ardor, zeal, eagerness; energy, vitality, vigor, vim, verve
هَمَجِيّ savage, barbarian, barbaric
هَمَجِيَّة savagery, savageness, barbarianism, barbarism, barbarity
هَمَدَ : خَمَدَ، هَدَأَ to abate, subside, let up, calm down, cool off, die down
هَمَزَ : نَخَسَ to spur, goad, prod, urge on, prick, drive
هَمَسَ : تَكَلَّمَ بِصَوْتٍ خَفِيّ to whisper
هَمْس whisper(ing), susurration

هُنَّ they
هَنِئَ بِـ : تَمَتَّعَ to enjoy
هَنَّأَ to congratulate, felicitate
هُنَا، ها هُنَا، هَهُنَا here, over here, in this place
هَنَاء، هَنَاءَة bliss, felicity, happiness
هُنَاكَ، هُنَالِكَ there, over there; there is, there are
هَنَة : عِلَّة defect, fault, blemish
هِنْدام neatness, tidiness, trimness
هِنْدِباء (نبات) endive, chicory
هَنْدَسَ to engineer
هَنْدَسَة : حِرْفَةُ المُهَنْدِس engineering
هَنْدَسَة، عِلْمُ الهَنْدَسَة geometry
هَنْدَسَةُ دِيكُور interior design, interior decoration
هَنْدَسِيّ geometric(al); engineering-
هَنْدَمَ to fix (up); to groom, make tidy; to dress up, spruce up
هَنِيء، هَنِيّ comfortable; pleasant; wholesome, salubrious
هَنِيئاً مَرِيئاً bon appétit
هُنَيْهَة : لَحْظَة little while, moment, instant, minute, second
هُوَ he; it
هَوَى : سَقَطَ to fall (down), drop
هَوَّى : عَرَّضَ لِلْهَواء to ventilate, air; to fan; to aerate, aerify
هَوًى : حُبّ love; passion
هَوًى : مَيْل inclination, liking

هَوًى : نَزْوَة	fancy, whim, caprice
هَوَاء : غازٌ يُحِيطُ بِالكُرَةِ الأَرْضِيَّة	air
هَوَاء : نَسِيم ، رِيح	breeze; wind
هَوَائِيّ : خاصٌّ بِالهَوَاء	aerial, air-; aer-
هَوَائِيّ : أَنْتِين	aerial, antenna
هَوَادَة : لِين ، تَسَاهُل	leniency, clemency, mildness, indulgence
هَوَان : ذُلّ	disgrace, shame, humiliation, degradation
هِوَايَة	hobby, favorite pastime
هُوَّة : فَجْوَة	abyss, chasm, pit; gap
هَوْدَج : ظَعِينَة	howdah
هُورْمُون	hormone
هَوَس : جُنُون	mania, craze
هُوكِي (لعبة)	hockey
هَوَّلَ (على)	to horrify, terrify, frighten, intimidate, bully
هَوْل	terribleness, horribleness
أَبُو الهَوْل	Sphinx
يا لَلْهَوْل	oh, how terrible!
هَوَّنَ	to make easy, ease, facilitate
هَوِيَ : أَحَبَّ	to love, fall (or be) in love with, be fond of
هُوِيَّة	identity; personality
هُوَيْنَى ، هُوَيْنًا	slowness, leisure
مَشَى الهُوَيْنَى	to saunter, stroll
هِيَ	she; it
هَيَّأَ : أَعَدَّ	to prepare, ready, make ready; to fit, arrange
هَيَّا	come on! let's go! quick!
هَيْئَة : شَكْل	form, shape, appearance; look(s), mien
هَيْئَة : جِهَاز ، جَمَاعَة	body, institution; corps; cadre; staff
هِيَاج	excitement, agitation
هُيَام ، هِيَام : عِشْق	passion
هَيْبَة : رَهْبَة	fear, dread; awe, veneration, reverence
هَيْبَة : وَقَار	dignity, solemnity
هَيَّجَ : أَثَارَ	to excite, agitate, stir (up), (a)rouse; to stimulate; to provoke; to irritate
هَيَجَان ـ راجع هِيَاج	
هِيدْرُوجِين	hydrogen
هِيرُوِين ، هِيرُويِين : مُخَدِّر	heroin
هَيْكَل : مَعْبَد	temple
هَيْكَل : مَذْبَح (الكَنِيسَة)	altar
هَيْكَل : بِنْيَة	structure, makeup, frame(work); skeleton
هَيْكَلُ السَّيَّارَةِ أو الطَّائِرَة	chassis; body, hull
هَيْكَلٌ عَظْمِيّ	skeleton
هَيْكَلِيَّة : بِنْيَة ـ راجع هَيْكَل	
هِيْل : حَبُّ الهَال	cardamom

هَيْمَنَ على : سَيْطَرَ to dominate, control, overrule, sway

هَيْمَنَة : سَيْطَرَة hegemony, supremacy, sway, domination, control

هَيِّن : سَهْل easy, facile

هَيْهاتِ how far! how impossible!

و

وَ : مَع — and, also, too; along with, as well as; (together) with

وَ (القَسَم) — by

وَاللّـهِ — by God!

وا — oh!

واأسَفاه — unfortunately

واءَمَ : وافَقَ، لاءَمَ — to agree with; to suit, fit; to be suitable for, fit for, convenient for

واءَمَ : كَيَّفَ — to adapt, adjust

وِئام : أُلْفَة، وِفاق — rapport; harmony, concord, agreement, accord

وابِل : مَطَر — downpour, heavy rain

وابِل (مِنْ) : سَيْل — shower, hail, barrage, flood, deluge

واثِق : مُتَيَقِّن، مُتَأَكِّد — confident, sure, certain, positive

واثِقٌ مِنْ نَفْسِه — self-confident, confident, sure of oneself

واجِب : فَرْض، مُهِمَّة — duty, obligation; task; job

واجِب : لازِم — necessary, required, mandatory; due

واجَهَ : قابَلَ — to face, meet (with), confront, encounter

واجِهَة — front, face, front part; facade, frontage

واجِهَةُ عَرْض — show window, shopwindow

واحَة — oasis

واحِد — one

وَأَدَ (المَوْلُودَةَ) — to bury alive

وادٍ (الوادِي) — valley; ravine, canyon

وارَى : أَخْفَى — to hide, conceal

وارَى : دَفَنَ — to bury, inhume

وارَبَ : داوَرَ — to equivocate

وارِث — heir, inheritor, successor

وارِد : آتٍ، قادِم — incoming; coming, arriving

وارِد : مَذْكُور — mentioned, stated

وارِد : مُمْكِن — possible, conceivable, thinkable, imaginable

غَيْرُ وارِد — impossible, inconceivable, out of the question

وارِدات : ضِدّ صادِرات — imports

وارِدات: مَداخِيل incomings, proceeds, earnings; revenues
وارِف verdant, blooming, lush, luxuriant; shady
وازَى to parallel, be parallel to (or with); to correspond to; to equal, be equal to
وازِع: زاجِر، رادِع restraint, check; deterrent; sanction
وازَنَ: عادَلَ to equilibrate, balance
وازَنَ: قارَنَ to compare (with)
واسَى to console, comfort, solace
واسِطَة: وَسِيلَة means, medium
واسِطَة: وَسِيط ـ راجع وَسِيط
بِوَاسِطَة by means of, through, by, per; by way of, via
بِواسِطَة (في كِتابَةِ العُنْوان) c/o, care of
واسِع wide, spacious, roomy, vast, ample, broad, large
واصَلَ: تابَعَ to continue, go on, carry on; to continue to do, keep (doing), keep on (doing), go on doing; to resume
واصِل: آتٍ، قادِم incoming; coming, arriving; arrival, newcomer
واضِح clear, lucid, plain, distinct, manifest, evident, obvious, patent, explicit, clear-cut
واطِيء: مُنْخَفِض، وَطِيء low
واظَبَ على to persevere in, persist in; to be diligent, assiduous
واعٍ (الواعِي) conscious; aware; sober; attentive, vigilant, alert
لاواعٍ unconscious
واعِد promisor; promising
واعِظ preacher; sermonizer
وافٍ (الوافِي) complete, full; sufficient, enough, adequate; ample
وافَى فُلَاناً: أَتاهُ to come to
وافاهُ المَوْتُ، وافَتْهُ المَنِيَّةُ to die
وافَى بِـ to present to (or with), bring (to); to provide with
وافِد: قادِم coming, arriving; incoming; (new)comer, arrival, arriver
وافِر abundant, plentiful, ample, copious; numerous, large
وافَقَ على: قَبِلَ بِـ to agree to, consent to, assent to, approve (of), OK, sanction, endorse
وافَقَ فُلَاناً to agree with
وافَقَ: لاءَمَ، ناسَبَ to agree with; to suit, fit; to be suitable for, fit for, convenient for
وافَقَ: طابَقَ to agree with, correspond to, coincide with
واق (طائر) bittern
واقٍ (الواقِي) preventive, protective, preservative; protector, preserver
واقِع: ساقِط falling, dropping
واقِع (في مَكانٍ ما): كائِن located, situated, lying
الواقِع: الحَقِيقَة reality, actuality, fact(s), truth

(في) الواقِع — in fact, actually, in reality, really
واقِعَة : حادِثَة — fact; incident, event, occurrence, development
واقِعَة : مُصِيبَة — misfortune, disaster
واقِعَة : قِتال — battle, combat
واقِعِيّ : حَقِيقِيّ — actual, factual; real, true, genuine; de facto
واقِعِيّ : عَمَلِيّ — realistic, practical, pragmatic; realist
واقِعِيَّة — realism; reality
واقِف : مُنْتَصِب — standing, up
واقِف : غَيْرُ مُتَحَرِّك — still, at rest
واكَبَ : رافَقَ — to escort, accompany, convoy, go (along) with
والٍ (الوالِي) : حاكِم — ruler, governor
والَى : ناصَرَ — to support, back (up), stand by, champion
والَى : تابَعَ — to continue (to do), go on (doing); to resume
وَإلّا — otherwise, or else
والِد : أب — father
الوالِدان : الأبَوان — the parents, father and mother
والِدَة : أمّ — mother
واهٍ (الواهِي) — weak, fragile; unsubstantial, trivial; unsound
واهِب — donor, giver, granter
واهِم : مُتَوَهِّم — mistaken, wrong; deluded, deceived, misled
واهِن : ضَعِيف — weak, feeble, frail

واوِي : اِبْنُ آوَى (حيوان) — jackal
وَئِيد : مُتَمَهِّل — slow, unhurried
وَباء، وَبَأ — epidemic; pandemic
وَبَال : بَلاء — bad consequences, evil results; harm, evil
وَبَّخَ : أنَّبَ — to scold, upbraid, reprove, rebuke, censure
وَبَر (الجِمال) — hair (of camels)
وَبَر : زَغَب — pile, down, fluff, fuzz
وَبْر (حيوان) — hyrax, daman, dassie
وَبِيل : وَخِيم — unhealthy; bad, evil; harmful, detrimental
وَتَد، وَتِد — peg, pin; wedge, cotter
وَتَّرَ : شَدَّ — to strain, tighten, tauten
وَتَر — string; chord
أوْتارٌ صَوْتِيَّة — vocal cords
وَتْر، وِتْر، وَتْرِيّ، وِتْرِيّ — odd, uneven
وَتِيرَة — manner, mode, fashion; way, method; pattern; style
وَثائِقِيّ — documentary
وِثاق — tie, bond, fetter, chain
وَثَبَ — to jump, leap, spring, bound, bounce; to skip, hop
وَثْب — jump(ing), hop(ping)
وَثْبٌ طَوِيل — long jump, broad jump
وَثْبٌ عالٍ — high jump
وَثْبٌ بِالعَصا — pole vault
وَثْبَة — jump, leap, spring, bound, bounce, skip, hop

وَثُقَ مِن to be sure of, certain of
وَثِقَ بـ to trust, have confidence in; to rely on, depend on
وَثَّق : أَحْكَمَ، مَكَّنَ to strengthen, consolidate, cement, firm up
وَثَّقَ : زَوَّدَ بالوثائق to document
وَثَّقَ : صَدَّقَ على to authenticate, attest (to), certify, legalize
وَثَن : صَنَم idol
وثَني idolater, pagan, heathen; idolatrous, pagan
وَثَنِيَّة idolatry, paganism, heathenism
وَثِير soft, snug, cozy, comfortable
وَثِيق firm, solid, strong; close, intimate; relevant, pertinent
وَثِيقَة (ج وَثَائِق) document, deed
وثِيقَةُ شَحْن bill of lading
وِجَار : جُحْر den, lair, burrow, hole
وِجَارُ الكَلْب kennel, doghouse
وُجَاق stove
وَجَاهَة : جاه، عِزّ distinction, notability, eminence, prestige, honor
وِجَاهِيّ : حُضُورِيّ in presence
وَجَبَ : تَحَتَّمَ to be necessary, obligatory, mandatory, imperative
وَجَبَ (يَجِبُ) عَلَيْهِ أَنْ he has to, he should, he must, he ought to
وَجَبَ القَلْبُ to throb, beat
وَجْبَة : أَكْلَة meal, repast
وَجْبَة : طَقْمُ أَسْنان denture, set of false teeth
وَجَدَ : عَثَرَ على ، لَقِيَ to find; to meet with; to come across
وَجَدَ : اِكْتَشَفَ to find out, discover, detect, spot
وَجَدَ : اِعْتَبَرَ to find, consider, deem
وُجِدَ to be found; to be; to exist; to occur; to be available
يُوجَد : هُناكَ there is, there are
وَجْد : حُبّ passion, love; ecstasy
وِجْدان : شُعُور feeling, emotion
وِجْدان : ضَمِير conscience
وِجْدانِيّ sentimental, emotional
وَجْر : كَهْف cave, cavern, grotto
وَجَع : أَلَم pain, ache; suffering; agony, anguish, torment
وَجَعُ الأَسْنان toothache
وَجَعُ الرَّأْس : صُدَاع headache
وَجَعُ الظَّهْر backache
وَجَفَ : اِضْطَرَبَ to be agitated
وَجَفَ القَلْبُ : خَفَقَ to beat, throb
وَجِلَ : خافَ to be afraid, scared
وَجَل : خَوْف fear, dread
وَجِل : خائِف afraid, scared
وَجَمَ : سَكَتَ، عَبَسَ to be silent; to be sullen, sulky, gloomy
وَجْنَة ، وَجَنَة : خَدّ cheek
وَجَّهَ : أَرْسَلَ to send, dispatch

وَجَّهَ: صَوَّبَ to aim (at), level (at), point (at), direct (to)
وَجَّهَ: وَلَّى، أَدارَ to turn, direct
وَجَّهَ: قادَ، أَرْشَدَ to steer, direct; to channel; to guide, lead
وَجَّهَ (شَطْرَ اتِّجاهٍ ما) to orient
وَجَّهَ: تَحَكَّمَ في to control, direct
وَجَّهَ (سُؤالاً) to address
وَجْه: مُحَيًّا face, visage
وَجْه: واجِهَة front, face, facade
وَجْه: سَطْح، ظاهِر surface, face
وَجْه: ناحِيَة، وُجْهَةُ نَظَر aspect, point; respect, regard, way; standpoint, point of view
وَجْه: جِهَة، جانِب side; direction
وَجْه: مَعْنًى meaning, sense
وَجْه: طَرِيقَة way, manner, mode
وَجْه: سَبَب reason, cause
وُجْهَة: اِتِّجاه direction; way; course
وُجْهَة: مَقْصِد destination
وُجْهَةُ نَظَر point of view, viewpoint, standpoint
وُجُوب: ضَرُورَة، لُزُوم necessity
وُجُود existence, being; entity
وَجِيز: مُخْتَصَر concise, terse, succinct, brief, short, compact
وَجِيه: ذُو وَجاهَة notable, dignitary, VIP; socialite, distinguished
وَجِيه (سَبَب إلخ): مَعْقُول good, valid, sound; worthy

وَحَّدَ to unite, unify; to integrate, join, merge; to standardize
وَحْدانِيّ alone, solitary, lonely
وَحْدَة: اِتِّحاد unity; union
وَحْدَة: اِنْفِراد، عُزْلَة loneliness, solitude, isolation, privacy
وَحْدَة (عَدَدِيَّة): قِطْعَة unit
وَحْدَةٌ حَرارِيَّة: سُعْر calorie
وَحْدَهُ alone, by oneself; solely
وَحْش wild animal, beast; monster
وَحْشِيّ wild, savage; bestial, beastly, brutish; barbarous, barbaric; brutal, cruel, merciless
وَحْشِيَّة savagery, wildness, bestiality; brutality, barbarity, cruelty
وَحَّلَ to muddy; to mud, muddle
وَحِل: مُوحِل muddy, miry, dirty
وَحْل، وَحَل mud, mire
وَحِمَ (سِتِ الحُبْلَى) to crave for, desire, feel appetite for
وَحْي inspiration; revelation
وَحِيد lonely, lonesome, solitary; sole, only, exclusive, peerless
وَحِيدُ القَرْن (حيوان) rhinoceros
وَخَزَ: شَكَّ to prick, sting, twinge; to jab, pierce
وَخَم unhealthy air; dirt, filth
وَخِيم unhealthy; bad, evil; adverse, unfavorable; harmful
وَدَّ: أَحَبَّ to like; to love
وُدّ، وِدّ، وَداد، وِداد: مَوَدَّة cordiality;

وُدّ ...	friendliness, amicability, love
وَدَاع	farewell, leave-taking
الوَدَاع ، وَدَاعاً	farewell! adieu! good-bye! so long!
وَدَع : تَرَك	to leave; to let
وَدَع : أَوْدَع ـ راجع أَوْدَعَ	
دَعْني وشأني	leave me alone!
دَعْنا نَذْهَبْ	let's go!
وَدَّع المُسَافِرَ القَوْمَ	to take leave of, say farewell or good-bye to
وَدَّع القَوْمُ المُسَافِرَ	to see off, bid farewell (to)
وَدَع ، وَدْع (مفردها ودعة)	cowrie
	shell(s), cowrie(s), (sea)shell(s)
وَدُود	affectionate, warmhearted; friendly, nice
وُدِّيّ	friendly, amicable, peaceful; cordial, warm, heartfelt
وَدِيع	meek, mild, gentle
وَدِيعَة	deposit; trust, charge
وَرَّى : أَخْفَى	to hide, conceal
وَرَّى : وارَبَ	to equivocate; to imply; to pun, make puns
الوَرَى	creatures, people
وَرَاءَ	behind, in the rear of, at the back of; beyond, past
إلى الوَرَاء	backward(s), back
وِرَاثَة : إنتِقالُ الصِّفَاتِ الوِرَاثِيَّة	heredity
وِرَاثِيّ	hereditary
وَرَّاق	paper manufacturer; stationer; bookseller
وَرِثَ	to inherit
وَرَّثَ	to bequeath, leave or give by will; to devise
وَرَدَ : جاءَ ، حَضَرَ	to come, arrive
وَرَدَ (في) : ذُكِرَ	to be mentioned, stated, said, reported
وَرَّدَ الشَّجَرُ	to blossom (out), bloom, flower, be in bloom
وَرَّدَ : إسْتَوْرَدَ	to import
وَرَّدَ : صَدَّرَ	to export
وَرْد ، وَرْدَة (نبات)	rose(s)
وَرْدِيّ (اللَّوْنِ)	rosy, rose; pink
وَرْشَة : مَشْغَل	workshop, atelier
وَرَّطَ	to involve, implicate, entangle, embroil
وَرْطَة : مَأْزِق	predicament, plight, dilemma, deadlock, impasse
وَرَع : تَقْوَى	piety, godliness, devoutness, God-fearingness
وَرِع : تَقِيّ	pious, godly, devout, God-fearing, religious
وَرَّقَ الشَّجَرُ ـ راجع أَوْرَقَ	
وَرَّقَ (بِوَرَقِ الجُدْران)	to (wall)paper
وَرَّقَ : طَيَّنَ ، بَيَّضَ	to whitewash
وَرَق (الكِتَابَةِ ، الطِّبَاعَةِ ، التَّغْلِيفِ)	paper
وَرَق (النَّبَاتِ أو الشَّجَرِ)	leaves
وَرَقُ الجُدْران	wallpaper
وَرَقُ الحَمَّام	toilet paper

وَرَقُ اللَّعِبِ أو الشَّدّة	playing cards
وَرَقَة : قِطْعَةُ وَرَق	piece of paper, sheet of paper, paper, slip
وَرَقَة (نَبات)	leaf
وَرَقَة : وَثِيقَة	document, deed, paper
وَرَقَةُ يانَصِيب	lottery ticket
وَرَقِيّ	paper; foliar, leafy; foliate
وِرْك، وَرِك، وَرْك	hip, haunch
وَرَل (حيوان)	monitor, monitor lizard
وَرِمَ : تَوَرَّمَ	to swell, bulge
وَرَم (ج أَوْرام)	tumor, swelling, tumefaction, intumescence
وَرِم ـ راجع مُتَوَرِّم	
وَرْنِيش	varnish, lacquer; polish
وَرْوار (طائر)	bee eater
وَرِيث ـ راجع وارِث	
وَرِيد : عِرْق	vein
وَزّ ـ راجع إِوَزَّة (ج إِوَزّ)	
وِزارَة، وَزارَة	ministry; portfolio
الوِزارَة (كَكُلّ)	cabinet, council of ministers; government
وِزارِيّ	ministerial; cabinet
وَزّال (نبات)	broom, furze, gorse
وَزَّة ـ راجع إِوَزَّة	
وِزْر : عِبْء	burden, heavy load
وِزْر : إِثْم	sin; offense; misdeed
وَزَّعَ : فَرَّقَ، قَسَّمَ	to distribute; to allot, apportion, deal out, divide
وَزَّعَ الرَّسائِلَ البَرِيدِيَّةَ إلخ	to deliver
وَزَغَة : أَبُو بُرَيْص	gecko
وَزَنَ	to weigh
وَزْن : ثِقْل، مِثْقال	weight
وَزْن : أَهَمِّيَّة	weight(iness), importance, significance
وَزْن (شِعْرِيّ) : بَحْر	meter, measure
وَزِير	minister; secretary; vizier
وَزِير (الشِّطْرَنْج) : مَلِكَة	queen
وَساخَة	dirtiness, filthiness, uncleanness; dirt, filth
وِسادَة، وِساد	pillow; cushion; pad
وَساطَة	mediation, intervention, good offices; intercession
وِسام	decoration, medal, order
وَسِخ ـ راجع إِتَّسَخ	
وَسَّخَ : قَذَّرَ	to dirty, soil, sully, stain
وَسَخ : قَذَر	dirt, filth, squalor
وَسِخ	dirty, unclean, filthy, foul
وَسَط : مُنْتَصَف	middle; center, heart
وَسَط : خَصْر	waist, middle
وَسَط : بِيئَة، مُحِيط	milieu, environment, medium
وَسَط : واقِعٌ في الوَسَط	middle, central, intermediate, midmost, medium; midway, halfway
وَسَط : بَيْنَ بَيْن، عادِيّ	medium, middling, mediocre, average, moderate, ordinary
وَسْط ـ راجع وَسَط	

وَسْطَ amid, amidst, among, in the middle or midst of; in between, surrounded by

وُسْطى (إصْبَع) middle finger

وَسَطِيّ medial; average, mean

وَسِعَ، وَسُعَ : اِتَّسَعَ ـ راجع اِتَّسَعَ

وَسِعَ : قَدِرَ، اِسْتَطاعَ can; to be able (to), be capable (of); to afford to

لا يَسَعُنِي إلاّ I cannot but

وَسَّعَ to widen, broaden, enlarge, expand; to make room (for)

وُسْع : قُدْرَة capacity, ability

وَسَقَ : حَمَّلَ، شَحَنَ to load (with)

وَسَمَ to brand; to mark, label; to stamp, impress, (im)print

وَسْواس : قَلَق scruple; overconcern; misgiving, obsession

وَسِيط (بَيْنَ مُتَخاصِمِين) mediator, intermediary, intermediate

وَسِيط : سِمْسار agent, middleman, go-between, broker, intermediary

وَسِيط : مُتَوَسِّط intermediary, intermediate, middle

وَسِيلَة means, medium, instrument; device, implement, tool

وَسائِلُ الإعْلام mass media

وَسِيم : جَمِيل handsome, beautiful, pretty, good-looking, comely

وَشَى بِـ : بَلَّغَ عن to inform against, denounce, report, betray

وَشَّى : طَرَّزَ to embroider, brocade; to embellish, ornament

وِشاح sash; scarf, kerchief, foulard

وَشَق (حيوان) lynx

وَشْك، على وَشْكِ أَنْ about to, on the verge of, on the brink of

وَشْم (ج وُشُوم ووِشام) tattoo

وَشْوَشَ : هَمَسَ إلَيْهِ to whisper in someone's ear, whisper to

وَشِيجَة (ج وَشائِج) close tie; connection; (inter)relationship

وَشِيعَة : بَكَرَة reel, spool, bobbin

وَشِيك imminent, impending

وَصَّى ـ راجع أَوْصَى

وِصايَة : وِلايَة guardianship, custody, care, tutelage; trusteeship

وَصَع : طائِرٌ صَغِير kinglet; wren

وَصَفَ : صَوَّرَ، نَعَتَ to describe

وَصَفَ (الطَّبِيبُ) عِلاجاً to prescribe

وَصْف : تَصْوِير، نَعْت description

وَصْف : صِفَة ـ راجع صِفَة

بِوَصْفِهِ كَذَا in his capacity as, as

وَصْفَة (طِبِّيَّة) prescription

وَصْفَة (لِتَحْضِيرِ طَعامٍ إلخ) recipe

وَصْفِي descriptive

وَصَلَ (إلى) : بَلَغَ to reach, arrive at, get to, come to, go as far as

وَصَلَ (المِقْدارُ) إلى كَذَا to reach, amount to, make, total

وَصَلَ : جاءَ to come, arrive

وَصَلَ : رَبَطَ to connect, link, join, attach, couple

وَصَّلَ : رَبَطَ ـ راجع وَصَلَ

وَصَّلَ : أوصَلَ ـ راجع أَوْصَلَ

وَصْل : إيْصال receipt; voucher

وُصْلَة joint; link, tie; connection; union, coupling

وَصَمَ : شانَ to disgrace, dishonor, discredit; to stigmatize

وَصْمَة disgrace, dishonor, discredit; stigma, stain

وُصُولِيّ opportunist; self-seeker; self-seeking, self-interested

وَصِيّ : قَيِّم، وَلِيّ guardian, curator, custodian; trustee

وَصِيّ : مُنَفِّذُ الوَصِيَّة executor

وَصِيٌّ على العَرْش regent

وَصِيَّة (يَتْرُكُها المُوْصِي) will, testament; bequest, legacy; devise

وَصِيَّة : نَصِيحَة recommendation, advice

وَصِيَّة : أَمْر (أَخْلاقِيّ) precept, commandment, instruction

وَصِيفَة maid of honor, lady-in-waiting, lady's maid

وَصِيفَة (في مُباراةِ جَمال) runner-up

وَضَّبَ to arrange, prepare; to pack, package; to case, encase

وَضَحَ ـ راجع اِتَّضَحَ

وَضَّحَ ـ راجع أَوْضَحَ

وَضَعَ : حَطَّ to put, place, lay (down), deposit; to station

وَضَعَ : أَلَّفَ، أَعَدَّ to write, compile; to make, produce; to create

وَضَعَتِ الحامِلُ to give birth (to)

وَضْع : وِلادَة، مَخاض parturition, delivery, (child)birth

وَضْع : حالَة situation, status, condition(s); position

وَضْعِيّ positive; positivist(ic)

وَضْعِيَّة : حالَة ـ راجع وَضْع

وُضُوء : تَوَضُّؤ (performance of the ritual) ablution

وُضُوح clearness, clarity, lucidity, plainness, distinctness

وَضِيع : حَقِير lowly, humble, menial, mean, base, low, ignoble

وَطَأَ ـ راجع وَطِئَ

وَطِئَ : داسَ to tread on, step on, walk on; to set foot on

وَطَّأَ : مَهَّدَ to pave; to level (off), flat(ten); to smooth(en); to make

وَطَّأَ : خَفَضَ to lower, bring down

وَطْأَة : شِدَّة pressure; stress; burden; intensity, severity

وَطَّدَ : رَسَّخَ to establish, settle; to strengthen, consolidate, brace

وَطَر : بُغْيَة wish, desire; aim

وَطَّنَ : جَعَلَهُ يَسْتَوْطِن to settle (in)

وَطَن homeland, fatherland, (home) country, native country

وَطَنِيّ : قَوْمِيّ national; native

وَطَنِيّ : مُحِبٌّ لِوَطَنِه nationalist, patriot; nationalist(ic), patriotic

وَطَنِيَّة : حُبُّ الوَطَن patriotism
وَطَنِيَّة : قَومِيَّة nationalism
وَطْواط : خُفَّاش bat
وَطِيء : مُنْخفِض low
وَطِيد : راسِخ firm, stable, steady, solid, strong, unshakable
وَظَّفَ (شَخصاً) to employ, hire, take on, recruit; to appoint, assign
وَظَّفَ (مالاً) : اِسْتَثْمَر to invest
وَظِيفَة : عَمَل job, office, post, position; work; employment
وَظِيفَة : مُهِمَّة function
وَظِيفَة : فَرْض (مَدْرسِيّ) (school) assignment, homework
وَظِيفِيّ functional
وَعَى : حَوَى to contain, hold
وَعَى : أَدْرَكَ to be conscious of, aware of; to grasp, understand
وَعَى : تَذَكَّرَ to remember
وَعَّى to enlighten; to make conscious (of), make aware (of); to warn, caution
وِعَاء vessel, container, receptacle
وِعاءٌ دَمَوِيّ blood vessel
وَعَدَ : تَعَهَّدَ to promise, pledge
وَعْد : عَهْد promise, word, pledge
وَعْر ، وَعِر rugged, rough, uneven, bumpy; hard, difficult
وَعَظَ to preach (to); to sermonize; to exhort, admonish

وَعْكَة (صِحِّيَّة) indisposition, illness
وَعْل (حيوان) ibex
وَعْي consciousness; awareness; knowledge, grasp, perception, understanding; attention
لاوَعْي ، اللاَّوَعْي the unconscious; unconsciousness
وَعيد : تَهْدِيد threat, menace
وَغًى : حَرْب war, battle, fight(ing)
وَغْد : نَذْل scoundrel, rascal, rogue, villain; mean, vile
وَفَى (بِـ) : حَفِظَ ، نَفَّذَ to fulfill, keep, honor, carry out, perform, meet, live up to
وَفَى (دَيْناً) : سَدَّدَ to pay, settle, clear
وَفَى (بِالمُتَطَلَّباتِ) to satisfy, fulfill, meet, answer, suffice
وَفَّى فُلاناً حَقَّهُ to give someone his due in full
وَفَّى المَوْضُوعَ حَقَّهُ to treat exhaustively, speak fully about
وَفَاء : أَمانَة ، إخْلاص faithfulness, fidelity, loyalty, devotion
وَفَاة : مَوْت death; decease, demise
وِفَاق : وِئَام concord, harmony, accord, agreement; détente
وَفَدَ على أو إلى to come to, arrive at, get to, reach; to visit
وَفْد : مُوفَدُون delegation
وَفُر ، وَفْر ـ راجع تَوافَر
وَفَّرَ : اِقْتَصَدَ ، اِدَّخَر to save

وَفَّرَ عَلَيْهِ كَذَا to save, spare
وَفَّرَ: زَوَّدَ، حَقَّقَ to furnish, provide, supply; to secure, ensure
وَفْر saving; surplus, excess
وَفْرَة abundance, plenty, ampleness, profusion; wealth, affluence
وَفَّقَ (بَيْنَ القَوْم) to reconcile, conciliate, make peace between
وَفَّقَ (بَيْنَ الشَّيْئَيْن) to harmonize, reconcile, accord, tune; to adapt, adjust, conform
وَفَّقَ اللّهُ فُلاناً to grant success (to), make prosper, help
وَفْقَ، وَفْقاً لِـ in accordance with, according to, in conformity with, pursuant to
وَفِيّ: أمين، مُخْلِص faithful, loyal, devoted, true, constant
وَفِير ـ راجع وافِر
وَقَى، وَقَّى: حَفِظَ to preserve, protect, (safe)guard, shelter
وِقاء: سِتْر shelter; shield
وِقاء: غِطاء cover(ing), housing
وَقائِع: أحْداث events, incidents, happenings, developments; facts
وَقائِع (الاجْتِماع) minutes, proceedings, record
وِقائِيّ precautionary, preventive, protective, safety; prophylactic
وَقاحَة impudence, insolence, shamelessness, impertinence

وَقار gravity, sedateness, solemnity, sobriety; dignity
وِقايَة protection, preservation, (safe)guarding, safekeeping; precaution; prevention; prophylaxis
وَقَّتَ، وَقَتَ to time; to schedule
وَقْت time; period (of time)
في الوَقْتِ الحاضِر: الآن now, at present, currently, today
في هٰذا الوَقْت: في هٰذِهِ الأثْناء meanwhile, in the meantime
مِنْ وَقْتٍ إلى آخر from time to time, now and then, once in a while, at times, sometimes
وَقْتَئِذٍ، وَقْتَذاكَ then, at that time
وَقِح impudent, shameless, insolent, impertinent, brazen
وَقَّرَ: اِحْتَرَمَ to revere, venerate, respect, honor
وَقَعَ: سَقَطَ to fall (down), drop, tumble, sink
وَقَعَ: حَدَثَ، جَرَى to happen, take place, occur
وَقَعَ (في مَكانٍ أو مِنْطَقَةٍ ما) to lie, be located, be situated
وَقَعَ في: تَأَلَّفَ مِنْ to consist of, be made up of; to comprise
وَقَعَتِ الحَرْبُ to break out, flare up, erupt
وَقَعَ في حُبّ.. to fall in love with..
وَقَّعَ: أمْضَى to sign, subscribe
وَقْع: تَأثِير، مَفْعُول impact; impres-

sion, impress, effect

وَقْعَة : سَقْطَة fall, drop, tumble

وَقْعَة : إِشْتِباك encounter, fight(ing), battle, combat

وَقْعَة : وَجْبَةُ طَعام meal, repast

وَقَفَ : تَوَقَّفَ، اِنْتَهى to stop

وَقَفَ : اِنْتَصَبَ، قامَ to stand; to stand up, rise, get up

وَقَفَ على : اِطَّلَعَ على to know (of); to be aware of, acquainted with

وَقَفَ مالَهُ te endow

وَقَّفَ ـ راجع أَوْقَفَ

وَقْف : تَوَقُّف stopping, stop(page)

وَقْف : مِلْكٌ مَوْقُوف endowment, mortmain

وَقْفُ إِطْلاقِ النَّار cease-fire

وَقْفَة : تَوَقُّف stop, halt; pause

وَقْواق (طائر) cuckoo

وَقُود : أَحَدُ مَصادِرِ الطَّاقَة fuel

وَقُور : ذُو وَقار grave, sedate, staid, solemn, sober; dignified

وُقُوف : قِيام standing; standing up, rising, getting up

وُقُوف : تَوَقُّف stopping, stop(page)

وُقُوف (على) : اِطِّلاع knowledge, cognizance, acquaintance

وُقِيَّة : وَحْدَةُ وَزْن oke, oka; ounce

وَكالَة (قانُونِيَّة) power of attorney, proxy; attorneyship

وَكالَة : مُؤَسَّسَة (تِجارِيَّة إلخ) agency

وَكالَةُ مُخابَرات ـ راجع مُخابَرَة

وَكالَةُ إِعْلانات advertising agency

وَكالَةُ أَنْباء news agency

وَكالَةُ سَفَر travel agency

بِالوَكالَة acting (president, etc.); deputy; by proxy; proxy

وِكالَة ـ راجع وَكالَة

وَكَّدَ ـ راجع أَكَّدَ

وَكْر : عُشُّ الطَّائِر nest

وَكْرُ اللُّصُوص den of thieves

وَكَزَ to thrust, poke; to nudge

وَكَلَ (إِلَيْهِ الأَمْرَ) to entrust (to), commit (to); to entrust (with)

وَكَّلَ (فُلاناً بِـ) to authorize, empower, deputize; to commission (to do or with), entrust (with)

وَكِيل agent, representative, deputy; proxy; attorney; dealer

وَكِيلُ سَفَر travel agent

وَكِيلُ نِيابَة prosecutor, district attorney

وَكِيلُ وِزارَة under secretary (of state)

وَلى ـ راجع وَلِيَ

وَلَّى (هُ مَنْصِباً) to inaugurate, appoint (to an office)

وَلَّى : جَعَلَهُ والِياً to appoint as ruler or governor

وَلَّى (وَجْهَهُ) : وَجَّهَ، أَدارَ to turn, direct (the face)

وَلّى (عن) : أَعْرَضَ عن — to turn away from, avoid, shun

وَلّى : إنْقَضى ، مَضى — to pass, go by, elapse; to be past, over

وَلّى هارِباً ، وَلّى الأَدْبارَ — to run away, flee, escape

وَلاء : طاعَة — allegiance, loyalty, fidelity, fealty, devotion

وِلادَة — birth, childbirth, delivery

وَلّاعَة : قَدّاحَة — lighter

وِلايَة : وِصايَة — guardianship, wardship, custodianship, custody

وِلايَة : حُكْم ، عَهْد — rule, reign, regime; tenure; term (of office)

وِلايَة : بَلَد ، مُقاطَعَة — state; province, district, territory

الوِلاياتُ المُتَّحِدَة — the United States

وَلَجَ : دَخَلَ — to enter (into)

وَلَّجَ (ـهُ أو إلَيْهِ الأَمْرَ) — to entrust (with), charge (with)

وَلَدَ (ـتِ الحامِلُ) — to give birth (to)

وَلَّدَ الحامِلَ — to deliver (of)

وَلَّدَ : أَحْدَثَ ، سَبَّبَ — to generate, engender, produce, create, give birth to, give rise to, cause

وُلِدَ — to be born; to come into being, come into existence, originate

وَلَد ، وِلْد — child, kid; baby; descendant; son; boy

وَلَع ـ راجع وُلُوع

وَلَّفَ — to blend, mix, mingle, combine; to synthesize

وِلْف : رَفِيق — companion, friend

وَلْهان — distracted; madly in love; infatuated, fascinated

وَلَوْ ، وَلَوْ أَنَّ ـ راجع لَوْ

وُلُوع — love, passion; fondness, liking, fancy; interest

وَلْوَلَ : أَعْوَلَ — to howl, ulualate, wail, lament, cry

وَلِيَ : تَبِعَ ، تَلا — to follow

وَلِيَ على : أَدارَ — to manage, run, direct, rule

ما يَلِي — the following

كَما يَلِي — as follows; like this

وَلِيّ : وَصِيّ ، قَيِّم — guardian, curator, caretaker, custodian

وَلِيّ : نَصِير — patron, sponsor, supporter, protector, defender

وَلِيّ ، وَلِيُّ الأَمْر — master, lord; ruler, chief, head, leader

وَلِيُّ العَهْد — heir apparent, crown prince

وَلِيد — newborn, newborn child, infant, baby; boy, son

وَلِيدُ كَذا — product of, fruit of, outcome of, result of

وَلِيف ـ راجع وِلْف

وَلِيمَة : مَأْدُبَة — banquet

وَمَضَ ـ راجع أَوْمَضَ

وَمْض ، وَمِيض — flash, gleam, glimmer, flicker, blink

وَنى ، وَنِيَ : ضَعُفَ — to flag, languish, be(come) weak

وِنْش : رافِعَة winch, windlass; crane, hoist, derrick; gin

وَهَّاج glowing; radiant, brilliant, bright; glittering, sparkling

وَهَبَ : مَنَحَ to donate (to), grant (to), give (to), award (to), bestow upon, confer upon; to endow with

وَهَج، وَهْج ـ راجع وَهِيج

وَهْم (ج أَوْهام) illusion, delusion; false impression; fancy

وَهْمِيّ illusory, delusive; imaginary, unreal, fanciful; imagined, fancied; false

وَهَنَ، وَهُنَ، وَهِنَ : ضَعُفَ to be(come) weak, feeble; to weaken, fail

وَهَّنَ، وَهَّنَ : أَضْعَفَ ـ راجع أَوْهَنَ

وَهْن، وَهَن : ضَعْف weakness, feebleness, frailty, debility

وَهِيج : وَهَج glow; glare (of the sun); blaze, flame

وَيْل woe, grief; destruction, ruin; doom; perdition

وَيْلَة : مُصِيبَة calamity, disaster, catastrophe; woe, ordeal

ي

يا O, oh
يا لَهُ مِنْ رَجُلٍ (oh,) what a man!
يائِس desperate, hopeless
يابِس dry, dried (up), arid; stiff, rigid, hard, solid
يابِسَة land, mainland, earth
يارْدَة، يارْد : وَحْدَةٌ لِقِياسِ الطُّول yard
يَئِسَ (مِنْ) to despair (of), lose hope (of), give up hope (of), be(come) desperate or hopeless
يَأْس despair, hopelessness
ياسَمِين (نبات) jasmine
يافِطة : لافِتَة sign; signboard; billboard; placard, poster, bill
يافِع : شابّ adolescent; teenager, youth, young man
ياقَة : قَبَّة collar
ياقُوت : حَجَرٌ كَرِيم corundum
ياقُوتٌ أَحْمَر ruby
ياك (حيوان) yak
يانْسُون (نبات) anise, aniseed
يانَصِيب lottery
يانِع : ناضِج ripe, mellow
يَبِسَ to dry, become dry; to dry up, wither; to stiffen, harden
يَبَّسَ : جَعَلَهُ يابِساً to dry, dry up, dry out, make dry; to stiffen, harden
يُبْس، يُبُوسَة dryness, aridity; stiffness, rigidity
يَتَمَ، يَتُمَ، يَتِمَ - راجع تَيَتَّمَ
يَتِيم orphan, parentless
يَجِبُ - راجع وَجَبَ
يَخْت : سَفِينَةٌ لِلتَّنَزُّهِ والرِّياضَةِ yacht
يَخْضُور : كلُورُوفِيل chlorophyll
يَخْنَة ragout, stew
يَد : كَفّ، ذِراع hand; arm
يَد : مِقْبَض handle, handgrip
يَد : دَوْر، ضِلْع hand, part, role
على يَد، عن يَد by, through, by means of; on the part of, from
يَدَعُ : مُضارِعُ وَدَعَ - راجع وَدَعَ
يَدَوِيّ manual, hand; handmade
يَراع، يَراعَة : قَلَم، رِيشَة pen, quill

يرَقان (مرض) jaundice, yellows
يرقانة ، يرقة larva; caterpillar
يَسار : ضِدّ يَمين left, left side
يَسار : اليَدُ اليُسْرى left hand, left
اليَسار [سياسة] Left, left wing
يَساريّ [سياسة] leftist, left-wing; Left; left-winger
يَسَّرَ : سَهَّلَ to facilitate, ease, make easy; make possible
يَسَّرَ : بَسَّطَ to simplify, make simple
يُسْر : سُهُولَة ease, easiness, facility
يُسْر : غِنًى wealth, affluence
يُسْرى ، يَسْرة ـ راجع يَسار
يَسْرُوع : يرقانة caterpillar; larva
يَسَعُ : مُضارِعُ وَسِعَ ـ راجع وَسِعَ
يَسُوع : المَسيح Jesus, (Jesus) Christ
يَسُوعِيّ Jesuit; Jesuitic(al)
يَسِير : هَيِّن easy, facile; simple
يَسِير : قَليل small, little, slight
يَشْب : حَجَرٌ كَريم jasper
يَشْم : حَجَرٌ كَريم jade
يَعْسُوب : ذَكَرُ النَّحْل drone, male bee
يَغْوَر (حيوان) jaguar
يَقْطِين (نبات) squash, calabash, gourd; pumpkin
يَقِظَ (مِنْ نَوْمِهِ) ـ راجع إسْتَيْقَظَ
يَقُظَ ـ راجع أَيْقَظَ
يَقِظ : مُنْتَبِه ، واعٍ watchful, vigilant, wide-awake, alert; cautious, careful; attentive
يَقِظ : صاحٍ awake, wakeful, up
يَقْظان ـ راجع يَقِظ
يَقْظَة : صَحْو wakefulness, waking
يَقْظَة : إنْتِباه ، حَذَر watchfulness, vigilance, alertness; caution, cautiousness; attention
يَقِين certainty, certitude, assurance, conviction, sureness
على يَقِين certain, sure, positive, convinced, confident
يَقِينِيّ positive, certain, sure, definite, absolute, undoubted
يَلِي : مُضارِعُ وَلِيَ ووَلَى ـ راجع وَلِيَ
يَمّ : بَحْر sea
يَمامَة (طائر) (stock) dove, pigeon
يَمانِيّ : يَمَنِيّ Yemeni; Yemenite
يُمْكِنُ ـ راجع أَمْكَنَ
يَمَّمَ : تَوَجَّهَ إلى to go to, head for
اليَمَن ، بِلادُ اليَمَن Yemen
يُمْن : بَرَكَة good fortune, good luck, prosperity; happiness
يُمْنى ، يَمْنَة ـ راجع يَمِين
يَمَنِيّ : يَمانِيّ Yemeni; Yemenite
يَمِين : قَسَم oath
يَمِين : ضِدّ يَسار right, right side
يَمِين : اليَدُ اليُمْنى right hand, right
اليَمِين [سياسة] Right, right wing; rightism

يَمِينِيّ [سياسة] rightist, right-wing; Right; right-winger

يِنّ : عُمْلَةٌ يابانِيَّة yen

يَنايِر : كانُون الثّاني January

يَنْبَغِي - راجع إنْبَغى

يَنْبُوع : نَبع ، عَيْنُ ماء spring, source, fountain(head), wellhead

يَنْبُوع : جَدْوَل stream, brook

يَهُودِيّ Jew; Jewish, Judaic(al)

اليَهُودِيَّة Judaism

يُوبِيل jubilee, anniversary

يُود iodine

يُورانِيُوم uranium

يُوسُف أَفَنْدِيّ ، يُوسُفِيّ (نبات) tangerine(s), manderin (s)

يُوغا (فَلْسَفَة ، رِياضَة إلخ) yoga

يُولْيَه ، يُولْيُو : تَمُّوز July

يَوْم : ٢٤ ساعَة (أو نَهار) day

اليَوْمَ today

يَوْماً ما someday, sometime, one of these days

يَوْمُ القِيامَة Day of Resurrection, Judgment Day

في أيّامِنا هَذِهِ ، (في) هَذِهِ الأَيّام nowadays, these days, today, now, at present, currently

يَوْمِيّ daily; diurnal; everyday

يَوْمِيًّا daily, every day, day by day, per day

يَوْمِيّات diary, journal; daily events; daily news

يَوْمِيَّة : أَجْرٌ يَوْمِيّ daily wages; per diem, daily allowance

يَوْمِيَّة : جَرِيدَةٌ يَوْمِيَّة daily, daily newspaper, journal

دَفْتَرُ اليَوْمِيَّة daybook, journal

يُونْيَه ، يُونْيُو : حَزِيران June

يُويُو (لعبة) yo-yo

أُسْرَة مَعَاجم

المورد

قامُوس عَرَبي - إنكِليزي

المورد

أحدث وأوسع قاموس عربي - إنكليزي صدر حتى الآن. طبعة جديدة ملونة في ١٢٥٦ صفحة.

المورد الوسيط

قاموس عربي - إنكليزي للطلاب الثانويين.

المورد الميسَّر

قاموس عربي - إنكليزي مبسَّط.

المورد القريب

قاموس جيب عربي - إنكليزي.

المورد الصغير

قاموس جيب عربي - إنكليزي للمبتدئين.

المورد

قاموس إنكليزي - عربي

المورد

أحدث قاموس إنكليزي - عربي، في ١٣٢٨ صفحة. متوفر بطبعتين: إحداهما مع لوحة بلاستيكية تمثل جسم الانسان، والأخرى بدون لوحة.

المورد الوسيط

قاموس إنكليزي - عربي للطلاب الثانويين.

المورد الميسَّر

قاموس إنكليزي - عربي مبسَّط.

المورد القريب

قاموس جيب إنكليزي - عربي.

المورد الصغير

قاموس جيب إنكليزي - عربي للمبتدئين.